de Bibliot

DE KILLING 3

David Hewson bij Boekerij:

De Killing
De Killing 2
De Killing 3

www.boekerij.nl

David Hewson

DE KILLING 3

ISBN 978-90-225-6815-6
ISBN 978-94-6023-975-5 (e-boek)
NUR 330

Oorspronkelijke titel: *The Killing III*
Vertaling: Herman van der Ploeg
Omslagontwerp: DPS design & prepress services, Amsterdam
Omslagbeeld: Plainpicture/Matton, foto Sofie Gabol: DR/Tine Harden
Zetwerk: Mat-Zet bv, Soest

Hoofdpersonen

DE POLITIE VAN KOPENHAGEN
Sarah Lund – vicekriminalkommissær, Moordzaken
Lennart Brix – hoofd Moordzaken
Mathias Borch – rechercheur bij de Politiets Efterretningstjeneste (PET),
de interne nationale veiligheids- en inlichtingendienst, een afgescheiden
onderdeel van de politie
Ruth Hedeby – commissaris
Tage Steiner – inspecteur bij Interne Zaken
Asbjørn Juncker – rechercheur, Moordzaken
Madsen – rechercheur, Moordzaken
Dyhring – hoofd van de PET

DE POLITIEK
Troels Hartmann – premier, leider van de Liberale Partij
Rosa Lebech – leider van de Partij van het Centrum
Anders Ussing – leider van de Socialistische Partij
Morten Weber – politiek adviseur van Hartmann
Karen Nebel – hoofd Mediarelaties van Hartmann
Birgit Eggert – minister van Financiën
Mogens Rank – minister van Justitie
Kristoffer Seifert – voormalig medewerker van de Socialistische Partij
Per Monrad – campagnemanager van Ussing

ZEELAND
Robert Zeuthen – erfgenaam van multinational Zeeland
Maja Zeuthen – Roberts van hem vervreemde echtgenote
Niels Reinhardt – persoonlijke medewerker van Robert Zeuthen
Emilie Zeuthen – dochter van het echtpaar Zeuthen, negen jaar oud
Carl Zeuthen – zoon van het echtpaar Zeuthen, zes jaar oud
Kornerup – CEO van Zeeland

ANDEREN

Vibeke – moeder van Lund
Mark – zoon van Lund
Eva Lauersen – vriendin van Mark
Carsten Lassen – arts van het academisch ziekenhuis
Peter Schultz – hulpaanklager
Lis Vissenbjerg – patholoog van het academisch ziekenhuis
Nicolaj Overgaard – voormalig politieman in Jutland
Louise Hjelby – meisje uit Jutland

I

Woensdag 9 november

Ze gaven haar altijd de jonkies. Deze keer heette hij Asbjørn Juncker, drieëntwintig jaar oud, pas sinds kort als rechercheur aangesteld. Op een vervallen autokerkhof aan de rand van het haventerrein speurde hij opgewekt tussen het schroot van oude wrakken.

'Er ligt hier een arm!' riep hij terwijl hij om het roestende karkas van een aftandse Volkswagen-Kever heen liep. 'Een arm!'

Madsen stuurde een team om de omgeving uit te kammen. Hij keek Lund aan en zuchtte. Asbjørn was die ochtend vanuit de provincie op de Politigården gearriveerd en toegewezen aan Moordzaken. Nog geen kwartier later, terwijl Lund met een half oor naar het nieuws luisterde – de financiële crisis, de aanstaande algemene verkiezingen – belde iemand van de sloop met de mededeling dat ze een lijk hadden gevonden. Of preciezer gezegd, delen ervan, verspreid tussen het schroot. Waarschijnlijk een zwerver uit de sloppen in de buurt van het verlaten haventerrein. Iemand was over het hek geklauterd om iets te stelen, was in slaap gevallen was in een auto en was ter plekke gedood toen het wrak door een van de reusachtige kranen was gegrepen.

'Vreemde plaats voor een dutje,' zei Madsen. 'De grijper heeft hem doormidden gereten. Daarna is hij in nog meer stukken gehakt. De kraanmachinist stikte bijna in zijn koffie toen hij het merkte.'

De herfst in Kopenhagen was bijna voorbij en maakte langzaam plaats voor de winter. Grijze lucht. Grijs land. Grijs water voor hen, met een grijs schip dat een paar honderd meter uit de kust lag.

Lund had een bloedhekel aan deze plek. Tijdens de Birk Larsen-moordzaak had ze hier gezocht naar een pakhuis dat eigendom was van de vader van het vermiste meisje. Theis Birk Larsen was weer vrij, nu hij zijn straf had uitgezeten voor het doden van de man die hij had aangezien voor de moordenaar van zijn dochter. Lund had begrepen dat hij weer als verhuizer werkte. Jan Meyer, haar partner die tijdens dat onderzoek werd neergeschoten, was nog steeds invalide en werkte bij een instantie voor gehandicapten. Ze had hem en de familie Birk Larsen ontlopen, hoewel die zaak nog steeds door haar hoofd spookte.

Ze keek over het grauwe water naar het schip dat op zijn laatste rustplaats voor anker lag. Soms hoorde ze nog het gemompel van spoken. Zoals nu.

'Je gaat toch niet echt bij de OPA werken?' vroeg Madsen.

Op de Politigården werd veel geroddeld. Ze had kunnen weten dat het bekend zou worden.

'Ik krijg vandaag een medaille vanwege mijn vijfentwintigjarig dienstverband. Je kunt niet eeuwig in de vrieskou naar ledematen van dode mensen blijven staren.'

'Brix wil je niet kwijt. Je bent soms lastig en dwars, maar niemand wil je zien vertrekken. Lund...'

'Wat?' krijste Juncker terwijl hij zich moeizaam tussen de autowrakken door wurmde. 'Ga je de godganse dag paperclips zitten tellen?'

De OPA – Operaties, Planning en Analyse – deed nog wel wat meer dan dat, maar ze had niet de behoefte om hem dat te vertellen. Juncker had iets wat haar aan Meyer deed denken. Dat aanmatigende. De afstaande oren. En ook een vreemde, kwetsbare onschuld.

'Ze hebben me een goede begeleider beloofd...' begon de jonge politieman.

'Hou je mond, Asbjørn,' zei Madsen. 'Die heb je al.'

'En ik zou graag Juncker genoemd willen worden. Niet Asbjørn. Iedereen wordt hier met zijn achternaam aangesproken.'

Ze hadden nu zes stukken van het lijk van een halfnaakte man van middelbare leeftijd gevonden. Juncker had het zevende deel ontdekt.

Naast de Kever stond een oude kruiwagen. Ze vroeg de beheerder van de sloop om de prijs ervan. Hij leek een beetje verbaasd, maar kwam snel genoeg met een bedrag. Lund gaf hem een paar bankbiljetten en zei tegen Juncker dat hij hem in de kofferbak van haar auto moest zetten.

Hij zette zijn handen in zijn zij.

'Gaat er nog iemand naar die arm van mij kijken of niet?'

Tegendraadse jongemannen. Ze begon eraan gewend te raken. Mark zou die avond met zijn vriendin bij haar komen eten. Het eerste bezoek in haar nieuwe huis, een keurig, houten optrekje aan de rand van de stad. Ze vroeg zich af of hij zou komen of dat hij weer een andere smoes zou bedenken.

Juncker knikte naar de fotograaf die foto's nam van de plek waar hij had gestaan en stak toen een vinger op, als een schooljongen die een lijstje aftelde.

'Geen identiteitsbewijs. Maar hij heeft een gouden ring en een paar tatoeages. En de huid is gerimpeld, alsof hij in het water heeft gelegen.' Hij wees naar het vlakke, roerloze water van de haven. 'Daar.'

Lund keek naar de beheerder van de sloop en toen naar het verlaten gebied achter de nabijgelegen muur.

8

'Dat was vroeger een groothandel,' zei ze. 'Wat is het nu?'

Hij had een droevig, intelligent gezicht. Niet wat ze in een oord als dit zou verwachten.

'Het was een van de hoofdterminals van Zeeland. De groothandels waren slechts een extraatje voor de havenarbeiders.' Hij haalde zijn schouders op. 'Daar zijn er niet veel meer van. En er komen nog maar een paar containers binnen. Toen het slecht begon te gaan is bijna alles gesloten. Bijna duizend man in één klap ontslagen. Ik werkte als opzichter bij het laden van de vracht. Al vanaf het moment dat ik van school kwam…'

Hij sprak er niet graag over. Daarom sleepte hij de kruiwagen naar de auto van Lund, opende de achterklep en zette hem naast een paar rozenstruiken in potten.

'Hij heeft in het water gelegen. Hij heeft tatoeages,' herhaalde Juncker. 'Op zijn arm zitten kerven die met een mes lijken aangebracht.'

De naastgelegen sloppenwijk bestond uit een uitgestrekt rommeltje van golfijzer, roestige vrachtwagens en caravans op het parkeerterrein van de oude werf. Dat was hier nog niet toen ze achter de moordenaar van Nanna Birk Larsen aan zat.

'Het was een zwerver die hier iets wilde stelen,' onderbrak Madsen hem. 'Wij nemen de foto's. Jij mag proberen het rapport te schrijven, als je wilt. Ik zal het voor je nakijken.'

Dat vond Juncker echt niet leuk.

'Er komen moeilijkheden van als we hier niet goed ons best doen,' zei hij.

'Hoezo?' vroeg Lund.

'Politici op komst.' Hij knikte naar de beheerder die Lunds planten nauwkeurig bekeek, kennelijk niet onder de indruk. 'Dat heeft hij me verteld. Een fotomoment met al die daklozen.'

'Zwervers stemmen niet,' mopperde Madsen.

'En ze dragen ook geen gouden ringen,' bracht Juncker naar voren. 'Hebben jullie gehoord wat ik zei? De hoge pieten gaan praten met de mensen die op het haventerrein zijn achtergebleven. Troels Hartmann schijnt te komen. Over een uur.'

Kwelgeesten.

Er was hier net een nieuwe bij gekomen. Hartmann was verdachte geweest in de zaak-Birk Larsen. Zijn ambitie en arrogantie hadden zijn carrière bijna verwoest. De mooie jongen, noemde Meyer hem. De knappe Kopenhaagse politicus aan wie geen narigheid bleef kleven. Zodra hij van blaam was gezuiverd wist hij na een onwaarschijnlijke overwinning burgemeester van de stad te worden. Tweeënhalf jaar geleden, na een venijnige campagne over de instortende economie, won hij de algemene verkiezingen en werd hij namens de Liberalen premier van een nieuwe coalitie.

'Hartmann was betrokken bij die grote zaak van jou,' voegde Juncker eraan toe. 'Dat weet ik nog.'

Het leek allemaal zo kort geleden.

'Was jij toen hier?' vroeg ze zonder nadenken.

Asbjørn Juncker lachte hardop.

'Hier? Dat was heel lang geleden. Ik heb erover gelezen toen ik nog op school zat. Waarom denk je dat ik bij de politie wilde? Het klonk…'

'Zes jaar,' zei Madsen. 'Meer niet.'

Lange jaren, dacht Lund. Ze werd binnenkort vijfenveertig. Ze had een eigen stekje. Een saai, eenvoudig, afgezonderd leven. De relatie met haar zoon moest opnieuw opgebouwd worden. Op bittere herinneringen uit het verleden zat ze niet te wachten. Evenmin op nieuwe nachtmerries voor de toekomst.

Ze zei tegen Madsen dat hij moest blijven zoeken en dat hij ervoor moest zorgen dat er niets onwelgevalligs zou uitlekken naar de media of het naderende politieke circus. Daarna reed ze terug naar de Politigården. Een laurierboompje stond schommelend op de vloer voor de passagiersstoel. Ze trok haar uniform aan, blauwe rok, blauw jasje, en bekeek de anderen die een medaille in ontvangst kwamen nemen voor hun trouwe dienst. Ze leken zo veel ouder dan zij zich voelde.

Brix dook op en begon te zeuren over de baan bij de OPA.

'Ik heb je hier nodig,' zei hij. De lange chef Moordzaken met zijn harde, verweerde gezicht nam haar van top tot teen op. 'Die kleren passen niet bij jou.'

'Hoe ik me kleed is mijn zaak. Geef je me een goede aanbeveling?' Daar zat ze over in. 'Ik weet dat ze bepaalde dingen uit het verleden niet zullen waarderen. Daar kun je kort over zijn.'

'Mensen gaan naar de OPA als een soort prepensioen. Ze geven het op. Jij hebt nooit…'

'Ja, dat weet ik.'

Hij mompelde iets wat ze niet verstond. Toen: 'Je das zit scheef.'

Lund frunnikte eraan. Brix zag er onberispelijk uit in zijn beste pak, fris gestreken overhemd, alles volmaakt. Hoe langer hij naar de das staarde, hoe erger het werd.

'Kom hier,' zei hij terwijl hij haar eindelijk hielp. 'Ik zal met hen praten. Je maakt een fout. Besef je dat?'

Het onheilspellende, roodbakstenen kasteel Drekar was ooit een klein jachtverblijf van de lagere adel geweest. Later kocht de grootvader van Robert Zeuthen het huis, breidde het uit en noemde zijn creatie naar de met drakenkoppen uitgeruste Vikingschepen. Hij was vast van plan een dynastie op te bouwen en was dol op zijn fort in het woud. De overdreven kantelen, de uitgestrekte, goed onderhouden landerijen die uitkwamen bij woeste bossen en de zee. En de rijk gedecoreerde, grote gargouille die hij aan de zeezijde had gebouwd, een triomferende fantasiedraak, symbool van het bedrijf dat hij had opgericht.

De oceaan was nooit ver uit de gedachten van de man die Zeeland had opgebouwd. Zeuthen, begonnen in de eerste jaren na 1900, had een klein familiebedrijf getransformeerd tot een multinational met een vloot van duizenden schepen. Zeuthens vader Hans had de expansie voortgezet nadat hij het bedrijf had geërfd. Dochterbedrijven op het gebied van financieel beheer en IT, adviesafdelingen, hotels en reisbureaus en zelfs een binnenlandse supermarktketen droegen het logo van Zeeland: drie golven onder de Drekar-draak.

Toen Hans Zeuthen overleed, vlak voordat Troels Hartmann premier werd, was zijn clan een vaste waarde in het sociale, economische en politieke landschap. En daarna kwam het concern in handen van zijn zoon als bedrijfsvoerend eigenaar en voorzitter van de raad van bestuur.

Robert, derde generatie, was uit ander hout gesneden. Hij was een rustige, introverte man van veertig en hij liep op dat moment door het bos rond zijn familiehuis, op zoek naar Emilie, zijn negen jaar oude dochter.

Dichte bossen, kaal in de winter. Zeuthen liep langs de bomen, over het tapijt van bronzen herfstbladeren, en riep haar naam. Luid, maar met affectie. Zijn troonsbestijging bij Zeeland had wel een tol geëist. Achttien maanden geleden had zijn vrouw Maja hem verlaten. Over een tijdje werd de scheiding officieel. Ze woonde nu samen met een arts van het grootste ziekenhuis in de stad terwijl Zeuthen de rol van alleenstaande vader speelde. Hij zorgde zo veel voor Emilie en haar zesjarige broertje Carl als werd toegestaan in de scheidingsovereenkomst, en in hoeverre zijn altijd drukke werkzaamheden het toelieten.

Hans Zeuthen had een tijd van groei en welvaart meegemaakt. Voor zijn zoon was het heel anders. De recessie en falende bedrijfsvoering hadden Zeeland hard getroffen. Het bedrijf had al vier jaar achtereen mensen moeten ontslaan en er was nog steeds geen teken van werkelijk herstel. Verschillende dochterbedrijven waren verkocht, andere voorgoed gesloten. Het bestuur werd ongerust. Investeerders vroegen zich openlijk af of de onderneming wel in handen van de familie moest blijven.

Robert Zeuthen vroeg zich af wat ze nog meer verwachtten. Bloed? De crisis had hem zijn huwelijk gekost. Zijn kostbare gezin. Hij had niets meer te geven.

'Emilie?' riep hij opnieuw te midden van de kale bomen.

'Papa.' Carl was stilletjes achter hem aan gelopen. Hij sleepte een speelgoeddinosaurus met zich mee. 'Waarom praat Dino niet meer?'

Zeuthen sloeg zijn armen over elkaar en liet zijn blik op zijn kleine zoon rusten.

'Misschien omdat je hem uit je slaapkamerraam hebt gegooid? Om te zien of hij kon vliegen?'

'Dat kan Dino niet,' zei Carl onschuldig.

Hij woelde door het haar van de jongen en gaf hem gelijk. Toen riep hij weer om zijn dochter. Nog één dag, dan moesten de kinderen weer terug naar hun moeder. Dan zou het beste deel van hem weer vertrekken. En daar hoorde Maja ook bij.

Een gestalte kwam tussen de bomen vandaan rennen. Blauwe jas, roze laarsjes, rappe beentjes, wapperend blond haar. Emilie Zeuthen stormde op hem af en sprong omhoog naar zijn borst, armen wijd, een en al ondeugendheid op haar knappe gezicht.

Altijd weer hetzelfde uitdagende spelletje. Waarmee ze zo'n beetje vanaf het moment dat ze kon praten was begonnen.

De bedoeling was: vang me, papa. Vang me.

En dat deed hij.

Toen hij was uitgelachen kuste Zeuthen haar koude wang en zei: 'Ooit loopt het nog eens verkeerd af, meisje. Ooit laat ik je vallen.'

'Nee, dat doe je niet.'

Ze had een heldere, scherpe stem. Een slim kind. Wijs voor haar leeftijd. Emilie maakte Carl het leven zuur. En dat gold ook voor de staf in Drekar, hoewel ze daarom niet minder dol op haar waren.

'Nee, dat doe je niet, pap,' herhaalde Carl, waarna hij zijn dinosaurus zogenaamd in de kuit van zijn vader liet bijten.

'Waar was je?'

'Wandelen. Je hebt het beloofd.'

'Ik zei dat je een huisdier mocht nemen. Alles behalve een kat. Ik moet er met mama over praten. Onder ons…'

Ze keek bedrukt. Carl eveneens. Zeuthen had nooit kunnen denken dat hij Maja zou kwijtraken, en zijn kinderen ook een beetje. Hij had geen idee wat hij als troost moest zeggen, kon de ongedwongen woorden die van hem werden verwacht niet vinden.

In plaats daarvan nam hij hen bij de hand, Carl links, Emilie rechts, en samen wandelden ze langzaam naar huis.

Niels Reinhardt stond met zijn zwarte Mercedes op de oprijlaan. Een van de vele erfenissen van zijn overleden vader. Reinhardt was de persoonlijke assistent van de familie, de contactpersoon tussen de familie Zeuthen en het bestuur, een regelaar en afsprakenmaker. Hij deed dat werk al toen Robert zelf nog een kind was. Hij was inmiddels vierenzestig, een lange, hartelijke man, altijd keurig in pak. Hij wekte de indruk nog jaren mee te kunnen.

Reinhardt had de krant in zijn handen. Zeuthen had het artikel al gelezen. Een exclusief verhaal waarin werd beweerd dat Zeeland haar belofte aan de regering van Hartmann zou breken en haar hoofdkwartier in Denemarken zou opgeven.

'Hoe komen ze aan die leugens?' vroeg Zeuthen.

'Dat weet ik niet,' antwoordde Reinhardt. 'Ik heb het bestuur laten weten dat je meteen een vergadering wilt houden. De mensen van Hartmann zijn razend. Uiteraard krijgt hij nu de pers op zijn dak.'

Maja stond op de trap voor het huis. Groene anorak en spijkerbroek. Ze hadden elkaar in hun studententijd ontmoet. Verliefd worden leek toen zo gemakkelijk, zo natuurlijk. Ze had niet geweten wie hij was, en toen ze erachter kwam kon het haar niet veel schelen. Hij was die stijve, verlegen, weinig aantrekkelijke rijke jongen. Zij was de mooie, blonde dochter van charmante hippieouders die een biologische boerderij hadden op Fyn. Ze hadden nauwelijks onenigheid gekend, tot het moment dat zijn vader stierf en de omstandigheden hem dwongen de teugels van Zeeland in handen te nemen. Daarna...

Ze liep de traptreden af. Het gezicht dat hij zo liefhad stond boos en wrokkig. Reinhardt, die bedreven was in het aanvoelen van situaties, nam de kinderen bij de hand, zei iets over het zoeken van droge schoenen en leidde hen naar het huis.

'Wat is dit?' zei ze en ze haalde een stuk papier uit haar jaszak.

Foto's van een cypers katje. Kleine handjes die de vacht streelden. Op een van de foto's drukte Emilie het beestje tegen haar buik terwijl ze stralend in de lens keek.

Zeuthen schudde zijn hoofd.

'Ik ben naar de school geweest, Robert! Vorige week deed ze al zo raar tegen me. Ze wilde niks zeggen. Alsof ze een of ander geheim had.'

'Volgens mij voelt ze zich prima.'

'Hoe zou jij dat moeten weten? Hoeveel tijd breng je met haar door als ze hier is?'

'Zo veel als ik kan,' zei hij. Dat was niet gelogen. 'Ik heb gezegd dat ze geen kat zou krijgen...'

'Hoe is ze er dan aan gekomen? Ze is allergisch voor katten.'

'Als ze hier zijn staan de kinderen voortdurend onder toezicht, of ik er nu bij ben of niet. Dat weet je, Maja. Waarom vraag je het niet aan je moeder? Je had niet helemaal hierheen hoeven komen. Je had kunnen bellen.'

'Ik ben hier om ze mee te nemen.'

'Nee,' zei Zeuthen onmiddellijk. 'Volgens het rooster krijg jij ze morgen pas. Ik los dit wel op.'

Reinhardt en de kinderen verschenen weer in de deuropening. Hij keek alsof hij iets moest vertellen. Zeuthen liep naar hem toe, luisterde. De staf van Hartmann eiste een verklaring. De raad van bestuur zou binnen een uur samenkomen.

'Er is een lijk gevonden op ons terrein bij de havens,' voegde hij eraan toe.

'Een van onze mannen?'

'Daar zijn geen aanwijzingen voor, Robert.'

Het gebeurde zo snel dat Zeuthen niets kon doen. Maja wurmde zich langs hem heen, liep naar Emilie en pakte haar handen.

'Ik wil weten hoe het zit met die kat,' drong ze aan.

Het meisje probeerde zich los te trekken.

'Emilie!' krijste Maja. 'Dit is belangrijk!'

Zeuthen boog zich voorover en zei teder: 'Mammie moet het weten. En ik ook. Van wie is die kat? Zeg het alsjeblieft.'

Ze leek weer een klein meisje. Een onzeker, ongrijpbaar kind. Emilie zei niets. Ze verzette zich toen Maja de mouwen van haar blauwe jas optrok.

Rode huid, opgezet en gezwollen.

Ze trok de trui van het meisje omhoog. Dezelfde felle uitslag op haar buik.

'Er is hier een kat,' brieste Maja. 'Ben je niet goed wijs? Ik ga nu meteen met haar naar het ziekenhuis.'

Hij had pas gemerkt hoe driftig ze kon zijn toen hun huwelijk barsten begon te vertonen. Nu was die drift er weer, luid en gemeen.

Carl drukte zijn handen tegen zijn oren. Emilie bleef verstijfd staan, stil en schuldbewust. Reinhardt zei iets over het uitstellen van de bestuursvergadering, maar Zeuthen hoorde het nauwelijks.

Verantwoordelijkheden. Ze gingen nooit weg.

Zeuthen ging op zijn hurken zitten en keek zijn dochter in de ogen.

'Waar was die kat, Emilie? Toe...'

'Dat is nu toch niet meer van belang?' schreeuwde Maja. 'Dat regel ik later wel. Ze gaat naar het ziekenhuis...'

Emilie Zeuthen begon te huilen.

Troels Hartmann hield van campagne voeren. Vooral als zijn tegenstander een linkse windbuil als Anders Ussing was. Het Deense politieke wereldje was een heksenketel van kleine partijen die vochten voor het recht om vrede te sluiten met hun vijanden en zelf een beetje macht te vergaren. In het huidige klimaat hadden alleen de liberalen van Hartmann en de socialisten van Ussing de kans om voldoende stemmen te winnen voor het ambt van premier.

Ze lagen dicht bij elkaar in de peilingen. Eén fout kon de balans gemakkelijk naar de andere kant doen doorslaan. Maar hij vertrouwde erop dat zoiets eerder een schreeuwlelijk als Ussing zou overkomen dan een van zijn eigen zorgvuldig in het gareel gehouden supporters. Morten Weber, de sluwe campagneleider die ervoor gezorgd had dat hij het burgemeesterschap van Kopenhagen had gewonnen, was hem naar Christiansborg gevolgd. Hij had Karen Nebel ingehuurd, een listige media-adviseur die goed overkwam op de tv en die als politiek commentator had gewerkt voor de publieke omroep. Hartmann had nooit eerder zo'n sterk team gehad. En hij had zelf ook de nodige troeven achter de hand, hoewel hij zich afvroeg of hij die nog nodig zou hebben nu hij hoorde hoe Ussing probeerde zijn toehoorders op te jutten in de vervallen haventerminal van Zeeland.

Het was een typerende opkomst voor deze bedrijfstak: kantoorvrouwen, een handvol potige stuwadoors met veiligheidshelmen, wat zeelieden, de meesten niet geïnteresseerd in politiek, maar wel blij dat ze even weg konden van hun werk. Het podium bevond zich op een open bestelauto, naast een stel glimmende cilindervormige containers in een open gebouw onder een dak van golfijzer. De tv-ploegen hadden vooraan plaatsgenomen, de verslaggevers zaten in de stoelen daarachter.

Ussing kwam voor de dag met dezelfde leuzen die hij sinds het begin van de verkiezingscampagne overal in Denemarken had laten horen.

'Deze regering laat de gewone burgers van Denemarken verhongeren om de zakken van de rijken die hen bestelen te vullen.'

Hartmann keek recht in de tv-camera's, glimlachte en schudde zijn hoofd.

'En vandaag,' brulde Ussing, als de vakbondsleider die hij ooit was, 'zien we wat Hartmanns zwakte ons heeft opgeleverd.'

Hij toonde de krant van die ochtend, met de kop dat Zeeland uit Denemarken zou vertrekken om zich te vestigen in een land in het Verre Oosten met lage belastingen.

'Een van de grootste werkgevers sluit zich nu aan bij de exodus. Wij krijgen de rekening en zij verschepen hun banen naar Azië.'

Goedkeurend gemompel, geknik van witte helmen. Hartmann pakte de microfoon.

'Een gezonde industriële politiek is goed voor iedereen, Anders. Als we Zeeland tevreden kunnen houden, zullen ze in ruil meer Deense werknemers...'

'Zo gaat het niet meer!' schreeuwde Ussing. Hij sloeg op de krant. 'Je hebt een oogje dichtgeknepen voor hun monopoliepositie. Je hebt een wit voetje bij ze gehaald met je belastingverlagingen en oliesubsidies...'

De opruiende taal begon te werken. Hier en daar werd gejuicht en af en toe klonk een applausje.

'De enige die een wit voetje haalt ben jij,' onderbrak Hartmann hem. 'Gemakzuchtige woorden. Onverantwoord. Je wilt ons doen geloven dat je deze crisis kunt wegwensen met een paar zoete woordjes, terwijl je ondertussen een graai doet in de zakken van gewone Denen en hen al hun geld afhandig maakt.'

Hartmann keek naar het publiek. Ze waren rustig. Ze luisterden.

'Ik weet dat het moeilijk is. We lezen al zo lang over ontslagen en faillissementen. Over spaargeld dat in het niets verdwijnt.' Een lange stilte. Men wachtte af. 'Als ik een toverstokje had, denkt u dan niet dat ik dat zou gebruiken? We moeten roeien met de riemen die we hebben. Niet alleen in Denemarken. Overal. De keuze die voorligt is eenvoudig. Pakken we deze problemen nu aan? Of schuiven we de rotzooi door naar onze kinderen?'

Hij gebaarde naar de gedrongen, roodharige man naast hem.

'Als u uw verantwoordelijkheid wilt ontlopen, moet u op Anders Ussing stemmen. Als u de moed hebt haar onder ogen te zien, kies dan voor mij.'

Dat viel goed. Ussing pakte de microfoon.

'Dus terwijl Zeeland in de kranten jammert dat ze moeten verhuizen, geef jij ze meer van ons geld. Werkt het zo, Troels? Nog meer smeergeld voor je vriendjes...'

'Als we een gunstig klimaat voor het bedrijfsleven scheppen, blijven onze banen hier behouden,' hield Hartmann vol. 'Ons industriële beleid is streven naar groei. Maar er zijn grenzen. We zitten allemaal in hetzelfde schuitje. Iedereen levert een bijdrage, net zoals iedereen wordt getroffen. Dat geldt ook voor Zeeland.' Dat herhaalde hij nog eens, met zijn hand op zijn hart. 'Dat geldt ook voor Zeeland.'

Er werd voor hem geklapt toen hij vertrok. Maar Karen Nebel was niet tevreden toen ze naar de auto liepen.

'Ik heb je uitdrukkelijk gevraagd Zeeland niet te noemen.'

'Wat moest ik dan? Hij zette me onder druk. Ik kon zijn vraag niet negeren. Zeeland moet in de openbaarheid treden en het artikel ontkennen.'

Ze was een lange vrouw met achterovergekamd, licht haar en een strak, gegroefd gelaat dat een vrij harde indruk maakte. Ze kon sluw zijn, maar dat kon hij wel aan.

'Ze zullen het toch wel ontkennen, hè Karen?'

'Ik heb talloze berichten achtergelaten. Niemand heeft nog gereageerd. Ik denk dat er iets aan de hand is.'

'Zorg dat ze het bekendmaken,' verordonneerde Hartmann. 'Ik heb bijna een deal rond met de mensen van Rosa Lebech. Ik wil niet dat daar iets tussen komt.'

Ze keek nijdig toen ze de naam hoorde van de vrouw die de leider was van de Partij van het Centrum.

'Er is hiernaast een daklozenkamp,' zei ze. 'Ik heb er een bezoekje gepland.'

'Als ik daar met mensen kan praten, prima. Maar niet als ik alleen maar met ze op de foto mag.'

16

Ze waren bij de auto. Nebel hield het portier voor hem open.

'Troels. Het gaat om daklozen. We zijn hier alleen maar om met ze op de foto te gaan.'

Hartmanns telefoon ging. Hij zag het nummer en liep een eindje bij de auto vandaan om ongestoord te kunnen praten.

'Ik heb je net op tv gezien, schat. Als ik niet de leider van een andere partij was, zou je mijn stem krijgen.'

'Geef me die stem toch maar,' zei Hartmann. 'We moeten deze deal sluiten, Rosa. En daarna wil ik je zien. Ergens waar we niet worden gestoord.' Hij keek om zich heen, zag dat hij alleen was. 'Met een groot bed met koperen spijlen.'

'Mijn god. En je Dylan-muziek erbij.'

'Eerst die deal.'

'We zullen je steunen als premier. Zolang we weten dat je boven op Zeeland zit.'

Hij lachte.

'Je gelooft Ussing toch niet? Of dat stomme krantje van vanochtend?'

'Laten we het daar later over hebben,' zei Rosa Lebech.

En weg was ze.

Voor hij zijn gedachten weer op een rijtje had stond Karen Nebel al bij hem. Ze wilde het bezoek aan het daklozenkamp afblazen. Een van de beveiligingsmensen was bij haar. Hij zei dat ze om de hoek een lijk hadden gevonden.

'De PET denkt dat het gevaarlijk kan worden. Er is gerommeld met de beveiligingssystemen of zoiets. Ze denken...'

'Ik ga Ussing niet nog meer munitie geven,' zei Hartmann. 'Verplaats dat bezoek maar naar later vandaag. Tenzij de PET met iets concreets komt.'

'Van wie was dat telefoontje?'

Hij dacht even na.

'Mijn tandarts. Ik was een afspraak vergeten.' Hij haalde zijn schouders op. De charmante Hartmann-glimlach. 'Verkiezingen. Ze slokken je helemaal op.'

De das zat ongemakkelijk. Het overhemd had zijn beste dagen gehad. Brix had de ceremonie georganiseerd en had om een of andere reden de politiekapel uitgenodigd. Ze stonden in een hoek te blazen en te puffen in trompetten en tenortuba's. Het geluid deed denken aan een groepje dronken olifanten.

Ze probeerde beleefd te luisteren naar de oorlogsverhalen van een oude officier uit de provincie, wachtend tot de ceremonie zou beginnen, toen haar telefoon ging.

Lund liep een eindje weg en nam op.

'Met Juncker. Ik ben nog steeds op het haventerrein.'

'Hallo, Asbjørn.'

Na een lange stilte zei hij: 'De technische recherche heeft onze lichaamsdelen onderzocht. Ze zijn er zeker van dat het moord is. Hij was al dood toen de kraan hem greep. Hij heeft een paar flinke klappen met een klauwhamer gehad. Het lijkt erop dat hij van het schip kon ontsnappen en dat de dader hem op de sloop weer te pakken heeft gekregen. Heeft hem in het autowrak gekwakt. We hebben met de zwervers hier gesproken. Ze hebben geen enkel idee. Zeeland weet niet of er iemand wordt vermist.'

'Is dat alles?'

'Iemand heeft hier een speedboot zien varen. Ze dachten dat hij achter een zeehond aan zat.'

'Waarom zou iemand dat doen?' vroeg ze. Ze liep naar het raam en staarde naar het weer buiten.

'De kustwacht zei dat ze rond half drie in de ochtend een telefoontje kregen dat werd afgebroken. Ze weten niet van wie. De speedboot werd niet lang daarna in de buurt van het sloopterrein gezien.'

Lund stelde de voor de hand liggende vraag. Hadden vaartuigen in de buurt melding gemaakt van een vermiste zeeman? Volgens Juncker niet.

'Dat schip is waarschijnlijk de haven al uit,' zei ze. 'Je moet alle vaarbewegingen nagaan.'

'Welke vaarbewegingen? Zeeland onderneemt zo goed als geen activiteiten meer in dit deel van de haven. En...' Hij zweeg even, alsof hij naar een rustig plekje zocht. 'Er lopen hier allemaal PET-jongens rond te snuffelen. Wat hebben zij ermee te maken?'

'Rustig maar, Asbjørn. Dat zijn ook maar mensen.'

'Je gaat me nooit Juncker noemen, hè?'

'Praat met Madsen. Doe wat hij zegt. Ik ben druk met...'

'Een vent van de PET wil je spreken. Borch heet hij. Kreeg de indruk dat hij je al kende. Hij komt eraan.'

Lund zei niets.

'Hallo?' klonk Juncker door de telefoon. 'Is daar iemand?'

'Praat met Madsen,' zei Lund nogmaals. Ze verbrak de verbinding, keek door de lange gang en vroeg zich af hoeveel kwelgeesten uit het verleden er nog meer zouden opduiken.

Ze had geen idee wat Mathias Borch tegenwoordig deed. Het zou wel iets belangrijks zijn. Hij was slim, dat was twintig jaar geleden al gebleken toen ze elkaar hadden ontmoet op de politieacademie. Nu maakte hij een ietwat afgeleefde, vermoeide indruk. Hij had nog wel al zijn haar, ongekamd zoals gewoonlijk, en hij had het gerimpelde gezicht van een boxerpuppy.

Puppy.

Zo noemde ze hem vroeger. De herinnering daaraan moest de reden zijn waarom ze bloosde toen Borch kwam aanstappen. Hij glimlachte niet, keek haar nauwelijks aan en zei: 'Sarah. We moeten praten. Dat lijk in de haven. Dat groentje van jullie daar zei...'

'Stop,' zei Lund met opgeheven hand. Toen wees ze naar de deur. Brix was aan zijn toespraak begonnen. Ze hoorde hem spreken over de kracht van het korps, jaar na jaar, en hoe de integriteit ervan de basis vormde voor gerechtigheid en veiligheid in Kopenhagen.

'Dat heb ik al duizend keer gehoord,' bromde Borch. 'Dit is belangrijk...'

Lund vloekte binnensmonds en nam hem mee naar de keuken.

'Het spijt me dat ik je stoor,' zei hij. 'Op zo'n dag als vandaag. Ik bedoel... gefeliciteerd en zo.'

'Niet overdrijven.'

'Zo te zien gaat het prima met je,' zei hij. 'Ik meen het. Klopt dat?'

'Wat wil je?'

'Ik ben bij deze zaak betrokken. Ik moet weten welke informatie jij hebt.'

'Niets. We weten helemaal niets.'

'Hebben jullie de havens grondig doorzocht? En de schepen daar?'

'We zijn ermee bezig. Er ligt maar één schip. Juncker heeft ze via de scheepsradio gesproken. Ze hebben niets gezien.'

Hij fronste zijn wenkbrauwen. Zo leek hij niet meer op een puppy, maar zag je zijn ware leeftijd.

'Ik had meer verwacht...'

'Luister! Ik heb je jaren niet gesproken. Dan duik je hier ineens op, net wanneer ik een onderscheiding krijg voor mijn vijfentwintig dienstjaren. En dan begin je me met vragen te bestoken. Ik ga terug naar de zaal...'

'Ik werk bij de PET. Wist je dat niet?'

'Waarom zou ik?'

'Volgens ons zit er meer achter. Twee weken geleden is er ergens bij de haven ingebroken. Het leek een gewone inbraak. Een computer weg, wat kleingeld. Informatie over het beveiligingssysteem van Zeeland...'

'Dat is toch hun probleem?'

Hij staarde haar aan. Het was een stomme opmerking. Zeeland was een reusachtig internationaal concern met veel politieke invloed, op de regering en daarbuiten.

'Wat heeft dat te maken met onze in stukken gereten man?' vroeg ze.

'Er zijn geen beelden van de bewakingscamera van gisteravond. Twee minuten na die mislukte noodoproep aan de kustwacht zijn alle camera's op de een of andere manier uitgeschakeld. Iemand heeft het systeem gehackt, heeft oude beelden laten vertonen en heeft de camera net voor zonsopgang weer ingeschakeld.'

Borch pakte een sandwich van een schaal die voor de gelegenheid was klaargezet en nam een hap.

'Zo slim zijn inbrekers maar zelden,' zei hij, terwijl hij een paar kruimels op zijn hemd morste.

Brix was klaar met zijn toespraak. Weldra zouden de medailles en de certificaten worden uitgereikt.

'Geef me je nummer,' zei ze. 'We houden contact.'

Toen ze aanstalten maakte om weg te lopen hield hij haar tegen.

'Iemand heeft weten te knoeien met een van de meest geavanceerde beveiligingssystemen van het land. En zodra het systeem weer online ging, lag er een dode man in de haven. Precies op de dag dat de premier daar op bezoek zou komen. De financiële crisis. Afghanistan...' Hij lachte. 'Woedende echtgenoten. Hartmann heeft net zo veel vijanden als aanbidders.'

'Dat zal ik doorgeven.'

'Ik wil niet dat je het doorgeeft. Ik wil dat je op de zaak wordt gezet. Brix heeft al ingestemd...'

'Dat zal wel.'

'Jij bent te goed voor de OPA.'

'Luister! Er is niemand als vermist opgegeven. Hoogstwaarschijnlijk ging het om een buitenlandse zeeman van een buitenlands schip dat zich buiten onze territoriale wateren bevindt.'

'En toch wil ik dat je die zaak onderzoekt. En Brix wil dat ook.'

Applaus uit de naastgelegen ruimte, en gelach. De uitreiking was begonnen. Ze zou de boel verstoren als ze nu terugging.

'Je ziet er echt goed uit,' zei hij een tikje beschroomd. 'Ik...' Hij haalde zijn schouders op, en ze zag hem weer voor zich op de politieacademie, met zijn harde humor en slechte grappen. 'Ik ben gewoon oud geworden.'

Ze wilde hem iets toeschreeuwen. Iets gillen.

In plaats daarvan zei Lund: 'Ik wil dit uniform niet vuil maken. Ik heb zo een sollicitatiegesprek.'

Het hoofdgebouw van Zeeland lag aan het water van de haven. Een moderne monoliet van donker glas met het bedrijfslogo van de draak dat de bovenste zes verdiepingen bestreek. Het gebouw werd nu omringd door bouwplaatsen en het haventerrein veranderende in een gebied met goedkope woningen. Die werden nog steeds verkocht, crisis of niet.

Robert Zeuthen parkeerde zijn glanzende nieuwe Range Rover voor het gebouw. Reinhardt stond in de lobby te wachten met nieuws over het lijk in de haven. Het was nu een moordzaak, maar er waren geen aanwijzingen dat

Zeeland bij de zaak betrokken was. De PET werkte samen met de politie. Door de aanwezigheid van Troels Hartmann in het gebied was hun interesse onvermijdelijk.

'Waar kwam die kat vandaan?' vroeg Zeuthen.

'Niet uit het huis,' hield Reinhardt vol. 'Ik ben het nog aan het uitzoeken. Dat incident in de haven ziet er slecht uit. Het beveiligingssysteem is op de een of andere manier gekraakt. We laten het onderzoeken door een team van ons. De PET wil hen spreken.' Hij fronste zijn wenkbrauwen. 'Hartmann maakt zich vooral druk om dat artikel in de krant. Hij wacht op een ontkenning van ons.'

'Ik wil dat jij erbij bent als de PET met onze beveiligingsmedewerkers praat,' zei Zeuthen. 'Misschien is het systeem meer dan één keer gekraakt.'

'Ik moet u helpen bij de bestuursvergadering,' zei Reinhardt.

Zeuthen liep naar de lift, schudde zijn hoofd.

'Dat lukt me wel in mijn eentje. Ga na hoe het zit met de PET. Blijf zoeken naar die kat van Emilie. Maja kan me wel vermoorden. We wisten allebei dat Emilie die allergie heeft.'

'Robert.' Reinhardt legde een hand op zijn arm. 'Ik heb redenen om aan te nemen dat het bestuur moeilijk gaat doen. Het zou kunnen dat je mij nodig hebt.'

Zeuthen glimlachte.

'Deze keer niet, beste kerel.'

In Christiansborg maakte Karen Nebel zich zorgen.

'De mensen beginnen erover te praten,' zei ze terwijl ze in zijn kantoor plaatsnamen. 'Ze begrijpen niet waarom Zeeland het krantenartikel nog niet heeft tegengesproken.' Haar telefoon ging. 'Misschien is dit het…'

Hartmann keek haar na terwijl ze naar de gang liep om haar telefoon op te nemen en mompelde: 'Moeten we reageren op elke leugen die de pers verkondigt?'

Morten Weber sloeg zijn armen over elkaar en leunde achterover in zijn stoel bij het raam.

'Soms.'

Weber had Hartmann gedurende zijn hele carrière ter zijde gestaan. Hij was klein en bescheiden, een ietwat sjofele man met weerbarstig zwart krulhaar. Tegen alle verwachtingen in had hij de burgemeesterszetel voor Hartmann weten te veroveren. Daarna greep hij de kans om hetzelfde kunstje te flikken voor het premierschap. Zijn kennis van het Deense politieke landschap was ongeëvenaard. Soms kon hij een kalme, onbeschaamde meedogenloosheid vertonen. Niemand durfde zo'n toon tegen Hartmann aan te slaan als Weber. Toch kwam het soms tot uitbarstingen.

'We regelen het met Zeeland,' zei Hartmann. 'Karen houdt zich ermee bezig.'

'Mooi. Ik heb dat idiote bezoekje aan de haven afgezegd. De PET is niet blij met wat daar is gebeurd. En ze willen liever niet dat wij er iets over zeggen.'

'Maak die afzegging ongedaan,' beval Hartmann. 'Anders zal Ussing beweren dat de daklozen mij niks kunnen schelen.'

'Ussing kan de pest krijgen.'

'We moeten oppassen dat hij ons niet te slim af is, Morten! Ussing gebruikt Zeeland om te beweren dat ik de armen besteel ten gunste van de rijken.'

'Troels...'

'Ik ga,' zei Hartmann. 'Desnoods met de bus. Oké?'

Nebel kwam terug, de telefoon in haar hand geklemd.

'Ze willen het niet ontkennen.'

Weber duwde zijn zware bril omhoog.

'Bedoel je dat dat verhaal waar is?'

'Het bestuur wil het. Ze proberen Robert Zeuthen te omzeilen. Ze vinden hem een zwakkeling. Gewoontjes...'

'Luister,' onderbrak Hartmann. 'De vader van Zeuthen heeft beloofd dat hij geen delen van het bedrijf meer naar het buitenland zou overplaatsen als wij hem hielpen. Robert heeft gezegd dat hij zich daar ook aan zou houden. Als ze nu op die afspraak terugkomen nagel ik ze aan het kruis...'

'Welnee,' zei Weber. 'Jij bent dan niet meer in de positie om zoiets te doen.'

Hartmann wist zich met moeite te beheersen. Op dit soort momenten liet Weber zich van zijn meest waardevolle kant zien. Maar het was ook om razend van te worden.

'Wat nu?'

'Als je toegeeft en Zeeland nog meer in de watten legt, kruipt Rosa Lebech niet bij je onder de lakens. Als je niet toegeeft, kun je hier een dolk in de rug van je eigen mensen verwachten.' Weber trok zijn vlezige neus op. 'Ik gok op Birgit Eggert. Zij voelt zich te goed voor het ministerie van Financiën.'

'Als Zeuthen aan de kant wordt gezet, moeten we hun iets bieden,' zei Nebel. 'Ik zal het met Financiën opnemen. Het hoeft niet veel te zijn.'

'Jezus!' schreeuwde Weber. 'Waarom geef je Ussing niet meteen de sleutels van het kantoor? Ik zie de posters al voor me. Als u rijk bent, stemt u op Hartmann. Als u dat niet bent...'

'We doen niets tot we weten wat het standpunt van Rosa Lebech is,' zei Hartmann. 'Ik haal haar wel over. Laat de PET weten dat ik naar dat daklozenkamp ga, wat ze er ook van vinden. En...' Hij liep naar de kastenwand en pakte een schoon overhemd en een ander pak. 'Dat is alles.'

Nebel keek Weber nijdig aan terwijl Hartmann naar het toilet stapte om zich te verkleden.

'Ik hou niet van verliezen, Morten.'

'Wie wel?'

'Waarom luistert hij niet?'

De kleine man lachte.

'Omdat hij politicus is. Troels voelt zich pas prettig als hij op het scherp van de snede leeft. Hij houdt van de stress. De opwinding. Het gevaar.' Hij stond op en gaf haar een knipoog. 'Geldt dat niet voor ons allemaal?'

Brix belde haar zodra ze weer op het haventerrein was. Hij wilde weten wat de PET van plan was.

'Ze denken dat het bezoek van Hartmann problemen kan veroorzaken. Het was niet mijn schuld dat ik de ceremonie heb gemist. Jij hebt tegen Borch gezegd dat ik op die zaak werd gezet.'

'Klopt.'

'Wil jij de mensen van de OPA dan uitleggen waarom ik er niet was?'

'Als ik ze zie. Ga akkoord met alle voorstellen van de PET.'

Dat is ook voor het eerst, dacht ze, en ze verbrak de verbinding.

Borch en Asbjørn Juncker liepen ieder rond met een klembord.

'Elk vaartuig in de omgeving moet worden doorzocht,' zei de man van de PET.

'Er ligt hier maar één schip,' antwoordde Juncker. 'Dat is al doorzocht.'

Hij had een map met foto's. Lund was dol op foto's. Ze nam de foto's van hem over en bekeek ze stuk voor stuk. Gedrongen dode man. Van middelbare leeftijd. Een van zijn tatoeages was de naam van een vrouw, Oost-Europees volgens de technische recherche. Een andere op zijn rechterarm was onleesbaar. De middelste letters waren verwijderd, zo te zien met een mes.

Er kwam een zwarte Mercedes aanrijden waar een lange man uit stapte, met rechte rug. Zijn uitdunnende grijze haar was keurig geknipt. Hij stelde zich voor als Niels Reinhardt, contactpersoon van Zeeland in deze zaak.

'Robert Zeuthen heeft persoonlijke interesse voor deze zaak opgevat,' zei de nieuwkomer met een zachte, beleefde stem. 'Hij wil u laten weten dat we u zo veel mogelijk zullen helpen.'

'Werkt het beveiligingssysteem weer?' vroeg Borch.

'We nemen aan van wel.' Reinhardt keek onzeker. 'Een van onze IT-dochterbedrijven regelt dat. Ze zorgen overal voor, van de bewaking in de kantoren tot de beveiliging van de huizen van sommige medewerkers.'

Lund stelde de gebruikelijke vragen. Reinhardt zei dat er geen arbeidsconflicten waren geweest na de laatste ontslaggolf. Geen ongewone vaarbewegingen.

'Ze moeten hier zijn geweest voordat ze de beveiliging konden uitschakelen,' zei Juncker.

'Nee. Indringers zouden we hebben gezien,' hield Reinhardt vol. Hij keek over het haventerrein, naar een verlaten gebied aan het eind. 'Tenzij ze via het oude Stubben-gebouw zijn binnengedrongen. Dat staat al jaren leeg.'

'Ik moet terug…' begon Lund, maar Borch wees al naar zijn auto.

Het was een paar minuten rijden, een desolaat niemandsland, puin en achtergebleven containers langs de grauwe waterkant.

Even later was Reinhardt er ook. 'We zouden hier een hotel bouwen,' zei hij. 'Daar is nu geen geld voor.'

'Wat voor lui komen hier?' vroeg Borch. Ondertussen kuierde Lund over het grindpad, handen in de zakken, das opzij, schoppend tegen kiezelstenen en rommel op de grond.

'Vissers,' zei Reinhardt. 'Vogelaars.' Hij zweeg even. 'En af en toe misschien een verliefd stelletje.'

'U zei dat er geen boten lagen.' Juncker tuurde de grijze horizon af. Hij zag een oud, roestig schip dat daar al jaren voor anker leek te liggen.

De Zeeland-medewerker keek hem kwaad aan.

'Geen schepen die nog in bedrijf zijn. Dat daar is de Medea. Een van onze oude vrachtschepen. Rijp voor de sloop. We hebben haar verkocht aan een lommerd uit Letland, maar die ging failliet.'

Borch nam de verrekijker van Juncker over. Het schip lag ruim een halve kilometer uit de kust. Hij speurde het af, bood Lund de verrekijker aan. Ze schudde haar hoofd.

'Zijn er mensen op het schip?' vroeg ze.

'Dat moet volgens de wet,' zei Reinhardt snel. 'Zelfs voor zo'n oud bak-beest is een bemanning van minstens drie mensen verplicht. We hebben die lui gisteravond gesproken. En vanochtend nog een keer. Ze zeiden dat ze niets hadden gezien.'

Hij keek om zich heen naar het verlaten terrein en het traag stromende water van de Øresund.

'Dat lijkt me hier nogal wiedes.'

Lund liep naar de waterkant, vloekte toen ze met haar goede schoenen wegzakte in een modderplas. Er lag een sigarettenpeuk in het zand. Vers, nog niet verregend.

Borch stond te bellen.

'Als u erheen wilt,' zei Reinhardt, 'kan ik een boot regelen.'

Asbjørn Juncker kon niet wachten. Borch had opgehangen.

'Volgens de kustwacht is hier gisteravond een Russische kustvaarder langsgekomen. Op weg naar Sint Petersburg. We nemen contact op met de autoriteiten daar.'

'Bedankt voor het aanbod,' zei ze tegen de Zeeland-medewerker. 'Dat is niet nodig.'

Juncker begon heftig te protesteren. Ze liep naar de auto. Borch en de jonge rechercheur liepen achter haar aan.

'We moeten een kijkje nemen op dat vrachtschip,' zei Borch.

'Ga jij maar, als je wilt.'

'Ik heb er geen tijd voor! Hartmann komt zo meteen. We hebben beveiliging...'

'Ik heb hier geen tijd voor,' onderbrak ze hem. 'Asbjørn... stap je in? We gaan.'

Hij aarzelde een paar tellen en deed toen wat hem werd gevraagd.

Borch hurkte neer naast het raampje aan de bestuurderskant. Op dat moment leek hij totaal niet meer op een puppy.

'Ik hoop dat die baan het waard is,' zei hij.

Robert Zeuthen had de directieleden van Zeeland geërfd. Zorgvuldig gekozen door zijn vader. Altijd loyaal toen zijn vader nog leefde.

Kornerup, een gezette, norse zestigjarige met pientere ogen achter een uilenbril, was nu al bijna twintig jaar hoofd van de directie van Zeeland. Hij opende de vergadering met een presentatie, wat hij deed sinds Robert Zeuthen president-directeur van het hele concern was geworden.

'Verplaatsing van de scheepswerf naar het Verre Oosten zal onze kosten met minstens veertig procent verminderen. We kunnen de verhuizing financieren met winsten op de valutamarkt. Als we vandaag met de planning beginnen, moet het mogelijk zijn om binnen een jaar te starten met het verplaatsen van bedrijfsonderdelen. Want de winst- en verliescijfers...'

'Dit is oud nieuws,' onderbrak Zeuthen hem. 'Die argumenten kennen we. We hebben afgesproken dat we daar tien tot vijftien jaar mee zouden wachten.'

Elf man om de tafel, één vrouw. Zeuthen was de grootste aandeelhouder. Maar hij had geen volledige meerderheid.

'De wereld verandert sneller dan we hadden gedacht,' zei Kornerup. 'Dit is een beslissing voor de raad van bestuur. Als Hartmann de verkiezingen verliest, krijgen we een rode premier die een grote hekel aan ons heeft, met een rood kabinet erbij. Die zullen ons helemaal uitkleden.'

'Wat de reden is waarom we Hartmann steunen,' zei Zeuthen. 'En waarom het tegen onze belangen ingaat om hem te ondermijnen.'

'Als hij zwicht en een nieuwe deal sluit, prima.' De gezichten om de tafel knikten instemmend bij de woorden van Kornerup. 'Maar laten we onszelf niet voor de gek houden. Het is slechts een kwestie van uitstel. De wereld wacht niet tot wij wakker worden. Ik weet dat dit moeilijk is. Dit bedrijf is opgericht door je vader. Maar als hij hier vandaag zou zijn...'

'Hij zou elke Deense baan tot zijn laatste snik verdedigen,' zei Zeuthen.

'Misschien hebben wij hem anders meegemaakt,' zei Kornerup glimlachend. 'Misschien…'

'Nee,' zei Zeuthen. 'Genoeg.'

Kornerup keek hem nijdig aan.

'Er moet nog veel worden besproken, Robert.'

'Niet met jou.' Zeuthen knikte naar zijn persoonlijke assistente om de documenten uit te delen die hij had voorbereid. 'Kornerup heeft veel tijd gestoken in onderzoek naar de mogelijkheden om Denemarken te verlaten. Maar niet in onderzoek naar de beste manier om dit bedrijf te verraden.'

Gemompel alom. Zeuthen keek ieder bestuurslid aan.

'Onze CEO is kennelijk vergeten dat de krant die dat gezwets heeft gepubliceerd voor dertig procent eigendom is van mijn familiebedrijf. En daarnaast…' Een glimlachje. 'Ik ken de hoofdredacteur nog van de universiteit. Dus het was echt niet zo moeilijk om de e-mails in handen te krijgen die jij naar hun economieredacteur hebt gestuurd.'

Kornerup stond zowaar met zijn mond vol tanden.

'Jij hebt die leugens verspreid om het bestuur te beïnvloeden,' vulde Zeuthen aan. 'Wat de voordelen van een overplaatsing naar het Verre Oosten ook mogen zijn – en daar wil ik op het juiste moment best over praten – dit is een trouweloze daad die niet te tolereren valt. Je hebt contractbreuk gepleegd, Kornerup, en dat weet je zelf ook. We zullen mogelijk juridische stappen ondernemen.'

Hij knikte naar zijn assistente. Ze deed de deur open. Daarachter twee beveiligingsmedewerkers in uniform.

'Deze heren zullen je naar buiten begeleiden. We zullen je persoonlijke bezittingen nasturen nadat we je administratie hier hebben gecontroleerd op eventuele andere malversaties.'

Hij keek iedereen om de tafel nogmaals aan.

'Tenzij de raad van bestuur het lekken van vertrouwelijke documenten aan de media wenst te negeren. En god mag weten wat nog meer.'

Stilte. Hij gebaarde naar de deur.

'Wat ik heb gedaan,' zei Kornerup terwijl hij opstond, 'heb ik gedaan in het belang van Zeeland. Dit bedrijf staat aan de rand van de afgrond, Robert. Jij stort het erin, maar dat heb je pas door als ze de boel komen dichtspijkeren.'

Ze keken in stilte toe terwijl hij de deur uit liep. Zeuthen graaide zijn papieren bij elkaar en stopte ze in zijn aktetas.

'Het spijt me. Mijn dochter moest naar het ziekenhuis. Ik moet gaan.' Een stilte. 'Tenzij we nog andere zaken moeten bespreken?'

Hij wachtte. Niets.

'Mooi,' zei Zeuthen en hij vertrok.

Hartmann liet zich door zijn chauffeur naar de school in Frederiksberg brengen waar Rosa Lebech haar verkiezingsbijeenkomst hield. Ze was zes jaar jonger dan hij. Een juriste die politica was geworden. Ging nog steeds gekleed zoals in haar eerdere beroep: crèmekleurige blouse, donkere pantalon, keurig gekapt zwart haar. Een opvallende vrouw, mooi en zakelijk tegelijk. Hij had haar voor het eerst ontmoet toen hij als burgemeester op zoek was naar steun voor de coalitie.

Toen was ze nog getrouwd.

Nebel wachtte bij de deur tot ze de boodschap begreep. Toen liet ze hen alleen. Eén beveiliger van de PET bleef achter om een oogje in het zeil te houden.

'We moeten ophouden elkaar zo te ontmoeten,' grapte Hartmann.

'Hoe bedoel je?'

'Als politici.'

'Moeten we een matras zoeken, en een paar kaarsen? Je beveiligingsman let wel op de deur.'

Hartmann knikte.

'Dat is een goed idee.'

'Je bent een arrogante klootzak. Waarom laat ik me dit aandoen?'

Hartmann draaide zich om en knikte naar de lijfwacht. Die begreep de hint en liep de gang uit.

'Dat is nou precies wat ik bedoel. Troels…'

Hij greep haar bij haar middel, kuste haar hard, wurmde zijn vingers onder haar blouse tot hij haar huid voelde.

Lebech wrong zich giechelend los.

'Ruige seks met de premier van Denemarken. Ik heb toch niks beters te doen.'

Zijn vingers graaiden in haar blouse.

'Dat was een grapje!' krijste ze. 'Schei uit.'

Toen hield hij op. Hij stond erbij als een jongetje wiens lievelingsspeelgoed was afgepakt.

Hartmann zuchtte.

'Wat is er?' vroeg ze.

'Het lijkt erop dat die geruchten over Zeeland kloppen. Robert Zeuthen steunt ons. De rest van het bestuur niet.' Een korte, bittere blik. 'Het zou kunnen dat ik hun iets moet toestoppen.'

Ze ging zitten. Daar was de politicus weer.

'Hoeveel toestoppen?'

'Genoeg om hen van gedachten te laten veranderen. Niet zo veel dat jij niet meer bij me in bed kruipt.' Zijn brede, brutale glimlach. 'Figuurlijk dan. Ik weet dat ik me over de letterlijke kant van de zaak geen zorgen hoef te maken.'

Ze lachte niet.

'Ga niet te ver. Denk je dat ik mijn partijleden ervan kan overtuigen dat iedereen moet inleveren behalve Zeeland? Ik ben de partijleider. Ze zijn mijn eigendom niet. Ik ga die vraag niet eens stellen. Zinloos. Ik weet het antwoord al.'

'Misschien luisteren ze wel als ze wisten dat je zicht hebt op een hoge positie. Een ministerschap. Iets wat je graag zou willen.'

'Premier?' zei Lebech. 'Die baan lijkt me wel wat.'

Hij sloeg zijn armen over elkaar, keek haar aan, wachtte.

'Mijn handen zijn gebonden, Troels. Ik kan mijn mensen niet dwingen nog verder te gaan. Sommigen vinden dat we beter met Ussing in zee kunnen gaan. Als Zeeland wil vertrekken dan doen ze dat. Hoe hard je ook je best doet ze om te kopen...'

Ze zweeg abrupt. Karen Nebel was binnengekomen, tikkend op haar horloge.

'Denk erover na,' zei Hartmann dringend.

'Dat heb ik al gedaan. Het spijt me.' Haar hand kroop naar zijn knie. 'Maar dit is politiek. Meer niet. Onthoud dat.'

Hartmann tikte tegen zijn neus, kneep even discreet in haar hand en knikte.

Daarna stond hij op. De aanwezigheid van een toeschouwer dwong hem haar een hand te geven. Hij wenste haar succes met de campagne.

'We houden contact, Rosa,' beloofde hij.

Carsten Lassen, Maja's vriend, was arts in het academisch ziekenhuis. Zeuthen nam aan dat het onvermijdelijk was dat ze Emilie daarheen had gebracht. En ook dat het onvermijdelijk was dat Lassen hem opwachtte op het parkeerterrein, samen met Maja en de kinderen in hun Volkswagen.

'Wat heeft ze?' vroeg Zeuthen.

'Het is een allergische reactie. Ze had die kat nooit mogen aanraken,' snauwde Lassen. Hij droeg zijn witte doktersjas en had de wrevelige blik die hij altijd had als Zeuthen in de buurt was. 'Het is over een paar dagen weg als ze haar medicijnen neemt. En uit de buurt van katten blijft.'

Zodra Zeuthen was gearriveerd deed Carl of zijn dinosaurus grommende geluiden maakte. Emilie glimlachte en zwaaide. Zeuthen opende het achterportier van zijn Range Rover en zei dat ze moesten instappen.

'Nee,' zei Maja. Ze smeet het portier weer dicht. 'We moeten praten.'

Het was al even geleden dat ze ruzie hadden gehad over de plek waar de kinderen zouden wonen. Zeuthen had geen zin in een herhaling.

'Als je denkt dat je hierdoor recht hebt op de voogdij...'

'Ze heeft overal uitslag! Wat is er in godsnaam gebeurd?'

'Dat weet ik niet. Weet jij het?'

'Of je liegt, of je zorgt niet goed voor haar.'

'Nee.' Hij deed zijn best kalm te blijven. De kinderen keken toe en van dit soort ruzies raakten ze van streek. 'Ik weet wat ze doen als ze bij mij zijn. We hebben geen kat in de buurt van ons huis. En fataal is zoiets nou ook weer niet...'

Lassen hoorde dat en mengde zich ongevraagd in het gesprek.

'Zoiets kan ernstig zijn,' zei hij. 'Als je een allergische reactie niet behandelt...'

'Bemoei je er niet mee,' hield Zeuthen hem voor. 'Het zijn jouw kinderen niet.'

Vlak bij hen stopte een wit bestelbusje. Even dacht Zeuthen dat Emilie naar iemand zwaaide. Maar dat leek onwaarschijnlijk. Als ze al had geglimlacht dan was dat van korte duur geweest. Carl en Emilie stonden er verslagen en beteuterd bij terwijl de ruzie in hevigheid toenam.

'We hebben een juridische overeenkomst,' voerde Zeuthen aan. 'Je kunt mijn kinderen niet zomaar van me afpakken als je daar zin in hebt.'

'De wet!' krijste Maja. 'Ga je me nu met een rechtszaak bedreigen? Krijgen we heel Zeeland op onze nek? Voel je je dan een stoere vent?'

Het portier van de kleine Volkswagen ging open. Emilie liep naar hen toe, ging tussen hen in staan, keek hen om beurten beschuldigend aan. Lassen liep terug naar de ingang van het ziekenhuis.

'Ik heb die kat gezien toen ik bij Ida speelde. Dat is alles.' Ze keek haar moeder aan. 'Ik wil niet bij jou en Carsten wonen. Carl wil dat ook niet. We willen bij papa zijn.'

Emilie liep naar de Range Rover. Carl stond daar al. Maja rende de twee achterna. Haar stem sloeg over. Het tafereel bezorgde Zeuthen een steek in zijn hart.

De kinderen klommen achterin en deden de gordel om.

'Luister,' zei hij tegen Maja, zo rustig als hij kon. 'We moeten geen ruzie maken. Niet waar zij bij zijn. Ik moet nog iets doen. Ga naar Drekar en neem de kinderen mee. Blijf daar tot ik thuis ben.' Hij haalde zijn schouders op. 'Ik weet niet hoe laat ik terugkom. Als je wilt kan je je bellen vanuit de auto. Dat je weet hoe laat je moet weggaan.'

Het afgelopen half jaar had Lund in een houten huisje met twee slaapkamers gewoond, in een buitenwijk. Het lag aan een smalle, heuvelachtige weg die uitkeek over de stad, achter een kleine, kale tuin die ze weer tot leven probeerde te wekken.

Ze luisterde naar de radio en waste ondertussen wat borden af voor Mark en zijn gast. Hartmann was weer volop in het nieuws. Men verwachtte dat hij een verklaring zou afleggen over Zeeland tijdens zijn bezoek aan het daklozenkamp dat de PET hem nadrukkelijk had ontraden. Hij ging altijd zijn eigen gang. Hij werkte niet samen met de politie als hij daar geen zin in had, zelfs niet als hij een verkiezing probeerde te winnen.

Niet dat het er goed voor hem uitzag. Ussing was zijn troepen aan het verzamelen en waarschuwde dat de rijken opnieuw zouden worden bevoordeeld. De Partij van het Centrum, wier steun vermoedelijk de doorslag zou geven, aarzelde nog.

Lund keek in de oven en zag dat ze was vergeten de folie van de supermarktlasagne te verwijderen. Ze pakte het bakje, knipte het bruinverbrande plastic weg, zette het ding weer terug in de oven en veegde haar handen af aan haar spijkerbroek.

De telefoon ging. Mark zei: 'Hoi, mam...'

'Het is niet gemakkelijk te vinden. Je moet linksaf bij het gele huis aan het eind van de...'

'We kunnen niet komen. Eva is ziek. Een andere keer...'

Ze keek naar de tafel. De fles goede chianti. De nieuwe wijnglazen die ze had gekocht. De kaarsen.

Brix had haar jubileumcertificaat opgestuurd en er een fles champagne bij gedaan. Er lag een envelop van de OPA.

'Is het ernstig?'

'Nee, gewoon een verkoudheid. We zien elkaar wel een andere keer.'

Hij wilde het gesprek liefst zo vlug mogelijk beëindigen. Ze hoorde het aan zijn stem.

'Mark,' zei ze, plotseling wanhopig.

'Wat is er?'

'Ik weet... Ik weet dat ik je te vaak in de steek heb gelaten. Ik ben nooit goed geweest in...' Het uitspreken van dit soort dingen, dacht ze. 'Ik probeer met mezelf in het reine te komen. Je hebt het volste recht om kwaad op me te zijn.'

Stilte.

'Mark?'

'Ja?'

'We kunnen af en toe toch wel iets afspreken?'

'Ik heb het erg druk.'

'En morgen dan?'

'Morgen komt niet goed uit.'

Ze ging zitten. De foto's van Juncker lagen op tafel. Een afgehouwen hoofd. De grimas van een dode mond. Een arm met tatoeages. Vermoedelijk de naam van een vrouw. Nog iets anders, een kort woord waarvan de middelste letters onleesbaar waren door een bloederige wond.

'Overmorgen dan. Zeg jij het maar.'

'Ik weet het niet...'

De eerste letter van de onleesbare tatoeage was een hoofdletter 'm' in gotische stijl.

'Een andere keer dan maar,' zei Mark.

De laatste letter was een kleine 'a'. Het woord telde niet meer dan vijf of zes letters.

'Mam? Hallo?'

Ze pakte een pen en hield hem boven de foto.

'Een andere keer, mam. Hoor je me nog?'

'Ja, een andere keer. Prima. Ik hoor het wel.'

De verbinding werd verbroken. Ze tekende de ontbrekende letters in, spelde het woord.

Ze belde Brix.

'Hallo, Lund. Heb je de champagne ontvangen, en die brief van de opa? Ze willen dat je volgende week begint. Een gesprek vonden ze niet nodig. Nou ja, gefeliciteerd dan maar.'

'Zijn er nog mensen van ons bij de haven?'

'Je hebt ze zelf weggestuurd. Weet je nog?'

'Roep ze dan maar terug. Er ligt daar een schip. De Medea. Ik wil het zien.'

'Je zei dat er niks aan de hand was.'

'En stuur een team naar Stubben. Er staat daar een schuurtje. Ik kom eraan.'

Ze greep elk excuus aan om hard te rijden en nam niet de moeite om het zwaailicht op het dak te zetten. Een team met een boot stond in de haven op haar te wachten. Evenals Mathias Borch. Hij zei dat Hartmann en zijn mensen vijfhonderd meter verderop in het daklozenkamp waren.

'Zeg dat hij daar weg moet gaan,' beval Lund.

'Heb ik geprobeerd. Hoe zeker ben je van je zaak?'

Ze gaf hem de foto met de naam 'Medea' erop geschreven.

'Toen het havenkantoor vanochtend contact opnam met het schip hebben ze niet met de bemanning gesproken. Ik heb hen daarnet gevraagd het nog eens te proberen. Geen antwoord.'

Borch keek haar woedend aan.

'Als ik dat had geweten had ik Hartmann tegen kunnen houden!'

Lund haalde haar schouders op en stapte met Juncker en de twee mannen van het team in de rubberboot.

'Doe dat nu dan,' zei ze en ze voeren de haven uit.

Troels Hartmann deelde borden met stoofpot uit aan zwijgzame, sjofele mannen gezeten aan kampeertafels in geïmproviseerde tenten. Het stonk er naar goedkoop eten en riool. Verslaggevers van kranten en cameraploegen volgden hem op de voet en stelden vragen die hij niet beantwoordde.

Als een camera erg dichtbij kwam, glimlachte hij. Karen Nebel keek zonder glimlach toe. Ze wilde dat hij mee terugkwam voor een persconferentie in Slotsholmen.

Toen dook Morten Weber op met een paar mannen die kratten bier sjouwden. Er klonk gejuich. Een paar van de zwervers grepen een fles, stonden op en brachten een toost uit op Hartmann.

Hij grijnsde en liep naar buiten.

Hij keek nog steeds vrolijk toen hij zich tot Weber wendde en zei: 'Drank uitdelen aan alcoholisten. Heel slim, Morten.'

Weber lachte.

'Je verbaast me, Troels. In zo veel opzichten een stijve puritein. En toch...'

Hij wachtte op een antwoord, kreeg het niet.

'De PET wil dat we hier weggaan. Er zou sprake zijn van een concrete dreiging.'

'We moeten toch al terug voor die persconferentie,' voegde Nebel eraan toe.

Hartmann schudde zijn hoofd.

'Alle persjongens zijn hier. Waarom al die moeite?'

Hij beende naar de auto, ging op de motorkap zitten, keek met een stralend gezicht naar de camera's en wenkte ze dichterbij. Zelfs de verslaggevers reageerden verrast.

Mannen in dikke jassen verschenen op het toneel. Ze hadden oortjes in met gedraaide snoertjes die bij de nek onder hun kleding verdwenen. Ze keken bezorgd.

'Nou,' zei Hartmann opgewekt. 'Laten we geen tijd verspillen. Hebben jullie vragen? Laat maar horen.'

'Shit,' mompelde Karen Nebel. Ze bleef staan luisteren toen de vragen losbarstten.

Weber sprak met de luidruchtigste PET-officier, een man die zich had voorgesteld als Mathias Borch. Karen liep naar hem toe en luisterde mee. Het gesprek raakte aardig verhit.

'Ik heb toch gezegd dat hij hier weg moest,' drong Borch aan. 'Nu meteen graag.'

'Troels is de premier van Denemarken,' zei Weber schouderophalend. 'Wil je het zelf proberen?'

'Nog een paar minuten,' voegde Karen Nebel eraan toe in een poging de boel te kalmeren.

'Vanmorgen hebben we hier vlakbij een lijk aangetroffen,' antwoordde Borch met een bars gezicht.

Hij pakte zijn telefoon. Probeerde steeds maar weer dezelfde persoon te bereiken.

Lund.

Sarah.

Geen gehoor. Maar Karen Nebel zag de uitdrukking op het gezicht van Morten Weber en zo had ze hem nog niet eerder gezien. Bleek, geschokt. Bang.

'We zullen zo veel mogelijk mensen helpen,' zei Hartmann op luide toon tijdens de geïmproviseerde persconferentie. 'Maar dat lukt alleen als we allemaal een bijdrage leveren. Dat geldt dus ook voor Zeeland. Ze krijgen geen speciale behandeling. Horen jullie dat? Geen voordeeltjes meer.'

Ze hield niet van schepen. In de zaak-Birk Larsen was er ook iets met een schip. Een dode man met een strop om zijn nek. Een lichaam dat heen en weer zwaaide in de duisternis.

De twee mannen van het bootteam keken rond op het dek van de Medea. Juncker was achter haar aan naar binnen gelopen. Het leek een immense kathedraal van oud ijzer en het stonk er precies zoals op die andere boot. Naar verval en olie. IJskoud in de lange metalen gangen. Nergens iets te zien, totdat ze dichter bij de brug kwamen. Lund stak haar hand op en hield hem tegen. Ze wees naar voren.

Een grote kleverige vlek op de vloer. Bloed. En ook op de muur. Hier had een zwaargewonde gestrompeld.

In een poging te ontsnappen, dacht ze. Haar tic – dat ze zich voor de geest haalde hoe alles zich had voltrokken – speelde weer op, hoezeer ze zich er ook tegen verzette.

Er was hier een man gewond geraakt. Op de een of andere manier had hij zich weten te bevrijden. Hij was in het ijskoude water gesprongen en had gezwommen voor zijn leven.

Hij moest doodsbang zijn geweest.

Een oorverdovende herrie schalde door het duister. Ze kreeg bijna een rolberoerte. Asbjørn Juncker hanneste met zijn telefoon, met snoeiharde rockmuziek als ringtone. Lund pakte de telefoon van hem af en zette hem op stil, zoals haar eigen telefoon. Al vanaf het moment dat ze aan boord van de Medea waren gekomen had iemand geprobeerd haar te bereiken. Ze voelde het toestel trillen in haar jas. Dat kon wachten.

Bij het licht van haar zaklamp, omhooggehouden in de rechterhand, daalden ze een trap af. Opslagtanks. De zijkanten met bloed besmeurd. Een dode man in de hoek, naakt, op een groezelige onderbroek na, steekwonden over zijn hele bovenlichaam. Armen en enkels vastgebonden met draad.

'Lund,' fluisterde Juncker terwijl hij rondliep met zijn zaklamp en pistool voortdurend in de aanslag.

Ze keek. Nog een lijk. Dezelfde omstandigheden. Steekwonden. Draad. Ze waren gemarteld.

'Dat wapen is niet nodig, Asbjørn.'

'In het havenkantoor zeiden ze dat er drie waren.'

'Ja. Die andere hebben we vanochtend in stukken gevonden. Wie de dader ook geweest is, hij is weg. Veel te slim om hier te blijven rondhangen.'

Op de brug kwam het enige licht van de schermen die nog aanstonden op de controlepanelen. Bij het roer stond een laptop. Ze keek ernaar. Er stond een document open. Zo te zien ging het over de computersystemen van Zeeland.

Lund keek of ze bereik had, zei dat Juncker Brix moest bellen en dat hij een volledig team moest sturen. Toen belde ze Borch.

'Ik weet niet wat hier aan de hand is,' zei ze. Ze vertelde hem over de lijken en de gekraakte beveiliging van Zeeland.

Hij luisterde, zei niets. Mathias Borch was een ster op de politieacademie. Intelligent en toegewijd. Maar een snelle denker was hij nooit geweest.

'Hartmann is toch zeker al vertrokken?'

'Hij houdt een geïmproviseerde persconferentie. Waarom neem je je telefoon niet op?'

'Ik zat in het ruim van dit verdomde schip. De daders komen hiervandaan.'

Ze liep speurend rond in het duister, zaklamp in de hand.

Tegen het geverfde metaal van de achterwand waren talloze foto's geplakt.

Ze keek. Politici en industriëlen. Een gezicht naast een krantenartikel: Aldo Moro. De voormalige premier van Italië, ontvoerd door de Rode Brigades, vijfenvijftig dagen vastgehouden en daarna doodgeschoten en in een auto in de straat gedumpt. Naast hem een artikel over Thomas Niedermayer, een Duits industrieel gekidnapt door de Provisional IRA, neergeslagen met de kolf van een pistool, vermoord en begraven onder een vuilnisbelt buiten Belfast. Dat was een recenter verhaal en Lund kon niet ophouden met lezen. Niedermayers weduwe was tien jaar na zijn dood teruggekeerd naar Ierland en had zichzelf verdronken in zee. Later pleegden ook hun beide dochters zelfmoord. Een onophoudelijke stroom van ellende als gevolg van één brute daad...

'Ik sta hier te kijken naar foto's van ontvoerde politici,' zei Lund, zonder te weten of Borch nog luisterde. 'Dode politici. Hartmann moet daar meteen weg.'

De PET-mensen stormden dwars door de groep verslaggevers heen, tilden Hartmann bijna van de motorkap af en gooiden hem in een gepantserde wagen, naast Weber en Karen Nebel.

Zwaailichten. Sirenes. Ze zaten met zijn drieën op een bankje, tegenover twee gewapende officieren, terwijl het voertuig met grote snelheid de haven verliet en koers zette naar de stad.

'Zo mogen ze me niet behandelen,' klaagde Hartmann. 'Dat sta ik niet toe.'

'De politie heeft twee dode mannen aangetroffen in een schip voor de kust,' zei Weber. 'En vanochtend nog een. Er hingen foto's van ontvoerde politici. Dus mogen ze het wel.'

Als reactie kreeg hij een venijnige, hatelijke blik toegeworpen.

'Lund is op de zaak gezet,' zei Weber.

Stilte tussen de twee mannen.

'Wie is Lund?' vroeg Nebel.

'Iemand van vroeger,' zei Hartmann. Toen tegen Weber: 'Praat met de Politigården. Niet met Brix. Passeer hem. Ik wil haar niet in mijn buurt hebben.'

'Krijg ik het nog te horen?' vroeg Nebel.

'Ze heeft al eerder een grote fout gemaakt,' zei Weber. 'Dat heeft ons bijna de verkiezingen gekost. Dat mag niet weer gebeuren.'

Zijn telefoon ging. De wagen hobbelde over ruig terrein en kwam eindelijk op een normale weg.

Nebel wendde zich tot Hartmann.

'Je had die beloften nooit moeten doen, Troels. Je kunt niet zomaar zelf beleid bedenken. Je weet niet wat de reactie van Zeeland zal zijn. Die kant van de zaak moet je aan mij overlaten. Ik ben niet ingehuurd om jou in eigen doel te zien schieten.'

Dat vond hij amusant.

'Is dat wat ik heb gedaan?'

'Ik moet weten waar ik aan toe ben. Ik weet dat jij en Morten elkaar al jaren kennen. Voor mij geldt dat niet. Je moet me op de hoogte houden.'

Hartmann deed alsof hij diep nadacht.

'Wat wil je precies weten?'

'Doe je het met Rosa Lebech?'

Hij zakte onderuit op de bank, keek haar niet aan.

Morten Weber beëindigde zijn telefoongesprek.

'De mensen van Zeeland hebben zojuist een verklaring afgegeven waarin ze dat krantenartikel ontkennen. Het lijkt erop dat hun CEO wordt geschorst. Robert Zeuthen zal verklaren dat zowel hijzelf als het bedrijf Zeeland zijn volle steun verleent aan het herstelprogramma van de regering.'

Buiten overal lichten. Ze kwamen in het hart van de stad. Slotsholmen. Zo meteen zouden ze weer terug zijn in de warme kantoren van Slot Christiansborg.

Hartmann lachte. Grijnsde. Weber vermeed haar blik.

'Jullie wisten dat dat eraan zat te komen, hè?' vroeg ze.

'Morten heeft overal vrienden,' zei Hartmann tegen haar. 'Misschien heeft iemand hem ingefluisterd dat de kranten gehakt zouden maken van Kornerup.' Hij gaf Weber een klap op zijn knie. 'Niet dat ik het wil weten.'

De wagen stopte op de binnenplaats voor het slot. Twee agenten openden de portieren. Hartmann bleef zitten.

'We moeten een persbericht uitgeven, Karen. Jij formuleert die altijd zo zorgvuldig. Zo mooi. Ik wou dat ik dat ook kon.'

Een glimlachje.

'Maar laat me het eerst lezen, oké?' voegde hij eraan toe. 'En stop een exemplaar in Ussings postvakje, met de hartelijke groeten van mij.'

Ze liep voor hen uit het gebouw in. Weber hield hem staande op de trap en wachtte tot de beveiligingsmensen buiten gehoorsafstand waren.

'Heeft ze gelijk? Stop jij iets in het postvakje van Rosa Lebech?'

Hartmanns gezicht betrok.

'Hier heb ik geen tijd voor,' zei hij. Hij wilde doorlopen.

Weber hield hem tegen.

'Ik heb je al eerder uit de nesten gehaald met dat Birk Larsen-gedoe, Troels. We mogen van geluk spreken dat we dat hebben overleefd. Vraag dat niet nog eens van me.'

'Ik ben vrijgezel. Weduwnaar. Ik werk de godganse dag voor dit land. Ik heb recht op een privéleven. Het recht om bemind te worden.' Toen, bijna als latere overpeinzing: 'Ik had niets te maken met die zaak van dat meisje.'

'O,' zei Weber, met een knikje. 'Is het liefde?' Hij wachtte. Geen antwoord. 'Midden in een verkiezingscampagne? Die we trouwens best zouden kunnen verliezen. Met al dat gedoe met Zeeland, en die Lund die zich weer overal mee bemoeit... en dan deel jij het bed met de leider van de partij die we nodig hebben om ons hachje te redden.'

Hartmann kreunde.

'Heb wat vertrouwen, Morten. Ik heb alles in de hand. Rosa en haar Partij van het Centrum gaan met ons om de tafel zitten. Ze zullen me steunen als premier. Het Zeeland-probleem is opgelost. En jij gaat ervoor zorgen dat Lund ons niet voor de voeten loopt.'

Hij legde zijn hand op Webers rug en duwde hem naar het slot.

'Toch?'

Maja Zeuthen was nooit dol geweest op Drekar. Vóór de dood van Roberts vader woonden ze in een voormalig arbeiderswoninkje op het landgoed. Ze hadden twee prachtige kinderen ter wereld gebracht in een klein, keurig huisje dat ooit voor een fortuinlijke hovenier was bestemd.

In die tijd hadden ze intens van elkaar gehouden.

Toen kreeg hij de last van het bedrijf op zijn schouders, en groeide het besef van de crisis. Niet alleen voor Zeeland, maar voor de hele wereld. Ze verhuisden naar Drekar. Woonden onder het beeld van de draak. Verdwaalden op de vele verdiepingen en in de grootse, lege kamers.

De last die op hem rustte als de Zeuthen die Zeeland moest leiden, was te zwaar om met haar te delen. Ze had het aangeboden, maar hij wilde het niet. Na die nederlaag begon de liefde te tanen. De ruzies namen toe. Terwijl zij van hem vervreemdde bracht hij steeds meer tijd door in de matglazen kantoorgebouwen bij de haven.

En als hij thuis was, maakten ze ruzie. Soms gadegeslagen door twee gezichtjes bij de deur.

Het was bijna acht uur. De bedienden hadden het eten op tafel gezet. Tijdens het eten had ze geprobeerd met Emilie en Carl over koetjes en kalfjes te praten. Het was haar opgevallen dat ze stilvielen zodra ze probeerde het gesprek op Carsten te brengen.

Hij was jonger. Zijn medische carrière liep niet helemaal vlot. Het waren ook niet zijn kinderen, zoals Robert zei, en dat uitte zich soms in een ongewone kilheid en een slecht humeur.

Ze ruimden zelf de tafel af. Zeiden tegen Reinhardt dat hij naar huis kon gaan. Hij had een vrouw. Volwassen kinderen. Een huis aan de waterkant bij de kantoren van Zeeland. Maar hij bleef in het landhuis, lette op, maakte zich zorgen. Robert beschouwde hem bijna als een oom, als een vast onderdeel van het huis sinds de tijd dat hij nog een jongen was.

Emilie en Carl waren boven aan het spelen. Ze keken tv. Rommelden met hun speelgoed.

Ze zat alleen op de kolossale bank, staarde naar het reusachtige schilderij aan de wand: een grijs, somber doek met een voorstelling van de oceaan tijdens een zware storm. Toen ze uit elkaar gingen had Emilie gezegd dat ze er een hekel aan had. Het ding deed haar denken aan de plek waar opa was verdwenen. Als Maja hier was blijven wonen had ze het snel de deur uit gedaan.

Emilie kwam naar beneden, in haar blauwe regenjas, roze laarsjes en een rugzakje met kleuterafbeeldingen van pony's op haar rug.

'Waar ga jij naartoe?'

Ze knipperde niet met haar ogen, keek haar moeder strak aan.

'De egel voeren.'

'De egel? Nu?'

'Papa zei dat het mocht.'

'Papa is er niet.'

'Ik ben zo terug.'

'Ik zal Carl halen,' zei Maja. 'Dan kunnen we samen gaan.'

Emilie ging op de trap zitten. Ze was weg toen Maja terugkwam met haar broer.

'Emilie!'

Ze deed haar best niet al te boos te klinken.

Robert belde.

'Emilie is ervandoor gegaan. Ze zei dat ze een jong egeltje ging voeren.'
Hij lachte en dat hoorde ze graag.

'Dat doet ze de laatste tijd elke avond. We moeten eens bedenken wat voor huisdier ze mag hebben. Ik denk niet dat ze genoegen neemt met een wandelende tak.'

'Nee.'

Besefte hij dat hij haar ook aan het lachen had gemaakt? Vond ze het erg?

'Reinhardt heeft uitgezocht hoe het zat met die kat,' zei ze. 'De tuinman zei dat hij er een buiten het hek had gezien. Ergens bij een beekje. Emilie heeft daar een keer rondgehangen.'

'Buiten het hek?'

Opeens klonk hij ietwat kribbig en gespannen.

'Dat dacht hij. Maak je niet al te druk, Robert. Carsten zei dat ze over een paar dagen weer in orde is als we die crème blijven gebruiken. Het spijt me dat ik me zo liet gaan.'

'Ze mag niet zomaar naar buiten. We hebben die beveiliging niet voor niets.'

Een korte stilte. 'Ik kom naar huis,' zei hij toen.

Maja liep naar de voordeur en vroeg zich af hoe lang ze deze keer moest wachten. Het was een hoge, elegante ontvangsthal. Het enige storende element waren de blauw flikkerende lampjes en de schermpjes van het beveiligingssysteem dat om het hele huis heen liep, en ook over de rest van het landgoed.

Acht monitoren in totaal, die voornamelijk beelden toonden van wuivende bomen in de winterwind en onstuimig zwaaiende kale takken.

Terwijl ze toekeek ging een scherm op zwart, afgezien van een storingsbericht in blauwe letters. Daarna nog een. Toen, snel achter elkaar, de rest.

Foto's. Tientallen. Aan de wanden. Op de vloer.

Gezichten in zwart-wit die Lund niet kende. Een Canon SLR-fototoestel met telelens. Documenten over vaarbewegingen. Iets wat leek op een grafische afbeelding van het beveiligingssysteem van Zeeland, op verschillende locaties. Fabrieksruimtes, kantoren. Ook privéwoningen.

'Ik snap het niet,' zei Juncker, met het licht van zijn zaklamp op de camera gericht. 'Waarom zou iemand zich hier verschuilen, drie zeelieden vermoorden, alleen om een politicus te grazen te nemen?'

Lund luisterde nauwelijks. Op een bureau in een hoek had ze een aantal kleurenprints gevonden, recent afgedrukt met de inkjetprinter die daar stond. Een paar luchtfoto's afkomstig van internet. Grasvelden en bomen. Een satellietfoto van een groot landhuis.

Een gewoon uitziende man naast een glanzende Range Rover. Ongeveer veertig, gekleed in pak. Hij maakte een uiterst verdrietige indruk.

'Dat is Robert Zeuthen,' zei Juncker. 'Die vent van Zeeland.'

Ze legde de print weg, keek naar de volgende. Zeuthen die naar zijn auto liep, twee kleine silhouetten erin. Er stond een datum op de print. Half vijf deze middag.

'Ik snap het niet...'

'Dat zei je al, Asbjørn.'

Daarna hield hij een tijdje zijn mond.

Lund keek naar de printer. Er knipperde een rood lampje. Papier op, halverwege het afdrukken. Ze nam een stapeltje papier van het bureau en schoof dat in de papierlade.

Het ding ratelde en zoemde, ging verder met afdrukken.

Daar kwamen ze. Foto na foto.

Op elke foto stond een meisje met een spijkerbroek en spijkerjasje. Blond haar. Ze keek niet erg vrolijk, behalve als ze haar vader zag en hem kennelijk een plezier wilde doen.

Toen de laatste. Een close-up. Niet met een telelens genomen. Ze stond dichtbij en lachte naar degene die het fototoestel vasthield. Een katje in haar armen.

'Dit heeft helemaal niks met Hartmann te maken,' zei Lund en ze pakte haar telefoon.

Zeuthen reed met grote snelheid het grind op, liet het portier open en rende het huis in. De voordeur stond open. Daar stond Maja, rillend in een groene parka.

Ze zei, met grote ogen, bang, gekwetst: 'De politie heeft gebeld. Ze zeiden dat we binnen moesten blijven. Ze sturen...'

'Waar zijn de kinderen?'

'Carl is boven. Emilie...'

Haar gezicht sprak boekdelen.

Zeuthen rende naar binnen, pakte een zaklamp, liep het terrein op en liet de lichtstraal rondgaan.

Ze voegde zich bij hem.

'Hoe lang?' vroeg hij.

'Ze zei dat ze de egel ging voeren. Jij had gezegd dat dat mocht.'

'Hoe lang?' herhaalde hij.

'Veertig minuten. Een uur.'

Drekar werd omringd door een uitgestrekt landgoed met bloemrijke tuinen, vijvers, een meer, een tennisbaan, een croquetveld, een picknickgedeelte. Daarna een bos dat tot de kust reikte.

Om het hele gebied liep een hoog veiligheidshek, onderdeel van het uitgebreide bewakingsnetwerk dat was verbonden met de Zeeland-kantoren bij de haven.

Een idee.

Hij liep met ferme pas terug naar de ontvangsthal en staarde naar de zwarte schermen aan de wand.

Naar de oprijlaan. Een van de tuinmannen was in de buurt. Hij vroeg zich af wat er aan de hand was. Zeuthen klampte hem aan, stelde allerlei vragen over het gat in het hek, bij de beek. Welke beek? Er waren er meerdere.

De man had geen bevredigende antwoorden. Zeuthen begon wanhopig te worden. Een negenjarig meisje, verdwenen in de uitgestrekte tuinen en bossen rond haar huis. Het was als een sprookje dat in een nachtmerrie was veranderd. Hoewel de meeste sprookjes op die manier verliepen, in ieder geval in het begin.

Blauwe lichten op de lange oprijlaan. Sirenes. Beiden keken toe hoe een auto hard remmend naast de Range Rover tot stilstand kwam. Andere auto's volgden.

Twee mensen stapten uit. Een jonge, lange, magere man met een angstig gezicht en een nerveuze manier van doen. En een vrouw, niet bijzonder aantrekkelijk, haar lange zwarte haar naar achteren gebonden. Droevige, glanzende ogen die alles in zich op leken te nemen terwijl ze naar hen toe liep.

Ze haalde een politiepasje tevoorschijn. Een witte auto met *Politi* op de zijkant stopte vlakbij, toen nog een. Hij hoorde het meedogenloze geraas van een ongeziene helikopter wiens rotorbladen zich door de nacht kliefden.

'Politie. Sarah Lund,' zei ze. 'Waar is uw dochter?'

Robert Zeuthen keerde zich naar het dichte woud en zocht naar woorden.

Daar ging ze de laatste tijd telkens heen, zonder duidelijke reden. Hij had beter moeten opletten.

Lund liep verder en verder door het donkere bos. De kale bomen boden geen beschutting. Ze had een reddingsteam opdracht gegeven de dichtbegroeide, duistere gedeelten rond het landhuis af te speuren en Juncker achtergelaten als contactpersoon voor de medewerkers van de Politigården die nog zouden arriveren. De Zeuthens waren geen gewoon gezin. Als zij werden bedreigd had dat gevolgen op landelijk niveau.

Ze had geprobeerd Robert Zeuthen te vertellen wat hij moest doen. Het had geen nut. Ze kreeg geen vat op hem, hij liep als een dolle rond te tieren en scheen alle kanten op met zijn zaklamp.

Lund liep achter hem aan, hees Zeuthen uit een ondiepe sloot waar hij in was getuimeld. Hij noemde het een beek. Ze probeerde te praten. Te overtuigen. Te begrijpen.

Na een tijdje kwamen ze bij een hoog, zwaar hek. Aan de andere kant lag open, ruig terrein. Onder in het hek zat een gat, groot genoeg voor een kind om doorheen te kruipen.

Hij trok aan het hekwerk, maakte het gat groter.

'Wat is dit, Robert?' vroeg ze. 'Je moet het me vertellen.'

'Ze deed wat ze zelf wilde.'

'Ik moet het weten!'

Toen kwam het eruit. Dat iemand haar een kat had zien voeren. Dat het bewakingssysteem op zwart was gegaan. Niet dat zo'n gat in het hek erdoor zou zijn opgemerkt.

Opeens ging hij op handen en knieën zitten, kroop door het gat. Zijn pak werd modderig, zijn dure kantoorschoenen smerig, zijn handen groezelig.

Lund kwam achter hem aan. Ergens achter zich hoorde ze een bekende stem roepen dat ze moest blijven staan, moest wachten.

Achter het hek lag een schoteltje in het lange gras, naast een pak melk.

Ze deed geen moeite meer om met Zeuthen te praten. De kale bomen, de koude, donkere nacht. Het lege, onverschillige landschap. Niets van dit alles was nieuw.

Na een tijdje bleef hij staan, slaakte een kreet van pijn en ontzetting. Toen ze hem had ingehaald, zag ze wat hij in zijn handen had: een roze rubberlaarsje dat aan een klein meisje had toebehoord.

'Toe,' zei Lund, 'leg neer. Niets aanraken.'

Ze hoefde de voor de hand liggende vraag of dat laarsje van Emilie was niet te stellen.

Nog meer lichten nu. Brix bulderde nog steeds dat ze moest blijven staan, dat ze moest wachten.

Ze zag het gestuntel van Zeuthen aan en vroeg zich af hoe vaak ze dat had gehoord. En hoe vaak ze het nog horen zou.

'Je moet dit aan ons overlaten,' zei Lund.

Het is ons werk, dacht ze. We doen niet anders.

De helikopter hing laag boven hen. Ze keek achterom. Een lange rij politiemannen met zaklampen liep hun kant op. Voorop een rijzige gestalte die schreeuwde. Dat moest Brix zijn.

Ze botste tegen iets op, was even in de war.

Het was Zeuthen. Hij was blijven staan voor een lage doornige struik met kale takken. Een kinderrugzak met een patroon van pony's op de zijkant hing tussen de takken. Hij reikte ernaar.

Genoeg. Ze stuurde hem weg, duwde hem met haar ellebogen opzij toen hij niet meteen luisterde, deed een paar latex handschoenen aan en trok het ding tussen de takken vandaan.

Dat duurde even. De rugzak was daar opzettelijk achtergelaten. Tegen de tijd dat ze hem los had, was Brix bij hen.

'Heb je enig idee waar het meisje is?' vroeg hij.

Zeuthen kon geen woord uitbrengen. Zijn vrouw verscheen buiten adem ten tonele, probeerde moeizaam iets te zeggen.

Toen Juncker. Hij zei dat hij bandensporen had aangetroffen op een hobbelig weggetje door het veld.

'En dit...' Hij toonde een bewijszakje, bescheen de inhoud met zijn zaklamp. Een zilveren armbandje. 'Haar naam staat erop.'

Maja Zeuthen zei niets. Haar man kon alleen maar staren naar het kleine voorwerp in de handen van de jonge rechercheur.

Een hond blafte.

Brix liep naar de Zeuthens.

'Ik heb hulp van het leger gevraagd bij het zoeken. We hebben een helikopter ingezet.'

'Dat hoor ik,' mompelde Lund frunnikend aan de rits van de rugzak.

'We doen wat we kunnen...'

De vrouw begon te snikken. Zeuthen stak zijn armen naar haar uit. Ze stapte van hem weg.

Eindelijk kreeg Lund de rugzak open. Keek erin. Alleen een goedkope smartphone. Behoedzaam nam ze hem eruit.

Het schermpje kwam meteen tot leven. Ze nam aan dat hij was ingesteld op een videogesprek. Wat ze zag leek op het interieur van een bestelbusje: lichte kale wanden. Toen schoof een gestalte van links het beeld in. Ze wist dat hij naar haar keek. Zwarte bivakmuts. Gaten bij de ogen.

'Ik wil spreken met degene die de leiding heeft over het onderzoek,' zei hij met een beschaafde, afgemeten stem.

Iedereen ging in een kring rond de telefoon staan, keek, luisterde.

'Met wie spreek ik?' vroeg Lund.

'Je naam en rang, alsjeblieft.'

'Sarah Lund. Vicekriminalkommissær.'

'Het meisje is in orde.'

'Ik wil haar zien.'

Het scherm ging op zwart. Hij hield de telefoon nu tegen zijn oor.

'Dat is helaas niet mogelijk.'

'Wat wil je?'

'Niets onredelijks. Ik weet dat het zware tijden zijn. Maar schuld is schuld. Ik wil graag innen wat me toekomt.'

'Een schuld?' gilde Maja Zeuthen. 'Waar heeft hij het in godsnaam over?'

De stem lachte.

'Ik hoor dat we publiek hebben. Mooi. Vrienden onder elkaar. De vraag die je jezelf moet stellen is eenvoudig. Hoeveel is het leven van een meisje waard? Wat hebben jullie ervoor over om haar terug te krijgen?'

'Vertel ons wat je wilt,' herhaalde Lund.

Een lange stilte. Toen: 'Dat heb ik toch al gezegd? Luister je wel? Ik bel morgenmiddag. Naar dit nummer. Ik praat met jou en alleen met jou, Lund. Ik kijk uit naar je aanbod.'

'Ja, ja,' zei ze snel. 'Het is belangrijk dat je me met Emilie laat praten. We moeten...'

Een klik. Dat was alles. Ze keek naar de telefoon. De man was weg.

Een gure wind waaide door de kale bomen en verspreidde zijn kille adem over het dorre land.

Maja Zeuthen stond te rillen, met ogen die schitterden van angst en razernij. Ze veegde het lange blonde haar uit haar gezicht en begon hysterisch te huilen.

2

Donderdag 10 november

Ochtend in het roodstenen kasteel Drekar. Robert Zeuthen werd wakker op de bank, nog steeds gekleed in zijn vieze pak en schoenen. Even was hij ervan overtuigd dat dit een droom was. Een vervelende, ongelooflijke nachtmerrie. Toen keek hij om zich heen. Zag het schilderij waar zij zo'n intense hekel aan had. De talloze sporen van modderschoenen op het tapijt, dat nu stilletjes werd schoongemaakt door iemand van het personeel. Besefte dat het allemaal echt was.

Hij wist ook dat hij alleen was. Maja was weer terug naar het appartementje van Carsten Lassen, een ander leven met een andere man.

Hij stond op, liep een beetje doelloos naar de kamer van Emilie. Keek naar het lege bed. Pakte haar lievelingspop. Staarde naar de dierenposters aan de muur. Ging bij het raam staan. Begon een tijdje te schokschouderen. Huilde, kijkend naar de bandensporen op het gazon. Wiste zijn tranen met zijn groezelige mouw.

Reinhardt stond onder aan de trap, onberispelijk als altijd in een zwart pak, donkere das, wit overhemd. Hij zette voor Zeuthen op een rijtje wat de politie hem had verteld. Het was niet veel.

'Weet Maja dat ook allemaal?' vroeg Zeuthen.

'Ik geloof dat ze hen de hele nacht met telefoontjes heeft bestookt.'

'We moeten met de mensen van de beveiliging en financiën praten over het losgeld. Roep een vergadering bijeen.'

'Dat is al gebeurd, Robert. De PET is erbij betrokken. We moeten hun aanwijzingen opvolgen.' Hij aarzelde en voegde er toen aan toe: 'Als we vroeger met zoiets te maken hadden, loste Kornerup dat op. Hij is erg... bedreven.'

Zeuthen begreep het niet.

'Hoezo... met zoiets?'

'Er was een incident in Somalië. Niet lang voor de dood van je vader. Kornerup heeft het uit de krant weten te houden.' Een wrange uitdrukking op Reinhardts lange, bleke gezicht. 'Hij wist altijd hoe hij ze moest manipuleren, denk ik. Als het zou kunnen...'

'Ik heb Kornerup ontslagen. Dit handelen we zelf af. Die vermoorde mannen...'

'Letlanders. Onze mensen zullen hun familie steun aanbieden.'

Zeuthen keek naar zijn kleren. Het drong tot hem door dat hij zich moest verkleden. Dat hij iets moest doen.

'Als ik van die kat had geweten was dit allemaal heel anders gelopen...'

Reinhardt legde bemoedigend zijn hand op Roberts schouder.

'Laten we ervoor zorgen dat Emilie thuiskomt, Robert. De rest doet er nu niet toe.'

Ochtend in de Politigården, een witstenen fort. Lund had op het bureau een paar uurtjes slaap meegepikt op een slaapbank en nam daarna even de tijd om naar huis te gaan voor schone kleren. Een lange nieuwe dag lag voor haar.

De goedkope smartphone had ze aldoor bij zich. In de douche. Bij het aantrekken van haar dagelijkse outfit: spijkerbroek, stevige schoenen, een T-shirt en een van die wollen truien met patroon die ze lang geleden was beginnen te dragen, toen ze de kleine Mark vlak na de scheiding naar de Faeröer Eilanden had meegenomen om het leed wat te verzachten.

Dat had gewerkt.

De telefoon lag nu aan een oplader op het bureau bij de afdeling Moordzaken. Ondertussen keek ze toe hoe Borch en Juncker de foto's van de Medea, de kidnapper en de politie zelf bekeken. Brix stond er zwijgend bij, in gedachten verzonken. Ontevreden.

Het telefoontje was via internet gepleegd en was niet te traceren. Bij de haven was een gestolen wit bestelbusje aangetroffen. Daarin hadden ze het andere roze laarsje van Emilie gevonden, en ook haar vingerafdrukken. Alleen die van haar. Er was geen nieuw bewijsmateriaal op het schip gevonden. Alles wees erop dat de ontvoering het werk van een eenling was en dat hij alles zorgvuldig had voorbereid.

De vorige avond was ze rond elf uur weggegaan bij Robert en Maja Zeuthen, die maar bleven ruziën en bekvechten. Lund betwijfelde of die twee überhaupt hadden geslapen. Toen ze het telefonische logboek bekeek, wist ze het zeker. Ze waren maar blijven bellen, naar Brix, naar zijn baas Ruth Hedeby. Naar het ministerie van Justitie en ook naar het kantoor van de premier. Hartmann had zijn medeleven betuigd, samen met een verklaring dat hij Zeuthen dankbaar was voor zijn steun aan de regering. Daarna had hij de politie met klem gevraagd om de zaak zo snel mogelijk op te lossen.

Alsof wij het liever traag zouden oplossen, dacht Lund toen Hedeby het nieuws doorgaf.

Toen Nanna Birk Larsen werd vermist hadden haar ouders, een doodgewoon arbeidersechtpaar uit Vesterbro, niemand bij wie ze terechtkonden.

De Zeuthens hadden keus te over. Niet dat het hielp.

Eén klein aanknopingspunt: bandensporen bij het achtergelaten bestelbusje deden vermoeden dat de kidnapper Emilie had overgeladen in een groter voertuig.

'Hij is misschien al wel driehonderd kilometer verderop,' zei Juncker mopperend.

'Het is een ontvoering, Asbjørn,' zei Lund geduldig. 'Hij wil geld. Zelfs als het meisje dood is zal hij toch het geld willen innen.'

'Wat weten we van het bestelbusje dat hij heeft achtergelaten?' vroeg Brix.

'Het is eigendom van een bende Servische misdadigers,' zei Lund. 'Ze zitten in de prostitutie. We hebben er een paar kunnen oppakken. En een stel van hun meisjes.'

Hij keek geïnteresseerd.

'Zij zijn het niet,' voegde ze eraan toe. 'In de buurt van hun bordeel was geen spoor van haar te vinden. Ze hebben verklaard dat het busje drie nachten geleden is gestolen. Daar hebben ze uiteraard geen aangifte van gedaan, maar... zij waren het niet.'

Ze hadden vier Serven in verzekerde bewaring en een paar deuren verderop werd een groep seksslavinnen onophoudelijk ondervraagd. Lund had al een half uur bij de mannelijke arrestanten doorgebracht.

'Die pooier had een sleutelbos in het busje liggen,' zei ze. 'Van gebouwen waar hij de vrouwen onderbracht nadat ze het land in waren gesmokkeld. We controleren ze allemaal.'

Ze had wat achtergrondinformatie over de Zeuthens doorgenomen. Ze stonden op het punt van scheiden. Veel onderlinge bitterheid. Ze hadden gezamenlijke voogdij over de kinderen. Zij woonde samen met een arts van het academisch ziekenhuis, Carsten Lassen. Verder was er niemand bij de breuk betrokken. De breuk leek vooral veroorzaakt door de lange uren die Robert Zeuthen bij Zeeland maakte.

'Tussen Zeuthen en zijn vrouw is de liefde wel over, nietwaar?' merkte ze op. 'Heb je gehoord wat ze hem toeschreeuwde toen we vertrokken?'

Had haar toch met mij laten meegaan, zoals ik vroeg.

'Mensen geven elkaar soms de schuld,' zei Borch. 'Het is een manier om zelfverwijt te voorkomen. Niemand trapt daarin.'

Lund sloot even haar ogen en wenste dat ze het op háár manier voor zich konden zien.

'Het was een georganiseerde ontvoering. Als het niet gisteravond was gebeurd, had hij Emilie...'

Brix keek haar scherp aan.

'Je had dat schip meteen moeten doorzoeken.'

'Dat was ook mijn beslissing,' loog Borch.

Ze luisterde niet. Ze bleef maar staren naar de schoolfoto's van Emilie Zeuthen op het bureau, de foto die je nu overal zag: in de kranten, op tv. Blond haar, glimlachend, recht in de camera starend met een intelligente, berekende onbevangenheid. Ernaast lagen foto's van de technische recherche van de mannen op de boot. Halfnaakt, net als het slachtoffer dat in stukken gereten op het haventerrein was gevonden.

'Waarom heeft hij die mannen gemarteld?' vroeg ze. 'Wat wilde hij van hen?'

Niemand kwam met een antwoord.

Borch smeet nog wat foto's op tafel. Opnames van een jong katje. Emilie met het beestje in haar armen, glimlachend naar de camera.

'Hij moet haar goed hebben bespeeld. Sarah...'

Lund hoorde het nauwelijks. Die gemartelde mannen zaten haar dwars.

'Sarah! Je moet ervoor zorgen dat die telefoon steeds opgeladen is. En draag hem steeds bij je. We weten niet wanneer hij belt. Stem gewoon in met alles wat hij zegt. Hou hem aan de praat. We kunnen proberen hem na te trekken...'

'We weten al dat hij belt via internet,' bracht ze te berde. 'Hij was slim genoeg om het hele beveiligingssysteem van Zeeland plat te gooien. Denk je dat hij zichzelf zou verraden met een telefoontje?'

'Ik hoop het maar,' mopperde Juncker. 'We weten verder helemaal niets.'

Soms kon ze het wel uitschreeuwen.

'Denk eens terug aan wat hij heeft gezegd. Hij heeft nooit het woord "losgeld" gebruikt. Hij wilde een aanbod. Er moest een schuld vereffend worden. Waar heeft hij het over? Aan wie is Zeeland geld schuldig?'

Borch leek te snappen waar ze op doelde.

'Ze hebben een omzet van driehonderd miljard kronen. Misschien hebben ze een conflict over een of andere rekening. Hoe moeten wij weten...'

'Als het alleen om geld gaat, waarom noemt hij dan geen bedrag?'

'Vraag hem dat wanneer hij belt,' stelde Brix voor. 'Hier...'

Hij overhandigde een e-mail van Reinhardt aan Zeeland.

'Jullie wilden meer weten over de bemanning. Volgens het bedrijf was de scheepsmaat de enige die de afgelopen week aan land is geweest. Hij had toestemming gevraagd het schip te mogen verlaten omdat hij als getuige bij de rechtbank was opgeroepen. Die plekken die jullie controleren...'

'Wat voor rechtszaak?'

'Dat weet ik niet. Het ging om de man die jullie op de sloop in stukken hebben aangetroffen. Die opgesloten hoertjes...'

Brix nam zijn telefoon op. Maande met een handgebaar om stilte. Hing op.

'Robert en Maja Zeuthen zijn hier,' zei hij. 'We moeten hen op de hoogte brengen van de laatste details.'

'Dat doe ik wel.'

Toen ze bij de deur was hield Borch haar tegen.

'Sarah?'

Hij had de telefoon van Emilie in zijn hand.

'Bedankt,' zei Lund en ze nam de telefoon van hem over.

Ochtend op het eilandje Slotsholmen, het hart van de Deense regering. Ontbijt in een rustige kamer nabij het parlementsgebouw. Hartmann, Rosa Lebech, Anders Ussing. Koffie en broodjes. Eén punt op de agenda: een wapenstilstand betreffende Zeeland en Zeuthen.

'We moeten hen buiten de verkiezingen houden,' zei Hartmann. 'In hun belang en in belang van het onderzoek wil ik niet dat dit onderdeel van het debat wordt.'

Ussing, een norse, botte kerel die altijd een populistische snaar wist te raken, schudde zijn hoofd.

'Wil je zeggen dat ik het niet over Zeeland mag hebben? Ben je niet goed wijs? Dit is een politieke en economische zaak van het grootste belang.'

'Het gaat hier om een gezin, Anders,' viel Lebech hem in de rede. 'We moeten die daad veroordelen en onze steun uitspreken.'

Ussing had een stierennek, een rossige teint en een sarcastische grijns. Ooit had hij zelf in de haven gewerkt.

'Ik snap heus wel waarom je het stil wilt houden. Zeuthens kind wordt ontvoerd terwijl de PET de hele dag aan het babysitten is op jou.'

'Dat is irrelevant,' hield Hartmann voet bij stuk.

'Bewijs het dan. Ik wil een rapport van de PET en de politie over wat zich gisteren in de haven heeft afgespeeld. Geef me dat en ik houd me koest over Zeeland. Voorlopig.'

Hartmann probeerde zich te beheersen.

'Je hebt helemaal geen recht op een rapport...'

'Misschien niet, maar ik wil het toch hebben. Als rechtvaardiging voor onze wapenstilstand.' Een snel, ironisch lachje. 'We willen immers niet dat de mensen denken dat Rosa en ik puur zijn gevallen voor je knappe uiterlijk en je onweerstaanbare charme.'

Hij stond op, gaf hun een knikje.

'Ik zou dat rapport graag voor het debat van vanavond hebben,' voegde Ussing er nog aan toe voor hij wegliep.

Rosa Lebech vermeed Hartmanns blik.

'Hij probeert ons alleen maar uit elkaar te drijven,' zei hij en hij probeerde over de tafel heen haar hand te pakken.

Ze trok haar vingers terug.

'We moeten de verklaring uitstellen. Ik krijg mijn mensen niet achter ons geschaard als Ussing je bij die zaak gaat betrekken. Dat is al eens eerder gebeurd...'

'Ik had niets te maken met dat Birk Larsen-meisje! Niets.'

'Dat weet ik,' zei ze rustig. 'Van die beschuldiging ben je af. Maar nu proberen ze je opnieuw door het slijk te halen. Het is niet de daad zelf die je de das omdoet, Troels. Het is de leugen erover.'

'Welke leugen?'

'Je moet hier duidelijk afstand van nemen. Ik heb gehoord dat die politievrouw Lund op deze zaak zit. Ussing weet dat ook. Geef hem zijn rapport. Zorg dat hij zijn kop houdt. Daarna kunnen wij je onze steun geven.'

Eenmaal terug in zijn kantoor bracht hij Karen Nebel van het nieuws op de hoogte. Ze leek niet verbaasd.

'De pers heeft al gebeld. Ze ruiken onraad. Ze willen weten of het waar is dat die deal niet doorgaat.'

'Probeer tijd te rekken,' zei Hartmann. 'Zeg maar gewoon dat...'

Er lag een krant op het bureau. Een sensatieblad. Het grootste gedeelte van de voorpagina werd in beslag genomen door een schoolfoto van Emilie Zeuthen. Negen jaar oud. Lang blond haar. Mooi.

Nanna Birk Larsen was tien jaar ouder. Dezelfde kleur haar. Ook leuk om te zien. Haar foto had Hartmann bijna drie weken lang achtervolgd toen hij was verwikkeld in de strijd om de macht in Kopenhagen.

'Troels,' zei Nebel. Ze raakte even zijn arm aan. 'Laat je hierdoor niet van de wijs brengen.'

'Dat gebeurt niet,' beloofde hij.

Maja Zeuthen kwam als eerste binnen. Met opengesperde ogen liep ze langs de Oost-Europese prostituees die het team voor verhoor had opgeroepen. Haar man liep niet ver achter haar. Een interessant stel, dacht Lund. De vrouw had de verloren schoonheid van een werkloze actrice en droeg gemakkelijke kleding, niet goedkoop maar ook niet erg elegant. Zeuthen zag eruit alsof hij elke ochtend meteen een keurig gestreken wit overhemd en een schoon duur pak aantrok. Niet iemand die de aandacht trok. Niet iemand die de baas van een van de grootste bedrijven van het land zou zijn geweest als die rol hem niet door zijn afkomst was toegevallen.

Ze nam hen mee naar een verhoorkamer, waar ze naast elkaar in het flauwe ochtendlicht bij het tralievenster gingen zitten. Gescheiden of niet, het bleven de ouders van Emilie. Het was belangrijk dat ze gezamenlijk bij dit probleem werden betrokken.

De telefoon lag op tafel. Ze vond het belangrijk dat ze dat wisten.

Toen nam Lund de zaak zo veel mogelijk met hen door. Vertelde hun over het bestelbusje. Dat het bewijsmateriaal op de Medea de indruk wekte dat de kidnapper alleen werkte en zich goed had voorbereid.

Zeuthen vroeg of hij foto's van het voertuig mocht zien. Lund aarzelde.

'Dwing me niet om je superieuren te bellen,' zei hij.

Brix was duidelijk geweest. Deze twee kregen een speciale behandeling. Dus duwde ze de foto's onder hun neus en vroeg: 'Ik neem aan dat je die auto niet eerder hebt gezien?'

Tot haar verbazing knikte Zeuthen van wel.

'Ik heb gisteren een dergelijke auto gezien, op het parkeerterrein van het ziekenhuis. Ik zag Emilie. Ik meende dat ze naar iemand zwaaide.'

Lund vroeg hoe laat dat was geweest, riep Juncker en zei dat hij het moest natrekken.

Daarna liet ze foto's zien van de kledingstukken die ze in het busje hadden aangetroffen. Een laarsje. Een spijkerbroek. Een roze sweater. Maja Zeuthen knipperde haar tranen weg en knikte.

'Weten jullie zeker dat die kledingstukken van Emilie zijn?'

'Geen twijfel mogelijk,' antwoordde Zeuthen. 'Dus hij heeft haar…'

'Daar moet je niet te veel achter zoeken,' viel Lund hem in de rede. 'Het is een vaste gewoonte van kidnappers om de ontvoerde zo snel mogelijk andere kleren aan te trekken.'

Ze herinnerde zich hoe Maja Zeuthen naar de prostituees had gestaard.

'We hebben geen enkele aanwijzing gevonden dat er iets in het busje is gebeurd. Geen sporen van geweld. Of van iets anders.'

Zeuthen vermande zich.

'Ik moet de namen weten van de mannen die je hebt gearresteerd. Waar ze wonen.'

'Het gaat om Serven. Ze runnen een prostitutienetwerk. Dat busje is van hen gestolen. Ze hebben hoogstwaarschijnlijk verder niets met de zaak te maken.'

De moeder ging bij het raam staan en beet op haar knokkels.

'Ik moet weten…' begon Zeuthen.

'Hij zei dat hij Emilie zou teruggeven in ruil voor geld,' onderbrak Lund hem. 'Die Serven houden zich niet met dat soort zaken bezig. Het zijn geen… aardige lieden. Maar geen kidnappers.'

'Wat doen jullie dan?' Maja Zeuthen ging weer zitten, staarde naar de telefoon op tafel. 'Gewoon wachten tot hij opbelt?'

Zeuthen probeerde haar hand te pakken. Ze trok hem weg.

'Maja…'

'Bemoei je er niet mee, Robert! Was Emilie maar met mij mee naar huis gegaan!'

Lund liet de stilte tussen hen even duren. Toen zei ze: 'Die man was al langere tijd van plan Emilie te ontvoeren. Als het gisteren niet was gebeurd…'

Ze wendde zich tot Zeuthen. 'Als hij belt is het belangrijk dat je hem iets kunt aanbieden. Wat dan ook. We moeten hem geen smoesjes verkopen.'

'Ik ben in gesprek met de PET,' zei Zeuthen. 'En met mijn eigen mensen.'

'Dat geldt voor ons beiden,' zei Maja Zeuthen op scherpe toon. 'Het mag dan jouw geld zijn, ze is net zo goed míjn dochter.'

Dat kwam hard aan, maar ze merkte het niet eens. Zeuthen stond op, bedankte Lund, schudde haar de hand met de bedeesde charme van een bankmanager.

'Zodra ik meer weet neem ik contact op,' zei ze.

Hij knikte. De moeder staarde naar het plafond, vloekte binnensmonds.

'Die... schuld waar hij over sprak,' voegde Lund eraan toe. 'Heb je enig idee wat hij daarmee kan bedoelen?'

'Nee,' zei Zeuthen. 'Jij wel dan?'

Onderweg naar buiten liepen ze langs de rij hoeren. Iemand van het dagteam kwam binnen en zei dat er geen bewijs was dat de stuurman van de Medea onlangs nog als getuige in een rechtszaak was opgetreden. En de moeder van Lund had gebeld. Of ze wou terugbellen. Het was belangrijk.

Een half uur later had ze nog steeds niet teruggebeld. Juncker had videobeelden van de bewakingscamera's van het parkeerterrein bij het ziekenhuis. Je kon zien dat de kidnapper vanuit zijn bestelbusje naar het gezin Zeuthen had gekeken. Het was niet duidelijk wie er achter het stuur zat.

Mathias Borch was klaar met het verhoor van de Serven en hun vrouwen. Hij ging aan het bureau tegenover haar zitten, keek of de telefoon bij haar in de buurt lag. Het was bijna elf uur.

'Nog nieuwe feiten?' vroeg Lund.

'Wat tips over seksspeeltjes. Schiet ik niet veel mee op.'

Hij was getrouwd, twee kinderen. Had het niet vaak over zijn gezin. De ene keer dat ze ernaar had gevraagd leek hij niet erg gelukkig.

'En jij?'

'Ik heb de rechtbank gesproken. Die stuurman heeft die dag niet getuigd. Hij had een afspraak met een van de hulpaanklagers. Ik heb hem gebeld en berichten ingesproken. Hij heeft nog niet teruggebeld. Dus...'

Ze stond op, pakte haar tas en jas.

'En als die vent belt?'

De telefoon lag nog op het bureau.

'Hij zou vanmiddag bellen,' antwoordde ze en ze pakte de telefoon op. 'Ik ben zo terug.'

'Hallo, schat!' klonk een stem aan de andere kant van het kantoor.

Lund sloot even haar ogen. Draaide zich om, zag dat haar moeder naar hen toe liep.

'Schat?' vroeg Lund. Toen begreep ze het. Vibeke liep linea recta naar Borch. Hij glimlachte breed, stond op, knikte en zei al die aardige dingen die hij altijd zei. Daarna kuste hij haar op beide wangen.

'Je hebt me nooit verteld dat Mathias hier werkte! Ik heb hem jaren niet gezien. Niet meer sinds...'

Juncker sloeg dit alles gretig gade.

'Niet sinds jullie twee...' voegde Vibeke eraan toe. 'Hoe lang is dat geleden?'

'Een hele tijd,' zei Borch. Hij begon een beleefd gesprekje over koetjes en kalfjes. Lund werd er altijd razend van: het ging hem zo gemakkelijk af en bovendien meende hij het.

Het was Vibeke die het afkapte. Ze nam Lund even apart.

'Sorry dat ik je zo overval.'

'Dit is niet het juiste moment, mam.'

'Hier.' Ze viste iets uit haar tas. 'Ik heb een boek over tuinieren voor je gekocht. Je hebt niet bepaald groene vingers. Dat huisje van jou kan wel wat bloemen gebruiken.'

Borch luisterde mee. Hij leek het amusant te vinden. Lund trok haar moeder een eindje verder weg.

Haar moeder kon haar ogen niet van hem afhouden.

'Ik heb altijd gedacht dat Mathias de ware was,' fluisterde ze. 'Niet die verwaande kwast met wie je uiteindelijk trouwde.'

Lund trok haar jas aan, klaar om te gaan.

'We moeten over Mark praten,' zei Vibeke snel.

'Hoezo?'

'Ik wil niet dat de relatie tussen jullie nog slechter wordt.'

'Het gaat prima. Ik heb hem en zijn nieuwe vriendin uitgenodigd om te komen eten. Ze konden niet komen, dat is alles.'

Vibeke legde haar hand op Lunds schouder, kwam dichterbij.

'Hij was nog heel jong toen jullie gingen scheiden. Daarna volgde een zware periode. Die vreselijke zaak. Met dat jonge meisje...'

Jij geeft alleen om dode mensen.

Tijdens de Birk Larsen-zaak – Mark was toen twaalf – had hij dat tegen haar gezegd. Die bijtende woorden spookten nog steeds door haar hoofd.

'Je werkt altijd zo hard, Sarah...'

'Wat doe je hier?' wilde Lund weten. Het hele kantoor luisterde mee.

Vibeke was niet op haar mondje gevallen, maar nu leek ze te aarzelen.

'Mark heeft me gevraagd om je te vertellen... hij wil dat je hem met rust laat. Geen telefoontjes. Geen contact.'

Lund voelde zich koud. Stom. Alleen.

'Hij laat wel weer van zich horen als hij er klaar voor is,' voegde Vibeke eraan toe. 'Geef hem de tijd. Ik zal met hem praten.' Ze kuste Lund op de wang, glimlachte naar Borch en keek naar de deur. 'Het komt wel goed. Maar nu nog even niet.'

En weg was ze.

Borch kwam naar haar toe en zei: 'We kunnen hier om de hoek een kop koffie gaan drinken, als je wilt. Ik kan wel een pauze gebruiken en...'

'Ik ga naar de rechtbank,' zei Lund en dat was dat.

Hartmann was klaar met zijn eerste activiteit van die ochtend, een toespraak in een kantoor in de buurt van de luchthaven Kastrup. Hij liep naar zijn blauw-witte campagnebus. Karen Nebel zei dat de pers steeds opdringeriger werd over het verhaal rond de samenwerking met Rosa Lebech.

'We kunnen dit niet nog een hele dag laten doorgaan. Ze moet nu eindelijk eens partij kiezen.'

'Dat zal ze zeker doen,' zei hij. Hij had schoon genoeg van deze discussie. 'Geef het wat tijd. Zorg ervoor dat Ussing een of ander rapport van de PET krijgt. Wat dan ook. Schrijf het desnoods zelf.'

'Daar heb ik het iets te druk voor, Troels. Birgit Eggert wil je spreken.'

Eggert was minister van Financiën. Een gehaaide intrigante die al jarenlang aasde op het leiderschap van de partij.

'Nee bedankt, daar zit ik niet op te wachten.'

'Te laat,' antwoordde Nebel.

Eggert stond bij de bus in een lange jas van blauwe wol. Op haar revers droeg ze een button met een foto van Hartmann. Ze was lang, met kort grijs haar en een mannelijk, dominant gezicht. Ze was halverwege de vijftig, tien jaar ouder dan Hartmann. Maar ze was nog altijd erg ambitieus.

Ze beende naar hem toe, feliciteerde hem met de campagne. Fluisterde in zijn oor: 'We moeten praten. Alleen.'

Op weg terug naar de stad stopte de bus op de plek die ze had aangegeven. Bij een grasveld naast de weg. Ze stapten allebei uit en liepen over het sprietige gras.

'Herinner je je deze plek nog, Troels?'

'Niet precies.'

'Dit zou ons bedrijventerrein worden. Het stond vermeld in ons manifest voor groei.' Ze lachte. 'Misschien is dat een van de positieve dingen van een recessie. Je kijkt niet meer zo vaak terug. Al die illusies en herinneringen. En wie rekent ons nog af op onze vroegere beloften, niemand toch?'

'Dat zou wel moeten,' zei hij. 'Want wij gaan dingen verbeteren.'

'En jij bent daarvoor de aangewezen persoon. Je hebt de partij nieuw leven ingeblazen. De mensen houden van je.' De glimlach. 'Nou ja, de meesten dan.'

'Ik heb het echt heel druk, Birgit. Wat is er?'

'We moeten er zeker van zijn dat Zeeland zich aan de afspraak houdt. Zonder hen kan onze hele economische strategie overboord.'

Hij schudde zijn hoofd.

'Je hebt die verklaring van Zeuthen toch gelezen? Het verhaal was onzin. Kornerup is weg...'

'Robert Zeuthen heeft Zeeland niet in zijn zak. Hij kan niet alles bepalen. Kornerup heeft zijn werk onder leiding van Zeuthens vader weten vol te houden, en dat betekent dat hij een vechter is. Je hebt Rosa Lebech beloofd dat we die bezuinigingen op de sociale zekerheid niet zullen doorzetten...'

Eggert was daar vanaf het begin tegen geweest – en die strijd had ze verloren. Het verbaasde hem dat ze het onderwerp weer ter sprake bracht en dat zei hij ook.

'Het punt is, Troels, dat je al de nodige concessies hebt gedaan. Toch weet ze zogenaamd nog steeds niet wat ze wil.' Ze zweeg even. 'Op het politieke vlak, bedoel ik dan.'

Hartmann herinnerde zich de waarschuwing van Morten Weber: als er ooit een coup van binnenuit zou worden gepleegd, dan zou hij door deze vrouw worden geleid.

'Die trucjes van Ussing zetten haar onder druk vanuit haar eigen partij. Dat moet ze oplossen. Vandaag nog.'

Eggert keek naar het kale land, niet naar hem.

'Er gaan geruchten dat jij meer met Rosa deelt dan uitsluitend haar politieke ideeën. Is dat waar?'

Hartmann keek haar nijdig aan.

'Onderbreek je onze verkiezingscampagne om me vragen te stellen over mijn liefdesleven?'

'Jouw liefdesleven interesseert me geen donder,' beet Eggert hem toe. 'Maar ik wil niet dat alles wat we hebben opgebouwd zomaar instort. Ussing speelt geen spelletje. Hij heeft Lebech een voorstel gedaan. Een volledig gelijkwaardige regeringscoalitie als hij wint. Als tegenprestatie mag zij minister worden.'

Geen antwoord.

'Heeft ze dat niet verteld?' vroeg Eggert met een glimlach. Hartmann keek demonstratief op zijn horloge. 'Weet je wat de reden is dat politiek en liefde niet samengaan, Troels?'

'Dat ga jij me nu ongetwijfeld vertellen.'

'Vroeg of laat zul je moeten kiezen. Het een of het ander. Wat wordt het?'

Hartmann lachte.

'Uit die vraag blijkt wel dat je me totaal niet kent. Hoe staat de economie ervoor, Birgit?'

'Beroerd.'
'Dan kun je daar maar beter wat aan gaan doen, vind je ook niet?'

De rechtbank stond aan het Nytorv-plein, een imposant gebouw met aan de voorzijde een klassiek portaal dat rustte op zes Ionische zuilen. Boven op het gebouw wapperde de Deense vlag en op de façade stond een inscriptie over gerechtigheid. Als jonge agent had ze vaak de trap aan de achterzijde genomen om te genieten van het uitzicht vanaf het dak. Tegenwoordig bracht ze meer tijd door in de naastgelegen gevangenis, die via afgesloten gangen onder indrukwekkende arcades met de rechtbank was verbonden.

Voordat ze uit de Politigården was vertrokken had ze de database van het ministerie van Justitie doorzocht en de persoonlijke gegevens en foto van de hulpaanklager bekeken. Peter Schultz was een middelhoge ambtenaar die al tien jaar voor het ministerie werkte. Hij was veertig, een magere, ascetische man met een artistiek baardje.

Lund kon maar zelden goed met juristen overweg. Ze wilden altijd uitsluitend op hun eigen voorwaarden met de politie praten. Ze had geen reden om aan te nemen dat Schultz anders zou zijn.

Toevallig stond hij op de trap in het portaal van de rechtbank toen ze aankwam. Hij nam net afscheid van een andere jurist. Lund kwam tussenbeide en legde uit dat zij degene was die berichten op zijn antwoordapparaat had ingesproken.

'Drukke dag,' zei Schultz. Hij wierp zijn collega een geamuseerde blik toe. De andere man tikte op zijn horloge en liep de rechtbank in.

'Dat geldt ook voor mij. Zoals ik al zei moet ik u spreken over een stuurman van een schip van Zeeland. De Medea. Hij was degene die is vermoord bij de haven…'

'Ik heb uw bericht ontvangen.' Hij gebaarde naar het gebouw. 'Maar ik word in de rechtbank verwacht en rechters wachten niet.'

'Dit heeft te maken met de ontvoering van Emilie Zeuthen en drie moorden. Ik denk dat de rechter het wel zal begrijpen.'

'U kent hem niet.'

Ze ging pal voor de ingang staan om hem tegen te houden.

'Hebt u die stuurman ooit ontmoet?'

'Heel even.' Hij leek een tikje nerveus. 'Ik weet niet wat hij wilde. Hij dook op en eiste een gesprek met mij. Hij sprak geen Deens. Zijn Engels was niet goed. Hij beweerde dat hij nog geld kreeg vanwege een getuigenis voor de rechtbank, een tijdje geleden. Hij ging naar huis en eiste nu het geld op.'

Schultz wuifde naar iemand binnen als teken dat hij eraan kwam.

'Die betreffende zaak is nooit voor de rechter geweest. Dus er was ook geen geld.'

'Tegen Zeeland heeft hij iets anders verteld. En naar huis ging hij even-min.'

Schultz trok even met zijn smalle schouders.

'Zo heeft hij het tegen mij verteld.'

De jurist liep om haar heen naar de deuren.

'Welke zaak?' vroeg ze.

'Kunnen we dit later bespreken?'

'Moet ik dat tegen het gezin Zeuthen zeggen?'

'Een jong meisje was van huis weggelopen ergens in Jutland. Ze pleegde zelfmoord. De stuurman en een paar anderen hebben het lijk gevonden in de zee bij de haven. Ze zijn verhoord door de plaatselijke politie.'

'Wanneer was dat?'

'Ik moet gaan. Bel me morgen.'

'Ik moet de namen van die anderen hebben. Misschien ging het om dezelf-den als die mannen op de Medea. Schultz. Schultz!'

Maar hij duwde de groene deuren al open, ging het gebouw in. Een flauw glimlachje en weg was hij.

Lunds telefoon ging over, haar eigen toestel, niet dat van Emilie dat ze nog veilig in haar zak droeg.

'Ik denk dat we iets hebben,' zei Asbjørn Juncker. 'Een van die hoeren dacht dat ze een kind had horen huilen in een gebouw bij haar in de buurt. Een bedrijfspand in Vasbygade.'

Haar auto stond om de hoek. Dat pand was tien minuten rijden.

'Ik zie je daar,' zei ze.

Reinhardt had met de PET en de beveiligingsmensen van Zeeland gesproken. Nu bracht hij Robert en Maja Zeuthen op de hoogte in een van de directie-kantoren.

'Ze vinden allemaal dat je niet meteen met een groot bedrag moet komen. Wat je ook aanbiedt, hij zal het waarschijnlijk afslaan. Je hebt onderhande-lingsruimte nodig.'

Maja keek hem kwaad aan.

'Het geld is niet belangrijk. Het gaat om Emilie.'

Zeuthen knikte. Hij was in hemdsmouwen, maar zijn stropdas zat nog ste-vig op zijn plek.

'Dat weet de PET ook,' drong Reinhardt aan. 'Ze willen jullie er ook niet van weerhouden losgeld te betalen.' Hij keek hen stuk voor stuk aan. 'Ik heb gezegd dat dat zinloos is. Ze proberen het onderhandelingsproces zo kort mogelijk te houden. Daarom moet je hem het idee geven dat hij heeft gewon-nen.'

'Hoeveel?' vroeg Zeuthen.

'Zo weinig mogelijk. Hij wacht jullie bod af. Dat is puur tactiek. Zet zo laag mogelijk in…'

'Geld is de oorzaak van dit alles!' schreeuwde Maja Zeuthen. 'Doe niet alsof het leven van mijn dochter niks waard is.'

'Geld is ook hetgeen waarmee we haar vrij krijgen,' zei Zeuthen. 'De ontvoerder heeft om een aanbod gevraagd. Hij wil weten wat Emilie ons waard is,' ging ze verder. 'Dus zeg het maar, Robert. Hoeveel?'

Hij liep naar het raam en keek naar de havens en de stad verderop.

'Ik wil haar terug,' drong Maja aan. 'Het kan me niet schelen hoeveel geld je dat gaat kosten.'

Zeuthen wachtte of ze nog meer zou zeggen. Toen ze bleef zwijgen zei hij tegen Reinhardt: 'Bied hem wat we hebben afgesproken. Als het niet genoeg is, verhoog ik het bedrag. Haal het van mijn persoonlijke rekening. Dit gaat verder niemand wat aan.'

Hij pakte zijn colbertje.

'Breng de PET en de politie op de hoogte,' voegde hij eraan toe. 'En de bank.'

Hij liep het kantoor uit, zich ervan bewust dat iedereen hem nakeek. Liep naar de lift, verontschuldigde zich toen hij tegen iemand op botste. Stond in zijn eentje naar de bij elke etage oplichtende lampjes te staren. Liep naar buiten, het parkeerterrein op.

Ging in zijn glanzende Range Rover zitten. Keek naar zichzelf in de achteruitkijkspiegel. Een gewone man, gevangen in een kostuum, opgesloten in een gestreken overhemd, een strakke stropdas, normen en waarden die hem vanaf zijn geboorte waren ingeprent.

Het enige wat hij wilde was een gezin. Een liefhebbende vrouw. Gelukkige kinderen. Geen rijkdom, geen macht. En nu stond hij op het punt alles kwijt te raken.

In de verlaten ondergrondse parkeergarage, in de stinkende walm van uitlaatgassen, voelde hij zich bespot door zijn eigen onverstoorbare, emotieloze gezicht.

Er rees een vreemd gevoel op in zijn binnenste. Razernij en drift. Opgesloten in de grote auto tierde en schreeuwde hij, beukte met zijn vuisten op het lederen stuurwiel, stampte met zijn handgemaakte schoenen op de vloer voor de bestuurdersstoel.

Hij gaf al zijn woede de vrije loop, trok zijn stropdas los. Heel even was hij een ander mens.

Maar het duurde niet lang. En toen zijn plotselinge razernij wegzakte was de wereld onveranderd. Hij liet zijn hoofd achterover zakken. Knoopte na een tijdje zijn das weer om. Toen stuurde hij de Range Rover langzaam en behoedzaam het verkeer in, op weg naar de Politigården.

Lund was bij het fabriekspand in Amager toen Brix belde met het nieuws over het bedrag dat Zeuthen als losgeld had geboden: tien miljoen kronen.

'Hoeveel is dat in euro's?' vroeg ze.

'Dat weet ik niet. Eén komma vier miljoen of zoiets?'

'Het had een bedrag in euro's moeten zijn,' zei Lund. 'Hij zal snel naar het buitenland willen. Als je in Amerika, Italië of weet ik veel waar komt aanzetten met tien miljoen kronen val je meteen op.'

'Nou, dit is het aanbod dat er ligt,' zei Brix bits. 'Jammer dat je niet bij het gesprek was. Borch zei dat je bezig was met een of andere rechtszaak van lang geleden.'

'Ik ben in Vasbygade. Iemand heeft hier gisteravond een kind horen huilen.'

Het was een sinistere plek. Ze kon zich nauwelijks voorstellen dat mensen hun slachtoffers in een dergelijke zwijnenstal durfden te stoppen, ook al waren het Servische mensenhandelaars. Lege industriële bergruimten, weinig meer dan betonnen containers, langs de weg naar de luchthaven. Overal gemakkelijk toegankelijke vluchtroutes. De ideale plek voor een kidnapper, begreep ze.

Juncker snuffelde achter in het gebouw rond. Een paar andere politiemensen inspecteerden de buitenkant.

'Iets gevonden?' vroeg Brix.

'Ik zie niks.'

'Zeuthen komt hierheen om over het losgeld te praten. Ik wil dat jij daar ook bij bent.'

'Prima.'

De jonge rechercheur zat op handen en knieën naar sporen op de vloer te kijken, vlak voor een grote dossierkast, die kennelijk nog onlangs was verschoven. Ze begon Asbjørn Juncker steeds meer te waarderen. Ondanks zijn jongensachtige uiterlijk had hij koppige, dwarse trekjes.

'Wat is dat?' vroeg Lund.

Hij gaf geen antwoord. Stond op. Schoof de laden open.

'Er zit hier iets achter,' zei hij en hij trok de kast naar zich toe.

Hij viel met daverend geraas op de grond. Erachter bevond zich een smalle ruimte. Een ijzeren rooster voor iets wat eruitzag als een lage deur.

'Pak wat gereedschap,' beval Lund.

De telefoon rinkelde. Ze haalde hem uit haar zak. Keek ernaar. Een zwart schermpje.

Vloekte. Besefte nu pas dat ze een andere, meer kinderlijke beltoon had gehoord. Pakte het toestel van Emilie.

'Hallo, Lund,' zei hij met dezelfde afgemeten, beleefde stem als gisteravond. 'Ik wil graag weten wat je aanbod is.'

'Je belt te vroeg.'

'En jij verspilt je tijd. Je kunt dit telefoontje niet traceren. Ik ben niet gek.'

Ze liep naar buiten, knipperde tegen de onverwacht felle winterzon die door de wolken brak.

'Zeuthen is bereid je tien miljoen kronen te geven. Ongemarkeerde biljetten. Niet na te trekken.'

Stilte.

'Wat vind je ervan?'

Hij bleef zwijgen.

Ze liep bij de weg vandaan, uit de buurt van het verkeersgedruis.

'We garanderen je een vrije aftocht. Jij mag zeggen hoe we het moeten aanpakken. Het gezin wil Emilie terug, meer niet. Nou?'

'Wat nou?'

'Is het genoeg?'

Hij lachte.

'Vraag je me of dit bedrag in verhouding staat tot de schuld die ik wil vereffenen?'

Lund keek naar de fabriekspanden om zich heen. Een desolaat terrein. Waarschijnlijk waren de meeste huurders failliet.

De stem van de man had iets opvallends. Hij klonk beschaafd, ontwikkeld. En zeer afstandelijk.

'Dat kan ik moeilijk vragen, aangezien ik niet weet om welke schuld het gaat.'

'Hoeveel is dit meisje waard, volgens jou?'

'Ik denk dat je te veel risico neemt. Wij zijn ook niet gek en als je in de fout gaat, zullen we je vinden. Dit is je beste optie. Neem het aanbod aan. Geef ons het meisje. En scheer je dan weg uit Denemarken.'

Ze meende te horen dat hij weer lachte. 'Oké,' zei hij toen.

'Hoe gaan we het doen? Waar moeten we het geld afgeven?'

'Om 5.23 uur vertrekt er een metro van station Nørreport. Lijn A naar Hundige. Ik wil dat jij het geld bezorgt. Als ik iemand anders zie is ze er geweest.'

Dat was alles.

Juncker kwam bij haar staan en vroeg: 'Is het zover?'

De campagnebus had de hele stad doorkruist, van het ene fotomoment naar het andere. Toen belde Rosa Lebech om te vragen of ze ergens op een discrete locatie konden afspreken. Hartmann koos een rustig plekje bij het strand in Amager. Onderweg daarnaartoe werd Karen Nebel gebeld door Dyhring, hoofd van de PET. Hartmann zat tegenover haar, keek toe en luisterde naar de toon van haar stem.

'Goed nieuws?' vroeg hij nadat ze het gesprek had beëindigd.

'De PET heeft de overdracht geregeld. Zeuthen stopt tien miljoen kronen in de pot. De kidnapper heeft ja gezegd.'

'Laten we hopen dat het werkt.'

Haar iPad op het tafeltje gaf een piepje. Ze bekeek haar e-mail.

'Ussing zegt dat hij voorlopig instemt met een wapenstilstand.'

'Voorlopig?' vroeg Hartmann.

'We verwachten toch geen gunsten van hem?'

'Dat is waar. Hoe laat is die overdracht?'

'Ergens na vijven. Je verwacht toch zeker niet dat ze mij de details geven?'

'Zodra het is afgehandeld wil ik het weten.'

Nebel liep om de tafel en ging naast hem zitten. Blauw pak. Blond haar in een strakke, lage staart. Perfect opgemaakt. Ze zag er precies zo uit als op tv.

'Wat wijze raad,' zei ze op gedempte toon, zodat niemand kon meeluisteren. 'Wees voorzichtig met Rosa Lebech. Die heeft haar eigen agenda…'

'Dat geldt voor ons allemaal. Heeft Birgit Eggert ook met jou gesproken?'

'Rosa heeft er geen enkel belang bij om zich nu bij jou aan te sluiten. Als ik haar was zou ik dat niet doen.' Ze staarde hem aan, verzekerde zich ervan dat hij haar aankeek, raakte even de mouw van zijn overhemd aan. 'Ongeacht wat ik voor je zou voelen.'

Hartmann had zich al een paar keer afgevraagd hoe het nou eigenlijk zat met Nebel. Ze was aantrekkelijk. Had een ongeduldige gedrevenheid die hem aantrok. Haar huwelijk was stukgelopen onder druk van het regeringswerk. Er waren momenten geweest, 's avonds laat, dat er bijna iets tussen hen was gebeurd. Maar ze hoorde bij zijn personeel. Net als Rie Skovgaard tijdens de strijd om het burgemeesterschap. En met haar was dat fout gelopen. Affaires op het werk waren altijd problematisch. En Karen Nebel was niet het type dat een onvermijdelijke breuk, hoe voorzichtig ook gebracht, licht zou opvatten. Die gedachte had hem uiteindelijk tegengehouden. Maar het had niet veel gescheeld.

'Wat wil ze nu weer van je?' vroeg Nebel.

Ze naderden het lange, lege strand.

'Dat kan ik maar beter snel uitvinden,' zei Hartmann.

Een paar minuten later liep hij samen met Rosa Lebech over het strand, beiden dik ingepakt tegen de ijzige wind. In de zomer was het moeilijk hier een plekje te vinden, maar nu, in deze gure novembermaand, waren ze helemaal alleen.

'Als we elkaar op deze manier blijven ontmoeten kan ik beter een camper kopen,' zei Hartmann. 'Met een gasstelletje en een opklapbed. Dat lijkt me nog niet eens zo'n gek idee.'

Ze droeg een modieuze geelbruine jas, een rode sjaal om haar hals. Hij vond dat ze er moe uitzag. Dat gold waarschijnlijk voor hen allemaal.

'Ussing heeft ingestemd met een wapenstilstand.'

Lebech knikte. Misschien wist ze dat al.

'Dat is goed nieuws.'

'Wanneer kom je met die verklaring?'

Ze keek naar het strand. Het rondwervelende zand in de wind.

'Vanavond tijdens het tv-debat zou een geschikte gelegenheid zijn,' voegde Hartmann eraan toe.

'We moeten wachten. Vanavond is niet het juiste moment. Morgenochtend zal beter overkomen.'

'We kunnen dit niet blijven uitstellen, Rosa.'

'Er is op dit moment maar één verhaal in het nieuws. De ontvoeringszaak van Zeuthen. Die steelt de show.'

'Hopelijk is die show, zoals jij het noemt, gauw voorbij.' Hij probeerde niet al te hard te klinken.

Geen antwoord.

'Heeft Ussing contact met jou opgenomen?'

'Niet met mij,' zei ze. 'Wel met de vicevoorzitter. En nog een paar mensen. Verdeeldheid zaaien is zijn sterke kant.'

'Je kunt hem zo'n verschrikkelijke misdaad toch niet laten misbruiken voor zijn eigen doelen.' Hij keek haar nauwlettend aan. 'Of wel soms?'

Na een korte stilte zei ze: 'Je hebt gelijk. Ik zal mijn invloed aanwenden. Na het debat van vanavond geven we je onze volledige steun.'

'Bedankt,' zei hij.

Het campagneteam keek toe vanuit de bus. Hij vroeg zich af of hij zich daar druk om moest maken. Toen besloot hij dat dat niet hoefde. Legde zijn hand lichtjes op haar middel, glimlachte. Liet het daarbij.

Nog een uur te gaan. In de Politigården was een team opgetrommeld, klaar voor de overdracht. Borch stopte het geld in een zwarte reistas onder het toeziend oog van Robert Zeuthen, zijn vrouw en Brix. Lund zat apart in een hoekje en doorzocht computerbestanden.

'We kunnen er een gps in verstoppen,' zei Borch. 'Op die manier…'

'Nee!' drong Zeuthen aan. 'Doe gewoon wat hij zegt. Dat geld kan me niet schelen.'

Lund voelde dat er ruzie op de loer lag, liep naar de tafel en keek Borch aan. Hij begreep de hint.

'Hoe draagt hij Emilie over?' vroeg Maja Zeuthen.

'Dat weten we niet,' zei Lund tegen haar. 'Dat heeft hij niet gezegd.'

Brix legde uit dat de overdracht in de Politigården zou worden gevolgd via een verbinding met de plaatselijke beveiligingscamera's.

'Jullie mogen hier gerust blijven kijken,' voegde hij eraan toe.

'Nee,' zei Maja Zeuthen. 'Ik wil erbij zijn. Het is mijn dochter. Ik heb geen zin om hier te blijven en alleen maar af te wachten.'

Haar man knikte instemmend.

'We lopen heus niet in de weg.'

'Jullie mogen erbij zijn,' zei Lund terwijl ze naar haar telefoon keek. Ze wierp een blik over tafel. 'Als dat goed is.'

Brix gromde en nam de Zeuthens mee de gang op, om hun instructies te geven, nam Lund aan.

'Dat vond hij niet leuk, Sarah,' zei Borch.

'Als dit voorbij is zit ik hoog en droog bij de OPA. Dus waarom zou ik me opwinden? Die hulpaanklager. Schultz. Hij weet meer dan hij prijsgeeft. En hij belt me nooit terug.'

'Misschien heeft hij het… druk?' opperde Borch.

'Ik zeg je dat er iets niet klopt. Die ontvoerder heeft het over een schuld die moet worden vereffend. We weten nog steeds niet waarover het gaat.'

'Laten we er nu eerst maar voor zorgen dat dat meisje vrijkomt. Daarna kunnen we ons met Peter Schultz bezighouden.'

Ze dacht hier even over na.

'Heb ik zijn voornaam genoemd?'

'Ja,' zei Borch vlug. 'Zeker. Heb je al met je zoon gesproken?'

'Niet nu.'

Ze keek naar de tas op tafel. Tien miljoen kronen. Een flink gewicht.

'Weet je waardoor ik altijd bijdraaide na een ruzie met mijn ouders? Als ze een pizza voor me meebrachten. En een paar biertjes. Werkte altijd.'

'Dat weet ik nog,' zei Lund.

In de tv-studio, achter het podium voor het aanstaande debat, liep Anders Ussing te ijsberen tussen de monitoren en de studiomedewerkers. Riep om Hartmann. Zo luidruchtig dat Karen Nebel hem ging halen. Vervolgens liet ze hen alleen.

'Je hebt een stropdas nodig, Anders,' zei Hartmann. 'En ook wat make-up.'

'Donder op met je make-up!' Ussing had enkele vellen papier in zijn hand. 'Die onzin die je me hebt gestuurd…'

Hartmann pakte de papieren aan. Hij had het rapport over het incident bij de haven van de vorige dag nog niet gelezen, maar hij wist wat erin stond. Niet veel.

'Je zei dat je een rapport wilde. Ik heb opdracht gegeven je er een te bezorgen. En toch blijf je maar aan mijn kop zeuren…'

'Die wapenstilstand kun je vergeten.'

Hartmann keek hem kwaad aan.

'Laten we open kaart spelen. Je hebt er de pest over in dat je Rosa Lebech niet hebt kunnen ompraten. Maar laat de familie Zeuthen erbuiten.'

'Flauwekul! Ik wil een rapport met alle details. Niet alleen de gedeelten die jou goed uitkomen.'

Hartmann kneep zijn ogen samen en zei: 'Wat?'

'Er bestaat een memo over. Van een week geleden. Ik weet...'

'Luister goed.' Hij stak waarschuwend een vinger uit naar de zwaargebouwde man van de Socialistische Partij. 'Ik hoef je geen ene moer te geven. Je weet al meer dan goed voor je is. Laten we nu gaan debatteren over de werkelijke kwesties. Laat de rest maar aan de politie over.'

Ussing verroerde zich niet.

Toen grijnsde hij.

'De werkelijk belangrijke kwesties? Ja, Troels. Je hebt gelijk. Laten we dat doen.'

Het metrostation lag midden op een drukke weg: aan beide kanten reed een groot aantal bussen voorbij. Een lange trap leidde naar de ondergrondse metrolijnen. Lund droeg het geld in een zware rugzak. Het was druk. Forensen die huiswaarts keerden. Mensen die gingen stappen.

De metro was op tijd. Lund stapte in. Mathias Borch deed één deur verder hetzelfde. Wierp een blik op zijn telefoon. Die werkte nog in de metro. Wifi ook. Ze konden contact houden met elkaar. En dat gold ook voor de ontvoerder.

Toen de metro één minuut van het station was verwijderd, belde hij.

'Stap uit bij station Sjælør en neem lijn E in noordelijke richting.'

'Ik wil Emilie spreken.'

Maar hij had al opgehangen.

Brix had Robert en Maja Zeuthen naar het centraal station gestuurd en hen ergens boven de hoofdingang laten plaatsnemen, met drie politiemannen erbij die voortdurend via een radiozender contact hielden. Zeuthen wist dat dit een zoethoudertje was. Ze hadden geen reden om aan te nemen dat de kidnapper naar het drukste verkeersknooppunt van de stad zou gaan. De Politigården wilde hen uit de weg hebben, ergens waar ze zich nergens mee konden bemoeien. De rationele kant van hem begreep de logica hiervan. Maar Maja niet. En in zijn hart begreep hij het eigenlijk ook niet. Beiden voelden zich verantwoordelijk en schuldig over haar verdwijning. Ze voelden een dringende, beklemmende en dwaze behoefte om iets te doen, hoewel ze heel goed beseften dat ze eigenlijk niet veel konden bewerkstelligen.

Het geld bij elkaar zoeken.

Het aan Lund geven.

En maar hopen dat het zou lukken.

Nu stonden ze zij aan zij naar de gestaag voortbewegende mensenmassa in de stationshal te kijken.

Hij bleef maar aan gisteravond denken. De kansen die hij had gehad om de dingen anders te laten verlopen. Om het ongeziene monster in de woestenij achter de kale bomen en het stukgetrokken hoge hek te vermijden.

'Soms kwam ze met natte schoenen thuis,' zei hij. Hij durfde haar nauwelijks aan te kijken. 'Ik had moeten vragen hoe dat kwam. Ik had moeten weten dat ze op verboden terrein was geweest.'

Maja Zeuthen keek hem niet aan. Bleef naar de menigte onder hen staren. Gewone mensen, verveeld, vermoeid, humeurig, op weg naar huis, wetend dat hun die dag niets zou overkomen.

'Als ik ze nou maar gewoon met jou mee had laten gaan…'

Ze zuchtte. Wierp hem een blik toe die hij niet kon duiden.

Toen zei ze: 'Het spijt me dat ik je niet vertrouwde, Robert. Ik weet dat je je uiterste best hebt gedaan.'

'Maar toch was het niet genoeg.'

'We slaan ons er wel doorheen.' Nu keek ze hem wel aan en voor het eerst in maanden zag hij geen haat, geen verbolgenheid in haar ogen. 'We moeten wel. Voor Emilie. En voor Carl.' Ze zweeg even. 'Voor ons.'

Dat verraste hem. Hij keek haar ietwat verbaasd in haar helderblauwe ogen. Ze greep zijn hand en kneep erin, heel even maar.

'We moeten er nog aan wennen dat we gescheiden zijn, toch?' zei ze. 'We moeten nog wat meer oefenen.'

Zeuthen knikte. Had zich nog nooit zo ellendig gevoeld en was vastbesloten daar niets van te laten merken.

Een van de politiemannen die met hen mee was gegaan sprak in zijn mobilofoon. Hij zag dat ze hem in de gaten hielden. Beëindigde zijn gesprek. Schudde zijn hoofd: niets.

De trein raasde ratelend en grommend door het ondergrondse gangenstelsel van Kopenhagen en passeerde het hoofdstation.

Lund inspecteerde alle gezichten. Concentreerde zich op twee in het bijzonder: een in het zwart geklede jongeman tegenover haar, kennelijk op de versiertoer, want hij keek haar alsmaar glimlachend aan. Een oudere, in elkaar gedoken gestalte in een anorak een bank verderop, zijn ogen op de vloer gericht.

Ze keek bewust niet naar het andere eind van de wagon, waar Mathias Borch zat.

Ik dacht dat hij de ware was.

Haar moeder had niet het recht dat te denken. Het was niet aan haar om die beslissing te nemen. Maar ze dacht het toch. En daar moest ze een reden voor hebben gehad.

Pizza. Bier.

Dat was niet eens zo'n slecht idee. Een zoenoffer. Een pathetische manier om te zeggen: sorry dat ik je al die jaren zo heb verwaarloosd.

De jongeman tegenover haar bleef glimlachen. Lund keek hem strak aan.

De telefoon ging over.

'Stap uit in Vesterport,' zei de stem. 'Ga naar het tegenoverliggende perron.'

Ze keek naar het rode schermpje met de stationsnamen.

'We zijn er bijna.'

'Dat weet ik. De metro kan elke minuut vertrekken. Als je dat kind wilt redden kun je maar beter opschieten.'

Lund ging bij de deur staan. Wachtte. Piepende remmen. Ze liep het perron op. Aan de overzijde stond de andere metro al te wachten. Deuren schoven uitnodigend open. Borch liep vlak achter haar. Ze keek het perron af. Verroerde zich niet.

Daar stond Mark. De grote Mark. Achttien jaar, bijna negentien nu, hoewel hij in haar hoofd nog steeds het kleine schattige kereltje was dat ze ooit had meegenomen naar de Faeröer Eilanden, om hem te verwennen, hem het idee te geven dat ze altijd van hem zou houden, de volmaakte, bewonderde zoon, hoezeer zijn ouders ook de pest aan elkaar hadden.

Jij geeft alleen om dode mensen.

Dat was niet waar. Misschien later wel, bij de zaak-Birk Larsen. Ze had dat zelf niet gewild, niet gezocht. Dat hoopte ze in ieder geval.

Hij droeg een sjofele parka. Ze wilde onmiddellijk een nieuwe voor hem kopen. Maar hij glimlachte en was druk in gesprek met een knappe jonge vrouw. Blond haar, levendig, blij gezicht. Ouder dan hij. Dat zag Lund meteen.

Toen draaide ze zich om en zag Lund haar reusachtige buik. De manier waarop ze haar handen eromheen had gevouwen, de baby in haar buik koesterend.

Dat was de reden dat hij de laatste tijd niet meer langskwam. Lund wist het direct. Ze begreep het ook.

Een stem ergens vandaan, van nu en lang geleden.

'Sarah! Hé!'

Borch stond in de metro, leunend tegen de deuren om te verhinderen dat ze dichtschoven.

Mark en zijn vriendin stapten in. Borch stapte niet-begrijpend op haar af.

De deuren begonnen dicht te schuiven. Lund sprong naar voren. Ramde op de deurknop. Keek toe hoe de trein in beweging kwam en snelheid maakte. Zag Mark en zijn vriendin voorbijflitsen, helemaal opgaand in elkaar.

Voelde de grond onder haar voeten wegzakken.

Borchs hand voorkwam dat ze viel.

'Wat is er gebeurd?' vroeg hij.

Het duizelde haar.

'Het spijt me.'

Een jong meisje. Een kidnapper. Mark. Een vrouw bij hem.

'Wat…?'

'Dat was mijn zoon,' zei Lund. Toen richtte ze zich weer op Borch, probeerde helder na te denken. 'Shit…'

De telefoon ging over.

Voordat hij iets kon zeggen, zei ze: 'Ik heb de metro gemist.'

'Je bent niet erg goed, hè Lund?'

'Daarom heb je mij immers uitgekozen?'

Niets.

'Ik heb het geld bij me. We kunnen er nog steeds mee doorgaan.'

'Dat weet ik. Praat met je mensen. Zeg dat ze de metro moeten stilleggen. Stop alle treinen. Schakel de stroom uit. Daarna wil ik dat jij de tunnel in loopt. In dezelfde richting als de metrotrein.'

Ze keek naar het zwarte gat, de lichten die verdwenen in die donkere muil.

'Moet ik daarin?'

'Je wilt Emilie toch terug? Blijf doorlopen totdat je een stalen trapje aan je rechterhand ziet. Klim naar boven. Daarna neem ik weer contact op.'

'Luister…'

'Je hebt weinig tijd.'

Ussing vloog zijn tegenstander naar de keel in het debat. Het gespreksonderwerp was het economisch beleid.

'We hebben een brede coalitie nodig om ons door deze crisis te helpen,' zei Hartmann. 'Een partnerschap dat is gebaseerd op vertrouwen en wederzijds respect.'

'Hoezo vertrouwen?' onderbrak Ussing hem. 'Hoezo respect? Die deal van jou met de Partij van het Centrum is naar de knoppen. Ze steunen je niet wat betreft Zeeland. Ze geloven je praatjes niet meer.'

'Het moge duidelijk zijn waarom ik het vanavond niet over Zeeland ga hebben,' antwoordde Hartmann. 'We kunnen slechts gissen door wat voor een hel de familie Zeuthen op dit moment gaat. Ik sta niet toe dat dit onderwerp wordt gebruikt voor politiek gewin. De Partij van het Centrum en ik hebben een solide relatie…'

'Dat is voorbij!' jubelde Ussing. 'Wanneer Lebech erachter komt dat je ons allemaal voor de gek hebt gehouden.'

Hartmann schudde zijn hoofd en vroeg: 'Waarover?'

'Hierover!' Ussing toonde de afgedrukte pagina's die hij had meegebracht. 'Dat zogenaamde rapport van jou over de gebeurtenissen voorafgaand aan de ontvoering van Emilie Zeuthen.'

'Dit is geen onderwerp voor een publiek debat...'

'Dat zal wel moeten, Hartmann. Terwijl jij de beveiliging voor jezelf hebt verdubbeld, werd dat kleine meisje bij haar ouders weggeroofd. Ondanks het feit dat je eigen minister van Justitie een week geleden een ontmoeting heeft gehad met een eenheid van de speciale troepen. Omdat er sprake was van een specifieke dreiging om een lid van de familie Zeuthen te ontvoeren. Ik heb een interne memo van het ministerie van Justitie waaruit dat kristalhelder blijkt.'

Weer wapperde hij met Hartmanns rapport.

'En daar wordt hierin met geen woord over gerept. De weerloze Emilie Zeuthen werd gegrepen terwijl jij door Kopenhagen paradeerde, stemmen bij elkaar sprokkelend en omringd door de bewapende beveiligers die háár hadden moeten beschermen. Hoe verklaar je dat?'

'Zoals ik al zei,' antwoordde Hartmann. 'Ik zal niet toestaan dat de pijn van dit gezin onderwerp wordt van het politieke debat.'

De interviewer onderbrak de discussie.

'U wilt in het geheel niet reageren op deze beschuldiging? Echt niet?'

'Ik heb het volste vertrouwen in de PET en de politie.'

Hartmann keek even naar de rand van de studio. Rosa Lebech moest daar ergens zijn, klaar om met een verklaring over hun verbond te komen zodra het debat voorbij was. Hij zag dat ze hevig stond te redetwisten met Karen Nebel. Ze schudde haar hoofd en liep weg.

'Dat,' voegde hij eraan toe, 'is alles wat ik erover kan zeggen.'

Het duurde twee minuten om de stroom af te sluiten en de treinen stil te zetten. Toen liet Lund zich tussen de rails zakken, pakte haar zaklamp en liep de koude, donkere tunnel in, langs ijzeren pilaren, oude graffiti. Ze zorgde dat ze rechts hield, op het pad voor onderhoudsmedewerkers.

De metrolijn achter de gewelven functioneerde nog. Van tijd tot tijd stoof er een trein voorbij, oogverblindend en oorverdovend, gezichten achter de raampjes. Lund had geen idee hoe ver ze had gelopen. Begon zich af te vragen of ze het punt al was gepasseerd. Toen zag ze weer graffiti, een teken dat dit deel van de tunnel toegankelijk was voor ingewijden. Rechts van haar ontwaarde ze een roestige, oude, smalle ladder.

Ze legde haar handen op de koude reling, zette haar rechtervoet op de eerste sport en begon te klimmen.

Na een minuut voelde ze koude lucht, hoorde verkeersgeluiden boven haar hoofd. Het deksel op het mangat was al weggehaald. Ze klom nog een stukje omhoog en stond buiten. Pylonen en hekken om haar heen vanwege wegwerkzaamheden. Ze stond op een plein dat was geplaveid met keistenen. Uitvoegende gele stadsbussen.

De telefoon ging over en hij zei: 'Zie je de bus van lijn 14?'

Hij arriveerde precies op dat moment bij de halte. Ze rende naar de deuren.

'Moet ik instappen?'

'Nee. Smijt het geld naar binnen.'

Ze bleef even staan, keek naar de vele passagiers. Gewone forensen. Geen gemakkelijke manier om ze te volgen. Lund deed de rugzak af, stapte naar de ingang, schoof de tas over de vloer naar binnen en zag hoe de deuren zich sloten. De bus reed meteen weg. De tas lag nu bij de voeten van onbekenden.

'Mooi,' zei hij.

Lund keek om zich heen. Hij zag elke beweging.

'Waar is het meisje?'

Stilte.

Nu zag ze waar ze was. Het Nytorv-plein waar ze die ochtend was geweest om de onwillige Peter Schultz lastig te vallen. Snel rennende voetstappen. Mathias Borch die over de keistenen naar haar toe rende.

'Waar is het meisje?' vroeg Lund nogmaals.

'Kijk omhoog, Lund,' zei de stem, vrolijk en lachend. 'Je moet altijd omhoogkijken. Dat moet je onthouden.'

De rechtbank. Het hoogste gebouw op het plein.

Met de telefoon nog bij haar oor gooide ze haar hoofd in haar nek en tuurde naar het portaal met zijn scherp afgetekende, goed leesbare inscriptie over gerechtigheid. Zag niets. Toen, op de puntige top, bij de vlaggenmast…

'Wat is dit?' fluisterde ze.

'Lees wat er staat.'

Ze had nooit echt gelet op de woorden op de gevel. Ze kwam hier alleen voor haar werk.

Med lov skal man land bygge.

Een land stoelt op de wet.

'Goeie grap, vind je niet?'

Borch stond vlakbij, speurde met zijn blik het plein af.

'Ik heb toch gezegd dat je alleen moest komen, Lund.' Hij klonk nu streng en veroordelend, als een schoolmeester die een standje uitdeelde. 'Doe de volgende keer wat ik zeg. Het leven van een klein meisje is toch wel meer waard dan wat kleingeld?'

Het fraaie gebouw werd verlicht door schijnwerpers op het voorportaal. Er zweefde iets omlaag vanaf de top. Een zakdoek die als een gigantische sneeuwvlok neerdwarrelde in de winternacht. Lunds adem stokte in haar keel.

Hoog op het puntdak stond een man. Ze kon hem net zien, en ze zag ook dat er iets om zijn nek zat.

'Onthoud dit,' zei de stem en toen viel de gestalte op het gebouw omlaag. Gevolgd door een touw dat achter hem aan slingerde.

Hij tuimelde als een steen omlaag, gillend, met rondmaaiende armen, wild trappende benen. De strop om zijn nek en het lange touw erboven voorkwamen dat hij te pletter sloeg op de kasseien van het Nytorv-plein.

Een knal als een pistoolschot. Een nek die brak.

Lund schreeuwde iets, zag de gehangene heen en weer zwaaien, een trage pendelbeweging tussen de Ionische zuilen. De tengere, bebaarde gedaante van Peter Schultz draaide om zijn as.

Een vrouw op straat schreeuwde. Uit het gerechtsgebouw kwam personeel aanlopen. Mathias Borch vloog als een dolle om de arcades heen naar de aangrenzende steeg en riep versterking op.

Lang geleden had Lund zelf ook dat dak beklommen. Er waren meerdere uitgangen en vluchtroutes.

Ze begon een beeld te krijgen van deze man. Iemand die het beveiligingssysteem van een gigantische corporatie kon platleggen. Iemand die kon doordringen in de metrotunnels van de stad. Iemand die hen altijd één stap voor wist te blijven.

Hij was al weg.

Een half uur later wemelde het plein van de politie. Brix had zwaar de pest in. Borch zocht wanhopig naar aanwijzingen. Inspectie van het gerechtsgebouw had niet meer opgeleverd dan wat vage videobeelden van een man met een capuchon over zijn hoofd die via het dak aan de westzijde was binnengedrongen. Het losgeld was onaangeraakt in de bus teruggevonden.

Ze hadden Schultz losgemaakt. De voorzijde van het gebouw was afgezet voor het onderzoek van de technische recherche en om cameramensen en tv-ploegen op afstand te houden.

'Hij is vermoedelijk via het dak binnengekomen en op dezelfde manier vertrokken,' zei Borch.

'En er zat niemand in die bus?' vroeg Brix.

'Hij is nooit in die bus geweest,' zei Lund. 'Dat losgeld interesseerde hem niet.'

'Je hebt hem gesproken...' Brix had zwijgend geluisterd naar haar verslag van de gebeurtenissen op het metrostation. 'Zou hij opnieuw bellen?'

'Ja, ik neem aan van wel. Ik heb een auto nodig.'

'Dat neem je aan?' Hij verhief zijn stem, iets wat hij niet vaak deed. 'Hoe zit het met die Peter Schultz?'

69

'De stuurman van dat Zeeland-schip heeft contact met hem gezocht. Hij wilde geld. Had iets te maken met een rechtszaak. Een zelfmoord. Jong meisje. De stuurman en die andere twee bemanningsleden zijn als getuige opgetreden. We moeten die zaak verder onderzoeken.'

Brix zuchtte diep.

'Waarom wist ik dat niet?'

'Omdat het vandaag pas bekend werd,' interrumpeerde Borch. 'We hadden geen tijd.'

'Ik heb een auto nodig,' zei ze. 'Ik wil terug naar die plek die Juncker heeft gevonden.'

De chef Moordzaken stak zijn lange arm uit.

'Ik laat je pas gaan als je me die telefoon geeft.'

'Hij zei dat hij uitsluitend met mij wilde praten.'

'De telefoon!'

Ze mompelde iets en overhandigde het toestel.

'Nu kun je gaan,' voegde Brix eraan toe. Hij knikte naar Borch. 'En jij ook.'

Onderweg reageerde Lund zich af op de PET-man. Zaagde hem door over de telefoon. Het was niet gelukt om de telefoontjes te traceren. Ze wisten alleen dat hij een mobiele provider gebruikte die via Londen liep.

'Hoe weet hij dat verdomme allemaal?' zei ze verontwaardigd. 'En waarom had ik… zo weinig aan jou?'

Dat maakte hem kwaad.

'Weinig aan mij? Denk je dat ik die man op het dak had zien zitten met een strop om zijn nek? Zag jij hem?'

Ze kwamen bij de auto. Uit ergernis gaf ze een trap tegen het portier.

'En,' ging Borch verder, 'ik was niet degene die op het perron bleef staan om iemand te begroeten, weet je nog?'

Ze stapten in, Lund achter het stuur.

'Dus,' zei Borch. 'Mark wordt vader. Gefeliciteerd.'

De weg werd geblokkeerd door een wit politiebusje. Lund ramde op de claxon.

'Waarom gaan ze niet opzij?'

'Met dat negen-tot-vijf kantoorbaantje bij de OPA heb je veel meer tijd om oma te zijn.'

Ze wilde zeggen dat hij dood kon vallen, maar toen ze hem aankeek zag ze dat hij het meende.

'Rare manier om erachter te komen,' zei Borch met een welwillende schouderophaal. 'Ik denk dat hij er pas iets over zegt als hij vindt dat de tijd er rijp voor is.'

'Ze ziet eruit alsof ze elk moment kan bevallen!'

Ze ramde nog een keer op de claxon.

'O,' zei hij.

'Ik denk dat zij sowieso alles bepaalt. Ze lijkt me ouder dan hij. Ze wil vast niet dat ik weet dat mijn achttienjarige zoon op het punt staat vader te worden.'

Borch knikte.

'Of zou het ook iets met jou te maken kunnen hebben? Denk je?'

Lund staarde hem alleen aan.

'Mijn advies,' ging hij dapper verder, 'voor wat het waard is, hoor, veel weet ik er ook niet van... maar koop een cadeau voor ze. Iets leukers dan een pizza of bier. Ga ze feliciteren. Maak het bespreekbaar. Probeer...'

'Je weet helemaal niks van mij, Borch. Niks van mijn leven.'

Dat raakte hem.

'Heus? Ik weet nog dat ik buiten dat flatje in de vrieskou stond, met al mijn spullen op straat, zonder dat ik ook maar enig idee had wat ik had misdaan. Werkelijk geen flauw idee...'

'We waren te jong. We hadden nooit moeten gaan samenwonen.'

'Ja, nou... fijn dat je dat nu zegt. Ik denk daar anders over. Mijn vader heeft dat huis nog aanbetaald.'

Ze sloeg nogmaals met haar vuist op de claxon.

'Ben ik je nog geld schuldig?'

'Technisch gezien wel, ja. Laat maar zitten.'

'Wat ben je toch aardig.'

'Nee, dat ben ik niet. Ik weet hoe het zit: als het om emoties gaat, sla je op de vlucht. Voor mij, Mark, god mag weten waarvoor nog meer...'

'Nou, dat heeft voor jou toch goed uitgepakt? Jij bent vader van een gelukkig gezinnetje. Een vrouw. Twee kinderen. Nirwana...'

Stilte. Ze keek naar hem. Borch staarde uit het zijraampje. Hij maakte een treurige indruk.

Nog een klap op de claxon en toen reed het busje eindelijk weg.

Na het debat ontbood Hartmann zijn minister van Justitie, Mogens Rank, voor een vergadering. De PET vond een veilige locatie in de buurt: een overheidskantoor in een bankgebouw vlakbij. Het vroor aan de grond tegen de tijd dat de campagnebus buiten stopte. Morten Weber was er al, hij stond te popelen om Hartmann over de moord bij het gerechtsgebouw te vertellen.

'Wat heeft dit in godsnaam met Emilie Zeuthen te maken?'

'Dat weet de politie niet,' zei Weber. 'Het losgeld is niet opgepikt. Ze hebben geen idee waar het meisje is.'

Karen Nebel beëindigde haar telefoongesprek.

'Birgit Eggert is herrie aan het schoppen. Ze eist een bijeenkomst. Ze wil dat we reageren op de beweringen van Ussing.'

'Is dat zo?' mompelde Hartmann.

Rank zat binnen al op hen te wachten. Een keurig nette man van in de dertig met rood haar en een dikke bril waar hij onophoudelijk aan zat te friemelen. Hartmann had hem benoemd als dank voor zijn steun bij de vorige verkiezingscampagne. Hij was saai en nerveus, maar hij leek iemand op wie je kon vertrouwen.

'Ik kan het uitleggen,' zei Rank zodra Hartmann binnenkwam in de kleine, beveiligde kamer die de PET voor hem had gekozen.

'De dochter van Zeuthen is ontvoerd. Een openbare aanklager is vermoord. Lijkt me het juiste moment voor enige uitleg, Mogens.'

Hij kwam aan tafel zitten. Rank nam plaats op de stoel tegenover hem. Weber en Karen Nebel voegden zich bij hen.

'Ik heb alle begrip voor je boosheid, Troels. We zijn aan het onderzoeken hoe Ussing aan zijn informatie is gekomen. Ik verwacht de antwoorden...'

'Ik wil weten of het waar is! Dat onderzoek kan wachten tot later.'

Rank verschoof ongemakkelijk op zijn stoel.

'Nou... als ik het even mag uitleggen... Het is de laatste tijd erg druk geweest...'

Morten Weber sloeg met zijn vuist op tafel.

'Wist je dat er gedreigd was een lid van het gezin Zeuthen te ontvoeren? Ja of nee?'

Rank vond het niet prettig dat er tegen hem werd geschreeuwd.

'Nee,' antwoordde hij. 'Niet zo specifiek. We hebben een anonieme e-mail ontvangen. Ik heb Dyhring gevraagd mee te komen. Hij is hoofd van de PET. Zijn afdeling heeft die e-mail ontvangen.'

Rank riep een zwaargebouwde man van middelbare leeftijd binnen. Hij droeg zo'n typische winterjas die ambtenaren dragen. Hij had kortgeknipt donker haar, en een keurig verzorgd baardje. Ging zitten, deelde een aantal ingebonden rapporten uit.

'De afzender viel niet te achterhalen,' ging Rank verder. Hij tikte op de documenten. 'Hij heeft het over een aanklacht.'

Weber pakte een exemplaar, gevolgd door Nebel en Hartmann. Dichtbedrukte vellen, pagina na pagina.

'We krijgen continu bedreigingen binnen,' zei Dyhring. 'Niets hierin viel op. Het is een tirade tegen de staat, tegen de regering.'

'Linkse retoriek en onzin over doemscenario's,' onderbrak Rank hem. 'Het is het werk van een krankzinnige. Hoe konden wij weten...?'

Hartmann bekeek vluchtig de eerste pagina, een schotschrift tegen de regering die zou worden gecontroleerd door machtige bedrijven.

'Zijn conclusie is dat de schuldigen ter verantwoording moeten worden geroepen,' zei Dyhring.

'Wordt Emilie Zeuthen genoemd?' vroeg Hartmann.

'Nee,' zei Dyhring resoluut. 'Zeeland wel, een aantal keer. Maar het gezin Zeuthen... niet één keer.'

Karen Nebel legde haar gemanicuurde vinger op het rapport.

'En dit deed bij jullie geen belletje rinkelen?'

'We hebben een risicoanalyse gemaakt,' antwoordde Dyhring. 'Het gezin werd nergens bij naam genoemd. De bedreiging kwam pal nadat jij verkiezingen had uitgeschreven.' Hij keek Hartmann aan. 'Het leek ons logischer om ons te concentreren op de veiligheid van politici.'

'En dat is precies wat hij hoopte,' opperde Weber.

'Dat is mogelijk,' gaf de PET-man toe. 'Dat kunnen we niet met zekerheid vaststellen.'

'Je wordt ervoor betaald om dat te weten!' schreeuwde Weber. 'Jezus christus, als...'

'Morten.' Eén blik van Hartmann was voldoende om hem tot zwijgen te brengen. 'Dit is ons standpunt. We hebben geen directe bedreiging aan het adres van het gezin Zeuthen ontvangen. Hadden we het geweten, dan zou de PET hebben gehandeld. Ussing gaat te ver.'

'Dat klinkt goed,' zei Nebel en ze maakte enkele aantekeningen.

'Dat verklaart nog steeds niet hoe Ussing dit eerder te weten is gekomen dan ik.'

Dyhring knikte.

'Hij beweert dat hij het document per post heeft ontvangen in het parlement. We zijn dat nog aan het onderzoeken.'

Hartmann pakte een exemplaar van de avondkrant. Een nieuwe foto van Emilie op de voorpagina.

'Ik neem aan dat er een verband is?'

'Zeker,' stemde Dyhring in. 'Die bedreiging is vanaf de pc op het Zeelandschip verstuurd. Dat moet hem zijn.'

Weber smeet het rapport op tafel.

'Leeft dat meisje nog?'

Dyhring fronste zijn voorhoofd.

'Die politievrouw heeft het verknald bij de overdracht.' Hij keek Hartmann in de ogen. 'Lund. Ik geloof dat je haar kent.'

'Leeft dat meisje nog?' wilde Hartmann weten.

'Dat weten we niet. We weten niet eens of hij nog een keer zal bellen. Er is mogelijk een verband met een oudere zaak, een zelfmoord in Jutland.'

'Mogens?' vroeg Hartmann. 'Nu weer een zelfmoord. Is dit nieuw voor jou?'

'Zeer.'

'Ik wil dat er opnieuw naar deze informatie wordt gekeken. Ik wil stellig kunnen verklaren dat je geen enkele reden had aan te nemen dat Emilie Zeuthen in gevaar verkeerde. Is dat duidelijk?'

Mogens Rank rommelde met de documenten voor zijn neus. Keek Hartmann niet aan.

'Dat… dat is geen probleem, Troels. Dat garandeer ik.'

Morten Weber zat ineengedoken en chagrijnig op zijn stoel. Hij wierp Dyhring een nijdige blik toe.

'Degene die dat rapport heeft gelekt, deugt niet. Ik wil dat je die persoon vindt. Kom met een naam.'

De pet-man en Rank schuifelden de kamer uit.

'Rosa Lebech heeft iets verderop een campagnebijeenkomst,' zei Karen Nebel. 'We kunnen even langsgaan en ons ervan verzekeren dat ze ons steunt.'

'Ze steunt ons niet. Ik ga haar niet smeken,' mopperde Hartmann.

Weber zei niets.

'Nou?' blafte Hartmann hem toe.

'Wat ik al zei, Troels. Als je Rosa geen zoethoudertje biedt, kruipt ze onder de lakens bij Ussing. Als je dat wel doet, zal Birgit Eggert proberen een mes in je rug te steken. Jij mag het zeggen.'

'Ze kunnen allebei de pot op…'

'Heel verstandig!' riep Weber. Hij pakte een plastic bekertje van tafel en toostte grijnslachend. 'Laten we waardig ten onder gaan. Dat is de enige manier.'

Robert en Maja Zeuthen zaten achter een tafel in de Politigården en waren woedend op iedereen. De kidnapper. Lund. De wereld. Maar vooral op Madsen die alleen met hen in de kamer was achtergebleven terwijl Lund de plek onderzocht die Juncker had gevonden en Brix een verdieping hoger een onderhoud had met de commissaris en zijn mensen.

'We hebben hem gegeven wat hij vroeg,' klaagde Maja. 'Waarom heeft hij het niet aangenomen?'

'Misschien was het niet genoeg,' opperde de rechercheur.

'En vervolgens vermoordde hij die aanklager,' zei Zeuthen. 'Waarom?'

'Dat weten we niet zeker,' antwoordde Madsen. 'Er lijkt een verband te zijn met een oude zaak.'

'Wat voor oude zaak?' wilde Maja weten. 'Wat heeft dat in vredesnaam met mij en mijn gezin te maken?'

Madsen zuchtte.

'Dat proberen we uit te zoeken.'

'Belt hij opnieuw?' vroeg Zeuthen. Hij leek de kalmste van de twee. 'Moet ik met een beter bod komen?'

'We zijn nog bezig met het onderzoek. We hebben de plek gevonden waar hij haar heeft vastgehouden.' Hij keek hen om beurten aan. 'Als we meer weten zullen we contact opnemen.'

Hij stond op, gaf Zeuthen een hand. Bood ook Maja een hand aan, maar ze reageerde niet, waarna hij vertrok.

'Ik weet zeker dat hij zal bellen.'

Hij probeerde haar even aan te raken. Ze schoof van hem weg.

'Maja. Hij doet dit met een bepaalde reden. Hij lijkt niet gek te zijn.'

'Hij heeft net iemand opgehangen in het centrum van Kopenhagen!'

'Ik bedoelde... er schuilt een zekere logica achter.'

'Wat betekent dat? Hoe zit het met die oude zaak, Robert, van die aanklager? Weet jij waar ze het over hebben?'

Een geluid bij de deur. Carsten Lassen was er. Jekker en spijkerbroek. Hij knikte Maja toe, negeerde Zeuthen.

Ze stond op, stapte op hem toe, nam zijn arm en liep de gang uit.

Alleen.

Dat gevoel kende hij niet zo goed. Robert Zeuthen was opgegroeid in een gelukkig, rijk gezin dat tot de nieuwe aristocratie behoorde en hij had weinig tijd voor zichzelf gehad. Zijn leven werd altijd met anderen gedeeld, meestal in een vertrouwde, huiselijke sfeer.

Hij trof de rechercheur achter een tafel in de naastgelegen kantoorruimte.

'Madsen heette je toch?'

De man zag er uitgeput uit. Teleurgesteld. De politiemensen waren ook aangedaan door deze zaak, dat kon Zeuthen wel zien.

Er hingen foto's aan de muur. Van Emilie vooral, maar ook van anderen. De bemanning van de Medea, veronderstelde hij. Levend en dood.

'Meneer Zeuthen, het spijt me. U mag hier niet komen.'

Robert Zeuthen liep naar het prikbord, weifelend of hij zijn blik moest richten op de schoolfoto's of de afbeeldingen van met messen bewerkte en gemartelde mannen. Madsen stapte op hem af en ging pal voor hem staan.

'Het is beter dat u dit niet ziet.'

Hij wilde de foto van zijn dochter bekijken. Dat was alles. Een foto die hij wel honderd keer had gezien, zonder er verder bij stil te staan.

'Ik heb hen geprobeerd te beschermen,' zei Zeuthen met zachte, gekwetste stem. 'We waren stinkend rijk.' Hij richtte zijn blik op de terneergeslagen, droevige politieman. 'Maar wat hadden we daaraan? Het is me niet gelukt mijn huwelijk te redden. Met welk recht probeerde ik me aan haar vast te klampen? En aan Carl?'

Madsen zuchtte.

'Je kunt je kinderen niet voor alle gevaren behoeden. Dat kan niemand.'

'Jij bent mij niet,' zei Robert Zeuthen zonder nadenken.

'Nee, dat is waar,' zei de rechercheur. 'Voor de laatste keer… u moet deze kamer nu verlaten. Toe nou…'

Met handschoenen aan en gehuld in een wit beschermpak liep Lund rond in het fabriekspand in Amager waar Emilie was vastgehouden. Er lagen een slaapzak, lege noedelbakjes, waterflessen en vier dunne kinderboekjes op de plek waar ze had geslapen. Een chemisch toilet in de hoek, gebruikt.

De technische recherche pluisde alles door en was in de weer met vingerafdrukpoeder.

'Zijn er sporen van sperma?' vroeg ze. 'Vingerafdrukken?'

Stickers op de muur. Nummers die verwezen naar mogelijk bewijsmateriaal. De zoveelste plaats delict.

'Tot nu toe hebben we nog niets aangetroffen,' zei de technisch rechercheur die het dichtst bij haar stond.

Ze installeerden de blauwe lampen waarmee ze naar bloedsporen zochten. Asbjørn Juncker sloeg alles nauwlettend gade. Dit was zijn eerste serieuze zaak en hij begon geëmotioneerd te raken. Hij was geagiteerd, geschokt en zenuwachtig.

'Waarom heeft hij in godsnaam niet gewoon het geld gepakt en Emilie vrijgelaten?'

Breekbare, hoge stem.

'Misschien raakte hij in paniek omdat we te dicht bij hem in de buurt kwamen,' opperde ze.

Er lagen glinsterende wikkels op de grond. En een blikje cola.

'Hij heeft haar snoep gegeven,' zei ze.

'Dat doen ze altijd,' zei Juncker snibbig. 'Of niet soms?'

Borch kwam binnen. Ze lette nauwelijks op hem.

'Ze heeft haar naam gekrast met een plastic vorkje van de noedels,' zei Juncker.

Hij ging op een doos bij het toilet zitten.

'Asbjørn,' zei Lund. 'Misschien kun je beter even een luchtje gaan scheppen.'

Hij zat vlak bij de naam die in het zachte pleisterwerk was gekrast.

'Welk monster doet zoiets met een kind?'

Hij stond op, zag er even wild en ontzettend jong uit.

'Zo'n monster dat naast je in de bus zit en niet opvalt,' zei ze. 'Ga naar buiten. Ik wil je hier niet binnen hebben als je je zo gedraagt.'

'Het gebouw hiertegenover heeft een bewakingscamera. Ga die beelden maar bekijken,' stelde Borch voor.

Toen Juncker was vertrokken keek hij haar kwaad aan.

'Nog steeds moeilijk voor je, hè, een beetje aardig zijn?'

'Met aardig zijn krijgen we Emilie Zeuthen niet terug.' Er was iets vreemds aan deze ruimte, vond ze. 'Ik kan me vergissen, maar ik heb de indruk dat hij goed voor haar zorgt. Alsof hij om haar geeft.'

Hij schudde zijn hoofd.

'Om haar geeft?'

Er kwam een geüniformeerde agent binnen. Hij zei dat Robert Zeuthen voor de deur stond en dat hij niet weg zou gaan voordat hij haar had gesproken.

'Je kunt hem hier niet binnenlaten,' zei Borch. 'Echt Sarah, dat kan niet.'

Zeuthen had zich al een weg weten te banen tot in de aangrenzende kamer. Nu schoof hij met zijn glanzend gepoetste schoenen tussen het stof en de sigarettenpeuken, handen in de zakken van zijn gedistingeerde regenjas. Wijd open ogen, geschokt. Als iemand die een wereld betrad waarvan hij wist dat die bestond maar die hij nog nooit had betreden of met eigen ogen had gezien.

'Er wordt hier technisch onderzoek gedaan,' zei ze rustig. 'Ik wil best met je praten maar je kunt hier niet blijven.'

Zeuthen staarde haar aan. Voor het eerst zag ze iets in hem dat wees op macht, op autoriteit.

'Je hebt die man gesproken, Lund. Je moet weten waarom hij het geld niet heeft geaccepteerd.'

'Hij zei iets over... kleingeld.'

'Leeft ze nog?' vroeg hij. Hij hield haar blik vast.

'Ik neem aan van wel.'

De uitdrukking op zijn gezicht bracht haar terug naar het warme, vervallen huis van Birk Larsen in Vesterbro. Iedereen reageerde zo als ze een flintertje positief nieuws bracht: verscheurd tussen opluchting en wanhoop.

'Die aanklager, Peter Schultz... zegt die naam je iets?'

Zeuthen schudde zijn hoofd.

'Dat hebben ze me al gevraagd. Ik weet niets over die man. Of van een of andere oude zaak in Jutland. Wat is hier met Emilie gebeurd?'

'Heb je ooit een van die dode zeelieden ontmoet?'

'Nee.'

'Heb je ooit iets over ze gehoord?'

'Nee.'

'Heb je...?'

'Nee, nee, nee!'

Ze zweeg even. Het had geen zin om hem te veel onder druk te zetten.

'Heeft hij haar iets aangedaan?'

Lund vermande zich en probeerde overtuigend over te komen toen ze zei: 'Daar hebben we geen aanwijzingen voor gevonden.'

Hij knikte.

'Ik zou graag zien waar mijn dochter is vastgehouden.'

Borch wierp haar een blik toe. Een blik die ze kon lezen. Hij betekende: 'Ik heb je gewaarschuwd.'

Ze zei niets.

'Ik wil het zien,' herhaalde Zeuthen.

'Loop precies waar ik zeg,' zei ze. 'Niks aanraken.'

Ze stapten de kamer in. Die was nu verlicht door de felle lampen van de technische recherche. Weldra zouden de blauwe lampen worden aangezet. In de zaak-Birk Larsen hadden ze daarmee handafdrukken, bloedvegen en allerlei vlekken op de muren opgespoord. Dergelijk bloederig bewijsmateriaal zouden ze hier niet vinden. Dat wist ze gewoon.

Zeuthen staarde naar de slaapzak, de lege kartonnen bakjes, flessen en blikjes. De nummers en pijlen op de muur. De in het pleisterwerk gekraste naam.

'Hij heeft haar licht en voedsel gegeven,' zei ze tegen hem. 'En ook dit.' Er stond een klein elektrisch kacheltje naast de slaapzak. 'Lijkt me splinternieuw. Die moet hij speciaal voor haar hebben gekocht. Hij heeft haar ook boeken gegeven.'

De man zei niets, weggedoken in zijn regenjas.

'Het feit dat ze haar naam heeft geschreven... dat is een positief teken,' zei ze.

'Emilie is net als haar moeder. Wilskrachtig. Vasthoudend. Ze zal niet...' Hij dwaalde af en was zich daarvan bewust. 'Ze luistert alleen als ze dat zelf wil.'

Iets trok zijn aandacht. Zeuthen bukte zich om het op te rapen.

'Nee!' schreeuwde Lund. Ze was in een oogwenk bij hem en hield zijn hand tegen. 'Niks aanraken!'

Hij bleef maar naar die boeken kijken.

'Ze is dol op dat boekje met dat aapje.' Hij wendde zich tot haar. 'Dat is een van haar lievelingsboekjes. Hoe kon hij dat weten?'

'Misschien heeft ze erom gevraagd?'

'En hij is gewoon een exemplaar voor haar gaan kopen? Tijdens dit hele gebeuren?'

Nee, dacht ze. Dat was een stom idee. Dat had hij ook voorbereid. Hij wist het al.

Juncker stond weer bij de deur en zei iets over beelden van de bewakingscamera vanuit het gebouw aan de overkant.

'Nu moet je gaan, Robert,' zei ze. 'We moeten aan de slag. Ik weet dat je wilt helpen. Maar je loopt ons voor de voeten.'

Zeuthen verroerde zich niet.

'Raakt deze zaak je?' vroeg hij.

'Jazeker,' zei ze. 'Het spijt me als je dat niet kunt zien. Zo ben ik nou eenmaal.'

Hij knikte. Liep naar zijn glanzende Range Rover in de modder buiten, bracht de grote auto tot leven en reed langzaam weg over de groezelige, modderige ventweg.

Juncker was handig met techniek. Tegen de tijd dat Lund en Borch bij hem kwamen had hij de beelden van de bewakingscamera op zijn laptop staan. De camera stond te veraf om veel te kunnen zien.

'Daar hebben we geen donder aan,' mopperde de jonge politieman. 'Je ziet niet meer dan de helft van het gebouw.'

Er passeerde een auto. Nieuw model, goed gepoetst. Een vrouw achter het stuur. Juncker spoelde de beelden vooruit.

'Wacht,' zei Borch. Hij spoelde terug naar het begin.

Lund boog zich over de laptop.

Rechts in beeld zagen ze een ronde spiegel aan de muur, zodat auto's gemakkelijker konden keren. Er was iets wazigs in te zien.

'Wat is dat?' vroeg Juncker. 'Een auto?'

Ze ging zo dicht bij het scherm staan dat de anderen niets meer zagen.

'Het is een of andere camper,' zei Lund. 'Ik zie een kentekenplaat. Ongetwijfeld vals, als hij het is.'

Juncker zoomde in.

'Dat is een oud ding,' zei hij. 'Moet je die lampen zien. Ziet eruit als iets uit de jaren tachtig.'

Dat vond Borch niet leuk.

'Oud voor een camper,' voegde Juncker eraan toe.

'Trek het na,' beval ze. 'Ik moet met Brix praten.'

Carsten Lassen woonde in een appartement met twee slaapkamers in de buurt van de Marmorkirken. Ver verwijderd van de overvloedige, kille luxe van Drekar. Emilie en Carl moesten hier samen op één kamer slapen. Het was klein, met een stapelbed. Ze liet haar jongere broertje altijd boven slapen omdat hij dat leuk vond.

Nu wist hij helemaal niet meer waar hij moest slapen. Daarom nam Maja Zeuthen het onderste bed en las hem voor. Na een tijdje klom hij naar beneden en kroop bij haar onder de dekens. Viel in slaap.

Ze bleef zitten met een arm om hem heen. Herinnerde zich hoe het was om Emilie vast te houden. Om haar slimme, scherpe stem te horen redetwisten over het een of ander.

Er was iemand aan de deur. Ze hoorde Carsten opendoen. Uit de toon van zijn stem kon ze afleiden dat het Robert was.

Haar hand streelde lichtjes over Carls slapende gezicht. Het geld had nooit veel voor haar betekend. Voor ze uit elkaar gingen was ze van plan geweest een baan als onderwijzeres te nemen. Robert zou dat gewaardeerd hebben. Hij hield er niet van onderhouden te worden, evenmin als zij.

Toen stierf zijn vader en stortte hun hele wereld in elkaar.

'Het is belangrijk. Waar is Maja?'

Ze zou willen dat hij als een vreemde klonk. Dat die nieuwe, harde toon in zijn stem hem op de een of andere manier onsympathiek maakte. Maar dat was niet waar. Ze leden allebei onder de nieuwe omstandigheden. Ze was nooit bewust van plan geweest om bij hem weg te gaan. Robert zou alles hebben gepikt, elke ruzie, alles om hen bij elkaar te houden. De kloof ontstond gewoon, werd langzaam maar gestaag breder. Toen verscheen Carsten op het toneel, die aardige, knappe, behoeftige Carsten. Hij vulde de leegte die Robert had achtergelaten. Voor een deel, althans.

'Maja heeft al genoeg problemen door jou.'

Hij sprak met de vlakke, emotieloze stem van een arts. Hij kon zonder enige moeite harde woorden uitspreken; soms had ze dat misschien nodig.

Ze hoorde hem door de deur heen.

'Alles wat Maja betreft, betreft ook mij. Dus vertel het mij eerst maar.'

Dat werd ruzie. Het zou niet lang meer duren voordat Carl wakker werd.

Ze stond op en schuifelde naar de deur, keek naar beide mannen. De enige twee serieuze geliefden die ze in haar leven had gehad. Ze gingen aan tafel zitten, de mannen tegenover elkaar, Maja Zeuthen aan het hoofd.

Ze praatten over geld en beveiligingsadviezen. Opties en plannen.

'Ben je naar het pand geweest waar ze is vastgehouden?' vroeg ze.

'Ze hebben me binnengelaten. Lund stelde het niet erg op prijs, maar...'

Hij haalde zijn schouders op. 'Het was gewoon een klein kamertje.'

'En ze weten zeker dat ze daar is geweest?'

'Ze heeft haar naam op de muur gekrast.'

Hij boog zich naar haar toe. In vroeger tijden zou hij daarna haar hand hebben vastgepakt.

'Ze denken dat hij haar op de een of andere manier kent. Hij heeft haar een boek gegeven waar ze dol op is. Dat boek met die aap. Ze willen weten of we iets ongewoons hebben opgemerkt. Onder de mensen die we kennen. Een nieuw iemand die opeens nauw bevriend is geworden...'

'Dus nu verdenk je mij?' vroeg Lassen furieus.

Zeuthen keek hem aan en zei rustig: 'Nee, dat is niet zo.'

Toen, na een stilte: 'Ze willen alleen dat we nadenken over al die zaken die wij als vanzelfsprekend beschouwen. Misschien iets uit het verleden wat we zijn vergeten.'

Lassen was nog steeds kwaad. Hij stond op, pakte het oppasschema en smeet het op tafel.

'Dit zijn alle regels. Jouw regels. Die we stuk voor stuk nauwlettend hebben opgevolgd. Kijk zelf maar.' Hij beukte met zijn vuist op de papieren. 'Hieruit blijkt dat die smeerlap niet bij haar in de buurt is geweest toen ze bij ons was. Of niet soms?'

Maja had haar handen voor haar gezicht geslagen en huilde. Lassen merkte het niet eens.

'Jij en die beveiligingsmensen van je hebben ons vanaf dag één lastiggevallen. We hebben gedaan wat jullie vroegen. Nu heb je er zelf een puinzooi van gemaakt en heb je het lef om Maja de schuld te geven. Hoe durf...'

'Hou je mond! Verdomme, Carsten.' Ze staarde hen allebei aan, de tranen stroomden over haar wangen. 'Willen jullie nu ophouden?'

'Nee!' schreeuwde hij. 'Je hebt tranen met tuiten gehuild om die vent en kijk hoe je er nu aan toe bent. Ik wil niet hebben dat hij je leven nog verder verpest.'

'Toe nou...' smeekte ze.

Hij ging pal voor Zeuthen staan.

'Luister, Robert. Ze heeft die gouden kooi van jou voorgoed verlaten. Er is geen weg terug. Daar heb je haar al om gestraft vanaf het moment dat jullie uit elkaar gingen, maar nu is het afgelopen.'

Hij gebaarde naar de deur.

'Eruit.'

Zeuthen verroerde zich niet. Toen zag hij haar gezicht. Het verdriet. De gêne. Het leed.

Dat was de enige reden dat hij uiteindelijk toch wegging.

Een half uur later was hij thuis. Reinhardt was aan het bellen toen hij binnenstapte. Een rijzige, zachtaardige man, geduldig telefonerend met de politie en Zeelands eigen beveiligingsteam.

Nadat hij had opgehangen pakte hij zijn jas en bracht Zeuthen op de hoogte van de laatste ontwikkelingen.

Er was weinig nieuws. De beveiligingsadviseurs van Zeeland hadden contact opgenomen met een aantal specialisten met wie ze hadden samengewerkt bij een losgeldzaak in Somalië.

'Daar is mij niets van bekend,' zei Zeuthen.

'Die kaping is afgehandeld door je vader. Vlak voordat hij overleed. Piraten daar hielden een aantal van onze mensen vast. Het kostte tijd, het was niet eenvoudig. Maar we hebben ze vrij gekregen. Voor minder geld dan ze eisten. En zonder publiciteit. Misschien dat die specialisten nog met ideeën komen...'

'Heb ik Maja slecht behandeld?' viel Zeuthen hem in de rede. 'Ben ik onredelijk geweest?'

Reinhardt leek geschokt door die vraag.

'Nee. Waarom vraag je dat?'

'Omdat ze me haat. En ik vraag me af of ik dat verdien.'

De oudere man schudde zijn hoofd.

'Ik geloof niet dat ze je haat, Robert. Een scheiding is nooit gemakkelijk. Volgens mij ben je erg begripvol geweest. Zij is degene geweest die elke financiële steun heeft afgewezen. Ik weet niet wat je nog meer had kunnen doen.' Hij aarzelde even en voegde er toen aan toe: 'Ik vrees dat ze nooit echt hart voor het bedrijf heeft gehad. Zij vond vermoedelijk dat ze zich aan bepaalde... principes moest houden.'

Tegen de tijd dat ze terug waren in de Politigården had Brix een opsporingsbericht laten uitgaan om alle kampeerauto's bij de douaneposten te laten controleren. Een team dat de registratiegegevens had nagetrokken had ontdekt dat het ging om een vals kenteken. Ze hadden eindelijk een aanknopingspunt.

'Het is een vw of een Fiat,' zei Borch. Hij wierp een aantal foto's op het bureau. 'Het gaat om een zogeheten kampeerauto met alkoof. Moeilijk te zeggen welk type. Die dingen zien er allemaal hetzelfde uit.'

Lund boog zich over de afdrukken. Brix kwam erbij staan.

'Ik wil dat alle campings worden gecontroleerd,' zei hij. 'Veel zijn er tegenwoordig ook 's winters open. Voor mensen die hun huis zijn kwijtgeraakt en zo.'

Hij keek de PET-man nijdig aan.

'En dan nog dit,' voegde Brix eraan toe. Hij wierp Borch een dik en zwaar pak papier toe. 'Een week geleden heeft de kidnapper een soort manifest naar het ministerie van Justitie gestuurd. De PET wist daar alles van.' Hij boog zich voorover en keek Borch van dichtbij aan. 'Klopt dat?'

'Zeker. Maar we weten pas sinds vanavond dat het van hém afkomstig is.'

Hij schoof het document terzijde.

'Laat zien,' zei Lund en ze griste het weg.

'Er staat niets in over een oude zaak in Jutland, Sarah. Het is niet meer dan idiote linkse lulkoek...'

'Je hebt een directe bedreiging aan het adres van Zeeland genegeerd,' onderbrak Brix hem. 'Nu moet ik me verantwoorden tegenover het management. Ze willen weten waarom wij niet op de hoogte zijn gebracht.'

Borch mompelde iets over praten met Dyhring.

'Jij bent hier. Hij niet,' zei Brix. 'Geef het de volgende keer een beetje eerder door. Ik wil niet...'

Madsen kwam binnen en zei: 'We hebben net de secretaresse van Peter Schultz ondervraagd. Schultz zei toch dat het die stuurman te doen was om een financiële vergoeding?'

Lund knikte.

'Nou, ze heeft die man gesproken voor hij naar binnen ging. Hij had het daar helemaal niet over. Hij zei dat hij zijn getuigenverklaring in een zaak wilde veranderen. Een zaak van Schultz. Iets over... dat hij last kreeg van zijn geweten. En verder...'

Hij leek er niet erg op gebrand verder te praten.

'Ja, en verder?' viel Brix uit.

'De telefoon van het meisje is gegaan. We hebben opgenomen. Hij hing op.'

Brix sloot zijn ogen.

'Heeft hij niets gezegd?'

'Jawel, dat hij alleen met Lund praat.'

Een politievrouw stond achter hem met Emilies telefoon in haar hand. Ze keek verontrust.

Toen ging hij over. Brix knikte. Lund pakte het toestel aan en nam op.

De stem klonk nu niet meer zo kalm en beleefd.

'Als je de telefoon aan iemand anders geeft beschouw ik dat als een teken dat je geen donder om dat kind geeft, Lund. Begrijpen we elkaar?'

'We hadden een afspraak. Die heb jij verbroken. Ze hebben me van de zaak gehaald.'

Weer die lach.

'Ben je daarom nog steeds in de Politigården?'

'Wat wil je?'

'Een nieuw aanbod. Slaap er een nachtje over. Ik bel morgen. Misschien dat de ernst van de situatie dan tot je doorgedrongen is.'

'Waarom heb je Schultz vermoord?'

'Omdat hij me dat verschuldigd was. Ik laat me niet afschepen met kleingeld van Zeeland.'

'Waarom hij? Waarom die drie zeelieden?'

Stilte. Ze vreesde dat hij had opgehangen.

'Heb je zelf kinderen, Lund?'

Ze kon niet meteen antwoorden.

'Eenvoudige vraag. Ik vroeg of je kinderen hebt.'

'Ja.'

'Jongen of meisje? Hoeveel?'

'Een zoon.'

'Dan weet je wat een kind waard is, nietwaar? Ik bel morgen.'

'Wacht! Hoe weten we dat het kind nog leeft?'

Stilte. Toen een piepje, waarna er een foto in de inbox verscheen. Lund opende het bestand. Emilie Zeuthen in een donkere jas, met een wollen muts op. Naast haar de krant van die middag met haar schoolfoto op de voorpagina.

Lund drukte de telefoon tegen haar oor. Hij had de verbinding verbroken. 'Je houdt dat ding vanaf nu permanent bij je, Lund,' eiste Brix. 'Opgeladen en klaar voor gebruik. Begrepen?'

Ze knikte.

'En nu naar huis. Ga slapen. De nachtploeg begint zo. Ik wil dat jullie morgen allemaal fris zijn.'

Ze deed niet wat Brix had voorgesteld. Lund haalde een pizza, wat bier en een doos chocolaatjes en begaf zich naar het achterafstraatje in Vesterbro waar Mark woonde.

Hij woonde daar nu al drie maanden en hij had haar nog nooit uitgenodigd. Een paar straten van het huis waar het gezin Birk Larsen nog steeds woonde. Misschien had ze er om die reden nooit op aangedrongen.

Het was een van de wijken in opkomst. Deels oud Vesterbro, groezelig, vol duistere graffiti en vage figuren die rondhingen in portieken. Deels nieuw, met plekken waar gebouwd en gerenoveerd werd.

Ze liep de deur bijna voorbij. Het huis lag naast een liefdadigheidswinkel, waarvan de etalage volhing met foto's van katten en honden die een baasje zochten. Lund stond buiten met de pizza, het bier, de chocolaatjes, en dacht er nog net op tijd aan om de prijsstickers eraf te halen voordat ze aanbelde.

Ze hoorde niets, dus klopte ze maar op de deur. Een jonge, hoge vrouwenstem riep: 'Kom binnen, de deur is open.'

Een kale gang, de geur van renovatie. Ze stapte de eerste kamer in. De vrouw die ze op het station had gezien stond verf van een muur te krabben. Overal lagen bouwmaterialen, gereedschap, zakken, potten. Niet veel meubilair. Alleen een kleine tafel, een bank en een laag tweepersoonsbed.

Lund bleef in de deuropening staan, wist niet wat ze moest zeggen.

De jonge vrouw liep glimlachend op haar af en gaf haar een hand.

'U bent zeker de bovenbuurvrouw. Het spijt me van al die herrie. Ik ben hier bijna klaar.' Ze klopte op haar buik. 'Ik wil me niet al te zeer vermoeien. Ik ben Eva.'

'Nee… ik kwam voor Mark. Is hij thuis?'

Ze legde de pizza, de chocolaatjes en het bier op het tafeltje. Er was niet veel plaats voor.

'Nee.' Ze had lang, blond, achterovergekamd haar, een vrolijk, knap gezicht en grote starende ogen. 'Hij brengt even wat troep weg.' Haar trui was tot de draad versleten en zat onder de verfvlekken. Alles in dit huis ademde geldgebrek. 'Er is hier zo veel te doen.'

'Het geeft niet.'

'Niet weggaan. Bent u de moeder van Mark?'

Lund wist niet of ze blij was dat te horen of niet.

'Ja. Sorry.' Ze gaf Eva nogmaals een hand. 'Sarah. Ik heb iets meegenomen...' Een blik op de tafel. 'Gewoon een paar dingetjes. Wanneer komt hij thuis?'

'Dat weet ik niet. Je kunt hier wachten als je wilt. Wil je koffie of zo?'

Lund kon niet ophouden met rondkijken en ze wist dat dat slecht was. Een simpel flatje op de benedenverdieping, een woonkamer, een keuken met een badkamer erachter. Geen enkel gedeelte was af.

'Het is een puinhoop,' zei Eva, 'maar we knappen het op. We konden het goedkoop krijgen omdat de mensen die hier voor ons woonden failliet zijn gegaan. Ze wilden iemand die hier... mogelijkheden zag.'

Enthousiasme. Lund voelde zich daar nooit bij op haar gemak. Eva was misschien twee jaar ouder dan Mark, bijna uitgerekend, woonachtig in een ijskoud, miserabel hok. En toch leek ze tevreden.

'Wat leuk dat je langskomt. Mark praat niet veel over sommige dingen. Je bent een beetje een mysterie. Niet... niet dat hij slechte dingen over je heeft verteld. Ik wilde je graag ontmoeten.' Ze klopte even op haar buik. 'Zodat u dit kon zien. Maar hij zei dat we nu onze handen vol hadden.'

Er klonk herrie bij de deur. Een stem die haar riep.

Mark stapte naar binnen. Blij, geanimeerd, een lang stuk hout in zijn handen.

'Kijk wat ik op de stort heb gevonden.' Het hout was gebarsten. Maar misschien kon er nog iets mee worden gedaan. 'Gewoon achtergelaten door iemand. Gewoon...'

De glimlach verdween zodra hij haar zag.

'Hallo,' zei Lund.

'Is er iets gebeurd?'

'Nee. Ik was in de buurt en ik dacht...'

Ze pakte de chocolaatjes, wees naar de pizza en het bier.

'Wat kom je doen?' vroeg hij, niet op een vriendelijke toon.

'Niets. Het is alleen zo lang geleden dat we elkaar hebben gezien.'

Eva probeerde te blijven glimlachen. Als een schoolmeisje dat per ongeluk in een ongewenste ruzie was beland.

Hij zweeg.

'Je hebt hier een gigantische klus aan,' zei Lund. 'Als ik iets kan doen...'

'We redden ons wel. Heb je oma nog gesproken?'

'Ze heeft niet verteld dat jullie een baby kregen. Ik heb je op het metrostation gezien...'

Eva ging zitten, keek hem aan.

'Ik wilde je feliciteren, Mark. Ik wil je helpen...'

'We redden ons wel.'

'We zoeken nog een slaapplek voor een paar dagen totdat het plafond klaar is,' zei Eva met een onvaste, hoopvolle stem.

'Vanzelfsprekend,' zei Lund instemmend. 'Dat kan altijd. Er ligt een sleutel bij de voordeur. Onder een plantenpot. Je kunt jezelf binnenlaten. Bel me als jullie...'

'Mam?' zei hij luid. 'Wil je nou eens luisteren? We redden ons wel.'

Ergens vandaan klonk geluid. Het drong niet tot haar door.

'Je telefoon gaat. Je kunt maar beter naar buiten gaan om op te nemen. Wil je dat nu doen?'

In de koude, donkere straat haalde ze het toestel tevoorschijn. Haar eigen telefoon. Niet die van Emilie. Lund keek naar het nummer: Asbjørn Juncker. Misschien vijf jaar ouder dan Mark. Een slimme jongeman, die vorm probeerde te geven aan het leven dat voor hem lag.

'Ik kom niet veel verder met die camper,' zei hij. 'Het spijt me.'

Ze hoorde de drukte van de Politigården op de achtergrond. Dat was ook een soort familie, door het toeval bij elkaar gebracht, soms verscheurd door ruzie en verdeeldheid, op andere momenten verbonden door gemeenschappelijke drijfveren en een gevoel van respect en fatsoen.

'Het gaat vast lukken, Juncker,' zei ze.

'Dus ik ben geen Asbjørn meer?'

'Dat zou best kunnen.'

'Vooruitgang dus! Ik heb wat documentatie over die zaak waar Peter Schultz aan werkte. De stuurman en die andere twee hebben dat meisje in West-Jutland gevonden. Dertien jaar oud. Een wees. Ze had lange tijd in een kindertehuis gezeten. Daarna pleegouders. Later is ze weggelopen. De bemanning van Zeeland heeft haar dood aangetroffen in de haven.'

'Wie heeft de zaak onderzocht?'

'De plaatselijke politie. Ze gingen ervan uit dat het zelfmoord was. Peter Schultz heeft de papieren getekend. Wacht even, Borch wil je spreken.'

Lund stak de weg over, ging weer in het licht van de lantaarnpalen staan. Hoorde dat de telefoon aan een ander werd doorgegeven.

'Wat is er over de autopsie bekend?' vroeg ze.

Een oudere stem, afgeleefd en versleten, gaf antwoord.

'Er is geen sprake van geweld. Schuim rond de neus en mond. Water in de longen. De patholoog-anatoom was Lis Vissenbjerg. Volgens haar was de doodsoorzaak verdrinking. Ken je haar?'

'Ik breng niet mijn hele leven tussen de doden door, Borch.'

Een lange stilte. Toen zei hij behoedzaam: 'Dat weet ik.'

'Waar is die autopsie uitgevoerd?'

'In Kopenhagen. Afdeling Forensische Geneeskunde in het universiteitsziekenhuis. Wil je haar morgen spreken?'

'Maak maar een afspraak.'

'Heb je Mark gevonden?' vroeg hij. 'Alles in orde?'

Ze was inmiddels bij haar auto, pakte haar sleutels. Vroeg zich af of ze hier echt over wilde praten met een man van wie ze twintig jaar geleden had gehouden en die ze vervolgens had verlaten.

'Tot morgen,' zei Lund. 'Welterusten.'

3

Vrijdag 11 november

De afdeling Forensische Geneeskunde was gevestigd in de westelijke vleugel van het universiteitsziekenhuis. Ze ontmoette Borch op hetzelfde parkeerterrein waar de kidnapper de Zeuthens in de gaten had gehouden vanuit zijn gestolen bestelbusje.

'Wordt het een jongen of een meisje?' vroeg hij terwijl ze via een witbetegelde wenteltrap naar de eerste verdieping liepen. 'Of willen ze dat niet weten?'

Lund hield het dossier over Schultz voor haar borst. Hoorde nauwelijks wat hij vroeg.

'Waarom zou een hulpaanklager over zoiets liegen? En die stuurman? Waarom zou hij twee jaar later zijn getuigenverklaring willen veranderen?'

Ze kwamen boven aan de trap. Twee verplegers reden een brancard langs. Bekende contouren onder een wit ziekenhuislaken.

'Heb je ontbeten?' vroeg Borch.

'Ja.'

Die neergeslagen ogen, de boxerpuppy.

'Ik niet. Ik ben haastig van huis vertrokken.'

Hij wilde dat ze hem vroeg naar zijn huwelijk. Er zat daar iets niet goed.

'We zijn er niet aan toegekomen om over de baby te praten,' zei ze in plaats daarvan.

'Het is een volkomen normale vraag, weet je. Erg voor de hand liggend.'

Lund vroeg bij de receptie naar Lis Vissenbjerg, liet haar politiepasje zien. Ze mochten doorlopen. Dit was het gedeelte waar alles gebeurde. Lijken op zilverkleurige tafels, mensen die er zwijgend omheen stonden en hun werk deden. Bloed en organen. De geur van chemicaliën en vlees.

'Als ik opa zou worden...' begon hij.

Ze draaide zich naar hem toe en legde een vinger op haar lippen. Vond toen de juiste zaal, duwde de deuren open. Het was een hoge, helder verlichte ruimte, met rijen stoelen die in een halve cirkel tegen de achterwand oprezen. Een autopsietheater. Een schouwtoneel voor de laatste akte van iemands leven.

Maar nu was er geen publiek. Slechts een vrouw in een lichtblauw schort en met een gezichtsmasker op. Ze stond gebogen over een naakte dode man die op een platte, metalen snijtafel lag. Een broeder keek verveeld toe, hand onder zijn kin.

'Lis Vissenbjerg?' vroeg Lund.

Het gemaskerde gezicht keek op. Zei tegen de broeder dat ze voorlopig klaar waren en vroeg hem het lijk weg te rollen.

Onder het gezoem van ronddraaiende ventilatoren die de geur moesten verdrijven gingen ze op de onderste rij stoelen zitten. Ze toonde haar de documenten: een autopsierapport over Louise Hjelby, een dertienjarig meisje, met de handtekening van Vissenbjerg eronder.

'Dat moet u nog weten,' zei Borch.

'Hoezo?' Ze was een lange, broodmagere vrouw van in de veertig. Haar strokleurige, naar achteren gekamde haar liet een hoog voorhoofd onbedekt. Een smal gezicht, zonder spoor van een glimlach. 'Hebt u enig idee hoeveel van die dingen ik ieder jaar onderteken? Laat me eens lezen...'

Ze pakte het rapport. Zes pagina's. Bekeek de tekst vluchtig. Zei niets.

'Waarom is die autopsie hier uitgevoerd en niet in Jutland?' vroeg Lund.

'Dat weet ik niet,' zei Vissenbjerg. 'Ik werk gewoon met de lijken die ze me toesturen.'

'Wie?' drong Lund aan. 'Peter Schultz?'

Die naam deed haar opkijken.

'Daar heb ik over in de krant gelezen. Vreselijk. Is er een verband?'

'Mogelijk,' antwoordde Lund. 'Heeft hij die autopsie hier laten uitvoeren?'

De patholoog-anatoom haalde haar schouders op.

'Dat weet ik niet meer. Dat zou u in het dossier moeten nakijken. Als dat er nog is...'

'We denken dat deze zaak op de een of andere manier verband houdt met de Zeuthen-ontvoering,' zei Borch.

Lund keek haar strak aan.

'Het is mogelijk dat de mensen die hij heeft vermoord betrokken waren bij het verdoezelen van de doodsoorzaak van dit meisje. Misschien denkt de ontvoerder dat het geen zelfmoord was.'

'Ik heb niks verdoezeld,' zei de patholoog-anatoom meteen.

'Hebt u Schultz gesproken?' vroeg Borch.

'Nee. Waarom zou ik?'

Lund wachtte. Niets meer. Toen tikte ze met haar vinger op het rapport.

'Het lichaam had talloze verwondingen.'

'Ja,' gaf Vissenbjerg toe. 'Allemaal opgelopen na haar dood. Het meisje had een tijdje in de haven gelegen. Ze is vermoedelijk door de golven tegen de rotsen geslagen. Misschien is ze tegen de schroef van een boot gekomen of zoiets.' De vrouw keek hen beurtelings aan. 'Ik heb geen aanwijzingen gevonden voor een misdrijf. Anders had ik dat wel gezegd.'

Borch knikte.

'En er was niemand die het met u oneens was. U hebt verder nooit meer iets over die zaak gehoord?'

'Nee. Het was routine. Als ik het me goed herinner, was ze een wees. Ze had in verschillende pleeggezinnen gezeten. Geen familie meer.'

'Heeft iemand de drie zeelieden die haar hebben gevonden gevraagd DNA af te staan?'

'Niet voor zover ik weet. Ze werden nergens van verdacht. Niemand werd verdacht. Zoals ik al zei, er waren geen sporen die op een misdrijf wezen. Niets om…'

'Er staat hier dat ze seks had gehad,' merkte Lund op.

'Ooit. Ik weet niet wanneer. Ze was dertien. Vindt u dat ongewoon?'

Borchs telefoon ging over. Hij liep naar de deur om op te nemen.

'U zei dat er geen verdachte verwondingen waren.' Lund viste twee foto's uit het rapport waarop de polsen van het meisje te zien waren. Bedekt met snijwonden. 'Hoe zou u dit dan noemen?'

'Dat noem ik automutilatie. Een goede indicatie voor haar mentale gesteldheid. Ik meen me te herinneren dat de politie ook van mening was dat ze psychisch in de war was. Alles wijst erop…'

Borch kwam terug, verontschuldigde zich voor de onderbreking.

'Asbjørn heeft een camping gevonden,' zei hij. 'We moeten gaan.'

Lund graaide de foto's en het rapport bij elkaar en stopte alles in haar tas. Lis Vissenbjerg keek toe.

'Hebt u een visitekaartje?' vroeg ze.

Lund gaf het haar en zei dat ze altijd kon bellen.

'Denkt u echt dat die man mensen vermoordt vanwege deze zaak?'

'Het lijkt er wel op,' stemde Lund in.

De patholoog-anatoom wapperde met het kaartje.

'Als me nog iets te binnen schiet, neem ik contact op.'

Zonder dat het hem was gevraagd had Reinhardt een extern consultancybureau in de bestuurskamer van Zeeland laten optrommelen dat was gespecialiseerd in beveiligingsvraagstukken. Zeuthen hoorde hen aan. Een stroom van jargon. De ene onbegrijpelijke modieuze kreet na de andere.

Eén ding hadden ze inmiddels allemaal wel begrepen. De dader wilde meer geld.

Ze waren drie kwartier aan het woord maar kwamen met weinig meer dan dit. Toen bedankte hij hen en zei dat hij deze zaak verder zelf zou afhandelen.

Reinhardt keek hen na.

'Hopelijk vind je niet dat ik je heb gepasseerd, Robert. We hebben die mensen toen in Somalië ook ingeschakeld. Ze waren erg goed.'

'Dit is niet Somalië.'

Maar eerlijk gezegd wist hij het ook niet. Evenmin als de emotieloze, ernstige mannen die hij zojuist de laan uit had gestuurd.

Op weg naar buiten kwamen ze Maja tegen die bij de receptie stond en in gesprek was met de persoonlijke assistente. Zeuthen liep naar haar toe, glimlachte geforceerd, stelde voor dat ze even samen zouden gaan zitten om het een en ander door te spreken.

Bij het raam. Buiten de grijze zee onder een sombere hemel. Ze gingen aan een tafeltje zitten.

'We moeten het bedrag zo laag mogelijk houden,' waarschuwde Reinhardt. 'Zodat er speelruimte overblijft als hij later meer wil.'

De ochtendkrant lag op haar schoot. Een foto van Emilie naast de dode aanklager.

'Dat is gebleken uit eerdere ontvoeringen,' voegde hij eraan toe.

'Het gaat hier niet om een zakelijke overeenkomst,' zei Maja met zwakke, gekwetste stem.

'Dat weet ik,' zei Reinhardt instemmend. 'Maar we moeten wel praktisch blijven.'

'Hoe gaat het met Carl?' vroeg Zeuthen.

Ze keek op. Blij met die vraag.

'Hij vraagt naar haar,' zei Maja. 'En naar jou.'

'Als je te veel biedt zal hij mogelijk proberen tijd te rekken en nog meer vragen,' zei Reinhardt.

Ze keek hem nijdig aan.

'We mogen niet het risico nemen dat hij weer kwaad wordt!'

Zeuthen liep naar het raam, keek naar de haven, zei niets.

'Dat is de reden dat we een bedrag moeten vaststellen,' antwoordde Reinhardt. 'Voordat hij belt. Voordat...'

'Ik betaal gewoon, ongeacht het bedrag,' viel Zeuthen hem in de rede. 'Emilie is veel belangrijker dan...'

Maja staarde hem aan. Ondanks de vele jaren die ze samen waren geweest kon hij haar uitdrukking niet peilen.

'Ze is meer waard dan alles wat ik kan geven,' besloot hij.

Reinhardt slaakte een diepe zucht.

'De PET wil niet dat je met een al te groot bedrag komt, Robert. Er zijn praktische problemen. De hoeveelheid moet te dragen zijn. We moeten het ergens vandaan zien te halen. Onze eigen banken hebben niet zo veel contant geld in voorraad.'

'Ik kan het geld privé bij elkaar krijgen uit Frankfurt. Stuur het vliegtuig daarheen...'

Reinhardt schudde zijn hoofd.

'Niemand zal je hiervoor willen verzekeren. We zullen zelf het risico dragen.'

'Dat risico kan me geen donder schelen!' Zeuthen stond op het punt zijn geduld te verliezen. 'Regel het gewoon, alsjeblieft.'

Reinhardt keek verbluft.

'Mag ik weten welk bedrag je in gedachten had?'

Ze droeg nog steeds die oude groene parka. De modder van twee nachten geleden zat er nog op.

'Ik zou hem het hele bedrijf geven als het kon,' mompelde Robert Zeuthen. 'Graag zelfs, als het maar...'

Het doffe geloei van een scheepshoorn schalde over het gladde, onverschillige zeewater van de koude Øresund.

Het debat zou worden gehouden in de Zwarte Diamant, de glanzende bibliotheek van glas aan de waterkant. Ussing, Rosa Lebech en Hartmann deden een soundcheck. Karen Nebel had een voorlopig rapport van Mogens Rank over de reactie van de PET op het dossier over de Medea.

'Zoals jullie kunnen lezen,' zei Hartmann tegen hen, 'was er niets bekend van een directe bedreiging van de Zeuthens. Vanuit de politiek was niemand bij die beslissingen betrokken. Het was geheel en al een zaak van de PET. Jouw beschuldiging dat ik op de een of andere wijze mijn verantwoordelijkheden zou hebben ontlopen is onjuist en misleidend. De volgende keer dat je iets in je postvakje aantreft kun je maar beter even nadenken voordat je jezelf voor aap zet.'

Ussing bladerde door het rapport.

'Ik blijf erbij dat jouw mensen flink in de fout zijn gegaan. Mogens Rank denkt toch zeker niet dat hij aan deze ramp kan ontsnappen door de schuld op de PET te schuiven?'

Rosa Lebech hield zich erbuiten, leek zich niet op haar gemak te voelen.

Hartmann stak zijn hand uit.

'Als je verder geen vragen meer hebt, zouden we de strijdbijl moeten begraven. Laat de politie hun werk doen, dan doen wij het onze.' Hij knikte naar het podium. 'Als we daar vanavond staan.'

'Ik ben het met je eens,' zei Rosa Lebech eindelijk. 'Het is niet nodig om openlijk hierover te ruziën onder deze omstandigheden.'

Ussing schudde zijn hoofd. Die brede, sarcastische lach.

'Dus daarmee is de kous af? De minister van Justitie voert zelf een onderzoekje uit van een half uurtje en... verrassing, verrassing! Niemand treft enige blaam.'

'Dat is veel te...' mompelde Hartmann.

'Er staat hier niets in over een oude politiezaak in Jutland. Waarom niet?'

'Nog meer anonieme berichten in je postvakje?'

'Je hebt te veel lijken in de kast, Troels. Al van jaren terug en ik ben van plan ze op te rakelen.'

'Luister!' schreeuwde Hartmann. 'Ik heb je vanaf het begin van alle details op de hoogte gebracht.'

'Niet van alles,' zei Rosa Lebech omzichtig.

Hij staarde haar aan.

'Prima. Als je zo ontevreden bent over de regering, sluit je dan maar aan bij hem.'

Hij liet hen daar achter, liep door de gang terug naar de campagnebus, met Karen Nebel achter hem aan, kakelend als een kip.

'Genoeg,' beval Hartmann. 'Ik hoef niet te luisteren naar die flauwekul van Ussing.'

Morten Weber zat buiten op een bankje zijn berichten te bekijken. Hij stond op en voegde zich bij hen.

'Ging het goed daarbinnen?' vroeg hij.

'Ze kunnen van mij de pest krijgen. Wat is het laatste nieuws over het gezin Zeuthen?'

'Hij gaat een fortuin bieden. Ze weten niet zeker of hij het geld op tijd bij elkaar kan sprokkelen. We zouden hem onze hulp kunnen aanbieden. Met een contante lening of zo.'

Hartmann keek hem alleen maar aan.

Snelle voetstappen achter hem. Rosa Lebech holde op hem af, hield hem met uitgestrekte arm staande.

'Ik heb afspraken,' zei hij.

'Je bent niet de enige voor wie er hier iets op het spel staat, Troels. Als je geen tijd hebt om onze verschillen te overbruggen…'

'Welke verschillen? We hebben dit al honderden keren besproken.'

Karen Nebel kwam tussenbeide.

'Die tijd vinden we wel. Het ministerie van Justitie zal al je vragen beantwoorden. We hebben niets te verbergen. Ussing weet dat. Hij speelt gewoon een spelletje. Dus…' Ze glimlachte. 'Als je vragen hebt, stel ze dan aan mij. Ik zal ze persoonlijk afhandelen.'

Het bleef lang stil, maar toen zei Rosa Lebech dan toch: 'Oké.'

Ze keken haar na terwijl ze langzaam terug naar binnen liep.

'Hoe wist Ussing in godsnaam van die Jutland-zaak?' vroeg Hartmann zich af.

'Ons schip is zo lek als een mandje,' zei Weber en daar liet hij het bij.

De camping lag op een braakliggend terrein, een half uur buiten de stad. Overal vervallen caravans en campers. Meer dan tweehonderd, had Juncker gezegd. Nieuwsgierige, angstige gezichten keken toe van achter kleine, stoffige raampjes.

Brix belde op het moment dat ze uit de auto stapte. De Zeuthens hadden een voorstel gedaan wat betreft het losgeld. Het was een uitzonderlijk hoog bedrag.

'Ben je nog meer te weten gekomen over die Jutland-zaak?' vroeg ze.

'Concentreer je nu maar op die camping. En zorg dat die telefoon aan blijft staan.'

Juncker was er al een uur. Een kampeerauto die eruitzag als die van de kidnapper was de avond ervoor aangekomen en was die ochtend weer vertrokken.

Lund keek op haar horloge. Het was al half twaalf.

'Waarom wist ik dat niet eerder?'

'Het is hier een puinhoop,' zei de jonge rechercheur tegen haar. 'De man die de boel runt is een vreemde vogel. Hij komt pas om een uur of tien op zijn werk.'

'Sarah!' Borch had net zijn telefoongesprek beëindigd. 'We hebben bericht van ons internetteam. Dat telefoontje van gisteravond is gemaakt via de wifirouter hier op deze camping. We hebben geen nummer, maar...'

Hij keek naar het veld vol caravans. Het rook naar houtvuurtjes en riolering.

'Dat moet hem zijn.'

Ze knikte. Juncker ook. Hij leek beter in zijn vel te zitten dat de vorige avond. Alsof hij vertrouwd begon te raken met het onderzoek.

'Heeft Zeuthen een aanbod gedaan?' vroeg Borch.

'Honderd,' zei ze.

'Honderd miljoen kronen?'

'Er moeten betalingsgegevens zijn. Namen en adressen.' Ze keek Juncker aan. 'Of mis ik iets?'

'Laten we maar eens met de trol zelf praten,' zei Juncker. 'Zeg jij het maar.'

Hij was een man van rond de zeventig met een scheef gezicht, waarschijnlijk als gevolg van een beroerte. Hij droeg een platte pet en een blauw, versleten nylon jasje. Hij zat in een stoel voor het enige gebouw op de camping: een lage, bakstenen garage waar een weggeroeste auto in stond.

'Ik bespioneer de mensen niet,' zei de campingbeheerder. 'We zitten bijna vol. Alle tweehonderdzestien plekken. Kampeerauto's. Caravans. We hebben ook vier huisjes neergezet. Heb ik toestemming voor. Jullie kunnen me niks maken.'

Op een bord achter hem stond te lezen: TIPTOP CAMPING. Ernaast was een foto te zien van een speeltuintje. Hij zag haar kijken.

'We hebben de speeltoestellen weggehaald om ruimte te maken. Mensen zijn meer geïnteresseerd in een plek om te wonen. Ik krijg hier tegenwoordig niet meer zo veel kinderen.' Hij keek hen nijdig aan. 'Als die lui van de sociale dienst vinden dat kinderen hier te lang wonen, komen ze rondsnuffelen. Soms worden ze meegenomen.'

'Je verdient meer geld als je niet te veel vragen stelt,' merkte Borch op.

'Vroeger kwamen gezinnen hier vakantie vieren. Nu zijn het vooral daklozen. Mensen die hun hypotheek niet meer konden ophoesten. Mensen met creditcards. Wilt u dat ik het die mensen nog moeilijker ga maken?'

Borch begon boos te worden.

'Dit gaat over moord. De ontvoering van een jong meisje. U hebt de dader gezien...'

'Nee, dat is niet zo.' De oude man viste een rekening uit zijn zak. 'Hij heeft via het internet voor één nacht geboekt. Heeft de kwitantie met het geld in de brievenbus achtergelaten. Ik heb helemaal niets gezien.'

Lund keek naar de rekening. De ontvoerder had de creditcard van Peter Schultz gebruikt. Hij had op plek 64 gestaan.

Borch toonde een foto van Emilie Zeuthen.

'Hebt u dit meisje gezien?'

'Bent u doof? Ik heb hem niet zien aankomen. Ook niet zien vertrekken. Laat de mensen met rust, dat is mijn devies. Bemoei je niet met hun zaken.'

'U bent erg behulpzaam,' mopperde Juncker.

'Ik doe wat ik kan,' zei de beheerder.

Een geluid. Er trilde iets in Lunds zak. Ze haalde Emilies telefoon tevoorschijn en liep de hoek om.

De stem klonk nu weer kalm.

'Wat heb je me deze keer te bieden?'

Ze stond naast een caravan. Een vrouw met een donker gezicht, buitenlands, sloeg haar gade van achter een grauw gordijntje.

'De familie is bereid honderd miljoen kronen te betalen. Als ze Emilie maar terugkrijgen.'

In de daaropvolgende stilte probeerde ze zich een voorstelling te maken van de man achter de stem. Hij was ongeveer even oud als zij. Ontwikkeld. Intelligent. Had kennis van zaken waar ze alleen maar naar kon gissen.

'Ik wil het in biljetten van vijfhonderd euro. Het moet in vijf tassen kunnen. Geen gps. Geen verfpatronen. Probeer dit keer geen spelletjes te spelen. Ik geef je niet nog een kans.'

'Begrepen,' zei ze. 'Hoe weet ik dat ik je kan vertrouwen?'

Die lach.

'Wat kan ik zeggen? Je hebt mijn woord. Regel het geld. Ga ermee naar de

E47. De brug bij afrit zestien om klokslag vier uur.'

Hij gaf hun nauwelijks vier uur om de zaak voor te bereiden.

'Dat is wel heel veel contant geld. Ik weet niet of ze dat zo snel kunnen regelen.'

'Het zijn mensen van Zeeland. Die krijgen alles voor elkaar.'

'Maar...'

'Vier uur. Zorg ervoor dat je het deze keer niet verknalt.'

Ze probeerde hem nog te overreden. Maar het was te laat. Lund liep terug naar Borch en Juncker, die nog steeds probeerden iets los te krijgen uit de beheerder. Ze vertelde dat het aanbod was geaccepteerd en dat de afspraak was geregeld.

Brix belde met de autoriteiten. Borch belde het hoofdkwartier van de PET. Ze begaven zich naar de auto.

'Sarah.'

Borch bleef staan, telefoon aan zijn oor.

'Ze hebben hem kunnen natrekken. Dat was geen Skype. Hij heeft een gewoon mobieltje gebruikt. Hij bevindt zich in een straal van tien kilometer van hier.'

Een grote grijns. Die had ze twintig jaar niet gezien.

'Hij heeft geblunderd.' Borch sloeg haar op de schouders, slaakte een vreugdekreetje. 'Nu krijgen we die smeerlap te pakken.'

Tussen de campagneactiviteiten door stopte de Hartmann-bus bij een geïmproviseerd kantoortje in een hotel in een buitenwijk. Karen Nebel hield zich bezig met Rosa Lebech. De Partij van het Centrum had nog steeds geen positie gekozen. De politie had Weber op de hoogte gebracht van de aanstaande overdracht van het losgeld.

'Laten we in godsnaam hopen dat het deze keer goed gaat,' zei Hartmann. 'Lukt het Zeuthen om dat geld bij elkaar te krijgen?'

'Hij laat het invliegen uit Frankfurt. Kennelijk is dat geen probleem.'

'Mooi zo...'

Weber trok een gezicht en zei: 'Kunnen we even babbelen?'

Nebel vond dat niet zo'n goed idee, maar Hartmann stemde in. Ze gingen naar een aangrenzende, ongebruikte slaapkamer.

'Het helpt niet als je Karen het gevoel geeft dat ze wordt buitengesloten, Morten.'

'Tja, nou ja.' Weber was slecht op zijn gemak, bezorgd. Dat was ongewoon. 'Ik wil gewoon heel voorzichtig zijn totdat we weten waar we aan toe zijn.'

Hartmann pakte een fles water van het bed en nam een teug.

'Wat bedoel je?'

'Ussing heeft zojuist een nieuwe verklaring afgelegd.'

'Godallemachtig...'

'Hij eist een officieel onderzoek meteen na de verkiezingen, ongeacht wie de winnaar is.'

'Er is een negenjarig meisje ontvoerd! Houdt hij daar geen rekening mee?'

'Leuk hoor,' zei Weber. 'Gerechtvaardigde woede. Daar is iedereen dol op. Maar: ik heb de minister van Justitie gesproken. Ik ken een jurist die daar werkt...'

'Ik heb hier geen tijd voor.'

'Dat heb je wel, Troels. Zij had eerder gehoord van die oude zaak in Jutland, die zelfmoord van dat meisje. Ze wist het niet helemaal zeker, maar toen ik begon over die zeelieden op het schip van Zeeland...'

'Die zaak is nooit door justitie opgepakt,' viel Hartmann hem in de rede. 'Je was erbij toen Mogens ons dat laatst vertelde.'

Karen Nebel verscheen in de deuropening. Weber keek haar nijdig aan.

'Ik heb net contact gehad met Rosa. Als we toezeggen dat we iemand van haar partij een of ander tweederangs ministerieel baantje toeschuiven, zal ze vanavond nog ons verbond openbaar maken. Ik heb ja gezegd.'

'Goed nieuws!' riep Hartmann.

'We moeten snel aan de slag als we die aankondiging willen doen voordat het debat begint,' voegde Nebel eraan toe. 'Kunnen jullie je meningsverschil even laten rusten?'

'Hoeft niet,' zei Hartmann. 'We zijn klaar.'

De E47 liep door verschillende landen. Hij begon in Duitsland bij Lübeck, liep via een ferryverbinding door naar Denemarken, passeerde Kopenhagen en eindigde in Helsingør in Zweden. Brix had teams klaarstaan om de route in beide richtingen te kunnen blokkeren.

Het drukke snelwegknooppunt lag bij een brug over een terrein dat eruitzag als een miniatuurversie van de door Juncker gevonden camping. Maar dan iets ruiger. Weinig meer dan een provisorisch kamp naast een meertje.

Juncker had met een aantal plaatselijke bewoners gesproken. Hij keek met een verrekijker naar de bouwvallige hutjes onder hem.

'Het schijnt het Moddergat genoemd te worden. Er wonen daar een stuk of veertig, vijftig illegalen.'

Lund pakte de verrekijker van hem over en nam zelf een kijkje. Het waren niet alleen caravans. Ze zag een wrakkige bestelbus, een man in een tent, een paar kinderen die met een oude voetbal speelden.

'We hebben ze herhaaldelijk weggestuurd, maar ze komen steeds weer terug,' voegde Juncker eraan toe.

Borch had het grootste deel van de tijd aan de telefoon gezeten met het hoofdkwartier van de PET. Toen hij het gesprek had beëindigd, zei Lund: 'Ik geloof er niets van dat hij gewoon over deze brug komt lopen om het geld op te pikken.'

'Nee.' Hij wees naar de caravans en bestelbusjes onder hen. 'Hij zit daar beneden. We hebben het signaal van zijn telefoon kunnen natrekken.' Hij wees naar een wit voertuig aan de rand van het kamp dat net leek te zijn aangekomen. 'Dat is zijn kampeerauto. Daar steek ik mijn handen voor in het vuur.'

Juncker wreef zich in zijn handen.

'Laten we dan in actie komen…'

'Brix zei dat we moesten wachten op het telefoontje,' zei Lund.

Dat vond hij maar niets.

'Ze zit daar! Laten we gaan.'

Borch hield hem tegen met een handgebaar.

'Brix heeft gelijk. We mogen niet het risico nemen dat het meisje iets overkomt. Hij kan geen kant op.'

Lund keek nog een keer door de verrekijker. Het leek om de juiste camper te gaan.

'Waarom gebruikt hij opeens een telefoon die we kunnen natrekken?'

Juncker rolde met zijn ogen en pakte zijn verrekijker terug.

'Misschien omdat hier geen wifi is?'

Borch zei dat ze op de brug moest gaan staan.

'Waarom hier?' wilde Lund weten. 'Zo onbeschut. Die man weet alles van computers. Hij wist wat er aan de hand was toen hij op dat schip zat. En gisteren wist hij precies hoe de metrotreinen liepen. En nu…'

De telefoon van Borch ging weer over.

'Het is tijd,' zei hij tegen haar. 'De Zeuthens bevinden zich in de tunnel aan de andere kant van de brug. Brix is bij hen. Met het geld. Wil je nu alsjeblieft gaan?'

'Hier klopt niets van.'

'Als hij belt, doe dan precies wat hij vraagt. We pakken hem op als hij het geld wil ophalen. Kom op, vlug wat.'

Juncker grinnikte even en richtte zijn verrekijker weer op het kamp. Het begon donker te worden. Lund reed naar de plek die Borch had aangeduid.

Drie auto's. Brix droeg een donkere winterjas. Robert Zeuthen droeg zijn eeuwige pak. Zijn vrouw een nieuwe blauwe parka.

Een paar agenten in uniform laadden vijf zakken uit de achterbak van Zeuthens Range Rover. Dertien en een half miljoen, in biljetten van vijfhonderd euro.

Brix gaf Lund een zwart kogelwerend vest en zei dat ze het aan moest trekken. Een vrouwelijke agent leidde de Zeuthens een eindje opzij.

'Ik zorg ervoor dat zij uit de weg blijven,' zei hij. 'We kunnen niet te dichtbij komen, maar we luisteren wel met je mee.'

'Hoe zit het met die Jutland-zaak?'

Die vraag beviel hem niet.

'Ik heb met de plaatselijke politiechef in Jutland gesproken. Hij bevestigde wat de patholoog-anatoom tegen jou heeft gezegd. Het was zelfmoord. Dat is een doodlopend spoor.'

Ze legden het geld in de kofferbak van haar onopvallende zwarte Ford Focus.

'Succes, Lund.'

'Die Jutland-zaak...'

'Vergeet Jutland! Let goed op het geld. En ook op jezelf.'

Ze reed de brug op. Het begon te schemeren. De schemering ging over in de nacht. Ze zat in haar auto en wachtte, met twee wielen op de stoep.

Tien voor half zes en nog steeds niets. Borch, Juncker en het observatieteam zaten huiverend in het bos boven het Moddergat en hielden de witte camper beneden hen in de gaten. De gordijntjes waren dicht. Binnen was het donker. De mensen van Borch dachten dat de telefoon in die auto lag. Een ander arrestatieteam had zich verzameld op een uitvoegstrook onder de brug, geleid door Brix. Ze bevonden zich op gelijke hoogte met het kamp. Gereed voor een onmiddellijke bestorming.

De Zeuthens waren stil, nerveus en luisterden naar het verkeersgedruis boven hun hoofd.

Na een tijd wachten stapte Maja naar Brix en sprak hem aan.

'Wat is er aan de hand?'

'Toe,' zei de chef Moordzaken met klem, 'ik heb veel liever dat jullie in de auto blijven wachten.'

'Hij is meer dan een uur te laat,' zei Zeuthen.

'We doen wat hij vroeg,' merkte Brix op. 'Lund staat klaar. Ze heeft het geld bij zich. Het wachten is nu op hem.'

Even was er geen verkeer. Het was stil op de brug. In plaats daarvan hoorden ze het geluid van een telefoon, heel even.

Het beloofde het grootste verkiezingsdebat van de campagne te worden. Het publiek dromde naar binnen door de grote entreehal aan de waterkant. De nieuwszenders brachten een verhaal dat Karen Nebel de wereld in had geslingerd. Ze zeiden dat de verkiezingen zo goed als voorbij waren. Rosa Lebech zou die avond bekendmaken dat de Partij van het Centrum zich achter Troels Hartmann als premier schaarde. De huidige peilingen lieten zien dat de socialisten niet aan de macht konden komen.

Hartmann liep door de kamer van de campagnemedewerkers aan de zijkant van de hal, glimlachend en wuivend. Nebel liep naast hem.

'Ik heb een paar kranten gezien waarin Ussing ervan wordt beschuldigd een slaatje te willen slaan uit de zaak-Zeuthen,' zei ze zachtjes terwijl ze zich een weg baanden tussen de tafeltjes met toehoorders. 'Dat geeft ons weer wat lucht.'

Anders Ussing stond bij de uitgang te wenken.

'Hij staat er schuldbewust bij,' merkte Hartmann op.

'En terecht,' zei ze. 'Doe een beetje aardig tegen hem.'

'Dat doe ik altijd.'

Het was een kort gesprek. Ussing leek zenuwachtig, zei dat hij gewoon zijn werk deed.

'Het is nu allemaal voorbij, Anders. Wie gaat er vanavond als eerste?'

'Jij, Troels. Jij hebt de hoogste positie.'

Hartmann toonde zijn beroepsmatige glimlach.

'Ik wil je laten weten,' voegde Ussing er nog aan toe, 'dat als jij het premierschap kwijtraakt door dit alles... dat het niet persoonlijk bedoeld was. Op geen enkele wijze.'

Daar moest Hartmann om lachen. Ussing droeg een jekker. Geen das. Warrig haar. Hij leek afwezig en totaal niet in vorm voor een debat.

'Ik zal je een goede raad geven,' zei Hartmann. 'Bemoei jij je nou maar met je eigen campagne, dan doe ik dat met de mijne.'

Karen Nebel bespeurde vanaf de andere kant van de zaal dat er iets aan de hand was. Ze haastte zich naar hem toe. Ussing begroette haar met een hoofdknik, grijnsde.

'Het is niet de eerste keer dat Mogens Rank je om de tuin heeft geleid.' Hij glimlachte breed. 'Maar vermoedelijk wel voor het laatst. Veel succes met dat, eh...' Een joviale lach. 'Verbond.'

'Waar sloeg dat in godsnaam op?' vroeg Hartmann nadat Ussing was weggelopen. 'Rosa steunt ons toch, of niet soms?'

'Ja. Ze zei tegen me dat...'

Morten Weber marcheerde de zaal door. Zijn das zat scheef, hij had een stapel papieren in zijn hand en hij zag er getergd uit.

Lund staarde naar Emilies telefoon. Die was het niet. Ze viste haar eigen telefoon uit haar zak en zei: 'Lund.'

'Met Lis Vissenbjerg. We hebben elkaar vanochtend gesproken. Kunnen we iets afspreken?'

'Dit is niet het juiste moment. Kan ik u terugbellen?'

'U zei dat die man Schultz heeft vermoord vanwege die eerdere zaak.'

Een plotselinge verkeersdrukte. Koude nachtlucht in haar gezicht.

'Daar lijkt het wel op.'

Een lange stilte.

'Het zit namelijk zo... dat autopsierapport dat u in handen hebt gekregen...'

Er denderde een vrachtwagen voorbij. Lund liep naar de reling van de brug, keek omlaag naar het haveloze kampje en de witte camper aan de rand.

'Wat is daarmee?'

'Ik had het vanmorgen tegen u moeten zeggen. Ik had de nodige twijfels over de doodsoorzaak. Ik was van mening dat het meisje kon zijn vermoord. Maar toen ik nog wat meer tests wilde doen...'

'Wat?'

'Schultz zei dat hij onder druk werd gezet door mensen boven hem. Ik zou mijn baan verliezen als ik niet deed wat hij vroeg. Ik heb mijn conceptrapport bewaard. Dat moet u zien.'

Het was inmiddels half zes. De kidnapper had nog steeds niet gebeld.

'Hallo? Bent u daar nog, Lund?'

'Waar bent u?'

'Op het werk. Ze... ze hebben me ingeroosterd voor de autopsie van Peter Schultz. Ik heb hun gezegd dat ik dat onmogelijk...'

'Even geduld,' zei Lund.

Ze belde Borch.

'De patholoog-anatoom die we vanochtend hebben gesproken heeft me net gebeld. Ze zegt dat er wijzigingen zijn aangebracht in het autopsierapport van Louise Hjelby. Ze wil ons iets laten zien.'

'Later.'

Lund haalde diep adem.

'Er gebeurt hier niets. We verspillen onze tijd. Hij had hier een bedoeling mee...'

'Ik hang nu op. Blijf waar je bent tot Brix iets anders zegt. Tot kijk.'

Alleen op de brug, huiverend, haar donkere haar naar achteren gebonden in een slordige paardenstaart. Ze had meer dan genoeg van dat zware kogelvrije vest.

Lund keek op haar horloge.

Hij kwam niet. Dat was hij nooit van plan geweest.

Ze trok het dikke vest uit, liep naar de kofferbak van de auto, haalde de geldtassen eruit en zette ze op een rijtje op de stoep. Ze stuurde Borch een kort sms'je om hem te laten weten dat hij ze kon ophalen. Toen stapte ze in de auto, draaide het contactsleuteltje om en voegde in tussen de gestage stroom nachtelijk verkeer.

'We moeten praten!' eiste Morten Weber.

Ze liepen de gang op. Weber tikte met een paar pagina's tegen Hartmanns borst.

'Mogens Rank wist alles over die oude zaak. Ik heb de documenten van het ministerie die dat bewijzen. Het onderzoek is via hem gelopen.'

Hartmann vloekte.

'Kan dit niet even wachten?'

Webers kraaloogjes lichtten op van woede.

'Wachten? We zitten op een tikkende tijdbom. Heb je dat echt niet door? Kijk dan!'

Hij wees naar de bovenste pagina.

'Mogens heeft die papieren eigenhandig ondertekend. Het staat allemaal zwart op wit. Toch heeft hij niets gezegd toen die zeelieden werden vermoord. Niets toen Peter Schultz werd opgehangen voor de gevel van het gerechtsgebouw. En de PET zegt dat het manifest van de kidnapper rechtstreeks naar zijn overheidsmailadres op het ministerie is gestuurd. Wat trouwens niet openbaar is. Dat had hij ook wel eens mogen zeggen.'

'Wat is zijn reactie?' vroeg Nebel.

'Hij beantwoordt mijn telefoontjes niet.'

'Dit moet wachten,' volhardde ze. 'Er komen wel duizend mensen op dat debat af. Laten we…'

'Ik ben nog niet klaar,' ging Weber verder. 'De PET denkt te weten wie die informatie naar Ussing heeft gelekt. Ze zijn gestuit op een ambtenaar binnen Ranks ministerie, iemand met een motief.' Hij keek Hartmann aan. 'Hij heet Jens Lebech. De ex-man van Rosa.'

'Ex,' zei Hartmann direct. 'Ik ben niet bij Rosa in de buurt geweest toen ze nog getrouwd was. Ze kunnen niks bewijzen.'

Weber sloeg zich tegen het voorhoofd.

'Kun je voor deze ene keer eens proberen niet met je pik te denken? We moeten dit meteen onder controle zien te krijgen. Je moet teruggaan naar Christiansborg en Mogens bij zijn kladden grijpen.'

'Het debat, Morten,' merkte Nebel op. 'Er zijn hier mensen. De media.'

'Ik handel dat debat wel af,' zei Hartmann. 'Annuleer al mijn afspraken daarna. En vind hem voor me.'

Onder de brug hoorden ze het geluid van Lunds auto die met een klap van de stoep op straat terechtkwam.

'Wat gebeurt daar nu weer?' vroeg Brix.

De telefoon van Borch gaf een pieptoon. Een sms'je.

'Ze zegt dat ze de telefoon van Emilie zal beantwoorden als hij overgaat. Ze heeft het geld achtergelaten op de brug…'

Brix wendde zich woedend tot Madsen. 'Stuur een agente die brug op. Zoek uit waar Lund in godsnaam mee bezig is.'

De Zeuthens aanschouwden dit alles vanuit hun auto. Ze stapten uit.

'Heeft hij gebeld?' vroeg Maja Zeuthen aan Brix.

'Nog niet. Ik moet die brug op. Willen jullie…' Hij wees naar de Range Rover. '… je hier niet mee bemoeien?'

Het arrestatieteam bevond zich in het bos. Madsen belde hen om te laten weten dat Lund om de een of andere reden was vertrokken. Ze moesten zich gereed houden voor de verrassingsaanval en om het meisje op te pikken.

Robert Zeuthen stond naast hem en luisterde naar elk woord.

Hij greep Madsen bij de arm toen die weg wilde lopen.

'Wat hoorde ik daar over een verrassingsaanval?'

'Nu even niet…' zei Madsen bits.

Zeuthen was een rustige man, maar hij was stevig gebouwd. Met één snelle beweging had hij de politieman bij zijn arm vast, trok hem naar zich toe.

'Ik wil het weten.'

Madsen keek op naar het observatieteam. Wuifde. Bleef zwijgen.

Zeuthen liep naar zijn auto.

Tussen de bomen boven het kamp bleef Borch proberen Lund te bereiken, maar hij kreeg alleen haar voicemail. Een geluid achter hem. Hij draaide zich om, zag de Range Rover van Zeuthen de modderweg op stuiven.

'Dit kan niet waar zijn,' mompelde hij en hij zag dat Zeuthen en zijn vrouw uit de auto stapten en tussen de spoorstaven door op hen af kwamen geklauterd.

'Dit was niet afgesproken,' zei Borch. Hij posteerde zich voor hen en blokkeerde de doorgang. 'Jullie brengen het leven van jullie dochter in gevaar.'

Zeuthen stapte naar de rand van de open plek, tuurde omlaag naar de caravans en woonwagens. Juncker had zijn verrekijker op een ervan gericht en attendeerde een collega erop.

'Zit ze daarbinnen?' vroeg Zeuthen. 'Is dat de kampeerbus?'

Borch kwam naast hem staan.

'Dat weten we niet zeker. Ook al zit ze daar, dan weten we nog niet of hij haar vrijwillig zal vrijlaten. Hij heeft niet gebeld. Het geld staat nog…'

'Er komt iemand aan,' schreeuwde Juncker. 'Hij rijdt recht op de camper af.'

Zeuthen en zijn vrouw probeerden het van dichterbij te zien.

'Ik wil dat jullie teruggaan naar jullie auto,' eiste Borch.

Hij zei tegen twee agenten dat ze hen op afstand moesten houden. Keek door zijn verrekijker. Scande het hele kamp.

Het was een oude Fiat Estate. Achter het stuur zat iemand met dikke kleren aan. De auto stopte vlak voor de camper. De bestuurder liep naar de deur, maakte hem open. Liep naar binnen. Het schijnsel van flakkerende gaslampen scheen door de ramen naar buiten.

Het was het eind van de werkdag op de afdeling Forensische Geneeskunde. De meeste mensen gingen naar huis. Lund was terechtgekomen in een doolhof van witbetegelde gangen, op zoek naar Lis Vissenbjerg.

Ze wilde niet denken aan wat er nu op de brug gebeurde. Brix zou daar blijven tot het bittere einde. Dat was zijn aard. Geen verbeeldingskracht.

Maar er zou geen overdracht plaatsvinden. Dat was nooit het plan van de kidnapper geweest.

Haar telefoon rinkelde. Ze keek op het schermpje. Borch.

'Voor je me gaat uitschelden moet je dit weten: het heeft niets met geld te maken. Dit heeft alles te maken met een oude zaak. Dat meisje, Louise Hjelby. De patholoog-anatoom weet iets. Ik ben hier nuttiger dan…'

'Die discussie kunnen we later voeren,' zei hij. 'Op dit moment hoeven we alleen te weten of je de telefoon van de kidnapper nog opneemt.'

'Natuurlijk doe ik dat. Als hij overgaat…'

'Iemand is net in die camper gestapt, Sarah. Het gaat beginnen.'

'Je zit op de verkeerde plek. Hij heeft je daar expres naartoe gestuurd. Luister…'

Een geluid. Een trilling in de zak van haar jasje.

De telefoon van Emilie.

'Ik heb hem aan de lijn,' zei ze.

'Houd hem zo lang mogelijk aan de praat,' beval Borch. 'Als we zien dat hij van hieruit belt, komen we in actie.'

Ze verbrak de verbinding. Nam de andere telefoon op.

'Sorry dat ik te laat ben. Ben je er klaar voor?'

'Ja,' zei ze. Ze probeerde niet zenuwachtig te klinken. 'We hebben het geld.'

Aarzeling.

'Ik hoor geen verkeer, Lund. En op die plek is het druk.'

'We wisten niet wat er aan de hand was. Ik moest met mijn chef spreken. Ik kan heel snel terug zijn.'

'Laat maar. Ik ben van gedachten veranderd.'

'Hoezo, van gedachten veranderd? We hebben al dat geld…'

'De afspraak gaat niet door. Ik kan hier meer uit halen.'

'Wat bedoel je daarmee?'

Lund keek om zich heen. Ze bevond zich dicht bij de snijzaal met collegebanken waar ze eerder die ochtend een ontmoeting hadden gehad met Vissenbjerg terwijl ze bezig was een man open te snijden.

De verbinding was verbroken.

Ze belde Borch. Hij probeerde na te trekken vanwaar het telefoontje was gepleegd, zich ervan te verzekeren dat er inderdaad vanuit die camper was gebeld.

'Nou?' vroeg ze.

'We zijn ermee bezig.'

'Waarmee precies?'

Geen antwoord. Hij luisterde niet. Borch schreeuwde, tierde. Iets wat te maken had met Robert Zeuthen. Eén bepaalde kreet hoorde ze steeds opnieuw: blijf staan, blijf staan, blijf staan.

Hij rende de heuvel af, zijn dure schoenen gleden weg in de modder, hij tuimelde door doornstruiken, viel voorover op de smerige grond, schraapte met zijn handen over de grond, wanhopig.

Robert Zeuthen was een rustige man die altijd helder nadacht. Maar op dit moment was hij zichzelf niet meer, hij kon de beschuldigende blikken van Maja in de auto niet langer verdragen. In een plotselinge vlaag van razernij stormde hij af op de smoezelige witte camper die door de politie werd geobserveerd. Hij had geen flauw idee wat hij daar zou gaan doen.

Hij hees zich overeind. Hij bloedde en voelde overal pijn, maar hij stoof door naar de open plek, vloog naar de deur, rukte hem open.

Flakkerende lichten daalden de heuvel af. Stemmen, commando's die bulderend werden gegeven.

Zeuthen negeerde alles, klom de camper in. De stank van sigaretten en drank, van zweet en armoede. Een gestalte in goedkope donkere kleren rees op van een stoel, schreeuwde iets in een vreemde taal.

Ze worstelden, vochten, vielen achterwaarts de deur uit, haalden uit, stompten elkaar, gilden en krijsten, tuimelden op de modderige grond.

Vuisten vlogen over en weer. Geen woorden.

De onbekende wist opeens nieuwe krachten te verzamelen, vocht terug. Met zijn knokige vuist raakte hij Zeuthen hard op de kin. Hij sprong boven op zijn borst, begon hem af te ranselen.

Lichten. Nog meer klappen, niet hard maar wel pijnlijk.

Vuurwapens glanzend in het duister.

Ze stonden in een kring om hem heen. Trokken de onbekende van hem af.

Niet zo zwaar, dacht Zeuthen. Donkerblauw jasje en een zwarte wollen muts. De korte lopen van twee automatische geweren wezen zijn kant op. Hij stak zijn handen omhoog.

Borch stapte dichterbij, trok de muts af.

Lang blond haar kwam tevoorschijn. Een mannelijk gezicht. Maar geen man.

Zeuthen hinkte de camper in. Borch kwam achter hem aan. Er lag een telefoon op tafel. Overal lagen pizzadozen.

Dat was alles.

De PET-man stapte naar buiten, pakte de vrouw op die ze hadden vastgenomen. Duwde haar tegen de zijkant van de witte camper. Dwong haar tot spreken.

Toen werd hij zelf gebeld. Luisterde. Verbrak de verbinding. Voordat hij iets kon doen rinkelde zijn telefoon opnieuw.

Keek naar de naam op het schermpje.

'Sarah…'

'Hebben jullie het meisje?'

'Nee. Het was wel de juiste camper. De telefoon die hij eerder heeft gebruikt lag erin. Hij heeft hem vier uur geleden bij een tankstation weggegeven aan een immigrante. Ze heeft de camper zonder verdere vragen geaccepteerd. Waarom ook niet?'

'Ik probeerde je nog te vertellen…'

'Ik heb net bericht gekregen van het afluisterteam. Dat laatste telefoontje dat je van hem hebt ontvangen…'

In het ziekenhuis staarde Lund door de halfdonkere gang. Het rook er nog precies hetzelfde als eerder die ochtend. Naar chemicaliën met een zweem van bloed.

'Ja?'

'Dat was afkomstig van een vaste lijn in het ziekenhuis. Van de forensische afdeling, vermoeden ze.'

Stilte.

'Als je nog in dat gebouw bent, eis ik dat je daar nu onmiddellijk vertrekt.'

Borch gebaarde woest om een auto.

'Sarah? Hoor je me?'

Lund ging niet weg. Ze liep door de lege, betegelde gang. Haar schoenen maakten een klakkend geluid op de vloer. Ze wist niet waar ze moest zoeken. Ze kon alleen haar intuïtie volgen en die leidde haar slechts naar één plek: terug naar de collegezaal met de staalgrijze snijtafel op het podium.

Ze vond hem aan het eind van een donkere gang. Ze duwde de dubbele deuren open, tastte naar een lichtknopje. Ze kon het niet zo snel vinden en stapte naar voren, viste de zaklamp uit haar zak en knipte hem aan.

Een arena van lege rijen stoelen in een halve cirkel voor haar. De stem van Borch echode nog na in haar hoofd, over de baby en Mark.

Maar er was hier niemand, en geleidelijk wenden haar ogen aan de duisternis. Op het bureau naast de snijtafel waar Lis Vissenbjerg had gewerkt lag slechts een stapel paperassen.

Ze richtte het schijnsel op de muur. Vond de lichtknoppen en bracht de zaal tot leven. Ze liep terug naar de tafel en het bureau, bekeek de documenten die er lagen. Aantekeningen van een ander autopsierapport, een rapport dat nooit was ingediend.

Ze bladerde het vluchtig door. Werk aan de winkel.

Een van de tl-buizen boven haar hoofd begon luidruchtig te knipperen.

De helft van de stoelenrijen verdween in de duisternis.

Lund keek op naar de lamp. Vloekte. Wilde net haar aandacht weer op het autopsierapport richten toen de lamp tot leven kwam en de linkerzijde van de stoelenrij in een helder, koud licht zette.

Ze slaakte een gil. Ze kon het niet helpen.

Daar zat Lis Vissenbjerg aan het eind van de rij, nog steeds in haar witte operatieschort, onderuitgezakt op een lichthouten stoel. Bloed bij haar keel. Bloed over haar hele voorzijde. Bloed dat van de traptreden droop, langzaam in de richting van de snijtafel vloeiend. Haar armen hingen langs haar lichaam. Ogen wijd open. Net zo dood als de man die ze die ochtend had onderzocht.

Lund reikte met trillende vingers naar haar telefoon. Klungelde ermee. Zag het ding langzaam op de vloer tuimelen en in de richting van de bloedplas rond de vrouw stuiteren.

Ze hoorde ook iets anders. Voetstappen, luid, vastbesloten, in de verte verdwijnend.

Ze greep naar haar pistool. Het kogelwerende vest had ze niet meer.

Lund pakte haar telefoon van de vloer, liep naar de deur en stapte de lange, halfduistere gang in.

Ze probeerde zich voor de geest te halen hoe de indeling van het gebouw was. Eerste verdieping voor de gewone zaken. Begane grond voor kantoren. Het souterrain…

Lund was er ooit geweest. Ze kon zich er niets meer van herinneren.

Ze baande zich een weg door de gang naast de snijzaal. Lege, klinische kamers, kale tafels. Koelruimten voor lijken. Met getrokken pistool sloop ze langzaam vooruit, er zorgvuldig op lettend dat ze in het halfduistere gedeelte buiten de lichtkring bleef. Ze durfde de hoofdverlichting niet aan te doen uit angst haar positie te verraden.

Ze hoorde geen voetstappen meer. Misschien was hij verdwenen. Ze kon haar eigen ademhaling horen. Het zachte gebrom van de airconditioning. Verkeer buiten. Na een tijdje ook sirenes die snel dichterbij kwamen.

Het drong nu tot haar door dat ook hij het oorspronkelijke autopsierapport gelezen moest hebben. Dat moest ook een reden zijn voor zijn komst naar dit gebouw.

In de laatste kamer, vlak bij een tafel die zo te zien nog schoongemaakt moest worden, ging haar eigen telefoon.

'We staan voor de deur,' zei Borch zenuwachtig. 'Waar ben je?'

'Ik controleer alle kamers.'

'Jezus christus! Luister jij dan nooit naar mij?'

'Hij heeft de patholoog-anatoom vermoord. Ik heb het rapport in handen dat ze ons wilde laten zien. Een conceptrapport van een autopsie. Niet het verhaal dat wij onder ogen hebben gehad. Dit rapport heeft ze nooit ingeleverd. Schultz hield haar tegen en...'

Een geluid achter haar.

De weerspiegeling van een gedaante in een witte jas dook op in een glimmende kast. Hij haastte zich door de gang.

'Sarah?' zei Borch. 'Hallo?'

Met haar pistool weer in de aanslag liep ze door de deuropening. Hoorde wegstervende voetstappen. Een man op de vlucht.

'Hij is nog hier,' zei Lund zacht. 'Hij gaat naar beneden, naar de begane grond. Mogelijk naar het souterrain.'

Ze wachtte niet op antwoord. Ze stak de telefoon in haar zak en begon te rennen.

Op de smalle trap hoorde ze nog steeds de stem van Borch in haar hoofd die vragen over baby's stelde.

Naar beneden, het souterrain in. Een lange gang, eindigend in een T-splitsing. Ze ving nog net een glimp op van een gedaante die rechts de hoek om sloeg. Een wapperende witte doktersjas. Achterhoofd, donker haar.

Zwarte schoenen.

Lund liep door, langs reusachtige verwarmingsbuizen en elektrische installaties.

Nog een hoek. Een in het wit gehulde gedaante. Ze hief haar pistool. Een vrouw begon te gillen. De liftdeuren schoven open. Twee kruiers. Een lijk op een brancard. Ze staarden naar haar. Naar het wapen.

Lund keek naar hun voeten. Allen droegen witte hoezen om hun schoenen.

Geen tijd om iets uit te leggen of vragen te stellen.

Hij kon maar één kant op en daar liep zij ook heen. Ze raakte buiten adem, wist niet meer waar ze precies was.

De geur van schone was. Schoonmaakmiddel en stoom. Ze duwde de deur open, kwam terecht in een grote, lege wasserij. Rijen doktersjassen in rekken, als huiden die voor de nacht waren afgelegd. Wasmachines die zachtjes langs de wand stonden te gorgelen.

Een geluid. Met haar pistool in de aanslag draaide ze zich om.

Een gezicht. Ze richtte pal op Mathias Borch. Zwarte kleren, zwarte hoed. Hij gebaarde naar haar.

Zij tweeën in een lange, brede, schaars verlichte ruimte, gevuld met kledingrekken en voorraadkasten. Tal van plekken waar iemand zich kon verbergen.

Lund wees naar rechts. Wist dat hij het zou begrijpen. Ze hadden ooit samengewerkt, voelden elkaar aan.

Nu liepen ze langzaam vooruit door de wasserij, Lund aan één kant, Borch aan de andere. De 9mm Heckler & Koch Compact stevig in haar hand, kijkend, jagend, luisterend.

Halverwege klonk een geluid. Een ratelende ventilator. De afvoerbuizen. Zoiets. Lund sloop langs stapels keurig gestreken witte lakens. Haar ogen zochten de vloer af, speurend naar een paar zwarte schoenen. Kon ze Borch dat maar laten weten.

Nog drie stappen. Een wit operatieschort op de vloer. Hij was hier geweest. Had zich weer omgekleed.

'Borch?' zei ze.

Toen een geluid. Een korte kreet van pijn. De doffe klap van een wapen op vlees.

'Mathias!'

Ze kwam dichterbij en zag hen. Een gedaante in een dikke jas, zijn gezicht verscholen achter een bivakmuts met drie gaten. Hij hield Borch tegen zich aan gedrukt. Pistool tegen zijn nek.

Lund hief haar wapen, richtte. Min of meer.

'Laat dat wapen vallen, alsjeblieft,' zei de stem. Hij klonk net zo kalm, effen en intelligent als aan de telefoon.

Ze had zijn gemaskerde hoofd duidelijk in het vizier. Maar ze had alleen oog voor Mathias Borch.

'Ik hou er niet van om mezelf te herhalen. Laat vallen.'

'Schiet die klootzak neer, Sarah!' Borch verzette zich tegen de armen die hem in een vaste greep hadden. 'Schiet op.'

Toen gilde hij ineens van de pijn. Ze kon niet zien wat er was gebeurd, maar ze kon het wel raden. Een stoot in zijn nieren.

'Laat dat pistool vallen of ik vermoord hem. En jou erna.'

'Sarah,' smeekte Borch. De loop van het pistool werd hard tegen zijn wang geduwd.

Ze deed een stap dichterbij.

'Doe het!' schreeuwde Borch.

'Drie...'

Langzaam, zodat hij het goed kon zien, draaide Lund het pistool opzij, met de loop naar het plafond wijzend. Toen hurkte ze neer, legde het wapen op de grond, schoof het naar hem toe.

Borch keek haar woedend aan.

'Ik geef je nog één laatste kans, Lund,' zei de man. 'Kom dit keer met een interessanter bod. Verras me. Je kunt morgen een telefoontje verwachten.'

Daarna trok hij zich terug in de schaduw naast een van de draaiende wasmachines, Borch met zich mee sleurend.

Ze keek naar haar wapen op de vloer. Hoorde een gil van pijn. Pakte de

Heckler & Koch op. Zag een deur openstaan. Borch lag ervoor op de grond. Ze stapte over hem heen, keek naar de trap die naar straatniveau leidde. Weer ontsnapt. Hij kende ook deze ontsnappingsroute en ze had geen idee waar hij naartoe was gegaan.

Te veel herinneringen op dat moment. Jan Meyer bebloed in het donker, alweer een naaste collega kwijt.

'Mathias?'

Ze knielde naast hem neer, raakte zijn voorhoofd aan. Daar zat een wond, een opkomende bult eromheen.

'Alles in orde?' fluisterde ze en ze legde een hand op zijn koude, vochtige wang.

Borch kwam bij. Zag iets in haar ogen. Keek naar de open deur. Vloekte zachtjes.

In de snijzaal waren ze druk bezig met het lijk van Lis Vissenbjerg. Drie mannen van de technische recherche waren begonnen aan een nauwgezet onderzoek naar haar dood. Over de oorzaak bestond geen twijfel. Ze hoefden maar één blik op haar te werpen en ze wisten het: hij had haar keel doorgesneden, had haar ter plekke dood laten bloeden.

'Hoe is het met Borch?' vroeg Brix.

'Heeft flinke klappen gehad. Kwaad. Op mij, waarschijnlijk.' Ze keek hem aan. 'Niet de enige.'

'Je hebt een enorme hoeveelheid losgeld onbeheerd achtergelaten langs de kant van de weg zonder mij dat te vertellen. Ik had geen idee wat er gaande was. De Zeuthens gaan door het lint.'

Lund wuifde die laatste opmerking weg.

'Hij is nooit van plan geweest dat geld op te pikken. En ik heb toch tegen Borch gezegd dat hij dat geld moest ophalen?'

Ze nam hem mee naar het bureau, wees met haar vinger naar het voorlopige rapport.

'Vissenbjerg belde me toen ik op de brug stond. Ze wilde dat ik dit rapport zou zien. Ik denk dat ze ongerust werd. Dat hij achter Schultz aan was gegaan, zou kunnen betekenen dat zijzelf ook in gevaar verkeerde.'

Brix pakte het document.

'Dat is het oorspronkelijke rapport. Ze geloofde helemaal niet dat het meisje zelfmoord had gepleegd. Schultz zei dat ze dat uit haar autopsierapport moest weglaten, anders zou ze ontslagen worden. Hij zei dat hij door een hogergeplaatst persoon onder druk werd gezet.'

'Wie?'

'Dat heeft ze me niet meer kunnen vertellen. We moeten contact opnemen met degene die zich aanvankelijk met die zaak in Jutland heeft beziggehouden.'

Brix schudde zijn hoofd.

'Waarom worden er mensen vermoord vanwege deze zaak? Wat is het verband met de Zeuthens?'

'Er moet een verband zijn. Maar nu moet ik even kijken hoe het met Borch is. Hij is niet zo'n harde. Wat heeft die camping opgeleverd?'

'Niks. De dader heeft die camper en de telefoon aan een arme buitenlandse geschonken die hij toevallig bij een tankstation had ontmoet. Hij zei dat er nog meer in het vat zat voor haar als ze bij de grindgroeve op hem zou wachten. Het is een vrouw uit Estland. Ze dacht...'

Hij viel stil.

'Wat dacht ze?'

'Ze vond hem aardig. Hij zei dat hij medelijden had met iemand die het kennelijk zwaar had. Het kwam allemaal door de grote bedrijven en door de regering. Ruth Hedeby zal me flink de mantel uitvegen als ik terugkom. Ik heb haar geen sodemieter te bieden.'

Lund probeerde een antwoord te bedenken. Toen stapte Borch naar binnen. Hij hield een stuk verbandgaas tegen zijn hoofd gedrukt.

'Alles in orde?'

'Het had niet veel gescheeld of ik moest gehecht worden, zeiden ze.'

Ze zette grote ogen op.

'Niet veel?'

Hij keek haar fel aan. 'Zijn er hier getuigen? Of enig ander aanknopingspunt?'

'Wat denk je zelf?' bromde Brix.

'Hij heeft die stunt op de snelweg als afleiding bedacht,' legde Lund uit. 'Hij wilde voldoende tijd hebben om met Vissenbjerg af te rekenen. Hij zit achter die oude zaak aan. Dus...' In ieder geval luisterden ze nu naar haar. 'We moeten precies uitzoeken wat zijn volgende stap zal zijn.'

'Waarom heb je in godsnaam niet geschoten toen dat kon?' wilde Borch weten.

Dat interesseerde Brix niet. Ze hadden de camper naar de garage in de Politigården overgebracht voor technisch onderzoek. Hij wilde dat ze die wagen zouden inspecteren. Hij wilde dat ze iets zouden vinden wat hij als aanknopingspunt kon presenteren.

Borch stond pal voor haar en wachtte op een verklaring.

'Je had hem kunnen neerschieten.'

Ze liep naar de uitgang.

Hij kwam achter haar aan, vroeg: 'Waarom...?'

'Hoe zouden we Emilie Zeuthen hebben gevonden als ik hem had neergeschoten?'

'Je had hem kunnen verwonden aan zijn arm of been of zoiets. Je bent een goede schutter...'

'Nee, dat ben ik niet! Je weet niets van me. Als jij je er niet mee had be-moeid...'

Hij gooide zijn armen in de lucht.

'O, nu heb ik het gedaan! Jij liep in het donker rond te dolen toen ik op-dook. Je had hem kunnen neerschieten en...'

'Jij stond pal voor hem!' schreeuwde ze. 'In de weg.' Toen, zonder naden-ken: 'En niet voor het eerst.'

Daar haakte hij op in.

'Niet voor het eerst?'

'Ik kon het gewoon niet, oké?' zei Lund. Ze zou willen dat ze ergens heen kon waar het rustig was, waar ze een tijdje alleen kon zijn en niet hoefde te denken aan hem of Emilie Zeuthen. Of een van die andere kwelgeesten uit het verleden.

Om de een of andere reden hield hij nu zijn mond, dus liep ze door naar haar auto.

Borch was niet de enige die gewond was geraakt. Robert Zeuthen had een snee in zijn hand opgelopen bij het zinloze gevecht op de camping. Beurs en ellendig reed Zeuthen in zijn Range Rover met Reinhardt naast zich en Maja achterin.

Toen bracht de oude man het nieuws van weer een moord. Op een patho-loog-anatoom dit keer.

'De politie vraagt of we hier meer over weten,' voegde hij eraan toe. 'Ik heb hun verteld dat het voor ons ook een raadsel is. De aanklager. Die vrouw. Een of andere zaak in Jutland. We hebben met geen van die mensen iets te maken gehad. Ze denken kennelijk dat het de kidnapper niet om het losgeld te doen is.'

'Waarom niet?' vroeg Maja. Dat waren haar eerste woorden sinds het mo-ment dat ze in de auto was gestapt. 'Wat wil hij in godsnaam?'

'Dat weten ze niet. Hij heeft tegen hen gezegd dat hij morgen terug zou bellen met een nieuwe eis. De laatste. Hoewel hij dat natuurlijk al eerder heeft gezegd.'

'Heeft hij Emilie nog genoemd?' vroeg Zeuthen zich af.

'Nee, hij heeft verder niets gezegd.'

Maja's stem werd luider, agressiever. 'Er moet toch meer bekend zijn. Heeft hij gezegd waarom hij het geld niet wilde?'

'Nee. Ik heb geregeld dat het naar de Nationale Bank wordt gebracht, Robert. Daarna...'

Zeuthen wierp een blik op zijn vrouw. Vroeg of ze zich wel goed voelde. Ze zag bleek, leek uitgeput.

'Stop,' beval ze. 'Ik wil eruit.'

Ze bevonden zich in een buitenwijk van de stad. Lichten. Mensen op straat.

'Ik breng je naar het huis van Carsten,' zei Zeuthen.

'Zet de auto stil!'

Hij reed door. Ze begon te gillen. Zeuthen stopte langs de kant van de weg. In een oogwenk was ze de auto uit en dook ze de bosjes in. Hij sprong achter haar aan.

'Maja...'

Misschien wilde ze overgeven maar kon ze dat niet. Misschien kon ze hem niet meer verdragen, net zomin als zijn grote auto, al dat gepraat over geld. Snikkend, bijna hysterisch stapte ze uit de struiken en begon doelloos over de stoep te lopen.

'Praat met me,' smeekte hij. 'Toe nou...'

Ze draaide zich naar hem om, woedend, ogen vochtig glanzend van de tranen.

'Emilie komt niet meer terug, Robert. Snap je dat dan niet?'

Hij haalde haar in. Ze bleef doorlopen.

'Ik zorg dat hij krijgt wat hij wil. Wat het ook is...'

'Misschien is ze al dood.'

Dat maakte hem kwaad.

'Nee. Ze is niet dood. Emilie heeft haar naam op de muur geschreven. Voor ons. Ze weet dat we haar komen redden. Ze weet...'

Zijn been deed zeer. Dat had hij blijkbaar ook bezeerd tijdens het gevecht. Hij hinkte, meelijwekkend in de vrieskoude nacht, hun adem hing in wolkjes om hen heen.

Ze bleef staan bij de vangrail. Hij probeerde haar smalle schouders vast te pakken.

'Als je haar nou maar gewoon met mij mee naar huis had laten gaan,' huilde ze. 'Waar ze thuishoorde.'

Geen woorden. Hij kon niets anders doen dan zijn armen om haar heen slaan. Haar tranen tegen zijn wang. Zijn tranen tegen de hare.

Maja snikte in zijn hals, verzette zich een tijdje. Gaf het op. Haar armen zochten hun weg om zijn middel. Klampten zich aan hem vast. Het was weer even vertrouwd als vroeger. De liefde die was verdwenen.

Met zijn mond naast haar oor fluisterde hij de woorden. Ieder woord was gemeend.

'Ik zal haar terugbrengen. Dat beloof ik. De rest is niet belangrijk. Niets...'

Ze zei niets. Huilde alleen maar.

'Ik beloof het,' zei Robert Zeuthen nogmaals. 'Ik zal zorgen dat het goed komt.'

Er hing een verkiezingsposter aan het hek. Troels Hartmann die met een stralende glimlach de wereld in keek. Een prima vent, zei iedereen. Iemand op wie je kon bouwen.

Hartmann luisterde naar de radio terwijl de auto de geplaveide binnenplaats van Christiansborg op reed. De moord in het universiteitsziekenhuis en het vermoedelijke verband met de zaak-Zeuthen was het hoofdonderwerp van het nieuws. Maar Anders Ussing was een goede tweede: hij beschuldigde Hartmanns regering van nalatigheid aangaande de ontvoering van Emilie.

Verslaggevers en tv-ploegen verdrongen zich rond de auto. Het journaal deed kort verslag van de mislukte overdracht van het losgeld en de suggestie dat de kidnapper wellicht helemaal niet op geld uit was.

'Noch Hartmann, noch de politie of de PET heeft een verklaring afgegeven,' ging het verslag verder. 'Ussing beweert dat zowel de ontvoering als de moorden voorkomen hadden kunnen worden als de minister van Justitie rekening had gehouden met de waarschuwingen die hij had ontvangen.'

'Alsof hij dit had kunnen weten,' bromde Hartmann. Hij stapte uit de auto, glimlachte naar de camera's, liet zijn lijfwachten een weg voor hem banen door de menigte en hem naar het gebouw loodsen.

Hij ging regelrecht naar zijn kantoor. Mogens Rank zat daar al te wachten, nerveus met een potlood friemelend.

Hartmann ging zitten met Weber en Nebel aan weerskanten van hem. Hij hield zijn handen op, staarde naar de goed geklede man tegenover hem en wachtte af.

'Het spijt me dat ik niemand van jullie heb teruggebeld,' zei Rank terwijl hij zijn colbertje gladstreek. 'Ik ben nagegaan hoe het allemaal is gebeurd. Het blijkt dat we wel wisten van dat meisje, Hjelby. Het gebeurde vlak nadat we de verkiezingen hadden gewonnen. Ik werd overstelpt met werk. Ik had geen…'

'Vertel het ons, Mogens,' eiste Hartmann.

'Het was niets. Een dertien jaar oud meisje werd dood gevonden in een haven in West-Jutland. Drie zeelieden van het bedrijf Zeeland hebben het lijk gevonden.' Hij haalde zijn schouders op. 'Wat uiteraard betekende dat ik die zaak voorbij zag komen.'

'Hoezo?' vroeg Morten Weber.

Rank keek hem verbaasd aan.

'Zeeland heeft ons tijdens de campagne gesteund. Het leek niet meer dan logisch om onze betrokkenheid te laten blijken.'

Hij keek naar Nebel alsof hij steun zocht. Die kreeg hij niet.

'Al het bewijsmateriaal wees op zelfmoord,' voegde Rank eraan toe. 'Dus nam ik aan dat de zaak gesloten was.'

'Gisteravond beweerde je nog dat je niks van die hele zaak wist,' merkte Weber op.

'Ja,' gaf Rank toe. 'Mijn excuses daarvoor. Ik had het druk. Het was een van de vele korte rapporten die ik voorbij had zien komen en die geen actie vereisten. Ik ben het vergeten.' Hij keek Hartmann aan. 'Het spijt me, Troels. Ik weet dat ik je in verlegenheid heb gebracht. Maar wat Ussing hier ook van wil bakken, er zit echt niet meer achter.'

Morten Weber kreunde en liet zijn hoofd even op zijn onderarmen vallen. 'Je bent het vergeten, Mogens?'

'Ja. Geloof je me niet? Waarom zou ik liegen?'

'En toen diezelfde drie zeelieden vermoord werden?' schreeuwde Weber. Hij hield zijn hand bij zijn oor en maakte draaiende bewegingen. 'Ging er toen nog steeds geen belletje rinkelen?'

Geen antwoord.

'En toen de hulpaanklager die bij de zaak betrokken was werd opgehangen vanaf het dak van de rechtbank? En die patholoog-anatoom die nu ook dood is?'

'Geen belletje. Sorry.'

Weber stond op, liep naar de muur en gaf er een harde trap tegen.

'We waren op zoek naar Emilie Zeuthen,' blafte Rank hem toe. 'Ik had die oude zaak niet in mijn hoofd. Hij leek niet van belang...'

Hartmann zuchtte, keek hem aan.

'Maar dat was hij wel, Mogens. Zeg eens eerlijk. Heb jij je ergens mee bemoeid? Of je op een of andere wijze partijdig gedragen?'

'Wat bedoel je?'

'Hij bedoelt,' mengde Weber zich in het gesprek, 'of je iemand een gunst hebt verleend? Zeeland, bijvoorbeeld?'

'Natuurlijk niet! Waarom zou ik? Voor zover ik wist was die zaak gesloten.'

Hartmann beukte met zijn vuist op tafel.

'Maar dat was niet zo. Ja, toch?'

Een lange stilte.

Toen zei hij, iets rustiger: 'Emilie Zeuthens leven hangt aan een zijden draadje. Misschien is ze wel dood, vanwege een paar documenten die jij hebt genegeerd. De smeerlap die hierachter zit, heeft tegen de politie gezegd dat ze nog één laatste kans hebben om haar thuis te krijgen. We weten niet eens hoe...'

Rank vermande zich, schudde zijn hoofd.

'Alleen al de suggestie dat ik me in die zaak zou hebben gemengd, is absurd. Schandalig. Ik voel me diep beledigd.'

Hij schudde weer zijn hoofd.

'En het is niet mijn schuld dat Ussing die informatie in handen heeft gekregen. Rosa Lebechs ex-man heeft het op jou voorzien, niet op mij.' Hij priemde met zijn vinger over tafel. 'Ik laat me niet de schuld in de schoenen schuiven voor jouw slippertjes.'

Weber keerde terug naar de tafel, wierp een blik op Karen Nebel.

Toen, voordat Hartmann iets kon zeggen, zei hij: 'Spreek niet met de media tot dit voorbij is, Mogens. Als ik bel, neem je meteen op.'

Rank knikte, leek opgelucht dat hij mocht gaan.

'Ik had hem verdomme uit het raam moeten gooien,' gromde Hartmann toen Rank was vertrokken.

'Dat kan niet,' zei Weber meteen. 'Je krijgt mogelijk al snel te maken met een opstand binnen de partij. Of je het leuk vindt of niet, Mogens Rank staat aan jouw kant. In ieder geval in beginsel.'

Hartmann vloekte opnieuw.

'Ik vertrouw hem niet. We moeten zijn verhaal laten natrekken.'

Er werd op de deur geklopt. Weber deed open. Een van de assistenten met zakken eten.

'We moeten eerst eten,' zei hij. Hij opende de zakken en zette plastic bakjes op tafel. 'Ik heb sushi laten halen. Hoop dat dat oké is.'

'Donder op met dat eten!' tierde Hartmann. 'Ik wil weten wat er is gebeurd. Vanaf het moment dat het rapport op Ranks ministerie binnenkwam en hij besloot het in de doofpot te stoppen.'

Weber lachte.

'Wat is er zo grappig?' vroeg Hartmann.

'De enigen die ik onderzoek kan laten doen naar Mogens zijn de mensen die hij zelf heeft aangesteld. Wie onderzoekt de onderzoekers?'

'Ik wil…'

'Ik weet wat jij wilt,' viel Weber hem in de rede. 'Ik zal met Dyhring spreken. Kijken of we hem kunnen losweken van zijn meester.'

Dat leek Hartmann te sussen.

'Ik moet je waarschuwen,' voegde Weber eraan toe. 'Jens Lebech is in bewaring gesteld. Dit begint akelig dichtbij te komen. We hebben dit eerder meegemaakt. Ik weet dat je je zorgen maakt over Emilie Zeuthen. Dat doen we allemaal. Maar jij bent de premier. We proberen de verkiezingen te winnen. Het zou voor iedereen beter zijn als je afstand houdt.'

Dat kwam hem op een boze blik te staan.

'We hebben dit niet eerder meegemaakt,' hield Hartmann vol. 'Dat moet je niet zeggen. Wat er destijds is gebeurd… had niets met mij te maken.'

Morten Weber glimlachte, sprak geen woord meer.

In de garage voor technisch onderzoek bij de Politigården werd de gevonden camper aan een nauwgezet onderzoek onderworpen. De bewijzen dat Emilie daar inderdaad in was vastgehouden stapelden zich op. Ze vonden geen enkel spoor dat hen kon leiden naar de plek waar ze nu was. Juncker begon moe en chagrijnig te worden, net als de avond ervoor. Af en toe deed hij haar denken aan de jonge Mark, toen hij nog grappig en charmant was. Toen hij nog niet zo erg met zichzelf overhoop lag. Het was haar schuld dat ze zijn breekbaarheid pas had opgemerkt toen het te laat was. Terwijl ze toekeek hoe Asbjørn Juncker naar de camper liep, met grote ogen naar het bewijsmateriaal starend, zag ze haar eigen fouten heel helder voor ogen.

'Wat wil hij toch, als het geld hem niet interesseert?' vroeg Juncker.

De inhoud van de camper lag uitgestald op tafels voor het voertuig.

'Wil hij alleen maar mensen vermoorden? Is dat het? Hij is krankzinnig.'

Lund staarde naar de voorwerpen voor haar neus.

'Die man is niet krankzinnig. Wat zijn je bevindingen?'

Hij haalde diep adem en begon met zijn opsomming.

'Ik heb blonde haren gevonden, en etensresten achter in de auto. Hij heeft haar vermoedelijk voor de tv gezet zodat hij haar in de achteruitkijkspiegel in de gaten kon houden. De camper is vier dagen geleden bij een dealer gestolen. De kentekenplaten zijn verwisseld.'

De gordijnen waren met tape vastgeplakt. Het meisje had niet naar buiten kunnen kijken.

Madsen stapte naar binnen en zei dat de Zeuthens waren aangekomen en dat ze eisten met iemand te spreken.

'Ze zijn erg volhardend,' voegde hij eraan toe.

'Laat Borch dat maar afhandelen.'

Hij keek verrast.

'Borch is naar Jutland. Ik dacht dat je dat wist. De PET wilde die oude zaak onderzoeken.'

Juncker was weer aan het foeteren. Iets over dat ze die man had moeten neerschieten toen ze de kans had.

'Goed hoor,' diende Lund hem van repliek, en ze stopte een paar van de uitgestalde dingen in plastic bewijszakjes en vertrok.

In het kantoor stalde ze alles uit voor Robert en Maja Zeuthen. Het stel leek veranderd. Ze leken niet langer voortdurend ruzie te maken. Brix zat er ook bij, hij luisterde vooral.

'Hij heeft haar speelgoed en leesboekjes gegeven,' zei Lund. Ze sorteerde de legpuzzels, puzzelboekjes, leesboeken en tijdschriften. 'Zeggen die dingen jullie iets?'

De moeder boog zich over de spullen.

'Die boeken... dit tijdschrift... dat zijn precies haar lievelingstitels. Hoe kan hij dat weten?'

'Misschien heeft hij het haar gevraagd?' opperde Brix. 'Hij probeert haar een veilig gevoel te geven. Alsof het een doodgewone situatie is. Dat ze niet zijn gevangene is.'

'Dat is tot op zekere hoogte waar,' zei Lund instemmend. 'Maar het is waarschijnlijker dat hij die dingen al voordien wist. Hij heeft op de een of andere manier een hechte band met Emilie gevormd. Hebben jullie enig idee...'

'Nee,' onderbrak Zeuthen haar. 'Hoe weet je zo zeker dat hij geen geld wil? Je hebt niet gedaan wat hij vroeg. Je hebt de brug verlaten.'

Brix schoot haar te hulp.

'Dat losgeld interesseerde hem totaal niet. Vandaag niet. Gisteren niet. En Emilie had hij net zomin bij zich. Dat kon niet. Hij speelt gewoon een spelletje. Hij probeert ons te misleiden over zijn ware bedoelingen.'

'En wat zijn die dan?' vroeg Maja.

'Die oude politiezaak tot op de bodem uitzoeken,' zei Lund. 'Een dertienjarig meisje is dood aangetroffen in een haven van West-Jutland. Niet ver van enkele Zeeland-gebouwen. Die drie zeelieden van jullie hebben het lijk gevonden. Hij wil...'

Zeuthen gaf een klap op de tafel.

'Zoals ik al eerder heb gezegd: ik weet hier niks van.'

'We vermoeden dat het meisje is vermoord,' ging Lund verder. 'Iemand heeft het in de doofpot gestopt.'

Maja Zeuthen wendde zich tot hem. 'Wat is jouw rol hierin, Robert?'

'Geen enkele. Ik heb hier nog niet eerder van gehoord.'

'Het hoeft niet te betekenen dat je er persoonlijk bij betrokken bent,' zei Brix. 'Je bent een symbool. Misschien sta je in zijn ogen voor Zeeland. Iemand anders in het bedrijf zou van die zaak op de hoogte kunnen zijn...'

'Ik heb Reinhardt gevraagd om de archieven te laten doorspitten door de mensen van de beveiliging. Praat met hem. Wat doen jullie nog meer?'

Lund aarzelde voor ze antwoord gaf.

'We proberen nog steeds bepaalde dingen na te trekken...'

'Je hebt geen idee, of wel soms?' viel Maja Zeuthen haar in de rede. 'Na twee dagen... nog geen enkele aanwijzing.'

Geen antwoord.

Zeuthen zei: 'Als hij weer belt, zeg dan dat ik instem met welk bedrag dan ook. Er is geen limiet. Wat hij maar wil.'

'Hij wil helemaal geen geld...' begon Lund.

'Zeg het nou maar tegen hem!' schreeuwde hij. 'En doe deze keer wat hij vraagt.'

Hij stond op en beende weg. De moeder bleef zitten.

'Emilie heeft haar naam op die muur gekrast,' zei ze. 'Misschien heeft ze ook nog een andere aanwijzing achtergelaten...'

'We hebben de camper geïnspecteerd.' Lund stond op. 'Het spijt me. We hebben niet veel nuttigs kunnen vinden.'

'Haar kamer thuis...'

'Die hebben we ook doorzocht,' zei Brix.

Ze keek hem nijdig aan.

'Ik ben haar moeder. Ik zie dingen die jullie niet zien.'

En daarop vertrok ze. Lund dacht over haar woorden na. Liep terug naar de garage beneden. Juncker zat nog steeds te mopperen als een zeurderige kleuter. Ze zei dat hij naar huis moest gaan om wat te slapen. Hij verroerde zich niet.

In de camper ging ze zitten op de plek waar Emilie vermoedelijk had gezeten. Juncker keek toe, hield deze keer eindelijk eens zijn mond dicht.

'Hij kon haar continu in de gaten houden,' zei Lund. Ze zag zichzelf weerspiegeld in de achteruitkijkspiegel. 'Afgezien van de hoeken, maar daar ligt niks.'

Ze stond op en liep naar de kleine toiletruimte. Het raam was dichtgeplakt met zwart plastic zodat Emilie niet naar buiten kon kijken. Maar hij kon haar hier niet zien.

'Ik ben al in het toilet geweest,' zei Juncker. 'Er ligt daar niks.'

De tape was in een hoekje losgepeuterd. Het glas eronder was mat. Lund verwijderde langzaam het plastic en ademde op het oppervlak.

'Ze moeten hier met vingerafdrukpoeder aan de slag,' zei ze.

Juncker ging buiten zitten en keek toe. Beschaamd, maar wel gefascineerd. Een van de leden van de technische recherche kwam aanzetten met een kwastje en poeder en ging aan het werk.

Geleidelijk aan werden de letters zichtbaar.

TOP C. 03. KPS.

'Ze heeft een boodschap achtergelaten en ik heb hem over het hoofd gezien,' fluisterde Juncker. 'Ik ben een grote nietsnut.'

'Nee, dat ben je niet,' zei Lund en ze stompte hem bemoedigend tegen zijn arm. 'Wat ik al zei, je moet leren kijken.'

'Wat betekent het?'

'Emilie is een slim kind. Ze vertelt ons waar ze is geweest. Top Camping. 03 is de ringweg. Dat is de route vanaf de camping.'

'En KPS?'

Ze kwam dichterbij en staarde naar de letters.

'Een andere plek waar hij haar verborgen heeft gehouden. Als we geluk hebben... de plek waar ze nu is.'

Rond acht uur stapte Karen Nebel het kantoor van Hartmann in en deelde mee dat hij een onverwachte bezoekster had: Rosa Lebech eiste een privégesprek.

Hij maakte zich los van het werk aan zijn toespraak voor de volgende dag en zei dat ze Lebech binnen kon laten komen. Ze zag er boos uit, alsof ze iets wilde.

'Ik vel nog geen oordeel over de minister van Justitie,' zei hij tegen haar. 'Ik wil dit eerst tot de bodem uitzoeken. Net als jij...'

'Die Mogens Rank kan me geen donder schelen. Wat doen jij en de PET met Jens?'

Hartmann stak zijn handen in zijn broekzakken en zei niets.

'Hij is thuis opgepikt. Voor het oog van de kinderen, verdomme.'

'Wij vertellen de PET niet wat ze moeten doen, Rosa. Zo'n regering hebben we hier niet. Ze onderzoeken het lekken van vertrouwelijke informatie. Dat is hun zaak, niet de mijne.'

Ze kwam dichter bij hem staan.

'Je wist dat ze hem gingen arresteren, nietwaar?'

'Nee. Ik wist dat ze hem verdachten.'

'Vanwege ons! Omdat hij ervan op de hoogte is!'

'Dat wist ik niet,' zei Hartmann behoedzaam.

'Ik heb het hem een paar weken geleden verteld. Ik wilde niet dat hij of de kinderen het van iemand anders te horen zouden krijgen.'

Hartmann knikte, glimlachte. Pakte haar hand. Ze trok hem niet terug. Zachte stem. Begripvol.

'Je hebt juist gehandeld. Dit is voor ons allemaal een lastige situatie. Ik had er niets mee te maken. Als Jens onschuldig is, laten ze hem vrij. Ik mag er niet bij betrokken raken. En zelfs als ik er meer van wist... denk je dat ik het aan jou had kunnen vertellen?'

Na die opmerking trok ze haar hand weg.

'Ja, dat had je kunnen doen. Je bezorgt me te veel problemen. Ik moet jou tegenover mijn partij verdedigen. En nu ook tegenover mijn gezin. Genoeg is genoeg...'

Ze begon steeds harder te praten. Er liepen ambtenaren rond. De deuren stonden open. Hartmann stond op en deed ze dicht.

'Als Jens die informatie heeft gelekt, heeft hij ons in de problemen gebracht. Niet ik.'

'Hij is onschuldig. Ik wil dat hij wordt vrijgelaten.'

'Als hij onschuldig is, zal dat ook gebeuren. Schat...' Weer pakte hij haar hand en hij kneep er zachtjes in. Raakte haar wang aan. 'God, ik wou dat we twee gewone mensen waren. Dat we ons niet steeds in rare bochten moesten wringen. We hebben hier eerder over gesproken. Voorlopig hebben we geen andere keuze.' Hij hief zijn hand en streelde haar korte, donkere haar. 'Zullen we later iets afspreken? Dan laten we de politiek voor wat-ie is.' Hij hield zijn hoofd een beetje schuin, keek haar schalks aan. 'Laten we gewoon onszelf zijn.'

Rosa Lebech deed een stap achteruit, sloeg haar armen over elkaar.

'Voor een afspraak kun je mijn campagnemanager bellen. Zij houdt de agenda bij.'

Terwijl ze de deur uit beende kwam Weber hem tegemoet.

'Geen blije vrouw,' merkte hij op. 'Ik heb soms mijn twijfels over jouw voorkeuren. Had je niet een iets minder gevaarlijk iemand kunnen kiezen? Een actrice of zo. Met een drugsprobleem. En tatoeages.'

Dat leek Hartmann te amuseren.

'Het is een zaak van het hart, Morten. Als je zelf een hart had, zou je het begrijpen. Rosa is kwaad omdat de PET haar man heeft gearresteerd.'

'Nou ja. Ze zullen hem niet lang vasthouden. Onvoldoende bewijs op dit moment.'

'Dat is mooi,' zei Hartmann.

'Is dat zo?' Weber krabde zich op zijn hoofd. 'Dat is dan het enige.'

'Geen spelletjes, alsjeblieft.'

'Waarom niet? Iedereen doet dat toch? Ik heb een lang gesprek gehad met Dyhring. Het hoofd van de PET.'

'En?'

Weber pakte een chronologisch overzicht en een lijst met namen.

'Toen die zaak in Jutland nog volop aan de gang was, heeft Mogens Rank daar een zakendiner bijgewoond. En Peter Schultz ook.'

'Wat zegt Rank?'

Een schouderophaal.

'Hij zegt dat hij zich niet kan herinneren dat hij Schultz ooit heeft ontmoet. Voor een minister van de regering is zijn geheugen af en toe dramatisch slecht.'

'Geloof je hem?' vroeg Hartmann, tegen beter weten in.

'Dat zou ik graag willen, Troels. Dat meen ik.'

Juncker zat nog in de Politigården en wilde niet naar huis. Dus stuurde ze hem weg om sporenonderzoek naar de banden van de camper te gaan doen. Zelf ging ze naar boven om de videobeelden te bekijken die de verkeerscamera's hadden gemaakt. Ze kon zien dat de camper de snelweg verliet bij een bedrijventerrein bij afrit 14, en daarna weer de weg op reed in de richting van het tankstation, waar hij de sleuteltjes en de telefoon aan de eerste de beste overhandigde. Ze hadden geen idee waar hij daarna heen was gegaan, maar Lund achtte het waarschijnlijk dat hij die afrit had genomen om Emilie ergens in de buurt achter te laten.

Iemand die Eva Lauersen heette bleef maar bellen. Ze zei dat ze Marks vriendin was. Maar voordat Lund kon terugbellen kwam Brix binnen met een gezette man met zilvergrijs haar en een zwaar Jutlands accent. Nicolaj Overgaard. De chef van het plaatselijke politiebureau toen de dood van Louise Hjelby werd onderzocht.

Hij zag er slaperig uit. Niet al te slim.

Lund liet hem tegenover haar plaatsnemen. Brix ging op een hoek van de tafel zitten. Ze vroeg wie er verontrust had kunnen raken van het bericht van die zelfmoord: familie, vriendjes, iemand die haar goed kende?

'Ik zou niemand weten,' zei Overgaard. 'Dat meisje had in een pleeggezin gezeten. Maar dat duurde maar kort. Ze hield het nergens lang vol. Niemand kende haar echt goed.'

Zijn kleding leek te dun voor de winter. Een roze geruit overhemd. Een jasje dat voor warmer weer was bedoeld. Lund krabbelde iets op een briefje en gaf dat aan Madsen.

'Het oorspronkelijke autopsierapport is boven water gekomen,' zei Brix. 'Een heel andere versie dan in ons archief. Er staat in dat het meisje is vermoord.'

De oude politieman keek op. Hij had een zenuwtic. Een trilling van zijn rechteroog.

'Het lijkt me duidelijk dat Louise is aangevallen en gewond is geraakt voordat ze in het water terechtkwam,' voegde Lund eraan toe.

'Mag ik dat rapport lezen?'

Brix gaf het hem. Overgaard bladerde er vluchtig doorheen, te snel.

'Beweer je dat je dat rapport nooit onder ogen hebt gehad?' vroeg Lund.

'Het is nieuw voor me.'

'Hoe kan dat? De patholoog-anatoom zei dat Peter Schultz haar onder druk had gezet om het rapport te vervalsen. Als Schultz druk op haar uitoefende moet hij dat ook bij jou hebben gedaan.'

Overgaard staarde haar slechts aan, zei niets.

'En ze zijn nu beiden dood,' voegde ze eraan toe. 'Denk daar eens over na.'

'Nee... niemand heeft mij onder druk gezet.'

'Dus er was niets ongewoons aan het onderzoek?' vroeg ze. 'Je had te maken met een meisje dat was vermoord en in het water was gedumpt. Vervolgens heb je een rapport getekend waarin stond dat het zelfmoord was.'

Dat beviel hem niet.

'We hebben alles volgens het boekje gedaan. Die zeelieden zeiden dat ze het kind in de haven hadden aangetroffen. In de autopsie die ik uit Kopenhagen heb ontvangen stond dat het zelfmoord was. Ik weet niet hoe jullie aan dat nieuwe rapport komen...'

'De patholoog-anatoom wilde het ons laten lezen,' viel Brix hem in de rede. 'Het lag naast haar lijk. Hij had haar keel doorgesneden. Schultz...'

'Dat heb ik gelezen,' zei Overgaard bijna fluisterend.

'Hij lijkt interesse te tonen in iedereen die aan die zaak heeft gewerkt.' Brix glimlachte flauwtjes. 'Dus ook in jou.'

Madsen kwam terug met het antwoord op de vraag die Lund op het papiertje had gekrabbeld.

'Als je je niet veilig voelt,' zei Lund, 'kunnen we je bescherming aanbieden. Als dank zouden we een beetje hulp op prijs stellen.'

Een zenuwachtige lach. Overgaard stond op.

'Nee. Ik ga gewoon naar de Politievereniging om vals te spelen bij een potje kaarten. Niemand is in mij geïnteresseerd.'

'Ga zitten,' zei Lund.

Hij leek bang.

'Ga zitten,' herhaalde ze.

Zijn gespeelde goede humeur was weg.

'Wat nu weer?'

Ze liet hem het briefje zien. Een vluchtnummer.

'Waarom heb je zo'n haast om Denemarken te verlaten? Je hebt vandaag een vlucht naar Bangkok geboekt. Die vertrekt net voor middernacht. Je gaat helemaal niet kaarten bij de Politievereniging. Je gaat ervandoor.' Lund legde haar armen op het bureau. 'Waarom? Voor wie ben je bang?'

'Sinds wanneer is het illegaal om te reizen?' wilde Overgaard weten.

'Meteen nadat de Hjelby-zaak was gesloten ben je met pensioen gegaan en naar Kopenhagen verhuisd. Je woont alleen. Je kent hier niemand.'

Er veranderde iets in zijn oogopslag. Berusting. Pure angst.

'Stress. Ze hebben me een uitkering gegeven. Ik wilde in de stad wonen, dat is alles. Shit! Ik ben hier vrijwillig gekomen. Ik heb jullie alles verteld wat ik weet. Ik ga.'

Hij bleef zitten. Hij was een ervaren politieman. Hij wist wat er ging gebeuren.

Brix knikte naar een van de mensen van de nachtploeg.

'Reserveer een cel voor onze collega hier. Lees hem zijn rechten voor.'

'Wat zullen we...' begon Overgaard.

'We hebben reden aan te nemen dat je belangrijke informatie achterhoudt,' ging Brix verder. 'Ik zit met een vermist negenjarig meisje dat morgen dood kan zijn. Als je ook maar iets weet...'

'Ik weet niks!' schreeuwde de oude politieman. 'Niets. Ik moet mijn vliegtuig halen. Laat... me... gaan!'

Madsen kwam met een paar mannen binnen en ze namen hem mee.

'Ga naar huis, Lund,' beval Brix. 'Ga slapen. Houd die telefoon bij je in de buurt.'

Ze zat een beetje na te denken en te peinzen.

'Die man duikt zomaar overal op. Doet waar hij zin in heeft. Weet wat er komen gaat.'

'Klopt,' zei hij.

'Borch dacht dat hij een kogelwerend vest droeg, toen in dat ziekenhuis. Hij heeft verstand van computers. Beveiligingssystemen. Wapens, voor zover we weten...'

'Lund. Ga naar huis.'

Ze verroerde zich niet.

'Hij is aan de winnende hand, Brix. Hij weet wat de volgende stap is. En wij hebben geen flauw idee.'

Hij pakte Emilies telefoon van het bureau. Vervolgens haar autosleutels. Hield alles voor haar neus tot ze het aanpakte.

Maja Zeuthen had nog steeds een hekel aan het huis van de familie Zeuthen. Het was zo groot dat je er gemakkelijk in kon verdwalen. Te veel donkere hoekjes, verborgen gangen, kamers die een gezin van vier nooit allemaal kon gebruiken.

Maar Emilie en Carl vonden Drekar fantastisch. Ze kenden het beter dan zij. Ze speelden graag verstoppertje op de bovenverdiepingen, of ze rommelden op stoffige zolders en in opslagkamers waaruit ze smerig en lachend weer opdoken, opgetogen over hun eigen kattenkwaad. Op een keer had ze ontdekt dat ze naar de top van het gebouw wilden klimmen om bij de draak te komen en door zijn ogen te kijken. Daarna had ze de bovenste verdieping afgesloten.

Maar toch, het was de plek waar ze waren opgegroeid. Een deel van hun kindertijd. Het zou niet gemakkelijk zijn om hen te verkassen naar Carstens krappe vrijgezellenflat en hen daar gelukkig te laten zijn. Het kwam niet door de kleine woning. En zelfs niet doordat het in de eerste plaats zijn huis was en niet dat van hen. Er ontbrak iets. De liefde die hen aanvankelijk had verbonden, de liefde van vader en moeder, broer en zus. Verenigd door de magische kracht van het gezin.

Ze zat beneden in de speelkamer en sorteerde de spulletjes van de kinderen. Carsten zat naast haar en probeerde zo goed mogelijk te helpen. In de kamer ernaast hoorden ze Robert en Reinhardt op zachte toon over het onderzoek praten. Ze deden hun uiterste best. Robert had hem alle informatie laten opzoeken die Zeeland bezat over de Jutland-zaak. Dat had weinig opgeleverd. De papieren van de zeelieden waren in orde. Ze werden beschouwd als getuigen, niet als verdachten.

Carsten zat zachtjes voor zich uit te mompelen terwijl zij door een aantal plakboeken van Emilie bladerde, haar foto's, wat gedichten.

Toen zei Robert, al te luid: 'Controleer ook de directieleden. Ik wil zeker weten dat we niets verbergen.'

'Nu is het genoeg,' zei Carsten en hij liep naar de deur.

Ze liep hem niet achterna. Er was al genoeg ruzie geweest. Maar ze hoorde alles.

'Wat verberg jij?' schreeuwde Carsten. 'Heeft dit alleen maar met jou en Zeeland te maken?'

Ze zag de scène voor zich. Robert verontwaardigd. Reinhardt, gewend aan zijn dienende rol, die naar de deur liep om hem dicht te doen.

'Maja doet haar uiterste best om ook maar iets te vinden waardoor we Emilie terug kunnen krijgen. Zoekt ze soms op de verkeerde plek, Robert?' 'Carsten,' fluisterde ze. 'Houd in godsnaam je gemak...' Bonkende voetstappen. Hij was de kamer in gelopen. 'Wat is er aan de hand? Wat heb je gedaan? Het is dat stinkende geld van jou dat dit heeft veroorzaakt, nietwaar? Nou? Krijg ik nog antwoord?'

De deur ging dicht. Misschien had Reinhardt hem naar buiten geduwd. Lassen begon op de deur te beuken. Hij was geen agressief type. Als hij dat wel was zou ze nooit een relatie met hem zijn begonnen toen haar eigen huwelijk was gestrand. Maar hij had nu een slecht voorgevoel.

Maja keek naar de tekening op de pagina in het schriftje en dacht: misschien heeft hij gelijk.

Een foto van haar en Robert, jonger en zo gelukkig, haar hoofd rustend op zijn schouder. Beiden glimlachend. Emilie had de foto uitgeknipt in de vorm van een hart. Met een rand van bloemen en vogels eromheen. Op de andere pagina vier silhouetten: moeder, vader, twee kinderen, hand in hand door een veld wandelend vol kinderachtige, overdreven grote madelieven, met hun eigen bos op de achtergrond.

Een tekst erboven: NUMMER ÉÉN.

Een regel lager: HET GEZIN ZEUTHEN – DAT ZIJN WIJ!

Carsten ging nog steeds tekeer.

Haar hand ging naar haar mond. Ze begon te snikken, snakte naar adem en voelde de tranen langzaam over haar wangen biggelen. Emilie was verloren in de duistere wereld achter het weiland, voorbij de reusachtige bloemen, het kale bos door. Ze waren allemaal verloren.

Lunds huis lag in een achterafstraat van Herlev, een buitenwijk negen kilometer ten noorden van de stad. Niets bijzonders. Het kolossale plaatselijke ziekenhuis lag vlakbij. Een straat van lage bungalows, allemaal verschillend van bouw. Daarnaast haar eenvoudige houten huisje. Ze was er zes maanden geleden ingetrokken, was nog steeds niet klaar met het meubileren en inrichten. Het tuintje stond vol zieltogende planten in potten, groen uitgeslagen van de algen. De kruiwagen die ze voor een paar grijpstuivers had opgepikt bij de sloop stond nog steeds bij de voordeur, tot de rand toe gevuld met regenwater.

Het leven zou ooit wel weer terugkeren in die tuin. Als ze de tijd had.

Ze parkeerde haar auto aan de weg, zoals altijd. Ze bleef maar denken aan wat ze tegen Brix had gezegd. Deze man, de dader, was uitzonderlijk. Zoals hij alles wist. Zijn gedetailleerde voorbereiding. Geen gewone zeeman die uit was op wraak.

Toen dacht ze aan Mathias Borch. Er was een goede professionele reden om hem te bellen.

Voor hij goed en wel wist wie hij aan de lijn had, begon ze al te praten.

'Heb je gehoord dat we die oude politiechef van daar hebben opgepakt? Nicolaj Overgaard heet hij.'

Hij lachte. Klonk aardiger van een afstand. En ook jonger.

'Ja. Ik ben hier naar het plaatselijke politiebureau geweest. Daar waren ze er flink van onder de indruk. Hij was behoorlijk populair hier.'

'Hij weet iets. Dat weet ik zeker. Ik ga hem morgen hard aanpakken.'

Een plotseling gerucht. Ze vroeg zich af wat het was. Toen drong het tot haar door: een scheepshoorn die ze via de telefoon kon horen.

'Waar ben je?'

'Bij de haven. Ik wilde zien waar ze het lijk hebben gevonden. Zou KPS een failliet bedrijf kunnen zijn of zoiets?'

'Zou kunnen,' gaf ze toe.

Hij zweeg. Ze dacht dat de verbinding was verbroken.

'Sarah? Alles in orde?'

'Lange dag. Ik heb het niet al te best gedaan, hè?'

'Dat geldt voor ons allemaal. Het ging zoals hij het had gepland. Wij konden dat niet weten. Jij was goed.'

'Doe niet zo belachelijk.'

Hij zweeg weer. Toen zei hij: 'Ik moet nu gaan. Ik wilde alleen maar even zeggen... ik begrijp waarom je niet hebt geschoten.'

'Mooi zo. Misschien heb ik het niet goed verwoord. Soms heb ik daar moeite mee. Dat zou jij moeten weten.'

Ze wist zeker dat ze hem hoorde grinniken.

'Is dat zo? Weet je nog dat we naar het strand gingen en jij me daar achterliet? Je reed gewoon weg en liet mij achter. Toen wist je heel goed de juiste woorden te vinden.'

Lund gaf geen antwoord. Er brandde licht in haar huis en ze dacht al helemaal niet meer aan Borch. Alleen aan een man die slim genoeg was om op het juiste moment een kogelvrij vest te dragen en die zijn achtervolgers altijd tien stappen voor wist te blijven.

'Sarah? Hallo?'

Ze stak de telefoon in haar jas. Trok het handschoenenvakje open en pakte haar 9mm-pistool eruit.

Langzaam, waakzaam stapte ze naar de voordeur.

Duwde ertegen. Open. Iemand binnen maakte geluid.

Een woonkamer. Twee slaapkamers. Een keukentje. Een badkamer zo klein dat hij zou passen in een van die campers die ze hadden bekeken.

Met het pistool omlaag langs haar lichaam liep Lund haar huis in, zag de gedaante uit de schaduw tevoorschijn komen. Hief het wapen, vinger strak om de trekker.

Keek.

Lang, blond haar. Mond wijd open. Gillend van angst.

Krijsend.

'O jee,' zei Lund en ze liet het pistool zakken.

Eva Lauersen klampte zich vast aan de eerste de beste stoel, de meest sjofele, met haar hand op haar bolle buik.

'Sorry,' zei Lund.

'Au.'

Ze stond voorovergebogen, zo ver als haar dikke buik toeliet. Lund dacht bij zichzelf: niet nu, alstublieft, lieve God, niet nu.

'Ga zitten, Eva.'

Lund legde het pistool op de kleine eettafel, liep op haar af en hielp haar in de stoel.

'Diep inademen,' zei ze met klem. 'Helemaal tot in je buik.'

Eva zag er op dit moment zelfs jonger uit dan Mark. Ze droeg een grijze, met verfvlekken besmeurde pullover met lange mouwen. Daaronder een versleten oud T-shirt.

'Ik heb geprobeerd u te bellen,' jammerde ze. Ze keek Lund angstig aan. 'U zei dat we altijd welkom waren. U hebt ons verteld waar de sleutel lag.'

'Ik zei toch al dat het me speet.'

'U had een pistool!'

Lund knikte.

'Waar is Mark?'

Ze kwam weer een beetje op adem. Ouder dan haar zoon. Maar in sommige opzichten ook jonger. Aardig, charmant. Misschien niet al te slim.

'Ik denk dat het de hormonen zijn,' zei Eva. 'Die...' Ze wapperde met haar armen. 'Die gieren door mijn lijf. Ik word er af en toe een beetje gek van.'

'Wacht maar even,' beval Lund en ze zette een ketel water op.

'Nee, laat mij dat doen!'

Eva sprong op, vond de theepot. Theezakjes. Leek zich meer thuis te voelen in de keuken dan Lund.

'We hebben ruzie gehad. Ik heb tegen hem geschreeuwd. Ik denk dat hij zich heeft bedacht. Ik raakte over mijn toeren. Ik kon geen...' Ze trok een lelijk gezicht. 'Mijn vader en moeder zijn gescheiden. Ze wonen hier niet meer. Ik kon geen andere plek bedenken...'

Lund dwong haar te gaan zitten en nam de leiding over.

Thee zetten was wel het minste wat ze kon doen.

'Weet Mark waar je bent?'

Handen op haar buik, ogen starend naar het afgesleten tapijt.

'Ik heb een boodschap ingesproken, maar hij heeft niet teruggebeld.'

'Dat wil nog niet zeggen dat hij bedenkingen heeft, Eva.'

'Die flat is een puinhoop. We hebben geen geld. Het is allemaal zo stom…'

Lund schonk de thee in, hoewel ze meer trek had in een biertje.

'Het komt allemaal wel goed. Als Mark klaar is met zijn stage gaat hij meer geld verdienen.'

Eva's grote ronde ogen staarden haar aan.

'Het bedrijf heeft alle stagiaires drie maanden geleden ontslagen. Hij rijdt nu in een taxi. Dag en nacht. Hij raakt mijn buik alleen aan als ik het vraag. Hij is nooit…'

Lund moest het vragen.

'Was de baby niet gepland?'

Eva keek haar aan alsof dat de domste vraag was die ze ooit had gehoord.

'Mark was blij met het nieuws,' haastte ze zich te antwoorden. 'Hij zei dat hij dolgraag een echt gezin wou. Omdat hij dat nooit had gehad. Hij wilde niet alleen blijven. Zoals… zoals…' Ze sloeg haar grote blauwe ogen neer. 'Verdomme. Het spijt me, dat had ik niet moeten zeggen. Ik ben ook zo dom…'

'Nee, dat ben je niet,' zei Lund nadrukkelijk.

'Moet ik gaan?'

'Je blijft hier.'

Lunds telefoon ging over. Eva staarde naar het pistool.

'Niet aankomen,' zei Lund en ze nam op.

Borch weer.

'Alles in orde? De verbinding werd verbroken.'

'Prima. Die klap op je kop.'

'Dat doet echt zeer.'

'Neem wat paracetamol.'

'Heb ik gedaan. Het blijft pijnlijk. Ik denk dat ik een whiplash heb.'

'Een whiplash?'

'Ze zeggen dat zoiets maanden kan duren. Misschien moet ik met zo'n nekkraag gaan lopen…'

'Ach, arme Mathias. Zo veel pijn. Tel je zegeningen. Je hoeft in ieder geval geen kind te baren.'

Eva keek haar weer met grote ogen aan, met een hand voor haar mond geslagen.

'Heb je die rapporten die ik vanuit Jutland heb gestuurd ontvangen?' vroeg hij nuffig.

'Ik heb ze mee naar huis genomen. Heb ik dat niet gezegd?'

'Nee. Ik heb bij sommige passages een kruisje gezet. Daar kun je wellicht morgen wat dieper op ingaan met Nicolaj Overgaard.'

'Oké.'

'Ik ga nu slapen. Als dat lukt. Welterusten.'

En hij hing op.

Ze haalde de rapporten uit de auto. Toen ze terugkwam, zat Eva nog steeds stokstijf in haar stoel, als een schoolmeisje dat wachtte op instructies.

'Je ziet er doodmoe uit,' zei Lund. 'Pak wat te eten. Kijk zelf maar. Neem mijn bed. Ik vind het best. Je mag blijven zo lang als je wilt.'

Even vroeg ze zich bezorgd af of Eva een kus verwachtte. Maar toen haalde ze haar schouders op, zei dat ze geen honger had en vertrok naar de slaapkamer.

Lund bekeek de rapporten van Borch. Veel materiaal. Uren werk.

Ze liep naar de gootsteen, goot de thee weg. Pakte een flesje bier uit de ijskast en dronk het op terwijl ze een paar eieren bakte.

Toen pakte ze nog een biertje en nam de eieren, wat brood en een paar plakken ham mee naar de tafel. Ze ging zitten en begon te lezen.

4

Zaterdag 12 november

Iets na negenen was Lund weer terug in de Politigården. Ze las een rapport van de nachtploeg en nieuwe informatie van Borch uit Jutland. Juncker was op zoek naar potentiële bedrijfspanden die door de kidnapper waren gebruikt.

'We hebben niets gevonden met KPS erop,' zei hij toen hij zich meldde per telefoon. 'Misschien probeerde hij een of andere truc uit te halen met die camper. We weten niet zeker dat Emilie erin zat toen het voertuig werd vastgelegd door de bewakingscamera's.'

Hij klonk fris. Hij was jong. Zij was dat niet en ze had slecht geslapen op het harde eenpersoonsbed in de kleine logeerkamer. Ze had liggen piekeren over Eva en Mark, en wat voor toekomst hun kind tegemoet ging.

'Kijk eens rond in de haven,' opperde ze.

Een stilte. Toen vroeg hij: 'Mag ik vragen waarom? Niets wijst erop dat...'

'Die vent heeft iets met schepen. Hij blijft maar terugkeren naar de haven. Naar Zeeland. Het blijft een gok, maar ik vermoed dat dat zijn wereld is. Waarin hij zich op zijn gemak voelt. Waarin hij zich terugtrekt als het misgaat.'

Weer een lange stilte.

'Dat klinkt logisch,' zei de jonge rechercheur.

'Bedankt, Asbjørn.'

'Ik dacht dat het Juncker was.'

'Vandaag is een nieuwe dag. De haven. Ga kijken.'

Toen ze had opgehangen, kwam Brix zenuwachtig vragen of ze nog steeds Emilies telefoon bij zich had. Lund keek verontwaardigd en liet het toestel zien.

'Heeft onze vriend uit Jutland al iets losgelaten?'

Hij schudde zijn hoofd.

'We hebben hem nu tien uur hier en het enige wat hij doet is jammeren dat hij naar Bangkok toe wil, naar zijn vriendinnetjes daar.'

'Laat mij eens een poging wagen,' zei ze en ze pakte een notitieblok en een pen.

'Hij is een collega!' merkte Brix op. 'Ik zou graag meer belastende zaken te horen krijgen dan een vliegticket naar Thailand.'

Ze liep met grote passen naar de cel, Brix achter haar aan, en liet een van de bewakers de deur openen.

Het eerste wat Overgaard deed was klagen over het ontbijt.

'Ik ben hier niet om over het eten te praten,' zei Lund. Ze ging zitten. 'En ook niet over die tienerhoertjes van je in Bangkok. Er wordt een jong meisje vermist. Ik probeer haar levend terug te vinden. Of je komt met informatie die ons helpt, of...'

'Of wat?' zei Overgaard scherp. Hij probeerde zelfverzekerd over te komen, maar dat werkte niet. Hij was nerveus en bang.

'Of ik schop je eruit en laat je aan je lot over. Misschien kun je morgen een vliegticket naar dat liefdesparadijs kopen. Is dat nog op tijd, denk je?'

Hij staarde haar met open mond aan, doodsbenauwd.

'Ga maar na,' ging Lund verder. 'Peter Schultz heeft de dood van Louise Hjelby verdoezeld en hij werd opgehangen aan het gerechtsgebouw. Ik kan het weten, want ik heb het met eigen ogen gezien. Lis Vissenbjerg schreef een vervalst autopsierapport. En dus heeft hij haar de keel doorgesneden en haar laten doodbloeden in een collegezaal van het ziekenhuis. Hij heeft wel een zekere stijl, vind je niet?'

Ze vroeg zich af of de oude man zou gaan huilen. In plaats daarvan vroeg hij: 'Vind je het prettig om naar dode mensen te kijken?'

'Het is mijn werk.'

'Het mijne niet. Ik was politiechef in een afgelegen gebied. We hielden dronken automobilisten aan. Af en toe eens een inbreker die de cel in moest. We hadden nooit van die shit waar jij hier mee te maken hebt...'

Brix reageerde verontwaardigd.

'Je was politieman. Er werd van je verwacht dat je passend zou reageren op alles wat zich voordeed.'

Lund smeet het oorspronkelijke politierapport op het bed.

'Volgens die waardeloze flauwekul geloofde jij dat Louise Hjelby bij haar pleeggezin was weggelopen en dat ze zich vijf dagen later had verdronken. Vijf dagen...'

'Nou en?'

'Vond je het niet een tikje vreemd dat niemand haar heeft gezien? Wilde je niet weten waar ze in de tussentijd gebleven was?'

Overgaard wuifde die vraag weg.

'Het was een weeskind. Ze had in god mag weten hoeveel tehuizen gezeten. Ze liep vaak weg.'

'Ik hoop dat je gelijk hebt. We hebben politiemensen aan het werk gezet die elke regel van je rapport onder de loep nemen,' beloofde Lund. 'Ze was dertien. Kort voordat ze stierf had ze seks gehad.'

Hij fronste zijn wenkbrauwen, haalde zijn schouders op.

'Vond je dat niet eigenaardig?' vroeg Lund. 'Gegeven het feit dat ze nooit een vriendje had gehad?'

'Denk je dat ze daarmee te koop liep? Wie zegt trouwens dat die patholoog-anatoom het bij het rechte eind had?'

Lund keek hem glimlachend aan.

'Goede vraag. Dat trekken we ook na. Maar ze werkte een stuk beter mee dan jij.' Weer trommelde ze met haar vingers op het rapport. 'Je vond het prima dat dat kind niet alleen in het water was gesprongen, maar dat ze zich ook nog eens had vastgebonden aan een betonblok.'

Weer een wegwerpgebaar.

'Ik herinner me de details niet…'

Ze smeet een foto op tafel. Een klomp cement, de resten van een dik touw dat aan een ring was vastgeknoopt.

'We hebben dat betonblok uit jullie forensische archief gehaald. Het weegt zesenveertig kilo. Zij was een klein, tenger, dertienjarig meisje. Ik betwijfel dat ze dat ding ooit zelf versjouwd kan hebben. Ze kan er zeker niet zelf mee naar de haven zijn gelopen en het in het water hebben gegooid.'

'Misschien lag dat blok al op de pier, hoefde ze het alleen maar om te rollen…'

'Misschien?' schreeuwde Brix. 'Zodra je dit zag had je een team van Moordzaken op die zaak moeten zetten. Zelfs een achterlijke boerenlul van een politiechef is…'

'Je wist dat dat meisje was meegenomen,' onderbrak Lund hem. 'Je wist verdomd goed dat ze ergens was vastgehouden, verkracht en vermoord en in de haven was gedumpt. Je bent medeplichtig aan…'

Zijn grijze hoofd schudde heen en weer.

'Ik ga dit alles voorleggen aan de rechter,' beloofde Lund. 'Als je geluk hebt, stelt die je in staat van beschuldiging. Zo niet, dan kun je op eigen houtje vertrekken en afwachten wat er gebeurt. Wij zullen je niet beschermen.'

Overgaards zware kin hing op zijn borst. Hij zei niets.

'Dankzij jou hebben we nu te maken met een kidnapping en een stel moorden,' zei Brix tegen hem. 'Ik wil een naam. Ik wil weten wie jou onder druk heeft gezet om dit achter te houden. Hoe een man in jouw positie…'

'Ik deed gewoon mijn werk,' schreeuwde Overgaard. 'Dat is alles.'

Ze wachtten. De oude politieman zag er verloren en wanhopig uit.

'Mijn positie stelde niks voor. En dat vond ik prima. Er gebeurde daar nooit iets. Toen dook dat dode kind opeens op. We dachten dat de zeelieden van Zeeland er iets mee te maken hadden. Hun schip lag in de haven.'

'Zij waren het niet,' viel Lund hem in de rede. 'Als zij haar hadden vermoord, waarom zouden ze de vondst van het lijk dan melden?'

'Ik wilde niets te maken hebben met… moord. Ik heb het lijkje naar Kopenhagen gestuurd voor een autopsie. Toen dook die hulpaanklager op. Hij begon mij het leven zuur te maken. Hij zei… dat het zelfmoord was. Einde verhaal. Als je er niet mee instemt, zorg ik dat je je baan verliest. Geen toekomstperspectief. Geen pensioen.'

'Toen ben je dus gezwicht?' zei Brix.

'Nee! Ik heb geprobeerd me te verzetten… Hij was van hier. Een van jullie. Schultz heeft ook met die zeelieden gesproken en daarna hielden ze allemaal hun mond dicht.' Overgaard wendde zijn blik af. 'Hij kende blijkbaar allerlei mensen.'

'Wat voor mensen?' vroeg Lund.

'Ongeveer een maand later dook er een man op. Hij geloofde niet dat het zelfmoord was. Hij wilde dat de zaak heropend werd.'

'Geef ons een naam.'

'Hij heeft nooit gezegd wie hij was. Deens. In de veertig. Ik vermoedde dat hij familie was, maar iedereen zei dat dat meisje geen familie meer had.'

'Die man…'

'Hij zei dat hij lange tijd op zee was geweest. Zo te horen voor Zeeland.' Hij sloeg zijn ogen naar hen op. 'Dat is alles wat ik weet, eerlijk waar. Ik probeerde gewoon mijn werk te doen. Schultz kwam langs en zette me onder druk. Ik kon er niet goed tegen, ben later ingestort. Stress, zeiden ze.'

'Je breekt mijn hart,' zei Lund.

'Schultz bedreigde me! Wat kon ik anders doen?'

Brix keek hem strak aan.

'Je had nee moeten zeggen.'

'Wat voor mensen?' vroeg Lund nogmaals.

Niets. Toen zei Overgaard: 'Ik heb jullie alles verteld wat ik weet. Hoe gaat het nu verder?'

'We laten het voor de rechter komen,' zei Brix. 'We houden je in voorarrest. Zonder mogelijkheid van borgtocht. Niet met dat vliegticket naar Bangkok dat jij op zak had.'

Nicolaj Overgaard legde zijn grijze hoofd in zijn handen en kreunde.

Een nerveus gezicht achter het glas, op de gang. Mark.

Brix merkte het. Kennelijk was hij op de hoogte van haar gezinsproblemen.

'Ik zal iemand halen om dit verder af te handelen,' zei hij. Hij knikte haar over tafel toe. 'Houd het kort.'

Lund trof Mark aan op een bankje op de gang. Ze ging naast hem zitten, vroeg of hij met Eva had gepraat. Hij schudde zijn hoofd.

'Ze heeft afgelopen nacht bij mij geslapen. Dat is geen probleem. Jij mag mijn huis ook gebruiken, als je wilt.'

'Nee, bedankt. Ik red me wel.'

Meteen weer dat nukkige, puberale toontje.

'Ze denkt dat je twijfelt. Dat je de baby niet wilt.'

Hij zag eruit alsof hij geen oog had dichtgedaan.

'Ik heb geprobeerd haar gerust te stellen. Gezegd dat ze je kon vertrouwen. Als het om geld gaat, kan ik helpen…'

'En als ik nou eens twijfels had?'

Dit was geen goede plek voor een gesprek. Te veel mensen. Ze vroeg hem mee te komen naar een met schotten afgezette, verlaten werkplek. Tot haar verbazing liep hij met haar mee en ging tegenover haar zitten.

'Natuurlijk heb je twijfels,' zei Lund. 'Die heeft Eva zelf vast ook. Dat is heel normaal. Had ik ook last van. Net als je vader.'

'En kijk hoe dat is afgelopen.'

Dat wierp hij haar altijd voor de voeten als hij boos was. Met enig recht. Hoewel het op den duur wel erg vermoeiend werd.

'Ik heb er nooit spijt van gehad dat ik jou heb gekregen,' zei ze. 'Maar het spijt me wel dat ik zo'n waardeloze moeder ben geweest.'

'En moeten we nu het gelukkige gezinnetje gaan uithangen? Wat als ik net zo verknipt ben als jij? Jij en pa hadden in ieder geval nog een fatsoenlijke baan. En wat geld. Ik…' Hij viste een paar bankbiljetten uit zijn zak. 'Dit heb ik verdiend met een hele nacht werk. Ik kan Eva en een kind niet onderhouden.'

Er waren zo veel dingen die ze in de loop der jaren had willen zeggen, maar ze had er nooit het goede moment voor weten te vinden.

'Mark…'

De telefoon ging over. Die van Emilie. Ze haalde hem snel uit haar zak, keek Mark aan, zwaaide met een vinger en zei: 'Dit is belangrijk. Blijf hier. We moeten praten.'

Ze liep verder de gang in. Nam op na vijf keer overgaan.

'Ik dacht dat je ervandoor was, Lund. Je speelt toch niet weer een spelletje, hè?'

Kalm, rationeel, intelligent. Alles onder controle. Hij veranderde niet.

'Sorry. Ik was in gesprek…'

'Jammer dat jullie die Overgaard hebben opgepakt. Ik had een grote verrassing voor hem in petto op het vliegveld.'

Lund sloot haar ogen en zei werktuiglijk: 'Hou je ons allemaal in de gaten?'

'Wat dacht je dan?'

'Luister. Als hij schuldig is, en dat vermoed ik, dan wordt hij berecht. Daar zorgen wij wel voor. Geef je gewonnen. Laat Emilie gaan. Ik weet wat je wilt.'

We zijn bezig met een onderzoek naar de zaak van Louise Hjelby…'

'Ik heb niet veel vertrouwen in het rechtssysteem. Of in jou. Tenzij je me kunt vertellen wie haar heeft vermoord.'

'Ik heb tijd nodig,' zei ze.

'Je hebt twee jaar de tijd gehad.'

'Nee. Ik heb minder dan twee dagen gehad. Ik kan een dergelijk raadsel niet à la minute oplossen. Hoe kende je dat meisje? Hoe ken je die zaak?'

Er waren meerdere collega's om haar heen komen staan. Brix hield haar scherp in de gaten.

'Je hebt alle tijd van de wereld gehad, Lund. Je kunt me zo veel verhaaltjes vertellen.'

'Het is geen verhaaltje! Ik snap heus wel dat er een fout is gemaakt…'

'Een fout?' Hij begon harder te praten en ze hoorde een spoortje van woede. 'Zei je dat echt?'

'Ik bedoelde niet…'

'Noem je het een fout wanneer de hele maatschappij zich afwendt van de moord op een jong meisje? Kan een grote som geld dat ooit compenseren?'

'Nee. Toe. Luister…'

'Ik heb genoeg geluisterd. Die rotte wereld van jou dondert in elkaar. Je zou moeten meehelpen de muren omver te duwen, in plaats van proberen ze te stutten. Wat biedt Zeuthen dit keer?'

Een van de leden van de technische recherche die achteraan stond, schudde zijn hoofd. Weer een telefoontje via het web. Niet te traceren.

'Wat je maar wilt.'

'Denkt hij dat hij rijk genoeg is om zijn leven terug te krijgen? Hoeveel? Tweehonderd miljoen? Vijfhonderd?'

'Wat ik al zei. Er is geen limiet.'

Daar moest hij om lachen.

'Die idioot heeft ook helemaal niets geleerd, hè?'

'Vertel me eens…'

'Dit is mijn definitieve eis. Deze keer is het menens. Geen onderhandelingen.'

'Wat…?'

Een lange, opzettelijke stilte.

'O, kom op, Lund. We kennen elkaar onderhand toch?' Zijn lach klonk als een laatste waarschuwing. Er ging iets beklemmends van uit. 'Je weet nu wel waar ik op uit ben. Dat kan niet anders.'

Hartmann was die ochtend helemaal klaar voor een nieuwe dag van campagne voeren en zei tegen Karen dat hij even moest stoppen bij het oude familiehuis in Svanemøllevej, in de buurt van de ambassades in het noorden van Østerbro. Het huis stond al een jaar te koop. De makelaar dacht dat er eindelijk een koper was opgedoken. Maar er was een probleempje met vocht. Daar moest hij geld voor uittrekken of er moest iets van de prijs af. Er was niemand anders om die beslissing te nemen.

Ze zat naast hem toen de zwarte Mercedes door de straat reed. Het weer was verslechterd. Onophoudelijke regen met natte sneeuw, laaghangende, donkere wolken.

Ondertussen beantwoordde Morten Weber een paar telefoontjes. De PET was tot de conclusie gekomen dat Mogens Rank nooit met de hulpaanklager had gesproken bij die bijeenkomst die Weber aan het licht had gebracht.

'Weten ze dat zeker?' vroeg Hartmann.

'Ze zeggen van wel,' antwoordde Weber. 'Mogens heeft daar een presentatie gegeven en is daarna meteen vertrokken.'

'Mooi zo.'

'Ik weet het niet,' zei Weber. 'Er is daarna op het ministerie nog wat geborreld. Veel genetwerkt. Mogens kan zich niet herinneren of hij daar met hem heeft gesproken.'

'Kan die vent zich dan helemaal niks herinneren?' mopperde Hartmann.

Nebel bladerde door de ochtendkranten. Er werden twijfels geuit over de toekomst van Rank. Ussing greep de fouten die bij de ontvoering waren gemaakt nog steeds dankbaar aan om zijn kritiek te spuien.

'Ik wil een afspraak met Robert Zeuthen. Ik wil hem persoonlijk spreken.'

Weber hief protesterend zijn handen in de lucht.

'Laat Zeuthen met rust. Hij is net een gewonde beer. Niet nodig om hem nog een trap na te geven.'

Hartmann wendde zich tot Nebel en zei: 'Regel het.'

De auto stopte bij een groot huis. Er brandde geen licht. Geen teken van leven. Hartmann tuurde ernaar door het raampje, zweeg.

'Laten we zorgen dat we dit snel achter de rug hebben,' zei hij.

Weber bleef in de auto zitten, weer aan de telefoon. Hartmann stapte naar de voordeur, ging naar binnen. Karen Nebel liep achter hem aan. Hij had Svanemøllevej achttien maanden geleden verlaten en was in een kleinere vrijgezellenflat in de buurt van Christiansborg gaan wonen. Deze plek riep veel herinneringen op. In de tijd dat hij nog gewoon raadslid was, ervan dromend dat hij ooit burgemeester zou zijn, had hij het huis gekocht, samen met zijn vrouw, een advocate. Twee jaar voordat hij daadwerkelijk burgemeester werd stierf zijn vrouw, zwanger, aan kanker. De pijn hing hier nog steeds in huis. De jonge Hartmann had niets liever gewild dan op te klimmen binnen de Deense politieke aristocratie met haar aan zijn zijde. Toen zij hem was ontvallen, kwam er een andere kant van hem boven. Een meedogenloze rokkenjager die zich aan niemand wilde binden.

Vlak voordat hij premier werd, had hij een korte periode van stabiliteit gekend toen zijn meer dan twintig jaar jongere broertje Benjamin opdook. Hij was in de Verenigde Staten van school getrapt, en had moeite om zijn weg terug in de maatschappij te vinden. Een tijdlang had hij voor drukte en ergernis gezorgd in Hartmanns leven, flirtend met linkse journalistiek en linkse politieke campagnes, voortdurend redetwistend over van alles en nog wat. Doorgaans goedgehumeurd.

Een jaar lang had zijn leven in rustiger vaarwater verkeerd. Hartmann kreeg een liefdevolle, vaste relatie met een knappe onderwijzeres die in een arme wijk van Nørrebro werkte.

Toen begon de werkdruk toe te nemen. Hij bracht meer tijd door in Slotsholmen dan thuis. Op een dag, een paar weken nadat Hartmann premier was geworden, verloor hij Benjamin. De knappe onderwijzeres niet lang daarna. Hartmann was weer vrijgezel. Alleenstaand. Al zijn oude gewoonten kwamen terug.

Hij bleef staan in de keuken. Ooit had hij hier gezeten, op listige wijze ondervraagd door Sarah Lund. Hij had zich over haar verwonderd. Ze leek hem een interessante, aantrekkelijke vrouw. Hij was zo door haar geïntrigeerd dat hij niet merkte dat ze hem probeerde erin te luizen. De Birk Larsen-zaak had zijn politieke carrière bijna voortijdig beëindigd, hoewel hij niets met de moord op dat meisje te maken had gehad.

Het is niet de daad zelf die je de das omdoet. Het is de leugen erover.

Wat Rosa Lebech had gezegd, was waar. En het had hem toen bijna kapotgemaakt.

Hij liep naar boven. Karen Nebel kwam achter hem aan.

'Het is een prachtig huis, Troels. Je moet dat vochtprobleem oplossen, dan kun je vasthouden aan de oorspronkelijke vraagprijs.'

Hij liep naar het raam en zag de overwoekerde tuin. Het zomerhuisje waar zijn vrouw zo graag had gezeten tijdens die laatste moeizame maanden was bijna helemaal overgroeid door braamstruiken. De rozen moesten gesnoeid. De fruitbomen ook.

'Ik hakte hier vroeger hout,' zei hij met een glimlach. 'Niets werkt zo goed als je wilt nadenken. Geen rinkelende telefoons. Geen e-mails. Niets anders dan... de mensen die je dicht bij je wilt hebben. En dit.'

Hij klopte op de houten deuren.

'Die heb ik nog zelf opgehangen. Ik was best een handige klusser.'

Ze lachte.

'Jij?'

'Waarom niet?'

Nebel aarzelde.

'Zo heb ik nooit eerder over je gedacht.'

'Als wat? Als familieman?'

Hij liep naar de overloop en duwde de deur daar open. Een kleine kamer met een raam aan de voorzijde.

'Dit zou de kinderkamer worden. Ik heb hier zelf behangen, de hele kamer.'

Plaatjes van cartoonauto's op de muren, grijnzend, racend, vliegend.

'We wisten dat het een jongen zou worden. Dat dachten we in ieder geval.' Zijn vingers raakten het behang aan. Vochtig. 'Toen Benjamin terugkwam, koos hij meteen deze kamer. Zesentwintig jaar. Altijd kind gebleven.'

'Ik heb hem maar één keer ontmoet. Hij was slim. Grappig.'

'Gek,' vulde Hartmann aan. 'Gekmakend.' Een glimlach. 'Had over ieder onderwerp een mening, en dacht altijd dat hij gelijk had. Ik was dol op hem.' Hij hield zijn hoofd scheef. 'Eigenlijk benijdde ik hem.'

Hij liep naar de kast, opende hem. Cd's en computerspelletjes. Linkse posters en een honkbalknuppel.

'Ma noemde hem altijd een geluk bij een ongelukje. Ik zat op de universiteit toen hij werd geboren. Ik woonde allang niet meer thuis toen hij opgroeide. Ik denk...' Hartmann pakte een pet op. Boston Red Sox. 'Ik vermoed dat ik eigenlijk eerder een serieuze oom voor hem ben geweest dan een grote broer. Tegen de tijd dat hij van Harvard werd geschopt was ik de enige die hij nog had.'

Hij zette de pet op. Nebel giechelde, liep op hem toe en pakte de pet af.

'Past niet bij je imago.'

'Nee, dat zal wel niet.'

Hij keek uit het raam.

'Ik vond het heerlijk om hem hier te hebben. Hij maakte me stapelgek. Toen...'

Ze glimlachte. Wist niet wat ze moest zeggen.

Morten Weber kwam de trap op, stak zijn hoofd door de deuropening.

'Ik heb met Reinhardt gesproken, die assistent van Zeuthen. Hij kan je later ontvangen. Als je dat wilt.' Weber leek zich niet helemaal op zijn gemak te voelen. Hij kende dit huis ook al heel lang. 'Dit huis heeft gelukkiger dagen gekend. Je moet het verkopen aan iemand die het weer nieuw leven inblaast.'

'Ja,' zei Hartmann instemmend. 'Nog nieuws over het meisje?'

'Er is een nieuwe eis.' Weber maakte een terneergeslagen indruk. 'Ik ben bang dat het er niet goed uitziet.'

De telefoontjes werden automatisch opgenomen. Robert Zeuthen was thuis op Drekar en zat in een kantoor op de begane grond naar een Politigården-recorder te luisteren.

'O, kom op, Lund. We kennen elkaar onderhand toch? Je weet nu wel waar ik op uit ben. Dat kan niet anders.'

'Nee, ik heb geen idee. Vertel op.'

'Zegt Zeuthen dat hij bereid is elke som te betalen?'

'Ja.'

'Laat hem dat vooral doen.'

'Robert Zeuthen had niets te maken met de dood van Louise Hjelby. Als je me de tijd gunt zal ik zaak tot de bodem uitzoeken. Ik kan niet…'

'Een leven voor een leven. Klinkt dat redelijk of niet?'

Zeuthen zat stokstijf, toonde geen enkele emotie.

'Jij krijgt het meisje. Ik krijg hem. Een liefhebbende vader heeft alles over voor zijn dochter. Hij moet dankbaar zijn dat hij de kans krijgt dat te bewijzen.'

'Dankbaar? Daar kan niemand mee instemmen. Je moet wel redelijk blijven.'

Een lange stilte. Lund keek naar de recorder, vroeg zich af of er iets mis was gegaan tijdens de opname. Zeuthen dacht hetzelfde. Zijn rechterhand Reinhardt zag lijkwit. Hij schudde zijn hoofd, geschokt.

'Ik ben de redelijkste man van heel Denemarken. Dit is mijn laatste aanbod. Ik bel vanmiddag terug. Zorg ervoor dat er een auto klaarstaat. Jij moet erin zitten, samen met Robert Zeuthen.'

Brix stak zijn hand uit en schakelde het apparaatje uit.

'Laat ik meteen zeggen dat dit een belachelijke eis is,' zei hij. 'Hier kunnen we in geen geval mee instemmen.'

Zeuthen kneep zijn ogen tot spleetjes en keerde zich tegen hem.

'Sinds wanneer ben jij de baas over mijn leven?' vroeg hij met zachte, kalme stem.

'De oplossing ligt in de Hjelby-zaak,' antwoordde Brix. 'De dader is ervan overtuigd dat iemand binnen Zeeland Peter Schultz onder druk heeft gezet om die moord te verdoezelen. Als u ons een aanknopingspunt zou kunnen geven over iemand in uw organisatie…'

Zeuthen keek hem niet aan. Zijn blik was gericht op een schilderij aan de muur: een onstuimige, grijze oceaan, een schip met het logo van de Zeelanddraak deinend op de woeste golven.

'Iets wat ons kan helpen bij het zoeken naar uw dochter,' voegde Brix eraan toe.

'Hoe vaak moet u die vraag nog stellen? Alsof ik dat niet uit mezelf zou doen.'

Reinhardt kwam tussenbeide.

'We hebben alle dossiers doorgespit. Alles gecontroleerd. We hebben geen verdere informatie. Het spijt me. Kunt u die telefoontjes niet traceren? Waarom loopt die man nog vrij rond?'

'Omdat hij slim is,' zei Lund. 'En dingen weet die wij niet weten.'

Brix ving de blik van Zeuthen.

'Ik ga bewakers voor u regelen totdat dit voorbij is.'

Reinhardt vond dat geen goed idee.

'We hebben onze eigen beveiliging. Sommigen zijn van mening dat die efficiënter is dan die van u.'

'Het is voor mij bedoeld,' zei Zeuthen met een korzelig glimlachje. 'Om ervoor te zorgen dat ik er niet vandoor ga.'

'Robert…' begon Lund.

'Laat maar,' onderbrak hij haar. 'Ik heb het begrepen. Als jullie me nu willen excuseren. We krijgen hoog bezoek. Niels zal u uitlaten.'

In de koude, tochtige hal stonden drie mensen op gedempte toon met elkaar te praten. Lund besefte pas op het laatste moment wie het waren.

Hartmann. De kleine adviseur Weber, die hem een alibi had verleend dat hij niet eens nodig had gehad in de zaak-Birk Larsen. Karen Nebel, de tv-journaliste die spindoctor was geworden.

'Hallo,' zei Lund en ze keek Hartmann recht aan.

Hij leek niet veel ouder geworden. Nog steeds knap. Zou nog knapper zijn geweest als hij wat meer lachte.

'Kijk aan,' zei hij. 'Lang niet gezien.'

'Inderdaad.'

Brix kuchte in zijn vuist.

'Van mij had het langer mogen duren,' bromde Weber.

Hartmann berispte hem vanwege die opmerking. Begon te oreren. Prachtige woorden, met overtuiging gebracht. Dat hij wilde dat alles in het werk gesteld moest worden om deze zaak tot een goed einde te brengen.

Lunds telefoon rinkelde. Ze liep een eindje weg om op te nemen. Asbjørn Juncker klonk opgewonden.

Toen ze terugkwam was Hartmann klaar met zijn toespraak, die waarschijnlijk toch vooral voor haar was bedoeld. Nu nam Weber het woord en zei: 'Ik heb begrepen dat de PET Jens Lebech weer heeft opgepakt. Wat is daar aan de hand?'

'Wie?'

'Jens Lebech…'

'Laat maar,' beval Hartmann. 'Is er nog nieuws over het meisje?'

'Niets waar ik mededelingen over kan doen,' antwoordde Lund.

Tot haar verbazing drong hij niet verder aan.

Na wat onduidelijk gemompelde afscheidsgroeten liepen ze naar buiten.

Brix mompelde iets.

'Ik kon hem niet negeren,' klaagde Lund.

'Is er enig nieuws?' vroeg hij.

'Juncker denkt dat hij weet in welk gebied Emilie wordt gegijzeld.'

Zijn gezicht klaarde op.

'Waar dan?'

'Bij de haven.' Ze keek over haar schouder naar het roodstenen kasteel. Een majestueus, imposant paleis. Ze keek op naar de draak op het dak, als de boeg van een Vikingschip. 'Dat is een verrassing.'

Gedrieën keken ze hoe de lange gestalte van Niels Reinhardt rustig op hen af stapte. Amanuensis, butler, persoonlijke assistent. Hij was tientallen jaren de rechterhand van Hans Zeuthen geweest en deed nu zo'n beetje hetzelfde werk voor zijn zoon.

'Ik handel dit zelf wel af,' zei Hartmann. Hij glimlachte naar Reinhardt, gaf hem een hand en liep het privékantoor van het Zeuthen-imperium binnen.

Overal modelschepen. Schilderijen van de zee. Robert Zeuthen stond op en kwam achter zijn kolossale bureau van walnotenhout vandaan om hem te begroeten. Ze gingen naast elkaar op een bank voor de marmeren open haard zitten.

Er brandde geen vuur. Dit uitgestrekte paleis maakte een koude, doodse indruk.

'De politie doet wat ze kan,' zei Hartmann. 'Ik wil dat je weet dat de regering en ik vierkant achter hen staan. We hopen op een oplossing die Emilie veilig thuisbrengt.' Hij zag dat Zeuthen knikte. Hij zag eruit alsof hij dagen niet had geslapen. 'Ik weet zeker dat je de beste mensen van de politie en de PET aan je zijde hebt.'

Zeuthen leek nauwelijks te luisteren.

'Anders Ussing probeert van deze zaak te profiteren. Hij verspreidt schandelijke geruchten. Ik heb hem alle mogelijke informatie gegeven om die geruchten te weerleggen, maar toch…' Hartmann fronste zijn voorhoofd. 'Het is allemaal politiek, vrees ik.'

'Politiek?' vroeg Zeuthen op vermoeide, wantrouwende toon.

'Niet voor mij,' hield Hartmann vol. 'Het spijt me dat dit onderdeel is geworden van de verkiezingscampagne, Robert. Het is buitengewoon onfatsoenlijk. Als er iets is…'

Zeuthen stond op en liep naar het raam.

'Dus wat de pers zegt klopt niet?' vroeg hij.

Hartmann kwam bij hem staan. De regen was opgehouden. Reinhardt stond op het grasveld voor een klein doel. Hij lachte terwijl een jongetje probeerde de bal langs hem heen te schieten. De vrouw van Zeuthen stond er ook bij en keek toe. Haar gezicht was een en al verdriet. Achter de langzaam oplopende tuin was in de verte vaag de zee te zien.

'Geen onzekerheid of twijfel over hoe die zaak is aangepakt?' voegde Zeuthen eraan toe.

'Ik hou de vinger aan de pols. Als er onregelmatigheden zijn opgetreden, zal ik dat oplossen.'

Hij zorgde ervoor dat Zeuthen hem aankeek.

'Ik verzeker je dat we ons uiterste best doen. Ik hoop... ik hoop dat dit geen invloed heeft op je steun voor onze campagne. Die stellen we zeer op prijs. Misschien kun je dat op zeker moment nog eens herbevestigen. Misschien later vandaag of zo...'

Hartmann kon de uitdrukking op Zeuthens gezicht op dat moment niet goed peilen.

Er werd op de deur geklopt. Reinhardt kwam binnen. Hij had een paar uit de toon vallende rode slippers aangetrokken, maar van zijn broek druppelde nog steeds water op het tapijt.

'Sorry dat ik stoor. Ik heb een telefoontje van Brix gehad. Ze denken dat ze de plek hebben gevonden waar Emilie voor het laatst is vastgehouden. Op dit moment is er helaas geen spoor meer van haar.'

'Weten ze waar ze is vastgehouden?' zei Hartmann beledigd. 'Ik heb net met Lund gesproken. Ze heeft daar helemaal niks over gezegd.'

Reinhardt negeerde hem.

'Ze moeten voorbereidingen treffen voor de uitwisseling, Robert.'

'Wat voor een uitwisseling?' wilde Hartmann weten. 'Ik zou graag te horen krijgen...'

Zeuthen staarde hem aan, zei niets, liep de kamer uit.

Een diepe zucht. Hartmann ging zitten. Wensend dat hij dit beter had aangepakt. Weber en Karen Nebel stapten naar binnen.

'Goed nieuws,' kondigde Weber aan. 'Mogens was niet bij die borrel op het ministerie. Hij heeft Schultz daar nooit ontmoet. De PET heeft verder ook niets belastends over hem kunnen vinden.'

Hartmann liep naar het raam. De jongen schopte weer tegen de bal. Maja Zeuthen zag er nog even ongelukkig uit als eerder. Zeuthen liep naar buiten en zei iets wat Carl aan het lachen maakte.

'Hij weet van niets,' fluisterde Hartmann. En vroeg zich af: hoe vertel je een kind zoiets? Zeuthen was een volwassen man, maar Hartmann kon de juiste woorden niet vinden als hij met hem sprak. Hij had niet om een herbevestiging van Zeuthens steun willen bedelen. Niet echt. Maar hij had gewoon niet geweten wat hij moest zeggen.

'De politie heeft een fabriek bij de haven doorzocht,' ging Weber verder. 'Ze dachten dat ze daar misschien gezeten had. Tot nu toe hebben ze niets gevonden.'

'Er wordt een of andere uitwisseling gepland,' zei Hartmann. 'Heeft de politie daar iets over gezegd?'

Hij schudde zijn hoofd.

'Hoe weet je dan dat ze verder wél de waarheid vertellen?'

Geen antwoord. Hij tuurde uit het raam.

De jongen rende naar zijn vader, sloeg zijn armen om zijn middel. Toen kwam de moeder dichterbij. Op dat moment leek het een heel gewoon gezin. Gewoon een stel met een kind. Maar dat ging voor de Zeuthens niet op. Dat was niet voor hen weggelegd. Voor hem evenmin.

'Nóg een goede reden om ons op de achtergrond te houden,' zei Karen Nebel zachtjes.

De fabriek lag slechts een kilometer van de sloop waar het lijk van de Zeeland-stuurman was gevonden. Vervallen, lege gebouwen. De letters KPS stonden in ouderwetse letters op het hoogste gebouw.

Madsen had speurhonden ingezet. Asbjørn Juncker zocht als een bezetene naar aanwijzingen.

'Ze moet hier ergens zijn,' zei hij, wijzend naar de rij verwaarloosde gebouwen. 'Er zijn daar duizenden plekken waar je je kunt verstoppen.'

'Dat zegt niks,' zei Lund.

Brix stond tegen een muur geleund en sprak onophoudelijk met Ruth Hedeby, zijn directe baas binnen de Politigården. Iemand had daar voor enige opschudding gezorgd. Hartmann waarschijnlijk, dacht Lund. Hij moest zich ervan verzekeren dat Robert Zeuthen hem steunde. Ze hadden de laatste eis voor de politici verzwegen. Alleen een kernteam en Zeuthen zelf wisten ervan. Brix had gehoopt op een aanwijzing die deze hele operatie overbodig zou maken. Maar daar zag het nu niet meer naar uit.

'Misschien heeft ze die naam KPS alleen in het voorbijgaan gezien,' zei Brix somber.

'Nee,' hield Lund vol. 'Emilie is een slimme meid. Ze zou niet zomaar iets opschrijven.'

De fabriek was enorm groot. Madsen moest minstens vijftig politiemensen hebben ingezet om het gebied van de kade tot de verwaarloosde pakhuizen te onderzoeken. Een ouderwetse nautische tijdbal stond op een plompe bakstenen toren bij de weg die naar het daklozenkamp leidde waar Hartmann afgelopen woensdag had gesproken.

Ze belde de Politigården, liet iemand de gegevens natrekken. Wist het antwoord al voordat de telefonist het zei.

'Dit was een dochterbedrijf van Zeeland,' zei Lund tegen niemand in het bijzonder. 'Ze waren al jaren telkens aan het inkrimpen. Uiteindelijk is de fabriek achttien maanden geleden gesloten.'

Brix zei niets.

'Hij moet iemand van hen zijn,' vervolgde ze. 'Waarom kunnen ze ons niet één naam geven?'

'We hebben overal gezocht,' hield Juncker vol.

'Hij is precies op de hoogte van de details van Zeelands beveiligingssysteem,' zei Lund met stemverheffing. 'Ik durf te wedden dat hij ook een plattegrond van dit terrein heeft. Hij kan zich overal verstoppen.'

Brix werd gebeld. Ze keek toe terwijl hij vloekte en een harde trap gaf tegen een verroest ijzeren hek. Hij begon iets te roepen wat ze niet verstond.

'Blijf zoeken,' zei ze rustig.

Hij hing op. Ze liep naar hem toe.

'We moeten namen en foto's van Zeeland opeisen,' vond Lund. 'En die moeten we dan aan Overgaard voorleggen. Hij is de enige die die man heeft ontmoet.'

Brix, weggedoken tegen de kou in zijn lange zwarte winterjas, zei niets.

'Oké,' zei Lund, 'dan doe ik het wel.'

'Heeft geen zin,' mompelde hij. 'Overgaard is dood.'

Ze knipperde met haar ogen. Huiverde op de winderige, verlaten kade.

'Hoe?'

'Het is hem gelukt om zich op te hangen aan een afgescheurde mouw van zijn overhemd. Hij was al dood toen de bewaker hem in zijn cel vond.'

Brix legde zijn bleke hand op zijn kin, dacht even na.

'We moeten dit op de een of ander manier doorzetten. Je moet een politieman voor me vinden van ongeveer hetzelfde postuur en dezelfde leeftijd als Zeuthens. Als stand-in. Ik wil Zeuthen zelf niet in de buurt hebben. Begrepen?'

Ja, dacht ze. Maar zou hij luisteren?

Tegen half vier was de stad ondergedompeld in regen. Het begon donker te worden. De wind gierde langs de ramen van het ministerie van Justitie. Mogens Rank keek tv. Het zou een debat over de economie moeten zijn. In plaats daarvan werd het een verhitte discussie over de zaak-Zeuthen.

Ussing kwam weer met hetzelfde liedje: Rank had de gelegenheid gehad om de ontvoering van Emilie te voorkomen en had dat nagelaten. Hartmann sloeg terug met eigen beschuldigingen. Ussing gebruikte een misdrijf voor politieke doeleinden. Het onderzoek werd effectief uitgevoerd. Hij verdedigde de acties van Rank en ontkende dat deze iets had gedaan wat niet in de haak was.

Mogens Rank glimlachte daarom en gaf een klein applausje bij die woorden. Vervolgens baande hij zich een weg door het interne gangenstelsel dat zijn gebouw verbond met de rest van Slotsholmen. De gangen waar hij nu liep waren ooit gebruikt door zijn voorganger Thomas Buch. Eindelijk kwam hij in het eigenlijke slot Christiansborg, het verblijf van de premier.

Hartmanns deur stond open. Hij sprak met Karen Nebel en Weber.

Rank klopte aan, glimlachte, vroeg of hij even kon praten.

De bureaustoel draaide om. Hartmann keek hem van top tot teen op en vroeg: 'De politie wil niets loslaten, Mogens. Wat is er aan de hand?'

'Ze proberen een uitwisseling te regelen. Een politieman neemt de plaats van Robert Zeuthen in, geloof ik.'

Nebel en Weber hielden op met hun bezigheden en waren een en al oor. Rank beschreef de laatste eis van de kidnapper.

'Het was handig geweest als ik dat had geweten toen ik Zeuthen daarstraks ontmoette,' mopperde Hartmann.

'Ik ben het pas na die bijeenkomst te weten gekomen. Dit zijn zaken van de politie, Troels. Ons op de hoogte houden ligt niet in hun aard. En het heeft ook geen prioriteit.'

'Als ik het vraag dient het een prioriteit te zijn.'

Rank zuchtte.

'Ik wilde alleen maar zeggen hoezeer ik de moeilijkheden die ik heb veroorzaakt betreur. En hoezeer ik je woorden tijdens de tv-uitzending van zojuist waardeer.'

Hartmann zat roerloos, uitdrukkingsloos. De anderen stonden erbij en keken toe.

'Je hebt deze moeilijke kwesties voortreffelijk aangepakt,' ging Rank verder. 'Ik weet zeker dat de kiezers je daarvoor zullen belonen.'

Er lagen wat documenten op het bureau. Hartmann pakte ze op en begon te lezen.

'Ik ben me ervan bewust dat er fouten zijn gemaakt op mijn ministerie. Ik moet de teugels strakker aanhalen. Ik zit erbovenop.'

'Is dat zo?'

'Ja. Goed…' Een vrolijke, optimistische lach. 'Ik zal je verder met rust laten.'

'Nog één ding,' zei Hartmann. Hij keek op van zijn papieren.

'Ja?'

'Wat ik zei op tv was puur voor de camera. Ik had niet veel keus.'

'Troels…' mompelde Weber, maar Hartmann maande hem met een gebaar tot stilte.

'Ik zal je vergeetachtigheid niet excuseren, Mogens. Als het dat was. Er zijn mensen gestorven. Een jong meisje wordt vermist. En jij hebt vanaf het begin niets anders gedaan dan je in allerlei bochten wringen, liegen en je verantwoordelijkheid ontlopen.'

Met zijn hoofd schuin, armen achter zijn rug, keek Rank woedend naar Hartmann.

'Van nu af aan mag jij je niet meer met die zaak bemoeien. De politie en de PET rapporteren rechtstreeks aan mij.'

'Dat kun je niet maken,' zei Rank met een ontspannen lach. 'Dat is ondenkbaar.'

'Ga naar huis. Kom niet naar je kantoor. Vermijd de media. Eén misstap en je kunt je hoge positie vergeten, dat beloof ik je.'

Rank wilde iets zeggen, maar bedacht zich toen.

'Als we het geluk hebben om dit door jou veroorzaakte gelazer te overleven,' voegde Hartmann eraan toe, 'en door een wonder toch nog de verkiezingen weten te winnen, hoef je niet te rekenen op een telefoontje van mij. Nog vragen?'

Niets. Mogens Rank liep kordaat de kamer uit.

Weber liep naar het bureau.

'Ik wil het niet horen,' waarschuwde Hartmann hem.

'Je kunt hem niet ontslaan! Hij is een van de loyaalste ministers die je hebt. Als Birgit Eggert een tegenactie begint...'

'Hij ligt eruit. Wen er maar aan.'

Nebel ging zitten.

'Je hebt er net voor gezorgd dat wij alle schuld krijgen als dat meisje dood wordt teruggevonden,' zei ze. 'Zelfs als Mogens zijn bek houdt. Wat ik betwijfel.'

'Ik weet wat ik doe.'

'Het lijkt er anders niet op.'

Hartmann negeerde die opmerking en wendde zich tot Nebel.

'Zoek uit wat er aan de hand is bij de politie. Ik heb geen zin om in het duister te tasten vanwege die Sarah Lund.'

Ze wilde haar telefoon pakken.

'Doe dat buiten, alsjeblieft.'

De twee mannen keken haar na.

'Wat doe ik hier nog?' vroeg Weber. 'Wat heeft het voor nut als jij al mijn adviezen negeert...'

'Jij bent hier omdat je niks anders hebt. Net als ik.'

'Het is niet verstandig om je vrienden tegen je in het harnas te jagen. Je weet nooit wanneer je ze nog nodig hebt.'

'Als je liever buiten wacht, samen met Mogens...'

Weber schudde zijn hoofd. Hij verloor niet gauw zijn zelfbeheersing, maar hij was er nu dichtbij.

'Ik heb jou gered! Zonder mij zou je niet eens een zetel in de gemeenteraad hebben gehaald, laat staan...' Hij maakte een weids gebaar, doelend op het imposante kantoor. '... dit.'

Hartmann boog zich naar voren en keek hem strak aan.

'Ik weet wat ik doe.'

'Dat kun je wel blijven zeggen, maar daarom is het nog niet waar. Je krijgt de ex van Rosa Lebech op je nek. En Birgit ook. Vergeleken met haar stelt het gedonderjaag van Mogens Rank niks voor.'

Zeuthen en zijn vrouw zaten in de huiskamer. Ze waren het eens geworden. Ze zouden gedurende de hele operatie in Drekar blijven en door de politie op de hoogte worden gehouden. Ze wilden niet wachten in de Politigården. Ze hoefden niet alle details te weten.

Carl kwam binnenlopen, op zoek naar zijn speelgoedauto.

'Misschien heb je hem in de tuin laten liggen toen je met mama speelde,' zei Zeuthen.

'Ik denk dat Emilie hem heeft meegenomen toen ze op vakantie ging. Ze pikt altijd al mijn speelgoed.'

Zeuthen glimlachte naar hem, aaide hem over zijn bol, zei dat hij nog een keer buiten moest kijken.

Maja keek toe hoe Reinhardt en Carl naar buiten liepen. Algauw hoorde ze hun stemmen achter het raam, de een laag, brommerig en vriendelijk, de andere hoog en helder.

'Het spijt me van Carsten,' zei ze. 'Hij had niet het recht om al die dingen tegen jou te roepen.'

'Hij is overstuur. Dat zijn we allemaal.'

Ze droeg een spijkerbroek en een oud T-shirt. Hij was weer gekleed in een donker kostuum. Zeuthen had nooit precies begrepen wat hen samen had gebracht. Wat ze in hem zag. Het was niet zijn geld of zijn positie. Daar had ze juist een hekel aan.

'Hij had niet zo'n toon moeten aanslaan. Ik weet dat je nooit iets zou doen wat de kinderen in gevaar zou kunnen brengen. Je bent altijd... een goede vader geweest.'

Dat leek hem te kwetsen en dat was wel het laatste wat ze wilde. In ieder geval niet als ze bij haar volle verstand was.

'Dus ze sturen politiemensen hierheen?' vroeg ze in een poging van onderwerp te veranderen. 'Dit keer wachten we samen met hen?'

Een kort glimlachje. Carl kwam binnenrennen, gevolgd door Reinhardt. Hij had zijn auto gevonden en wilde dat de hele wereld laten weten.

Hij rende als eerste naar zijn vader, dolblij om hem zijn trofee te tonen.

'Emilie had hem niet!' riep Carl uit.

'Nee,' zei Zeuthen instemmend en hij woelde door zijn haar, hield hem even vast, iets te stevig.

De jongen maakte zich los en keek hem verbaasd aan.

'Alles goed, papa?'

De deurbel.

'Denk je dat het de politie is?' vroeg Maja.

Robert Zeuthen keek eens goed om zich heen. Even dacht ze dat hij haar wilde omhelzen. Ze vroeg zich af hoe ze in dat geval zou reageren.

In plaats daarvan zei hij: 'Ik zal even kijken.'

Carl liet zijn auto aan haar zien, gelukzalig kwebbelend. Reinhardt stond daar maar en vermeed haar blik.

De voordeur viel met een klap dicht en op de een of andere manier wist ze dat hij weg was.

'Wat is er aan de hand?' vroeg ze. 'Wat doet Robert?'

Weer een arrestatieteam paraat. Weer een gewapend team wachtend op instructies. De meest recente foto's van Zeeland waren binnengekomen. Lund liet ze controleren. Een gezette geüniformeerde politieman trok een kogelwerend vest aan. Hij had ongeveer hetzelfde postuur als Robert Zeuthen. Hetzelfde haar. Het zou kunnen werken in het donker, maar niet lang.

De stand-in begon zijn witte overhemd over zijn kogelwerende vest dicht te knopen. Lund sprak met Juncker, die nog steeds in de verlaten fabriek was.

Ze wierp een blik op de man die zojuist de kamer was binnengelopen en verbrak de verbinding.

Zeuthen liep recht op haar af.

'Ik heb hierover nagedacht. Emilie is mijn dochter. Mijn verantwoordelijkheid. Ik wil zelf gaan.'

Brix vloog ogenblikkelijk zijn kantoor uit en schudde zijn hoofd.

'Jullie weten misschien niet wie die man is,' ging Zeuthen verder. 'Maar het is vrij duidelijk dat hij niet stom is. Hij zal het weten als ik het niet ben. Hij heeft de vorige keer al gezegd dat dit de laatste kans is. Als...'

'Ons plan is al in gang gezet,' onderbrak Brix hem. 'Er zijn meer mensen naar haar op zoek dan ooit. Dat kan ik nu niet stilleggen.'

Zeuthen gaf niet toe.

'Je weet dat ze zal sterven zodra hij doorheeft dat ik het niet ben. Ik ben de enige kans die we hebben om haar te redden. De enige kans om hem te pakken te krijgen.'

Brix schudde zijn hoofd.

'Dat risico kan ik niet nemen.'

'Dat hoeft ook niet.'

Zeuthen liep naar de stand-in, bekeek het kogelvrije vest.

'Dat past mij wel,' zei hij.

Asbjørn Juncker zat nog steeds in de verlaten fabriek. Ze hadden elk gebouw doorzocht. In kelders en opslagtanks gekeken. Nergens een spoor van het meisje te bekennen.

Hij wilde nog niet gaan en was boven op het hoogste gebouw geklommen.

Emilie had die letters opgeschreven omdat ze die op de een of andere manier had gezien. Misschien waren ze er met de camper gewoon voorbijgereden. Of had ze het vanaf een locatie hier in de buurt gezien.

De nacht was gevallen. Geen sterren, alleen laaghangende wolken en regen. De lichtjes van de dichtstbijzijnde gebouwen fonkelden in de verte als vroegtijdige kerstversiering.

Hij was drieëntwintig en had alleen nog maar op het platteland of in voorsteden gewerkt. De ernstigste zaak die hij tot nu toe had gezien was een inbraak met geweld. Die dingen gebeurden. De ontvoering van een kind door een vastberaden, gestructureerde man die bereid was zonder enige consideratie te doden was bijna té gruwelijk. En dat knaagde aan hem. Het hield hem uit zijn slaap.

In zijn eentje op het dak van het hoogste gebouw, gegeseld door de winterse windvlagen, haalde Juncker zijn verrekijker tevoorschijn.

'Emilie...'

Zijn gefluister verwaaide in de stormachtige nachtlucht.

Zijn zus had dezelfde naam. Ze was dertien, een gewoon, opgewekt meisje in Vesterbro. Hij zei tegen zichzelf dat dat er niet toe deed. Hij moest nou eenmaal zijn werk doen.

'Emilie,' zuchtte hij en hij begon de groezelige, gebarsten ruiten in het gebouw tegenover hem een voor een af te speuren.

Zeuthen was niet onvoorbereid. Hij had een advocaat meegenomen. Een stapel vrijwaringsdocumenten die hij had opgesteld en zou ondertekenen in het bijzijn van getuigen, waarin de politie van elke verantwoordelijkheid werd ontheven.

Brix belde de commissaris.

Die zat in een vergadering.

Hij belde Ruth Hedeby.

Geen antwoord.

Lund luisterde naar zijn geklaag.

'Zij willen de beslissing niet nemen,' zei ze. 'Dat durven ze niet. Het is aan ons.'

'Voor de verandering,' mopperde Brix.

'Ze hebben gelijk. Wij zijn degenen die dit moeten oplossen.'

'En die met de gevolgen ervan moeten leven. Ik wil die Zeuthen niet in de buurt van de ontvoerder zien. Hij maakt hem af. Misschien ontdekt Juncker nog iets...'

'Nee, hij heeft niets.' Ze viste Emilies foto uit haar zak. 'Wat moet ik zeggen als hij belt en Zeuthen wil spreken? Als hij iemand anders aan de lijn krijgt, hoort hij het verschil.'

'Misschien kunnen we dat omzeilen.'

'Dit is onze laatste kans! Dat heeft hij zelf gezegd. Als we niet doen wat hij vraagt, is ze er geweest. En wat dan? Als Zeuthen zelf gaat is hij daar in ieder geval samen met mij. Als we hem niet kunnen beschermen zitten we sowieso in de puree.'

Haar telefoon ging. Juncker. Geen bijzonderheden. Ze zei het tegen Brix.

Hij keek achter zich, naar de plek waar Zeuthen en zijn advocaat stonden.

'Maak hem gereed,' zei hij.

Politieauto's verzamelden zich aan de voet van het gebouw. Juncker keek over de rand. Blauwe zwaailichten.

Iemand schreeuwde omhoog: 'Hé, jochie! Gaan we nog of hoe zit het?'

Vanaf hier kon hij alles zien. De kantoren van Zeeland aan de overkant van het water. De schroothandel waar deze hele zaak was begonnen. Het daklozenkamp.

In de verte de felle lichten van de stad. Kerktorens. Slotsholmen en de hoge toren van het raadhuis.

'Juncker!' klonk een stem van beneden. 'We moeten nu gaan.'

Hij draaide zich nog een keer om zijn as. Driehonderdzestig graden op zijn hakken. Hij had Lund dat zien doen toen alle anderen het al hadden opgegeven.

Je moet leren kijken.

Dat had ze gezegd en hoewel hij haar lastig en onvoorspelbaar vond, was ze toch ook de interessantste en scherpzinnigste rechercheur die hij ooit had meegemaakt.

Hij had zijn verrekijker ongeveer tweehonderdzeventig graden gedraaid toen hij een raam op de bovenste verdieping van een kantoorpand ontwaarde. Het scheen leeg te staan en lag zo'n halve kilometer verderop.

Er knipperde een lamp, aan en uit. Niet als bij een kapotte lamp. Maar regelmatig, alsof iemand constant op de lichtschakelaar drukte.

Hij speurde de rest van het gebouw af. Geen enkel teken van leven.

Hij keek weer naar het raam. Zijn adem stokte toen hij zag dat het licht aanbleef en een gestalte dichter bij het glas verscheen.

Jong meisje in een donkere jas. Bleek, knap gezichtje. Blond haar, weggestopt onder een zwarte muts.

'Emilie,' mompelde hij.

De verrekijker trilde in zijn handen. Terwijl hij keek stapte ze achteruit, weg van het raam. Ze zag er bang uit. Even doorkruiste een gestalte zijn gezichtsveld. Stevig gebouwd, gekleed in een onopvallende donkere jas. Een bivakmuts over zijn hoofd, twee gaten voor de ogen, een voor de mond.

Toen ging het licht uit en bleef het donker.

Lund droeg een kogelwerend vest. Wachtte op het parkeerterrein van de Politigården, met Zeuthen naast haar.

De telefoon ging.

'Ben je gereed, Lund?'

Hij klonk kalm, maar ze hoorde hem hijgen. Alsof hij ergens liep.

'Ja.'

'Jullie allebei?'

'Dat was toch wat je wilde?'

'Neem de snelweg in zuidelijke richting. Ik bel je zo meteen.'

Ze reden in een grote, onopvallende sedan, met een gps op het dashboard.

'Laatste kans, Lund. Vergeet dat niet.'

Zij reed. Zeuthen zat op de passagiersstoel. Toen ze uit het politiebureau kwamen stond er iemand langs de kant van de weg.

Tenger en knap, maar met een droevig, angstig gezicht.

Maja Zeuthen keek met open mond toe. Zag haar echtgenoot.

Ze begon te gillen toen Lund het gaspedaal intrapte en hard de weg op reed.

Asbjørn Juncker had geen tijd om alles uit te leggen. Hij schreeuwde tegen de mannen bij hem dat ze met hem mee moesten rennen, vloog de hoek om, terug naar het kantoorgebouw.

Zwaaiende armen, voortsnellende benen. Onmogelijk om nu te telefoneren. Nauwelijks tijd genoeg om na te denken.

Hij was sneller dan de rest. Tegen de tijd dat hij het gebouw bereikte was hij alleen. Hij hoorde een geluid, als het grommen van een vals dier. Het werd steeds luider, maar hij bleef doorlopen.

Nog één keer de hoek om. Asbjørn Juncker rende de longen uit zijn lijf. Zag de vrachtwagen voor zich opdoemen. Felle koplampen. Een zware vrachtwagen die over de weg denderde.

Het geluid ging over in een hoog gegil.

Juncker stond daar in het pad van het monster en tastte naar zijn wapen. Kon het niet vinden. Kon zich niet bewegen.

De vrachtwagen torende hoog boven hem uit en reed snel op hem af. Een gezicht achter het stuur. De bivakmuts. Een paar donkere ogen.

Toen werd hij geraakt door iets hards. De jonge rechercheur werd opzij geduwd en kwam met een klap op de harde grond terecht.

Verward, buiten adem, rolde hij net op tijd door om de vrachtwagen verder te zien rijden over de smerige landweg in de richting van de snelweg.

Madsen lag naast hem in het zand, wreef over zijn arm, schold Juncker voor alles en nog wat uit.

'Hij had je bijna overreden, idioot.'

'Ze zit erin,' zei Juncker en hij wees naar de vrachtwagen die om de hoek verdween. 'Emilie. Ze zit in die auto.'

De oudere politieman ging op zijn knieën zitten en pakte zijn telefoon.

Juncker krabbelde overeind. In zijn hoofd zag hij haar nog achter het raam. Een bang klein meisje, meegenomen in het duister van de nacht.

De mediameute stond opeengehoopt voor Christiansborg en schreeuwde om een verklaring. Hartmann bleef in zijn kantoor zitten peinzen terwijl Weber en Karen Nebel contact onderhielden met de politie en de PET.

Het enige echte nieuws dat ze te horen kregen was dat Robert Zeuthen had ingestemd met de uitwisseling. Hij was bereid zijn leven op het spel te zetten voor dat van zijn dochter.

'Ik had geraadpleegd moeten worden,' klaagde Hartmann toen Weber hem op de hoogte bracht.

'Hoezo?' vroeg Weber.

'Daarom! Als we Zeuthen en zijn dochter verliezen zitten wij in de puree. Die ellendelingen daarbuiten scheuren me aan flarden.'

'Dat is waarschijnlijk nu niet de eerste prioriteit van Brix. Voordat je een openbare verklaring aflegt, moeten we het misschien eerst over je toon en woordkeus hebben.'

'Ik wil dat dat kind wordt gevonden!' schreeuwde Hartmann. 'Of denk jij soms van niet?'

'Natuurlijk niet,' antwoordde Weber. 'Maar soms heb je nou eenmaal last van... ongelukkig gekozen formuleringen.'

'Ik heb Benjamin verloren.' Zijn stem klonk zacht en gekwetst. 'Ik weet hoe het voelt. Jij niet.'

De stemming was helemaal verkeerd. Deze campagne ging alle kanten op. Hartmann was dat wel gewend, wist dat alles pas werd beslist op de verkiezingsdag zelf. Maar het was moeilijk de situatie goed in te schatten en precies te weten waar hij stond.

En op de achtergrond bleef Birgit Eggert maar zaniken, eiste een vergadering, klaagde over van alles en nog wat.

Weber vond dat hij haar moest spreken. Haar moest overbluffen, elke rebellie tijdig de kop moest indrukken. De kleine man had gelijk gehad wat één ding betreft: Mogens Rank was een van hun trouwste supporters. Voor Hartmann betekende dat dat hij hem op afstand van Christiansborg moest houden. De beschuldiging van inmenging in de zaak-Zeuthen leek onmogelijk te weerleggen.

Een geluid buiten bij het raam. Hartmann keek op. Weer een busje met een tv-ploeg. Ze roken bloed.

'Hebben ze niks beters te doen?' bromde Hartmann. 'Waarom blijven ze hier rondhangen?'

De deur ging open. Karen Nebel stapte naar binnen, smeet een stel foto's op zijn bureau. De twee mannen kwamen kijken.

'Een van de kranten heeft ze te pakken gekregen,' zei ze. 'Ze gaan er morgen een artikel aan wijden.'

Morten Weber greep meteen zijn telefoon.

'Mogens,' brulde hij. 'Kom ogenblikkelijk hierheen.'

Borch keerde terug naar de Politigården terwijl de operatie begon. Brix stond in het commandocentrum met een koptelefoon op en gaf bevelen: geen helikopter, onopvallende achtervolgingsauto's die op afstand moesten blijven, alle communicatie via versleutelde kanalen.

Voorzichtigheid vóór alles.

Ze hadden het kenteken van de vrachtwagen die Asbjørn Juncker bijna had gedood. Het was vals. Maar het voertuig, een zwarte vrachtwagen, was bij het invoegen op de snelweg kort te zien geweest op beelden van de verkeerscamera's. Het team bij de fabriek had vastgesteld dat Emilie inderdaad was vastgehouden in het gebouw dat Juncker had ontdekt.

'Hoe zit het met de telefoon die hij gebruikt?' vroeg Brix. De PET was belast met de telecom-aspecten van de operatie.

'Helaas,' zei Borch. 'Hij heeft de simkaart vervangen of zoiets. Waarschijnlijk gebruikt hij nu een andere internetprovider.'

'Jullie moeten toch in staat zijn een telefoon te traceren!'

Borch hield zijn hoofd schuin.

'Jullie kunnen nog niet eens die verdomde vrachtwagen vinden. Dus hou je mond. Worden Lund en Zeuthen gevolgd?'

Brix boog zich over een stel landkaarten.

'Er zijn gewapende teams in de buurt.'

'Dat weet hij. Is dat de beste optie?'

Brix keek op, knikte naar een zijkamer. Iets in zijn gezicht zorgde ervoor dat de PET-man zijn mond hield.

Maja Zeuthen stond daar te luisteren, opengesperde ogen, slordig gekleed in een oude trui en spijkerbroek.

'Let op je woorden,' zei Brix tegen hem.

Onderweg in de auto. Regen en een lichte avondspits. Driehonderd meter achter haar zag Lund de volgauto's die haar als het goed was zouden ondersteunen.

Zeuthen zat op de passagiersstoel. Nette das, donkere, dure winterjas, keurig geknipt haar, somber gezicht.

'Wat ben je van plan, Lund?'

'Zodra we de locatie weten, rijden we daarheen, we zetten jou eruit en pikken Emilie op. Brix weet wat hij doet. Hij heeft zijn mensen in de buurt, maar je ziet ze niet.'

Zeuthen keek in de achteruitkijkspiegel. Een auto van het supportteam bleef continu in beeld.

Hij hoefde niets te zeggen.

'Wat als hij erachter komt dat we niet alleen zijn?'

Ze reikte in haar jaszak en haalde een pakje kauwgom tevoorschijn. Bood hem een stukje aan. Zeuthen schudde zijn hoofd. Hij zag er niet uit als een kauwgomtype. Lund nam wel.

Ze reden de stad uit. Geen teken van een vrachtwagen. Hij zou weldra bellen.

'We kunnen dit tot een goed einde brengen,' hield ze vol. 'We moeten goed samenwerken en de instructies opvolgen.'

Hij sloeg haar gade.

'Heb je dit eerder gedaan?'

'O ja,' zei ze terwijl ze zich afvroeg of hij wist dat dit een leugen was.

Lund was bijna opgelucht toen Emilies telefoon rinkelde.

Ze zette het geluid op de speaker.

'Is Robert Zeuthen daar?'

'Ja. Wil je hem spreken?'

'Daar is later nog genoeg tijd voor, Lund. Waar ben je?'

De communicatiekanalen van de auto waren rechtstreeks verbonden met de Politigården. Brix kon elk woord horen en hij kon de auto meter voor meter volgen.

'Ik nader afrit zevenendertig. Waar moeten we heen?'

'Ik heb maar twee mensen uitgenodigd voor dit feestje.'

'Meer zijn er ook niet.'

De afrit was door de regendruppels heen zichtbaar. Ze waren ver buiten de stad, op het vlakke boerenland.

'Klink ik als een idioot?'

'Ik zit in een auto met Robert Zeuthen. Zoals je vroeg. Vertel ons wat we moeten doen.'

'Neem afrit achtendertig.'

Ze was al aan het uitvoegen op de eerdere afrit. Ze reed de snelweg weer op. Zag dat de volgauto dezelfde manoeuvre maakte.

'Als ik op enig moment het gevoel krijg dat je niet alleen bent, is dit het laatste wat je van me zult horen. Dat begrijp je toch wel, hè?'

'Begrepen.'

Ze zag een bord voor afrit achtendertig.

'Dat hoop ik dan maar,' zei hij.

In het commandocentrum hadden ze een kaart van het gebied op tafel liggen. Afrit achtendertig leidde naar een smalle provinciale weg, en daarna naar een netwerk van kleinere wegen. Boerderijen. Een paar kleine bedrijven. Veel braakliggend land.

'Er is daar niks,' zei Brix. 'Dat kan niet kloppen.'

Borch stond naast hem.

'Hij neemt haar mee naar open terrein. Als hij op die weg zit, kan hij die volgauto's van jou zien. Van kilometers ver.'

'Oké,' zei Brix. Hij gaf Juncker en de rest opdracht om meer afstand te houden.

'Hij heeft ze al gezien,' riep Borch. 'Wat moet Lund nu doen?'

'Zijn instructies opvolgen. We hebben haar op de GPS. Als ze ergens stopt, komen wij in actie.'

'Dit is een lachertje.' Borch stond op. Pakte zijn jas. 'Ik ga hier weg.'

Een stem op de radio. Asbjørn Juncker.

'Ik geloof dat we hem hebben,' zei hij. 'Volvo FH16. Lijkt dezelfde vluchtwagen te zijn als die in de stad. Er staat een scheepscontainer achterop. Een achterlicht is kapot.'

'Een container?'

'Wacht even,' zei Juncker. Zijn stem viel even weg. 'We naderen hem. We zouden hem tot stoppen kunnen dwingen…'

'Houd afstand!' gilde Borch terwijl hij de microfoon greep.

'Houd afstand,' herhaalde Brix. 'Niets ondernemen.'

'We zouden hem kunnen aanhouden vanwege dat kapotte achterlicht,' opperde Juncker.

'Ik zei: afstand houden en wachten,' blafte Brix hem toe. 'Doe gewoon wat ik zeg, wil je?'

Ze reden over het donkere platteland. De regel viel gestaag.

Lund belde.

'Ik kan je auto's nog steeds zien, Brix. Haal ze weg. Ik ben bijna bij de afrit.'

'Geen zorgen,' meldde hij. 'Asbjørn heeft de vrachtwagen in beeld. Hij zit bijna twee kilometer achter je. Hij kan niets zien. We houden onze mensen bij jou in de buurt. Een andere groep auto's is onderweg naar de vrachtwagen. Niets binnen zichtafstand.'

Zeuthen luisterde naar elk woord.

De afrit kwam in zicht. Ze verwachtte half en half dat hij weer zou bellen met de mededeling dat ze ergens anders heen moest. Maar dat gebeurde niet. Lund ging van de snelweg af en reed de provinciale weg op.

Maja Zeuthen liep onopgemerkt het commandocentrum binnen. Brix werd geheel in beslag genomen door de gebeurtenissen, pratend in zijn headset. Carsten Lassen arriveerde vanaf zijn werk. Hij sloeg zijn arm om haar schouder, haalde haar over terug te gaan naar de zijkamer waar ze geacht werd te wachten.

'Carl is bij je moeder. Ze zegt dat hij niet wil gaan slapen.'

'Hij voelt dat er iets mis is. Logisch dat hij dan niet...'

Brix stapte naar binnen.

'We hebben de vrachtwagen gespot. We denken dat Emilie daarin zit. We zijn van plan hem tot stoppen te dwingen...'

Ze sloeg haar armen over elkaar, sloot even haar ogen.

'Hij zei dat als je iets zou ondernemen...'

'U kunt hem niet geloven, mevrouw Zeuthen. Alles wat hij ons tot nu heeft verteld was een leugen. Ik kan niet ingaan op de details, maar we nemen alle nodige voorzorgsmaatregelen. De veiligheid van Emilie is onze prioriteit. Die gaat boven alles.'

'Mag ik erheen?'

'Waarheen?'

'Ergens daar in de buurt? Ze is mijn dochter.' Ze legde een hand op zijn arm. 'Toe.'

Hij knikte, riep een politieman.

'We zullen een auto regelen. U moet wachten tot de operatie voorbij is. Doen wat we zeggen. Oké?'

'Oké,' zei ze en ze pakte haar jas.

De weg versmalde tot één rijstrook en werd toen, tot haar verbazing, een eind verderop weer breder. Brix had woord gehouden. Ze zag geen koplampen meer achter zich. Het was overal donker. Alleen de regenachtige weg voor haar.

Borch belde.

'De vrachtwagen nadert een afrit. We gaan een ongeluk simuleren en hem laten stoppen. We hebben een arrestatieteam paraat en een paar scherpschutters van het leger.'

Zeuthen vloekte en schudde zijn hoofd.

'Ik rij gewoon door,' zei Lund.

'Doe dat. Nog één ding. Misschien had dit niets te maken met Zeuthen. Of met Zeeland.'

'Wat bedoel je?'

'Toen ik in Jutland was heb ik de kranten doorgespit. Schultz en Overgaard hebben met de rapporten geknoeid. Ze beweerden dat het meisje op een vrijdag was verdwenen. Klopt niet. Ik heb het nagevraagd bij dat pleeggezin.

Louise werd al een dag eerder vermist. Op donderdag.'

'Dus?' vroeg Lund.

'Die mannen van de Medea arriveerden pas vrijdag in de haven.' Een korte stilte. 'Begrijp je wat ik wil zeggen?'

Ze dacht even na, zei ja. Toen verbrak ze de verbinding.

'Gaan ze hem neerschieten?' vroeg Zeuthen. 'Terwijl Emilie bij hem is?'

'Ze weten wat ze doen. Vertrouw…'

De telefoon van Emilie ging over.

'Ben je al bij het bos, Lund?'

Ze keek uit het raampje.

'Nee. Ik zie alleen maar velden.'

'Je komt dadelijk bij een rij bomen. Daar gaat een weggetje naar rechts, naar een leegstaande werkplaats. Wacht daar op me.'

Juncker zat op de passagiersstoel, Madsen achter het stuur. Nog steeds een flink eind verwijderd van de afrit die Lund had genomen. Plotseling werd de afstand tussen hen en de vrachtwagen groter.

'Hij begint gas te geven,' meldde Juncker aan Brix in het commandocentrum. 'Ik bedoel écht gas geven. Is het team dat het ongeluk simuleert gereed?'

Een korte stilte, toen bevestigde Brix dat.

Het verkeer was ook drukker geworden. Het was moeilijk de vrachtwagen in het zicht te houden zonder argwaan te wekken.

'Houd afstand,' zei Brix. 'Nog twaalfhonderd meter tot het ongeluk. Ze zijn nu bezig met een wegblokkade.'

Het probleem veranderde. De vrachtwagen begon nu opeens trager te rijden.

'Ik weet niet wat voor spelletje hij speelt,' mompelde Juncker.

Een dubbele rij stoplichten. Moest een kruising zijn. Nog ongeveer een kilometer te gaan.

Toen zwenkte de vrachtwagen abrupt naar rechts. Juncker vloekte. Madsen remde te hard, slipte op de natte weg, moest zijn uiterste best doen om de auto onder controle te houden.

De vrachtwagen was van de rijbaan voor langzaam verkeer de uitvoegstrook voor de afrit op gereden.

'Hij verlaat de snelweg,' gaf Juncker door. 'Eerder dan verwacht.'

Brix antwoordde direct.

'Weet je het zeker?'

'Afrit zevenendertig. Hij zit er nu op. Wat doen we?'

'Daar klopt geen donder van.' De stem in Junckers koptelefoon klonk vertwijfeld. 'Lund is er bij afrit achtendertig af gegaan.'

De politiesedan was langzamer gaan rijden, was weer onder controle. Juncker keek naar Madsen, knikte.

'Nou ja. We volgen hem.'

'Houd afstand!' schreeuwde Brix.

Er denderde een gigantische vrachtwagen de afrit af, met een enkele auto erachteraan.

Een rij vervallen gebouwen, gescheiden door een modderige weg met gaten. Lund begon zijn werkwijze te herkennen. Hij hield van dit soort duistere, haveloze terreinen. Op de een of andere manier paste het kennelijk bij zijn geestesgesteldheid.

Ze stopte bij de eerste deur. Het gebouw maakte een verlaten indruk. Desondanks hing er tussen de leegstaande pakhuizen wel een snoer met oude, zwakke gloeilampen die een gelig licht wierpen op het natte, gespleten beton, de gebarsten ruiten, het versplinterde houtwerk van wat ooit een bedrijfspand op het platteland moest zijn geweest.

Bordjes met TE HUUR aan beide zijden. Beschadigd en stoffig.

De stem van Brix klonk uit het dashboard.

'Asbjørn heeft hen in zicht,' zei hij. 'We houden contact met hem. Borch is ook onderweg.'

Het was allemaal onbegrijpelijk.

'Waar is hij?' vroeg Zeuthen vanaf de passagiersstoel.

Brix had dat kennelijk gehoord.

'Hij is ver van jullie vandaan. Blijf waar jullie zijn. Het is veilig.'

Lund stapte uit. Vlak bij de auto stond een achtergelaten koelkast. Een paar afgedankte vaten.

'Hoe ver?' vroeg ze, zo zacht in de telefoon sprekend dat Zeuthen het niet kon horen.

'Te ver,' zei Brix. 'Er zijn wellicht meer mensen bij betrokken dan we aanvankelijk dachten.'

Zeuthen kwam bij haar staan, huiverde in de ijskoude nacht, vroeg wat er aan de hand was.

'Ze volgen hem,' zei Lund. 'Je kunt maar beter in de auto blijven zitten.'

Hij verroerde zich niet.

Die lampen zaten haar dwars.

'Heeft hij jullie gezien? Lund?'

Ze liep over het smalle pad tussen de gebouwen.

'Lund!'

'Dat geloof ik niet.'

Lund haalde haar zaklamp en pistool tevoorschijn.

Het klonk als een vogel. Maar dat was het niet. Er rinkelde ergens een telefoon.

Dicht bij het laatste gebouw aan de rechterkant.

'Blijf achter me,' beval ze en samen liepen ze in de richting van het geluid. Regentonnen stroomden over in de gestage motregen. Een oude, achtergelaten fiets. Een rat schoot voor hun voeten weg. Ergens hoorde ze het slaan van vleugels. Iets groots. Een kraai of een uil.

De beltoon klonk luider. Op een stapel banden zag ze het licht van de telefoon knipperen.

Oude Nokia. Lund nam op.

'Dat duurde wel lang. Lach eens naar het vogeltje.'

'Wat?'

'Een grapje. Snap je het niet? Terug naar de auto, alsjeblieft.'

Ze knikte naar Zeuthen. Liep terug naar de sedan.

'Nee, Lund,' zei hij en hij lachte. 'Niet jouw auto. Ik heb geschikter transport voor je geregeld.'

'Ik ben niet zo in de stemming voor grapjes.'

'Ben je dat dan ooit wel? Kijk naar boven. Zoals ik al zei, lach eens naar het vogeltje.'

Ze draaide om haar as. Speurde de gebouwen af in het zwakke schijnsel, lichtte bij met haar zaklamp.

'Kijk omhoog!'

Aan de kapotte regenpijp van het dichtstbijzijnde gebouw zat een soort webcam vastgemaakt. Er knipperde een blauw lichtje.

'Leg je telefoons zodanig neer dat ik ze kan zien,' beval hij. 'Zeg tegen Zeuthen dat ik gevleid ben dat hij een das draagt.'

Lund legde haar eigen telefoon op de grond. Liet Zeuthen hetzelfde doen.

'Goed. Kijk nu voor je. Zie je dat busje?'

Weer een typerend kenmerk. Een roestig oud wrak, ooit van een bedrijf geweest, naast de weg achter de gebouwen.

'Het is een cadeautje voor je. De sleutels zitten in het contact. Klaar om te vertrekken.'

Ze bleef stokstijf staan.

'Ik wacht, Sarah,' zei hij. 'Schiet op. We hebben een afspraak.'

Juncker en Madsen waren de vrachtwagen tot diep in het platteland gevolgd. Ze hielden zo veel mogelijk afstand. Maar op verlaten smalle wegen viel het moeilijk aan te nemen dat ze niet waren gezien. En er reden nog drie auto's achter hen, volgepropt met het gewapende team dat gereed was om toe te slaan.

'Dit bevalt me niks,' zei Juncker tegen Brix. 'Het wordt wel erg doorzichtig.'

Een lange stilte, toen kwam de stem van de chef weer door.

'Oké. Vierhonderd meter verderop ga je onder een spoorbrug door. Daarna splitst de weg zich. Laat het arrestatieteam passeren als je eronderdoor bent. Zij kunnen de weg nemen die hij niet gebruikt, terugrijden en hem onderscheppen.'

Madsen snoof verontwaardigd en keek hem aan.

'Dan moeten ze wel opschieten,' waarschuwde Juncker.

De brug kwam in zicht. Een smalle onderdoorgang, nauwelijks breed genoeg voor de vrachtwagen.

Madsen trapte hard op de rem. Junckers handen vlogen naar het dashboard, zodat hij niet tegen de voorruit klapte.

Brix hoorde alles. Hij begon te schreeuwen.

De vrachtwagen stond stil met draaiende motor, alle lichten aan. Zo breed dat er niemand meer langs kon.

'Juncker? Wat is er aan de hand? We zien op de gps dat je stilstaat.'

'Hij is onder de brug gestopt. Misschien kijkt hij op de kaart of zoiets.'

Het was moeilijk om iets te onderscheiden in het donker. De cabine was aan het zicht onttrokken.

'Loopt de motor?' vroeg Brix.

De uitlaat trilde. Roetige rook pufte de nachtlucht in.

Ze hoorden nog net het geluid van een dichtslaand portier.

'Shit!' schold Madsen en hij vloog nog voor Juncker de auto uit.

Met getrokken pistool, zaklamp, huiverig, buiten adem, liepen ze ieder langs een kant van de vrachtwagen. Liepen langs de container. Kwamen bij de cabine. De voorzijde.

De achterlichten van een auto verdwenen in de verte terwijl Junckers gevloek werd overstemd door een trein die over de brug denderde.

Toen het geluid was weggestorven, pakte hij zijn mobilofoon.

'We zijn hem kwijt. Hij heeft de brug geblokkeerd. We kunnen er niet langs. Hij heeft de container achtergelaten, maar...'

Dit was allemaal gepland.

'Hebben we iemand aan de andere kant?' vroeg Juncker.

Het bleef stil, dus wist hij genoeg.

Het radiokanaal stond open. De mannen bij de brug en de achtergelaten vrachtwagen konden Brix horen roepen.

'Lund. We hebben een probleem. Lund? Meld je...'

Een langdurige stilte, daarna een bekende stem.

'Borch hier. Ik ben bij die werkplaats. Er is niemand bij hun auto. Ik heb zojuist haar telefoon op de grond gevonden. Brix?'

Niets.

Een halve kilometer verderop keek de PET-medewerker naar de troosteloze rij leegstaande gebouwen en hij vroeg zich af waar ze was.

Het was een oude Ford-bus die rook naar dieren, waarschijnlijk honden. Hij belde toen ze wegreden van de werkplaatsen. Zei dat ze in het handschoenenvakje moesten kijken. Daar lag een goedkoop navigatiesysteem, met een voorgeprogrammeerde route. Een robotachtige stem wees hun de weg.

Slingerende, landelijke weggetjes. Kronkelige bochten. Toen, eindelijk, een bredere weg die eigenaardig leeg was.

'Heb je enig idee waar we zijn?' vroeg Zeuthen.

'Jij?' zei ze. Ze bedoelde het niet onvriendelijk.

Waar ze ook mochten zijn, dit was een plek waar mensen als Robert Zeuthen waarschijnlijk nooit kwamen.

De weg werd breder. Nog steeds geen verkeer. Toen een bord: wegwerkzaamheden verderop. Doodlopende route.

Lund bleef de stem van de GPS volgen. Uiteindelijk kwamen ze bij een brug over een brede rivier. Het kon niet ver van de haven zijn. Ze kon de zilte geur van de Øresund ruiken.

Verkeerspylonen en gele knipperlichten. De wegwerkers waren al naar huis. Er was maar één rijbaan beschikbaar. Voor hen werd de weg geblokkeerd door een rood-witte slagboom. Daarachter lag zo te zien net gelegd asfalt.

Lund ging stapvoets rijden en stopte.

De GPS verkondigde: 'U hebt uw bestemming bereikt.'

Brix had hier geen teams in de buurt, dat wist ze zeker. De man had zijn doel bereikt: ze waren hier met zijn tweeën.

Ze liet de koplampen branden, stapte uit. Zeuthen deed hetzelfde. De bovenbouw van de brug was verlicht. Ook de weg ernaartoe werd verlicht door een aantal straatlantaarns.

Aan de andere kant van de brug stond een grote vrachtwagen geparkeerd, lichten aan. In de cabine was niets te zien.

Zeuthen begon erheen te lopen, handen in de zak, zijn jaspanden flapperend in de wind.

'Blijf hier,' zei Lund tegen hem. Hij luisterde niet. 'Robert! We weten niet wat hij wil.'

Hij keek naar haar om, wrokkig. Schuifelde nog wat, bleef toen staan.

De nieuwe telefoon ging over.

'Stuur Zeuthen. Als ik hem heb, laat ik het meisje vrij.'

Lund keek achter haar en voor haar. Nergens was iets te zien.

'Dit gaat niet werken,' zei ze. 'Onze route is bekend. De hele buurt is afgezet. Je kunt hier niet ontkomen. Laten we praten...'

Die lach weer.

'Je weet niet van opgeven, wel? Als je mensen hier waren zou ik geen tijd hebben voor dit telefoontje. Dan zou ik al dood zijn. Toe. Ik wil jou geen

161

kwaad doen. Stuur hem nu hierheen. Ik vraag het niet nog een keer.'

Zeuthen had kennelijk aan haar gezicht gezien hoe het zat.

'Ik ga,' zei hij. Hij stak de brug over, in de richting van de lampen van de vrachtwagen.

'Robert! Blijf hier. Als je dood bent heeft hij geen reden meer om haar te laten gaan. Luister naar me!'

Ze posteerde zich pal voor hem, legde een hand tegen zijn borst.

'Er komt hier dadelijk politie. We kunnen onderhandelen. Als hij jou eenmaal heeft, kan hij doen wat hij wil.'

Hij wilde nog steeds gaan.

'Ik doe dit wel,' zei Lund en ze begon te lopen.

Hartmann had Rank weer in zijn kantoor, vastbesloten dat dit de laatste keer zou zijn.

'Heb je nou wel of niet een ontmoeting met Peter Schultz gehad?'

Birgit Eggert was ook aanwezig. Dat leek verstandig.

'Dit begint vervelend te worden,' zei Rank een beetje gepikeerd. 'Ik heb dat allemaal al verteld. Niet dat ik weet.'

'En dit dan?'

Karen Nebel had de foto's in handen gekregen via een contactpersoon bij de pers. Hartmann smeet ze op het bureau.

'De bewakingscamera's van het ministerie van Justitie. Twee jaar geleden. Een week nadat dat meisje in Jutland was gevonden.'

Rank bekeek ze langzaam, stuk voor stuk.

'Waar hebben jullie over gesproken?' vroeg Hartmann.

'Dat weet ik niet meer.' Hij keek op. 'Als jij een oppervlakkige kennis op de gang sprak, zou je je dan twee jaar later nog herinneren waar het over ging?'

'Is dat je reactie als deze foto's in de krant verschijnen? Ze hebben ze. Ga jij dan gewoon beweren dat je je niets kunt herinneren? Werkelijk...'

'Genoeg!' schreeuwde Rank. 'Ik ben altijd een trouwe minister geweest, Troels. Een van je bewonderaars. Ik heb je gesteund...' Hij wierp een blik op Eggert. 'Toen anderen jou een te groot risico vonden.'

'Dat ligt achter ons,' zei Hartmann. 'Ik wil de waarheid weten.'

Tien stappen, pistool in haar laag gehouden rechterhand, telefoon tegen haar linkeroor. Hij ging weer over.

'Lund. Waar wacht je op?'

'Ik kom Emilie halen. Ik wil haar zien.'

'Ik heb gezegd dat je Zeuthen moest sturen.'

Hij klonk kwaad. Dat was voor het eerst.

'Robert komt als hij weet dat zijn dochter veilig is. Dat lijkt me redelijk.

Je wilde een overeenkomst. Die heb je nu.'

'Wat is dit?' schreeuwde hij. 'Waarom geef jij om die mensen? Waarom riskeer je je leven voor dat soort lieden?'

'Omdat ze onschuldig zijn. Net als Louise Hjelby. Zeuthen heeft haar niets gedaan. Hij heeft zijn uiterste best gedaan om ons te helpen uitzoeken wat er is gebeurd.'

Ze kwam dichterbij. Ze rook de geur van diesel in de ziltige zeelucht.

'Kom niet aan met dat soort gelul...'

'Het is de waarheid. Wat er gebeurd is was vreselijk. We proberen de gemaakte fouten te herstellen. Maar Robert Zeuthen had er niets mee te maken.'

Ze kon nog steeds niets zien, kon nergens uit opmaken waar hij was.

'Je liegt. Zeeland heeft die zaak onder het tapijt laten vegen. Zeuthen is verantwoordelijk en dat weet je.'

'Doe even normaal,' riep Lund. 'Denk je dat een man als Zeuthen al die moeite zou doen om drie zeelieden te redden? Geloof je dat? Ik dacht dat je slimmer was.'

Ze hoorde hem vloeken.

'Vraag het Zeuthen,' zei hij.

Haar vinger kromde zich om de trekker. Nog steeds was hij nergens te bekennen.

'Dat hoef ik niet. Ik weet dat hij er niks mee te maken had. Overgaard en Peter Schultz hebben met de rapporten geknoeid. Louise verdween een dag eerder dan zij beweerden. De Medea lag toen nog niet in de haven.'

Een laag, onverstaanbaar gegrom.

'Heb je me gehoord? Die zeelieden waren nog niet in het land toen zij werd vermist. Je bent vanaf het begin achter de verkeerde mensen aan gegaan.'

Te veel dingen om over na te denken. Ze liep. Zag niets. En iets zei haar dat hij in dezelfde positie verkeerde.

'Je hebt drie onschuldige mannen vermoord. Die zeelieden hebben haar alleen maar gevonden. Schultz heeft hen ervan overtuigd hun verklaring te veranderen zodat het op zelfmoord leek. Dat hebben ze jou ook verteld, nietwaar?'

De motor van de vrachtwagen liep nog. Er zat niemand achter het stuur.

'Heeft Schultz tegen je gezegd dat het Zeuthen was?'

Geen antwoord.

'Dat vermoedde ik al,' zei Lund. 'Wie hij ook in bescherming nam, het was niet Zeeland.'

De koplampen waren zo fel dat ze de hand met het pistool voor haar ogen moest houden.

Lund hief haar hand hoger en zei: 'Ik ga mijn wapen nu weggooien. Ik ben verder ongewapend.'

Ze hurkte neer, legde het pistool op de grond en schopte het weg.

'Als Emilie veilig is kunnen we praten. Ik wil dit net zo graag tot de bodem uitzoeken als jij.'

Lund liep langzaam verder en kwam bij de bestuurderskant van de cabine. Het portier stond op een kier. Lund klom naar binnen.

Leeg. Een gordijn dat de ruimte erachter aan het oog onttrok. Ze trok het open, scheen met haar zaklamp in de laadruimte.

Niets.

'Allemaal mooie woorden, Lund. Maar te laat. Die man verdient het net zo veel te lijden als ik.'

Bezorgd, wanhopig wordend viel ze half uit de cabine en keek weer over de brug.

'Hij heeft er niets mee te maken!'

Ze werd getroffen door een plotselinge koude windvlaag. Zeuthen liep alleen over de brug en maakte een verwarde indruk.

Toen hoorden ze het allebei. Een eenzaam, hoog stemmetje in de wind.

'Papa! Kun je me horen? Papa!'

Zeuthen keek om zich heen. Lund deed hetzelfde.

Het meisje was nergens te zien.

Toen hoorden ze haar kreet opnieuw en wisten ze het.

Hij was eerder bij de rand van de brug dan zij, handen op de reling, proberend iets te zien in het duister onder hen. Een nieuw geluid. Het lage, gestage gebrom van de motor van een boot. Net zichtbaar in zijn eigen lampen op het water voer een kleine boot in de richting van de brug.

'Papa!'

Daar was ze en alles wat Zeuthen kon doen was haar uitzinnige kreet beantwoorden als een gewond dier dat zijn verloren jong probeerde terug te vinden.

Lund pakte haar pistool weer op. De kreten van het meisje veranderden in gegil en daarna in geschreeuw.

Bij de reling was duidelijker wat er gebeurde. Een speedboot met een lange neus en een licht aan de achterkant.

Het dek was grotendeels in schaduwen gehuld. Toch richtte Lund haar pistool op het water.

Toen zagen ze het. Een man in het zwart. Een kleine gestalte die worstelde bij de achtersteven. Terwijl Lund en Zeuthen toekeken trok hij een blauw stuk zeildoek over het hoofd van het meisje.

Ze probeerde te richten. Vertrouwde zichzelf niet. De boot verdween onder de brug. De kreten van het meisje klonken nu gedempt.

Zeuthen rende al naar de andere kant van de brug, schreeuwend.

Een auto stopte met gierende banden achter de witte bestelbus. Borch sprong eruit.

Lund hield de telefoon bij haar oor. Bood hem alles wat hij maar wilde. Rende om zich bij de twee mannen aan de overkant te voegen.

Toen ze daar was klonk er geen geschreeuw meer. Borch probeerde zijn wapen op het water te richten. Zeuthen hing over de reling.

Van beneden alleen het gestage gedreun van de motor.

De boot dook op. Het geluid werd luider. Een enkele gedempte kreet, toen niets meer.

Lund keek. Lichten aan de waterkant, rood en groen. Lichten op de brug. Lichten, klein en zwak, aan boord van het schip daar beneden.

Ze kon niet anders dan toekijken. Anderen hadden misschien met hun ogen geknipperd, maar zij zag alles.

Dit was iets om getuige van te zijn en te onthouden.

De boot.

Robert Zeuthen die schreeuwde.

Lund bekommerde zich niet meer om de telefoon. Zwaaide haar pistool over de reling.

De man met de bivakmuts had een blauwe bundel in zijn armen. Een wapen in zijn rechterhand.

Zijn hand bewoog naar achteren. Een schot in het hoofd. Onder het doek bewoog iets.

Robert Zeuthen schreeuwde: 'Nee!'

De zwarte arm bewoog terug naar voren. Een tweede kogel in de borst. Het zeildoek schokte omhoog.

Borch vuurde in het wilde weg. Het water spatte op bij de achtersteven.

Toen sjorde de man de logge vorm naar de zijkant van de boot. Er was iets oranjekleurigs aan bevestigd met een stuk touw.

Lund herinnerde zich de foto's die ze aan Overgaard hadden laten zien: een blok cement dat de dode Louise Hjelby onder water moest houden.

Een wrede en opzettelijke verwijzing. Het zware gewicht ging als eerste overboord. De blauwe bundel daarna.

Het water slokte haar op.

Nog meer schoten. Borch weer. Lund nu ook.

De lichten op de kleine boot gingen uit. Het geluid van de motor zwol aan tot een gebrul. Ze konden nog net zien hoe de scherpe boeg oprees uit het water na de plotselinge explosie van vermogen.

Ze schoten hun wapens leeg op niets en ze wisten het.

Geen woorden.

Lund keek naar Robert Zeuthen. Zijn jas lag op de grond, samen met zijn colbertje en kogelvrij vest. In zijn das en vest klom hij over de reling, klaar om te springen.

Ze stak een hand op, zorgde ervoor dat Borch ophield met vuren. Hij sprong op de man af, maar het was te laat.

Robert Zeuthen viel omlaag, in het zwarte water. De voeten eerst, maaiende armen, slechts één gedachte in zijn hoofd.

Slechts één woord kwam gillend uit zijn mond tijdens zijn val.

Emilie. Emilie. Emilie!

Een kwartier lang zetten ze Mogens Rank onder druk. Hartmann. Birgit Eggert.

Maar als echte jurist wist hij een muur op te trekken waar niemand doorheen kwam.

Uiteindelijk verloor Hartmann zijn geduld.

'Vertel me de waarheid of ik ga naar de PET. Dyhring steunt je niet langer. Het is afgelopen.'

Door zijn dikke brillenglazen staarde Rank naar hem terug. Dacht even na.

'Vreemde manier om je dankbaarheid te tonen, Troels. Dat hebben ze me al verteld toen ik je bleef steunen waar anderen afhaakten. Ik had beter moeten luisteren, denk ik.'

'Gooi hem toch gewoon voor de wolven,' viel Eggert in de rede. 'Waarom zouden we nog meer tijd verknoeien?'

Hij keek haar glimlachend aan.

'Is Troels dan de volgende? De waarheid is dat ik zeker wilde zijn dat alles juist werd afgehandeld. Zeeland werd genoemd. We waren… we zijn zeer nauw bij hen betrokken. Wat ik heb gedaan was in het belang van de partij…'

'En daarom word ik nu door de pers aan het kruis genageld?' schreeuwde Hartmann. 'Jij hebt een moordonderzoek gefrustreerd. En nu betaalt Robert Zeuthen de rekening. En wij ook.'

'Dat heb ik helemaal niet gedaan. Ik heb niets gedaan wat tegen de wet was. Dat zou ik nooit doen, niet voor Zeeland en niet voor jou. Geloof me. Dit gaat de verkeerde kant op…'

'Jij hebt die zaak vroegtijdig laten sluiten! Je hebt informatie achtergehouden…'

De deur ging open. Karen Nebel, met Weber achter zich. Rank schudde zijn hoofd en staarde naar de tafel.

'Verdomme!' schreeuwde Hartmann. 'Kijk me aan als ik tegen je praat. Waar was je in godsnaam mee bezig?'

'Ze zeggen dat hij haar heeft neergeschoten,' viel Nebel hem in de rede. 'Emilie Zeuthen is dood.'

Rank zette zijn bril af, sloot zijn ogen. Birgit liet een gesmoorde, bittere vloek horen.

Hartmann opende zijn mond om iets te zeggen. Maar hij vond de woorden niet.

Dertig minuten later was de brug aan alle kanten verlicht. Politie en ambulances stonden dwars op de weg. Lund stond in haar eentje aan de waterkant beneden, Borch vlakbij, te geschokt voor woorden.

Brix liet hen met rust.

Asbjørn Juncker werkte samen met het duikteam. Een helikopter was ingezet om de rivier tot aan de haven in de stad te observeren. In het donker, op zoek naar een kleine boot zonder lichten... niemand koesterde veel hoop.

'Enig teken van het meisje?' vroeg Brix.

'De rivier staat hier onder invloed van de getijden,' zei Juncker. 'De stroming is sterk. Ze kan overal liggen. Ze zeggen...' Hij veegde met de mouw van zijn jasje over zijn vermoeide ogen. 'Ze verwachten haar binnen een paar uur te vinden.'

Het geluid van een aankomende auto. Er stonden nu zo veel voertuigen dat niemand meer oplette. Toen klonk een zachte, bezorgde vrouwenstem die haar naam riep.

'Waar is ze?' vroeg Maja Zeuthen. Ze stapte op Brix af, die bij het water stond, uittorenend boven de mannen om hem heen.

Lund keek toe, wilde iets zeggen. Dit was haar taak. Haar verantwoordelijkheid. Toen zag de vrouw een andere persoon bij de oever. Robert Zeuthen, huiverend in een deken die hij van Borch had gekregen nadat hij hem uit de rivier had opgevist.

Zeuthen had zijn das verloren. Zijn natte haar zat in de war. Zijn broek was drijfnat. Maar zijn ogen waren het meest veranderd. Ze straalden angst uit. Hij had iets gezien wat hij zich nooit had kunnen voorstellen.

'Robert?' vroeg zijn vrouw.

Hij rilde onder de deken, zei niets. Ze bleef voor hem stilstaan, stak geen troostende hand uit.

Schudde haar hoofd en zei, met stokkende stem: 'Dat kan niet waar zijn. Dat kan niet... Robert... nee.'

Een team duikers in oranje pakken rolde hun rubberbootje naar de rivier en duwde het vanaf de trailer het zwarte water op.

Maja Zeuthen huilde, vertoonde die hysterische uitputting van iemand die werd geconfronteerd met een plotselinge, gewelddadige dood. Niets nieuws. Lund had het al zo vaak gezien. Voelde zich telkens weer machteloos.

'Sarah...'

Borch kwam dicht bij haar staan, probeerde een hand op haar schouder te leggen. Zijn stem was in de loop der jaren niet veranderd. Hij kon nog steeds teder klinken als hij dat wilde. Aardig, troostend. Graag bereid om de pijn te verzachten met affectie. Zelfs met liefde.

Maar stel dat de pijn verdiend was? Stel dat er achter die pijn kennis lag?

'We hebben alles gedaan wat we konden,' zei hij en hij raakte haar hand aan. 'Alles.'

'Nu even niet,' zei Lund. Ze trok zich terug in het duister, buiten het bereik van de schijnwerpers en de drukte van de mensen om hen heen.

5

Zondag 13 november

Ze kon niet slapen. Er bleef een beeld in haar hoofd rondspoken. Een stevig gebouwde gestalte die een zak van blauw zeildoek over het hoofd van het kind trekt terwijl de boot op het punt staat onder de brug te varen. Ze verdwijnen uit het zicht. Het gebrom en de echo van een motor onder het gewelf van de brug. Het kleine vaartuig duikt aan de andere kant weer op. Twee schoten. Het dikke zeildoek springt op. Een bundeltje dat ruw over de achtersteven wordt gedumpt, verzwaard met een oranje betonblok.

Een andere herinnering. Troels Hartmanns zwarte campagneauto die uit het kanaal wordt getakeld in de buurt van een berkenbos dat Pinseskoven wordt genoemd. Het Pinksterbos. Water dat langs de portieren naar buiten stroomt. Een jammerlijk lijk in de kofferbak. Een paling die zich om het naakte been van het meisje slingert. Nanna Birk Larsen, negentien jaar toen ze stierf. Het zoveelste onschuldige slachtoffer dat in de duisternis verloren was gegaan.

Lund zat huiverend in een gammele stoel in de tuin van haar kleine bungalow en keek naar de dode struiken en verwelkte bloemen.

Ze was niet ziek maar ze zou willen dat ze zich beter voelde. Ze had geen depressie, maar ze vroeg zich af hoe het zou voelen om gelukkig te zijn.

Korte filmpjes die steeds in haar hoofd werden afgedraaid verdreven die dromen. En dat zou zo blijven tot het moment dat ze het verleden zou kunnen begraven.

'Sarah?'

Eva keek geen tv en las geen kranten. Marks vriendin leefde volkomen buiten de wereld die Lund en haar collega's volledig absorbeerde. Niets deed ertoe, behalve het onmiddellijke leven om haar heen en het kind dat in haar buik groeide.

'Ik heb thee gezet. Die ik zelf bij me had.'

Ze droeg een ochtendjas over haar spijkerbroek en een nachthemd. Trok een tweede gammele stoel bij en overhandigde haar de mok.

Lund proefde het gedachteloos. De thee deed haar denken aan badzout.

'Kruidenthee,' zei Eva, terwijl ze een toostend gebaar maakte. 'Goed voor je.'

Lund glimlachte geforceerd.

'Ik hoop dat ik nog een nacht mag blijven. Ik heb in tijden niet zo goed geslapen. Het is hier zo heerlijk rustig.'

Ze maakte een opgewekte indruk, maar daarnaast had ze ook iets breekbaars en bangelijks. Ze had geen flauw benul van de zaak die ongetwijfeld heel Denemarken op stelten zou zetten.

'Ik heb een beetje rugpijn, maar je bed is fijn. Als de baby schopt... oeps!' Ze keek Lund stralend aan. 'Had jij dat ook?'

Ze wachtte niet op een antwoord. Ze zat te babbelen, zenuwachtig.

'Ik heb een paar kussens van de bank gepakt. Nu gaat het wel.'

Lund zette de thee naast zich neer.

'Heb je hem nog gesproken?' vroeg Eva.

Ze schudde haar hoofd en vroeg afwezig: 'Wie?'

'Mark.' Haar stem had een ongecompliceerde blijmoedigheid die op den duur irritant kon worden. 'Je had gelijk. Het was gewoon een ruzietje.'

'Ik heb het wel geprobeerd,' zei Lund. 'Er kwam iets tussen. Het lukt vandaag wel.'

'Het geeft niet. We redden ons wel. Ik heb vandaag een echo. Daar zal hij ook wel naartoe komen.'

Lund stond op, pakte een roestige snoeischaar uit een plantenpot en knipte een paar takjes van de struik voor haar. Ze probeerde zichzelf wijs te maken dat dit telde als snoeien.

Eva keek toe.

'Het is gewoon routine, denk ik. Ik ben nog steeds bang voor ziekenhuizen. Je hoort zo veel verhalen. BOPA heeft gebeld.'

'OPA,' corrigeerde Lund haar.

'Ja. Zoiets. Ze zeiden dat ze terug zouden bellen. Jij hoefde dat niet zelf te doen. Sarah?'

Lund keek haar verbaasd aan.

'Die takken die je van die struik knipt,' voegde Eva eraan toe. 'Dat ding is dood. Je krijgt hem niet meer levend.' Ze tikte op de stam. 'De wortels zijn kapot. Als je hem uit de grond trekt...'

Lund greep de struik met beide handen beet en trok. De hele struik kwam uit de pot, één grote verdroogde klont.

'Je zou het hier best leuk kunnen maken als je de goede planten kiest,' ging Eva verder. 'Ik heb vroeger in een tuincentrum gewerkt.'

Lund kon haar brede, onschuldige glimlach niet verdragen. Eva had het kennelijk in de gaten.

'Nou,' zei ze. 'Ik ga een bad nemen, als dat goed is.' Ze pakte Lunds mok.

'Ik zal de volgende keer gewone thee voor je maken. Sorry.'
Lund keek haar na. Smeet de dode struik in de heg. Ging naar haar werk.

Een half uur later, weer in het naargeestige commandocentrum in de Politi-gården, luisterde ze hoe Madsen het team op de hoogte bracht van de laatste ontwikkelingen. De speedboot was verlaten aangetroffen in de haven dicht bij de Zeeland-terminal. Juncker verzamelde informatie over scheepsbewe-gingen door de Øresund. Brix achtte het mogelijk dat de kidnapper had aan-gemonsterd op een schip en het land uit was gevlucht.

Lund keek naar Junckers steeds langer wordende lijst. Het was druk in de haven. Er vertrokken schepen naar Rusland, Zweden, Noorwegen, Groot-Brittannië en verder.

'Als hij op een van die schepen zit…' zei Madsen en hij zweeg.

'Waar is Brix?' vroeg ze.

Madsen trok een gezicht.

'Hedeby heeft hem naar boven laten roepen voor een gesprek met de hoge heren. Er wordt een onderzoek ingesteld.'

'Wat verwacht je anders?' mokte Asbjørn Juncker. 'We hebben het hele-maal verkloot.'

Ze nam vluchtig de scheepsbewegingen door.

'Als hij op een van die schepen zit kunnen we hoe dan ook niet veel doen.'

Juncker keek haar nijdig aan.

'Moeten we het dan maar opgeven?'

'Dat zei ik niet, of wel soms?' antwoordde Lund. Haar stem klonk te hoog en te luid. 'We hebben gedaan wat we konden. Ik weet niet wat we nog meer…'

'Je had op ons kunnen wachten,' wierp de jonge politieman haar voor de voeten.

'Nee, Asbjørn. Dat kon niet. Jij was er niet bij. Je hebt niet gezien…'

'Je had hem in het ziekenhuis kunnen neerschieten.'

Genoeg.

'Voor iemand die nog niet droog is achter de oren heb je heel wat praatjes.'

'Misschien moet het gezegd worden, Lund! Je hebt alles gedaan wat hij vroeg. Je hebt haar laten sterven voor de ogen van haar vader…'

'Juncker!' kwam Madsen tussenbeide. 'Hou je kop. Neem even een pauze. Je zit te zwetsen.'

'Is dat zo?'

Maar hij stond wel op. Lund zag dat hij nog steeds onder de modder zat van de avond ervoor. Hij was niet thuis geweest.

'Hij bedoelt het niet zo kwaad,' zei Madsen toen hij de deur uit was.

Lund bladerde nog steeds door de papieren.

'Er staat hier niets over het lijk.'

'Ze denken dat ze het betonblok hebben gevonden. Ze kunnen het niet loskrijgen omdat het vastzit aan een of ander wrak. Misschien ligt ze in de modder eronder.'

'Laat de ouders weten dat ik hen op de hoogte wil stellen. Als ze daar klaar voor zijn.'

Madsen knikte.

'Juncker zit er helemaal doorheen. Het is zijn eerste grote zaak. Hij lijdt eronder.'

'Hij meende het,' zei ze. 'Misschien heeft hij wel gelijk. Bel de Zeuthens. Eens kijken wat zij vinden. O, en zeg tegen de PET dat ze contact moeten opnemen met Interpol. Dat is hun zaak.'

Madsen knikte naar het aangrenzende kantoortje.

'Borch is hier. Hij is ook de hele nacht niet thuis geweest. Je kunt het hem zelf vertellen als je wilt.'

In Drekar kwam Robert Zeuthen met onvaste tred het kantoor binnen. Hij liep er slodderig bij, rook naar cognac en leek niet helemaal te beseffen waar hij was: in de gewone realiteit of nog in de wereld van die afschuwelijke, onophoudelijk terugkerende nachtmerries.

Hij opende zijn ogen. Daar hing het schilderij. De grijze zee, dreigende golven, de bokkende Zeeland-draak. Het doek waar Emilie altijd een grote hekel aan had gehad.

Naar, vond ze. Eng.

Op een bepaald moment – hij kon het zich niet meer zo goed herinneren – had Zeuthen een fles drank naar het schilderij gesmeten. Bruine vlekken drupten van de bevroren zee omlaag en sijpelden op het dure tapijt eronder.

Hij ging daar een tijdje op zijn hurken zitten, probeerde de nachtmerrie te ontkennen. Toen het tot hem doordrong dat dat niet zou lukken ging hij naar boven, nam een douche, trok een nieuwe wollen pantalon aan, een schoon wit overhemd en een das. Kamde zijn haar. Poetste zijn tanden. Schoor zich. Werd de man die hij moest zijn.

Toen hij beneden kwam was Niels Reinhardt bezig een paar ochtendkranten in de vuilnisbak te proppen. Op alle voorpagina's stond een foto van Emilie.

Zeuthen liep naar het raam. Zag dat het een zonnige, gewone dag was voor november. Staarde naar het gras en de oceaan erachter.

'Ik weet niet wat ik moet zeggen,' zei Reinhardt. 'We zijn allemaal vreselijk geschokt. Als er iets is…'

Zeuthen kon alleen maar staren naar het vlakke grasland. Hier had het hele gezin in de zomerhitte gespeeld. Hij kon zich haar voor de geest halen, wild tegen de voetbal van Carl schoppend, lachend terwijl hij wegvloog.

'Er zijn veel condoleanceberichten binnengekomen,' voegde Reinhardt eraan toe. 'Je hoeft voorlopig niets te doen. Ik handel het allemaal wel af. De media en zo. Een paar verslaggevers hebben geprobeerd het landgoed op te komen.'

Reinhardt liep naar het raam toe.

'Die komen niet meer terug.' Hij aarzelde. 'De politie heeft me gebeld. Ze denken dat ze haar hebben gevonden. Er zijn nog wat problemen, maar ze denken dat ze Emilie snel kunnen opduiken.'

Zeuthen sloot zijn ogen.

'Ik vrees dat ze haar eerst naar de forensische afdeling zullen brengen. De politie zegt dat ze je een volledig rapport over de stand van zaken willen geven. Wanneer laten ze helemaal aan jou over.'

Twee jaar geleden, toen Zeuthens vader overleed, had Reinhardt ook alles geregeld. Een betrouwbare steun in tijden van verdriet.

'Ik laat de praktische zaken graag aan jou over,' zei Zeuthen, die weer uit het raam stond te staren. 'Neem contact op met de priester. Zeg tegen Maja dat ik me volkomen zal aansluiten bij haar wensen.'

'Carl is bij zijn oma en opa. Hij weet nergens van. Jij en Maja moeten zelf maar beslissen wanneer jullie…'

Regende het? Was het daarom zo'n nare, zwarte dag?

Zeuthen tuurde naar het levenloze gazon, de zee erachter, en hij besefte dat hij huilde.

'Ik laat je even alleen,' zei Reinhardt en hij liep langzaam en stilletjes de kamer uit.

Zo te zien had Mathias Borch zich het kleine kantoortje helemaal toegeëigend. Er hingen foto's aan de muur. Emilie. De lijken van de zeelieden. Schultz en Lis Vissenbjerg. Hij was druk in de weer toen ze binnenkwam, stond bij het kopieerapparaat, waar pagina na pagina uit rolde.

'Brix denkt dat hij het land uit is gevlucht,' zei Borch toen ze binnenstapte. 'Waar hij dat op baseert…'

'Waarom ga je niet gewoon naar huis, Mathias. Je hebt een gezin…'

De manier waarop hij haar aankeek beviel haar niet.

Een van de jongere PET-medewerkers die samenwerkte met het team van de Politigården stak zijn hoofd door de deuropening en zei dat Dyhring onmiddellijk een rapport over de situatie eiste.

'Ja, ja, Kasper,' antwoordde Borch en hij wuifde hem weg. 'Waarom is hij met die speedboot helemaal naar de haven gevaren? Hij had hem overal kunnen achterlaten. Had een auto kunnen klaarzetten. Ik snap niet…'

'Het is niet meer ons probleem. Interpol neemt het over. Madsen stuurt hun al het materiaal.'

Hij liep naar de wand en de foto's op het klembord. Lund bleef waar ze was. 'Die man heeft al zijn acties precies gepland. Hij ontvoert Emilie Zeuthen. Hij vermoordt die zeelieden. De aanklager. De patholoog-anatoom. Vervolgens wijst hij een ontzaglijke som geld af, alleen maar omdat hij een vergeten misdrijf in Jutland wil wreken.'

'Ja,' zei ze en ze ging zitten.

'Maar jij vertelt hem dat de kans bestaat dat hij zich vergist over Robert Zeuthen en wat doet hij?' Borch maakte van zijn rechterhand een pistool. 'Hij schiet het meisje toch neer. Waarom?'

'Doet het er iets toe?' vroeg ze.

'Ja. Als we één ding van hem weten is het wel dat hij zijn daden op een gestoorde manier gerechtvaardigd vindt. Hij beschouwt zich niet als misdadiger. Hij gelooft dat hij een rechtvaardige strijder is die Louise Hjelby wreekt. Maar als hij zichzelf zo ziet, hoe kan hij dan Emilie vermoorden alsof haar leven niets waard is?'

'Hij heeft het nu eenmaal gedaan. Ga nu maar naar huis, oké? Laten we dit aan Interpol overlaten...'

'Ik ben al thuis geweest.'

Hij keek haar niet aan toen hij dat zei. Nam een pakje sigaretten van tafel en stak er een op.

'Ik wist niet dat je rookte.'

'Dan weet je dat nu.'

Ze trok de sigaret uit zijn mond, doofde hem op het bureaublad en gooide de peuk in de afvalbak.

'Dat mag hier niet meer.'

'Ik zat buiten in de auto. Keek hoe Marie het ontbijt klaarmaakte voor de meiden.' Hij pakte een nieuwe sigaret en stak hem op. Ze deed niets. 'Het zag er allemaal zo gezellig uit. Ze zaten waarschijnlijk te kletsen over wat ze zouden gaan eten, wanneer ze zouden gaan zwemmen.'

Hij keek haar aan.

'Ik kon daar niet naar binnen gaan.' Hij wees naar de foto's aan de wand. 'Niet zolang dat daar nog door mijn hoofd spookt. We kunnen die vent vinden, Sarah. Ik geloof niet dat hij gevlucht is. Zo is hij niet. We hebben iets over het hoofd gezien. Het is net alsof...' Hij klopte op zijn broekzakken, maakte even de indruk van een krankzinnige. 'Alsof ik mijn telefoon kwijt ben. Of mijn sleutels...'

Er werd opnieuw geklopt. De PET-man Kasper stapte het kantoor in.

'Dyhring wordt gek. Hij wil je nu spreken.'

De uitbarsting was onverwacht en totaal niets voor hem. Borch trapte zo hard tegen het bureau dat het op zijn kant viel, papieren op de vloer, koffiemok, alles.

'Wat heb ik nou net gezegd?'

Kasper stond daar maar, hand op de deurklink.

'Ja, Borch. Dat is zo. Maar hij blijft maar bellen…'

'Ik kom zo, verdomme! Laat me even met rust.'

Hij pakte zijn jasje, trok hevig aan de sigaret. Stak waarschuwend een vinger naar haar op.

'We zien iets over het hoofd, Sarah. Denk erover na.'

Hartmann verscheen die ochtend niet in zijn kantoor in Christiansborg. Weber en Karen Nebel probeerden zijn appartement. Toen kregen ze van de beveiliging te horen dat hij in zijn oude huis in Østerbro zat.

Ze gingen er meteen heen, kibbelend over wat ze nu verder moesten doen. Nebel zat vol positieve kreten over steun en hulp bij het nemen van beslissingen. Weber luisterde terwijl ze het pad naar het huis afliepen en zei: 'Misschien heeft hij gewoon een beetje tijd voor zichzelf nodig.'

'We zitten midden in verkiezingstijd. Als hij niet op zijn post blijft, begint Birgit Eggert weer plannetjes te maken. Hij moet hier niet in dat krot gaan zitten terwijl half Denemarken zich afvraagt wat er aan de hand is.'

Weber zei niets.

'Oké,' zei Nebel begrijpend. 'Jij kent hem al eeuwen. En ik ben het nieuwe meisje dat er totaal niks van snapt.'

'Zo bot zou ik het niet willen stellen. Troels is een vreemde snoeshaan. Hij is simpel maar ook gecompliceerd. Heeft een dikke huid, maar is toch ook gevoelig.'

'O,' riep ze uit. 'Een enigma. Dat zal het goed doen op de verkiezingsposters.'

'Die kant van hem hoeven ze niet te zien. Dat lijkt me beter, geloof me.'

Het meningsverschil leek in hevigheid toe te nemen. Toen hoorden ze iets. Het duurde even voordat ze doorhadden wat het geluid was.

Weber kreunde.

'Mijn god. Hij is weer aan het houthakken.'

Ze liep achter hem aan naar de tuin achter het huis. Hartmann was gekleed in een groene outdoorjas en hakte houtblokken met zijn bijl.

'Hoe gaat het deze ochtend met mijn boskaboutertje?' vroeg Weber monter. 'Gaan we een nieuwe bunker in het bos bouwen?'

Hartmann grinnikte, zag er opgewekter uit dan de afgelopen dagen het geval was geweest. Een stapel netjes in vieren gesplitste houtblokken naast hem, klaar voor het haardvuur.

'Dat is een goeie, Morten. Heb je die eerder gebruikt?' Hartmann wees naar het hout. 'Die moeten naar binnen. Ik ben een vuur aan het stoken. Help eens een handje mee, wil je?'

'Ik doe niet aan handenarbeid,' zei Weber. 'Waarom denk je dat ik de politiek in ben gegaan?'

'Ik heb besloten het huis te houden,' verkondigde Hartmann. 'Het is te mooi om aan iemand anders te geven.'

Hij grabbelde een armvol hout bij elkaar en liep via de openstaande achterdeur naar binnen. Ze kwamen achter hem aan. Hartmann stapelde de houtblokken op naast een grote open haard in de woonkamer.

'Weet je wat het is?' zei hij. 'Dit huis lijkt alleen maar zo koud en eenzaam omdat niemand er aandacht aan heeft geschonken. Als ik het vuur aansteek, verdampt het vocht. Als ik hier weer ga wonen...'

'Beetje ver van kantoor,' merkte Nebel op.

Weber ademde diep in, wierp haar een blik toe, stak van wal.

'Oké, Troels. Even wat recente informatie. De PET gaat zich bekommeren om die geschifte echtgenoot van Rosa Lebech. Hij zal geen informatie meer lekken. Als tegenprestatie hoeft hij dan niet voor de rechter te komen. Ik heb met de politie gebeld...'

'Ik heb besloten af te treden als premier.'

Ze vielen stil. Hij trok zijn handschoenen uit en legde ze zorgvuldig neer op de houtblokken.

'En uiteraard ook als partijleider. Ik had naar jullie moeten luisteren en me niet met de zaak-Zeuthen moeten bemoeien. Het was stom van me om erbij betrokken te raken. Ik kon het niet helpen. Ik ben...'

'Is dit een grap?' schreeuwde Weber hem toe. 'Hou je ons voor de gek of zo? We hebben ons kapotgewerkt...'

'Het komt allemaal door Rank,' onderbrak Nebel hem. 'Niet door jou. Hij moet de schuld krijgen.'

'Nee,' hield Hartmann voet bij stuk. 'Hij was mijn minister. Ik ben verantwoordelijk voor hem. Ik wil geen schandaal over het lijk van Emilie Zeuthen.'

'Ach, schei toch uit!' Weber gaf een trap tegen de stapel haardhout. Een paar blokken rolden over het tapijt. 'Laat je teergevoelige ego er nu eens een keer buiten. Als het nodig is maken we Mogens een kopje kleiner en dat is alles.'

'Ik wil dat je een vergadering belegt met Birgit Eggert,' ging Hartmann verder. 'Mijn besluit staat vast.'

Weber ging voor hem staan.

'Dat soort besluiten mag jij niet nemen. Snap je het dan nog niet? We zijn een team. Dit gaat niet gebeuren.'

'Beleg een vergadering met Eggert,' zei hij nogmaals.

Karen Nebel schudde haar hoofd.

'Je hebt het recht niet om het op te geven. We hebben een heel campagneteam achter ons. Honderden mensen die jou hun vertrouwen hebben geschonken.'

Hartmann knikte.

'Misschien hadden ze dat niet moeten doen. Bel Eggert nu maar, wil je? Ik wil Robert Zeuthen graag persoonlijk condoleren als hij dat aankan. Maak daar ook een afspraak voor.' Hij keek naar zijn vuile handen. 'Ik moet me omkleden.'

Toen liep hij terug naar buiten.

'Dit kan toch niet waar zijn?' mompelde Nebel.

'Ik vrees van wel,' zei Morten Weber. 'Helaas. Als je Eggert spreekt, zeg dan dat hij van plan is af te treden. Van plan. Meer niet.'

De gangen waren lang, donker en bochtig. Soms voelde zelfs Lund zich verloren in het doolhof van het hoekige grijze gebouw van de Politigården.

November. Regen viel op de centrale cirkelvormige binnenhof zonder dak, net als bij het Pantheon in Rome.

Overal brandde licht. Mensen die ze niet kende schuifelden van afdeling naar afdeling, van verdieping naar verdieping.

De OPA werkte in een ander, modern gebouw. Een gewone blokkendoos bij het station. Een plek van veilige verveling en vaste werktijden. Ze zou tijd overhouden om te tuinieren, misschien kon ze Eva om advies vragen wat ze moest poten.

Pas de laatste tijd had ze in de gaten gekregen hoe mensen haar soms bekeken. Onder hun verwonderde, bezorgde blik had ze het verlangen gevoeld om net als iedereen te zijn, om weg te glijden in eenzelfde stompzinnige tevredenheid en de dagen maar gewoon te verduren.

Nu moest ze Maja en Robert Zeuthen onder ogen komen om het onverklaarbare te verklaren. Lund was dergelijke moeilijke situaties nooit uit de weg gegaan. Het was haar taak om het allerergste nieuws te brengen. Maar de Zeuthen-zaak was anders. In haar hoofd begon die zaak meer en meer op gelijke hoogte te komen met de moord op Nanna Birk Larsen. Niet gewoon een wreed, onbegrijpelijk misdrijf. Evenzeer een teken des tijds, een signaal dat de wereld geleidelijk maar gestaag verviel tot een onverschillige chaos.

Lund liep de ontvangsthal in. Ze waren met zijn drieën. Zeuthen weer in een donker pak met een zwarte das. Zijn gezicht stond uitdrukkingsloos. Zijn vrouw droeg de groene parka, haar haar zat verward, haar gezicht was getekend. Naast haar die vriend.

Carsten Lassen bleef achter. Zeuthen en zijn vrouw liepen naar een verhoorkamer en gingen bij het betraliede raampje zitten terwijl Lund tegenover hen plaatsnam.

'We doen ons uiterste best om de moordenaar van uw dochter op te sporen,' zei ze en ze besefte dat haar woorden een echo waren van de woorden die ze had gezegd tegen Pernille en Theis Birk Larsen, zes jaar daarvoor, hoogstwaarschijnlijk aan dezelfde tafel.

Ze vroeg zich af wat die twee deden, nu Theis uit de gevangenis was. Kijkend naar het echtpaar Zeuthen drong een gedachte zich op. De tijd heelde niet alle wonden, maar liefde maakte de pijn wel beter te verdragen. De toewijding van de familie Birk Larsen was zwaar beproefd en uiteindelijk met een vreselijke en definitieve waarheid geconfronteerd. Maja Zeuthen keek haar echtgenoot nauwelijks aan, hoewel hij zijn ogen niet van haar af kon houden. Voor hen leek een dergelijke catharsis niet weggelegd.

'We vermoeden dat hij per schip het land uit is gevlucht,' voegde ze eraan toe. 'Interpol houdt zich met dat deel van het onderzoek bezig. Zij hebben een volledig overzicht van alle scheepsbewegingen...'

Haar stem klonk afstandelijk, alsof hij bij iemand anders hoorde. Als een dominee die een oud gebed reciteerde zonder op de woorden te letten.

'We denken nog steeds dat hij een voormalige Zeeland-werknemer zou kunnen zijn die wrok koesterde.'

Zeiden ze maar iets terug, dacht Lund. Gaven ze maar een blijk van erkenning van elkaars bestaan.

'We kunnen geestelijke begeleiding voor u regelen,' vulde ze aan en ze dacht weer aan een vermoeide priester die hetzelfde oude liedje opdreunde.

'Waar is ze nu?' vroeg Maja met vermoeide, zwakke stem.

'De duikoperatie heeft te kampen met technische problemen. Het spijt me, ik weet het niet precies.'

'Wat had ze aan?'

Zeuthen probeerde vergeefs de blik van zijn vrouw te vangen.

'Jij hebt het toch gezien?' drong Maja aan. 'Jij was er toch bij, Lund?'

'Ik weet het niet precies. Het was erg donker...'

'Ze droeg een donkere jas,' onderbrak Zeuthen haar.

'Was ze bang?'

De vrouw vermeed zijn blik nog steeds.

'Ze zag er niets van,' zei Lund tegen haar. 'Het ging allemaal heel... heel snel. De boot ging onder de brug. Ik weet niet zeker...'

In haar hoofd klonk de stem van Borch, die haar iets duidelijk wilde maken.

'Ik weet niet precies wat ik heb gezien. Ik geloof niet dat ze begrepen zal hebben wat er gebeurde. Ik begreep het zelf niet.'

Maja Zeuthen knikte.

'Ik wil haar zien.'

Lund keek haar slechts aan, vroeg zich af wat ze moest zeggen.

'Hoor je wat ik zeg? Ik wil haar zien.'

'Ik zal het doorgeven. Als er nog iets anders is...'

Zeuthen kwam in beweging, probeerde Maja's hand te pakken, noemde haar naam.

'Nee.'

Het was bijna een gil. Ze rende zo'n beetje het kantoor uit. Door de deur zagen ze hoe Carsten Lassen zijn armen opende en haar omhelsde.

Zeuthen kroop in elkaar op de harde stoel en beet op zijn lip.

Toen staarde hij Lund aan. Ze kende die uitdrukking heel goed: haat, veroordeling.

'Het spijt me echt,' zei ze. 'Ik begrijp nog steeds niet...'

De uitdrukking op zijn gezicht bleef onveranderd. Hij stond op en ging zonder een woord weg.

Lund zat daar in de verhoorkamer en hoorde de stemmen om haar heen. Maja Zeuthen. Pernille Birk Larsen. Zo veel stemmen, en ze stelden allemaal dezelfde vraag... waarom?

Haar in een paardenstaart, beter gekleed dan gewoonlijk, zwarte trui, zwarte broek. Gekleed voor een begrafenis en ze had het zelf niet eens gemerkt. Ze boog zich voorover en stond zich heel even toe te huilen.

Hartmann wilde van geen wijken weten. Tegen het middaguur was hij in het kantoor van Birgit Eggert met Weber aan zijn zijde om de praktische zaken te bespreken. Haar gezicht glom overduidelijk van verwachting.

'Als we doortastend optreden,' zei Eggert, 'en een nieuwe kandidaat kiezen, kunnen we de schade in ieder geval beperken. We maken niet veel kans om een nieuwe coalitie te leiden, maar we moeten er wel een hoofdrol in kunnen spelen.'

Hartmann knikte, liep naar het raam, bleef zwijgen.

'Dit is belachelijk,' kwam Weber ertussen. 'Er is nog nooit een zittend premier opgestapt midden in een verkiezingscampagne. Iedereen zal ons uitlachen.'

'En wat gebeurt er als Troels niet aftreedt?' riep ze. 'Het meisje van Zeuthen is dood. Wij krijgen de schuld. Die zaak kan ons nog jaren achtervolgen.'

'Emilie Zeuthen heeft niks te maken met Troels!' riep Weber.

'Dat gold ook voor dat meisje van Birk Larsen,' antwoordde Eggert. 'Maar toch heeft die zaak hem bijna ten val gebracht.'

Weber glimlachte. Hartmann luisterde.

'Maar dat is niet gebeurd, Birgit. We hebben de storm doorstaan. We hielden stand. We hebben gewonnen. En de mensen die ons bleven vertrouwen zijn nog steeds bij ons. In de groep hier...'

'Denk je dat?' zei ze met een snel lachje. 'Ik heb wat mensen gebeld...'

'Daar ben je al vanaf het begin van deze zaak mee bezig, nietwaar?'
'Iedereen is het erover eens: Troels schaadt de partij.'
'Onzin!'
'Morten! Je bent geen groentje op dit gebied. Hij zal altijd de premier blijven die Emilie Zeuthen niet heeft kunnen redden. Die onze relatie met Zeeland heeft geschaad. Daar kan hij helemaal niets meer aan veranderen.'
Hartmann liep weg van het raam en voegde zich bij hen.
'Zeg in godsnaam iets,' smeekte ze. 'We zoeken naar een uitweg.'
Hartmann knikte.
'Die verdien je ook. Laat Karen een persconferentie beleggen, Morten. Ergens in de loop van de middag.'
'Bekijk het maar, verdomme,' zei Weber. Hij pakte zijn jas. 'Schrijf je eigen overlijdensbericht maar. Ik heb wel wat beters te doen.'

Mark was in hetzelfde ziekenhuis geboren, een paar deuren verwijderd van het kamertje waar Eva nu lag. Haar bolle buik was ontbloot, er zat gel op haar huid terwijl ze wachtte tot de echo gemaakt zou worden.
Lund keek toe met haar jas in de hand. Ze probeerde nog steeds de herinneringen en beelden van de vorige avond te onderdrukken.
De radioloog, een vriendelijke Indiase vrouw, bewoog de sensor voorzichtig over Eva's buik.
Een afbeelding op de monitor naast het bed. Niet veel aan te zien voor de leek.
'De kleine houdt zich vandaag erg rustig, Eva.' Ze wierp een blik op de bezoeker. 'Gaat u zitten. Ik bijt niet.'
Lund trok een stoel bij.
'Ik vind het echt heel fijn dat je meegekomen bent,' zei Eva. 'Zelfs als het meer voor Mark is dan voor mij.'
'De baby heeft zich keurig omgedraaid,' zei de dokter. 'Het zal nu niet meer lang duren. Hier, kijk maar…'
Lund herinnerde zich alle details. Vreemd, het idee van nieuw leven. Een hart, een hoofd, armen, benen.
Eva keek naar de monitor, glimlachte zenuwachtig en pakte Lunds hand beet.
'Mooie vingertjes,' zei de vrouw nog. Ze wees naar het scherm.
'Mark had dit moeten zien,' zei Eva. Ze klonk alsof ze op het punt stond in huilen uit te barsten.
'Nu je hoofd wegdraaien als je niet wilt weten of het een jongen of een meisje is!'
Eva keek weg, zei dat ze de baby voelde bewegen.
Haar hoofd was naar Lund toe gedraaid.

'Kun je het geslacht zien, Sarah?'

Een blauw zeildoek dat over het blonde hoofdje van een jong meisje werd getrokken. De brug. Twee schoten. De stof die bewoog. Een zwarte auto die uit het kanaal bij Pinseskoven werd gehesen, water dat eruit gutste.

Lund zweeg. De dokter keek verbaasd, in verlegenheid gebracht.

'Het ziet er allemaal goed uit,' zei ze. 'Geen problemen. Niets om je zorgen over te maken.'

Eva hapte naar adem en zei dat ze het kind voelde schoppen.

'Ik wacht buiten,' mompelde Lund en ze ging weg.

Er was plaats op een bankje. Ze ging in het midden zitten. Mensen liepen voorbij. Zwangere jonge moeders. Vaders met hun kinderen. Bejaarden. Zieken. Zielenpoten. Stervenden. Een lange, eindeloze processie. Maar het enige wat Lund zag was die kleine gestalte, met die blauwe doek over haar hoofd.

Twee schoten. En dan het zwarte water.

Ze was graag alleen. Ze zou de rest van haar leven kunnen doorbrengen in het kleine rode huisje aan de rand van de stad. Ongestoord. Gaan werken voor de OPA. 's Avonds thuiskomen. Tv-kijken met een biertje en iets te eten uit de magnetron.

Voetstappen. Ze kwamen dichterbij. Iemand ging zitten. Lund keek op.

Borch, gladgeschoren, met de geur van shampoo om hem heen. Schone kleren.

'Brix zei dat je hier was.'

Na één blik keek ze hem verder niet meer aan.

'Ik heb nu geen zin om te praten.'

'Jammer dan. Ik wel.'

'Borch...'

'Gisteravond op de brug heb je hem verteld dat hij zich vergiste. Later vinden we zijn boot. Hij heeft moeite gedaan om sporen na te laten. Om de indruk te wekken dat hij is verdwenen.'

Lund veegde een losse haar uit haar gezicht.

'Ik heb nu geen tijd.'

Ze stond op. Hij liep achter haar aan, de lange gang door.

'Vanmorgen is er ingebroken in het archief van het Maritiem Instituut. Dezelfde werkwijze. Beveiliging uitgeschakeld, net als bij Zeeland. Hij is daar naar binnen geweest.'

Ze versnelde haar pas. Borch paste zijn tempo aan.

'Hier heb ik kopieën van de gestolen papieren.' Een stapel documenten. 'Het gaat om routes en aanmeergegevens van de Medea. Hij heeft gecontroleerd wat jij hem hebt verteld, Sarah!'

Lund keerde zich naar hem toe. Ze wilde niets liever dan hem kwijtraken.

'Het kan me niet schelen. Ik ben klaar met...'

'Nee!'

Borch schreeuwde. Een passerende arts keek hen nijdig aan en legde een vinger op zijn lippen.

Ze draaide zich weer naar hem om.

'Wat is er aan de hand met jou?' schreeuwde Lund. 'Ze is dood.'

'Hij heeft naar je geluisterd. Door jou heeft hij bedenkingen gekregen. Dat betekent iets. Misschien was hij eerst van plan naar het buitenland te gaan en heeft hij zich bedacht. Ik weet het niet, maar door jou is hij gaan nadenken.'

De tranen keerden terug. Lund zette haar vinger tegen haar hoofd.

'Maar we hebben het met eigen ogen gezien. Ik blijf het maar…'

Dat had hij verwacht. Daar had hij op gewacht.

'Wat gezien?'

'Dat hij haar doodschoot.'

Mathias Borch sloeg zijn armen over elkaar.

'Is dat zo?' vroeg hij.

Nebel zat in haar auto bij de zee in Dragør toen Hartmann belde. Ze had een excuus. Een echt excuus. Ze stond op het punt met Mogens Rank te gaan praten. Ze had niet de mogelijkheid om nu dingen voor Hartmann te doen.

Het was een klein huis voor een minister. Een vrijgezellenwoning aan het eind van een huizenblok. Meeuwen hingen in de lucht. Golven sloegen met veel geweld op het strand. De winter was begonnen: korte dagen, lange nachten, maanden koud en nat weer voor de boeg.

Rank was een rustige, bescheiden man. Als hij al ondeugden had, was niemand daarvan op de hoogte. Hij deed zijn werk, ging naar huis, was een beleefde, efficiënte dienaar van de partij.

Ze vroeg zich af of hij haar binnen zou laten. De manier waarop hij was toegesproken… misschien verdiende ze dat wel. Maar Mogens Rank glimlachte gewoon, vroeg haar binnen, zette een kop goede koffie voor haar, liet haar plaatsnemen in een nette woonkamer die rook naar boenwas en waar een prettig houtvuur brandde in de open haard.

'Het spijt me dat deze zaak Troels heeft geschaad,' zei hij voordat ze zelf iets had gezegd. 'Mijzelf heeft het ook weinig goeds gebracht.'

Veel boeken langs de wand. En zo te zien nog gelezen ook. Rank had geen leven buiten de politiek. Dat was wel duidelijk.

'Ik heb de hoorn naast de haak gelegd. Mijn mobieltje uitgezet. De pers blijft me maar achtervolgen. Ik kan niet slapen.'

'Stuur ze maar door naar mij,' zei ze.

Een flauw glimlachje.

'Maar om dat te doen moet ik eerst opnemen, Karen.'

Hij droeg geen das. Dat had ze bij hem nog niet eerder gezien.

'Het is het beste om alles op te biechten, Mogens. Uiteindelijk komt het allemaal toch uit. Geef toe dat je Peter Schultz onder druk hebt gezet…'

'Maar dat heb ik niet gedaan,' riep hij uit.

'Wat heb je dan wel gedaan? Ik wil alleen maar een duidelijke, onweerlegbare verklaring dat Troels hier niets van wist. Dat hij onschuldig is…'

'Net als ik?' onderbrak Rank haar. 'Ik heb Schultz alleen maar gevraagd wat er aan de hand was. Of we ons zorgen moesten maken. O god…'

Hij zette zijn bril af en wreef in zijn ogen.

'Ik heb hier genoeg van. Ik voel me vreselijk. Het spijt me. Ik moet naar bed.'

'Was er iemand anders bij aanwezig? Kan iemand je verhaal bevestigen?'

Rank ademde diep in en schudde zijn hoofd.

'Het was een kort gesprek op de gang aan het eind van een vergadering over een heel ander onderwerp. Natuurlijk waren er geen getuigen bij.'

Nebel pakte haar dossier.

'Je moet ophouden met liegen, Mogens. Anders kan ik je niet redden.'

Hij had zijn bril weer op en keek haar nijdig aan.

'Hoezo liegen?'

Ze liet hem het PET-rapport zien.

'Uit de beelden van de beveiligingscamera's blijkt dat hij twee uur in het ministerie is geweest. Zo lang sta je niet op de gang te kletsen.'

Mogens Rank sloeg zijn armen over elkaar.

'Ik ben het met je eens dat ik je had moeten vertellen dat ik Schultz eerder had ontmoet. Daar ben ik net zomin blij mee als jij. Maar ik verzeker je dat er niets meer heeft plaatsgevonden dan een kort gesprek. Ik heb Schultz gevraagd of we ons zorgen moesten maken over Zeeland vanwege de dood van dat meisje. Hij verzekerde me dat dat niet het geval was. Dat was alles.'

Ze gaf hem de papieren.

'De bewaker heeft gezien dat hij het gebouw betrad om 13.54 uur. Hij vertrok via de ministersuitgang om 16.10 uur.'

'Hij kan overal zijn geweest,' merkte Rank op. 'Hij kan het hele stuk naar Christiansborg te voet hebben afgelegd.'

'Maar dat heeft hij niet gedaan! Dat zouden we gezien hebben. Het…' Ze dacht koortsachtig na. 'Dat zou vastgelegd zijn op de beelden van de bewakingscamera's.'

'Ik vergis me niet,' hield Rank vol. 'Deze keer niet.'

Buiten belde Hartmann weer met de vraag of ze de regelingen wou treffen voor zijn ontslag.

'Laten we daarover praten als ik terug ben,' zei Nebel.

Vroeg in de avond op Drekar. Maja's geweten speelde op en had haar ervan overtuigd dat ze dicht in de buurt van haar echtgenoot moest blijven zolang de zoektocht naar het lijk van Emilie nog doorging. Het was een verdriet dat ze alleen met elkaar konden delen, hoezeer Carsten Lassen ook de pest had aan dat idee.

Maar de bron van dat knagende schuldgevoel deed er lang over om te arriveren. Om vier uur reed Reinhardt naar de Politigården om uit te zoeken hoe het ervoor stond. Om vijf uur had hij nog steeds geen nieuws. Om zes uur kreeg hij te horen dat de duikteams continu last hadden van de stroming en dat ze het betonblok nog van het afval onder water moesten losmaken.

Carl zou tot nader order bij haar blijven. Dat had ze geëist zonder te weten waarom en Robert had zich daar niet tegen verzet. Ziek van het wachten op het volgende telefoontje ging ze naar boven, keek in Emilies kamer. Speelgoed, boeken en kleren slingerden overal rond. Ze ruimde een beetje op, zomaar, zonder reden. Toen ging ze naar de kamer van Carl, zocht naar een paar vertrouwde spullen die ze naar het appartementje in de stad kon meenemen.

Toen ze naar beneden kwam zat Zeuthen in de studeerkamer, zoals altijd gekleed om naar zijn werk te gaan.

'Ik kan het voorleesboekje van Carl niet vinden,' zei ze. 'Dat met die auto. Ik heb…'

'Misschien op zijn kamer.'

'Daar heb ik al gekeken, Robert!'

De plotselinge woede in haar stem was onbedoeld, niet op hem gericht. Niet echt.

Ze liep naar de deur.

'Haar haar zat onder een zwarte muts…' zei Zeuthen. Ze bleef staan.

Ze bleef wachten bij de deur, keek naar de grote ontvangsthal, de zwarte en witte tegels. Dit huis leek zo leeg zonder de kinderen. Niet vijandig, maar wel doods.

'Hij moet die muts hebben gekocht,' zei hij.

Maja draaide zich om en keek hem recht in de ogen.

'Ik blijf…' Hij tikte op zijn hoofd, te hard, stond te trillen als een rietje. 'Blijf haar maar voor me zien. Ze riep iets naar me en ik riep terug. Alleen…'

'Robert…'

'Toen ze de eerste keer riep zag ik haar niet. Toen besefte ik dat ze vanuit de boot naar me opkeek en…' Zijn stem brak, hij moest zijn uiterste best doen om zichzelf in bedwang te houden. 'Ik wist dat ze bang was. Ik zag het. Ik wilde zo… zo… graag…' Zijn hoofd, met zijn keurig geknipte coupe, schudde heen en weer. 'Er was geen tijd. Ze was er, maar ik kon haar niet redden.'

Maja Zeuthen pakte de tas met de paar spullen van Carl die ze had uitgezocht en liep weg.

Hij kwam achter haar aan, kwam niet bij haar in de buurt. Alsof hij dat niet langer durfde.

'Als je denkt dat het mijn schuld is, zeg het dan in godsnaam. Ik kan het niet verdragen...'

Tranen. Van hem. Van haar.

'Als je denkt dat er iets is wat ik had kunnen doen... op de een of andere manier... Toe...'

Elf jaar getrouwd geweest. Voorafgegaan door slechts tien maanden verkering. Ze hadden een bed gedeeld, twee kinderen. Levens die ooit gelukkig waren versmolten.

Maar toen ze op dat moment naar hem keek, mond open, ogen vochtig, lijnen in zijn gezicht die hij vroeger nooit had gehad, wist ze niet wat ze moest zeggen.

Ze leken wel vreemden voor elkaar. En als een vreemde stapte ze de voordeur uit, liep naar haar auto, zonder ook maar een woord te zeggen.

Karen Nebel nam haar telefoon niet op. Uiteindelijk gaf Hartmann een van de jongere leden van zijn mediastaf de opdracht een persconferentie te organiseren.

Hij wilde net naar de bijeenkomst gaan toen Weber terugkwam in een laatste poging hem te overreden niet zijn ontslag in te dienen.

'Mijn besluit staat vast. Ik zal ervoor zorgen dat jij en Karen worden ingehuurd door het nieuwe team.'

'Zeer bedankt,' zei Weber bits. 'Denk je nu werkelijk dat ik voor dat ouwe kreng wil werken?'

'Het zijn open verkiezingen,' merkte Hartmann op. 'Het staat niet vast dat Birgit de volgende leider wordt.'

Weber sloot zijn ogen, duwde zijn vingertoppen tegen elkaar. Het gebaar van een schoolmeester, opzettelijk.

'In veel opzichten ben je net een kind, Troels. Dat is een van je betere kwaliteiten. Meestal geeft dat niks. We zijn eraan gewend. Maar nu moet je naar me luisteren. Dit is voorbarig. Je begaat een vreselijke vergissing.'

Een klop op de deur. Ussing. Dit keer had hij iets aarzelends.

'Mag ik?'

Weber ging zitten en keek toe.

'Ik beleef hier geen genoegen aan,' beweerde Ussing, niet op zijn gemak omdat ze niet onder elkaar waren.

'Je hebt er hard genoeg voor gewerkt, Anders.'

Een lach. Een schouderophaal.

'Zo is het spel, nietwaar? Politiek. Het is geen schaken.'

'Dat is het juist wel,' kwam Weber tussenbeide. 'En nu staan we schaak. Niet schaakmat.'

Een geforceerd glimlachje. Toen zei Ussing: 'Je hebt je best gedaan, Troels. Ik weet zeker dat dit de juiste beslissing is. Het is niet prettig om lijken in de kast te hebben.' Hij stak zijn hand uit. 'Even goeie vrienden.'

Hartmann bewoog niet.

'Lijken?' vroeg hij.

'Ik wil het niet opkloppen.'

'Als jij het beter kunt, zou ik dat graag zien.'

'Dan moet ik eerst de verkiezing winnen.' Ussing stak zijn handen in de zakken. 'Rosa heeft om een vergadering gevraagd. Dus misschien zal het niet zo moeilijk zijn. Ik zal niet...'

Hij zweeg even, alsof hij iets overwoog.

'Ik zal hier verder geen punt van maken als we aan de macht komen.' Hij stak opnieuw zijn hand uit. 'Dit is het moment om grootmoedigheid te tonen. Hand erop?'

'Daar is de deur, Anders,' zei Weber. 'Als je daar eens door ging?'

Hij trok zijn hand terug en zei: 'Als jullie het op die manier willen spelen.' Hij lachte en vertrok.

Morten Weber trok zijn wenkbrauwen op en staarde Hartmann aan.

'Ga je het echt opgeven voor zo'n lul als hij?'

'Kop dicht, Morten.'

'Rosa was zeker ook niet erg trouw in bed...'

'Ik zei...'

Karen Nebel haastte zich naar binnen, buiten adem, een laptop onder haar arm.

'Ik probeer je al urenlang te bereiken,' klaagde Hartmann.

'Druk,' zei ze. Ze klapte de computer open, zette hem op het bureau.

'Ik heb een persconferentie.'

Ze drukte wat toetsen in, startte een video.

'Niet voor je dit hebt gezien.'

'De conferentie begint zo.'

'Morten. Doe de deur dicht.'

De kleine man stapte naar de deur, deed wat er van hem verlangd werd en kwam terug naar het bureau.

'Als dit de zoveelste truc is om mij over te halen te blijven...' begon Hartmann.

De video begon. Beelden van een bewakingscamera. Bekende locatie. De lobby van het ministerie van Justitie. Mogens Rank en Peter Schultz.

'Ik heb die beelden van de beveiliging gekregen,' zei Nebel. 'Mogens heeft hem in alle openheid ontmoet. Waar iedereen het kon zien.' Een glimlach. 'Vreemde plek voor een samenzwering, vind je niet?'

'Te laat,' mompelde Hartmann.

Ze spoelde de beelden vooruit.

'Daar. Zeventien minuten. Niet twee uur zoals wij te horen hebben gekregen. Mogens gaat naar een andere vergadering. Schultz gaat naar het toilet.'

'Karen…'

'Schultz komt naar buiten en loopt de gang in die naar het parlementsgebouw leidt.'

Weber kwam dichterbij staan. Zijn interesse leek gewekt.

'Dus ik heb videobeelden uit het archief van de beveiliging laten ophalen.'

'Ik ga,' kondigde Hartmann aan.

'Als Karen denkt dat dit belangrijk is,' onderbrak Weber hem, 'dan kun je haar op zijn minst aanhoren. Wij hebben je op deze positie gebracht…'

'Dit is belachelijk…'

Nebel probeerde een ander bestand te openen.

'Ik heb het zo geregeld dat jullie je baan behouden. Willen jullie hier nu mee ophouden?'

Morten Weber brieste van woede.

'We zijn hier niet voor onszelf. We zijn hier ook niet voor jou. Het gaat om de partij. Jij hebt die partij gemaakt. Jij bent de leider. Als jij weggaat en Eggert aan de macht komt, kunnen we het wel schudden…'

'Ik wist niet dat je zo edelmoedig was,' zei Hartmann met bijtende spot.

'Nou, ga dan maar je gang. Treed af. Hang de zielige, verwaande kwast uit als je wilt. Ik hoef dat niet aan te zien…'

'Ik heb vandaag genoeg van je gehoord, Morten. Wie denk je wel dat je bent?'

Weber stond op.

'Een man die werkt voor een dwaas,' zei hij. 'En dat maakt mij tot een nog grotere dwaas.' Hij pakte zijn aktetas. 'Tot ziens, Troels.' Een glimlach, een wuivend gebaar naar Nebel. 'Karen, probeer te voorkomen dat hij zich compleet voor gek zet als hij doorgaat met deze flauwekul.'

Toen liep hij het kantoor uit en sloeg de deur achter zich dicht.

'Dat spijt me…'

Maar ze luisterde niet. Nebel had gevonden wat ze zocht. Hartmann scharrelde zijn papieren bij elkaar. Ze stond op, ging voor hem staan en legde een hand op zijn borst.

'Tenzij je wilt dat ik hier ook wegstorm, moet je die beelden tot het eind bekijken. Daarna kun je voor mijn part naar huis gaan en net zo veel van dat stomme hout hakken als je maar wilt…'

Dat overtuigde hem.

De video stond op pauze. Twee mannen in pak op een trap, met hun rug naar de camera.

'Dit is bij de ingang,' zei ze. 'Schultz heeft nog iemand anders gesproken. Ze zijn naar een vergaderzaaltje gegaan. Zijn daar vijfenvijftig minuten gebleven.'

'Karen...'

Ze spoelde de beelden vooruit. Hartmann keek toe en trok een stoel bij. Schultz glimlachte. De andere man draaide zich om. Glimlachte ook. Gaf hem een hand.

Hartmann pakte Karen Nebels hand en drukte er een kus op.

'Wat zeg ik tegen de pers?' vroeg ze.

'Zeg maar dat de premier het te druk heeft om te komen.'

Lund was terug op de brug. De borden die waarschuwden voor wegwerkzaamheden waren weggehaald. De gestolen vrachtwagen stond er niet meer. Op de oever verder stroomafwaarts was een duikteam nog steeds aan het zoeken met schijnwerpers, ploeterend in het duister.

Ze liep op de witte streep in het midden van de weg. Ging staan waar ze de avond ervoor had gestaan. Liep naar het punt waar ze voor het eerst Emilies stem had gehoord. Dacht aan wat ze zich ervan herinnerde. Toen stak ze de weg over en bleef dicht bij het punt staan waar de boot tevoorschijn was gekomen.

De geest vulde de leemtes en zag wat het verwachtte. Probeerde het onverklaarbare te verklaren. En verzon soms dingen. Borch had gelijk: ze was er helemaal niet meer zeker van wat ze precies had gezien.

Een stem beneden. Een vaartuig op het water.

'We hijsen haar op,' riep een man. 'Uit de weg.'

Gestalten in rode pakken bogen zich over de rand van een boot, turend naar de kikvorsmannen en de groenige weerschijn van hun lampen in de rivier.

Een oranje steenbrok kwam boven water. Het betonblok dat hij aan het zeildoek had vastgemaakt. Toen een gerafeld stuk touw.

Iemand vloekte. Lund luisterde.

De blauwe bundel was verdwenen. Ze moesten opnieuw dreggen, dit keer in een veel groter gebied.

Er was nog geen lijk. Morgen wellicht ook niet. Misschien wel nooit.

Lund liep terug naar haar auto, reed naar de Politigården, ging rechtstreeks naar de garage van de technische recherche waar Juncker en Madsen de boot aan het inspecteren waren. Borch had ook rondgesnuffeld. Ze luisterde, trok een paar wegwerphandschoenen aan, zei tegen Juncker dat hij met haar mee moest komen.

De speedboot leek kleiner onder de felle lampen van de garage. Ruimte voor twee mensen in de kleine cabine. Niet veel meer.

Een hoofd dook op over de rand van de boeg.

'Jij hebt er de tijd voor genomen,' zei Borch met een grijns.

'Dus hij heeft die papieren vanochtend gestolen?' vroeg Lund terwijl Juncker een eindje opschoof om haar aan dek te laten.

'Precies.'

Zijn hoofd verdween weer. Toen ze aan boord klom zag ze dat hij een voorraadruimte inspecteerde die in de boeg was gebouwd. Redelijk groot.

'Heb jij gezien dat hij dit opende?'

'Nee,' zei Lund. 'Hij stond achter op de boot. Niet hier.'

Ze liep naar de achtersteven, keek om zich heen. Wat ze nu zag was heel anders dan in haar herinnering.

'Het zit dus zo,' zei Borch terwijl hij achter haar aan liep. 'Hij had haast. Hij moest dingen ter plekke bedenken, en dat is niets voor hem.'

'Het kan niet aan de voorkant zijn geweest,' hield ze vol. 'Zo lang waren ze niet onder de brug.'

Juncker stak zijn hand omhoog.

'Waar hebben jullie het in godsnaam over? Ik dacht dat jullie hadden gezien dat hij haar neerschoot. En haar vervolgens overboord kiepte.'

'We hebben iets gezien,' zei Borch instemmend. 'Laten we het nog eens doornemen, Sarah. Waar was zij op het eind? Waar stond hij?'

Lund draaide een rondje om haar as.

Er was een luik bij de achtersteven. Over de hele breedte van de boot. In het midden zat een handvat. Precies op het punt waar ze het blauwe zeildoek en het oranje betonblok overboord hadden zien vallen.

Ze pakte haar zaklamp, tilde het luik op, keek naar binnen.

Haalde het ding dat ze daar aantrof eruit.

Zwarte muts. Klein. Wol. Blonde haren langs de rand.

Ze kregen een dienstauto voor de rit naar Gudbjerghavn, het stadje in West-Jutland waar Louise Hjelby was gestorven. Het lag dicht bij Esbjerg, waar Zeeland de meeste havenfaciliteiten beheerde. Lund zat achter het stuur. Borch zat te slapen op de stoel naast haar. Hij snurkte luider dan ze zich kon herinneren. Asbjørn Juncker was achterin ingedommeld. Daarvoor was hij opmerkelijk kwiek geweest. Alleen al het idee dat Emilie misschien nog leefde had hem zo opgemonterd dat het haar ook een beetje had beïnvloed. Later had hij zich behaaglijk als een peuter op de achterbank opgerold.

Onderweg belde Lund de Politigården. Ze vroeg Madsen of hij contact wilde opnemen met het slaperige politiebureautje waarvan Nicolaj Overgaard ooit chef was geweest. Brix werd ondervraagd door een inspecteur van het ministerie van Justitie. De eerste stap in een disciplinair proces. Dat ook haar weldra zou bereiken. Ze was blij dat haar baas even met andere dingen bezig was. Dat betekende dat ze geen uitleg hoefde te geven. Borch en zij hadden het vage en waarschijnlijk zelfs ongegronde idee dat de kidnapper zou terugkeren naar Gudbjerghavn om naar nieuwe aanwijzingen te speuren. Ze wilde de plaatselijke bewoners vragen uit te kijken naar vreemdelingen die vragen stelden. En ze wilde de Hjelby-zaak dolgraag met eigen ogen bekijken.

'Laat Brix me bellen zodra hij klaar is met die vergadering,' zei ze. 'We zijn er bijna.'

Tot haar verbazing werden de mannen niet wakker van haar telefoongesprek. Lund keek naar Borch. Ze waren haastig vertrokken. Zijn jasje lag op de vloer naast de stoel. De verwarming van de auto was niet al te best. Ze liet het stuur met een hand los, pakte het jasje op en legde het zo goed en zo kwaad als ze kon over hem heen.

'Wanneer zijn we er?' vroeg Juncker vanaf de achterbank.

'Ik schrik me rot. Ik dacht dat je sliep.'

'Nu niet meer. Ik moet over niet al te lange tijd pissen. Wanneer zijn we er?'

'Gauw, Asbjørn,' zei ze, zo moederlijk als ze kon opbrengen. 'Probeer het even op te houden.'

'Waar zijn we precies naar op zoek?'

Er was die avond een rood bestelbusje gestolen in de haven van Kopenhagen, niet ver van de plek waar de achtergelaten speedboot was aangetroffen. Ze hadden de kentekenplaat aan Gudbjerghavn doorgegeven. Het was een begin.

'Denk je echt dat ze nog in leven kan zijn?'

'Totdat iemand het tegendeel bewijst.'

'Waar ken je Borch van?'

'Is dat relevant?'

'Ik probeer aardig te zijn, dat is alles.'

'We hebben samen op de politieacademie gezeten. Hij zat een jaar onder mij.'

'O...' zei hij, met een lange, veelbetekenende uithaal.

'Wat betekent dat?' vroeg ze.

'Het betekent... o.' Hij lachte. 'Jullie waren een stelletje. Kom op, zeg. Het is overduidelijk. En ik heb gehoord wat je moeder zei...'

Borch werd wakker van hun stemmen. Hij rekte zich uit, gaapte, luisterde naar wat ze te vertellen had over het gestolen bestelbusje.

'Toen jullie een stel waren, maakten jullie toen ook steeds ruzie net als nu?' vroeg Juncker opgewekt.

Borch rekte zich nog een keer uit, draaide zich om, staarde hem aan en zei: 'Wat?'

Lund wilde niets liever dan overgaan op een ander onderwerp en vroeg naar Gudbjerghavn. Al tientallen jaren aanvoerhaven voor de bedrijven van Zeeland in Esbjerg. Tijdens de economische crisis werd het bedrijf steeds verder uitgehold. Een paar jaar geleden hadden ze de stekker er volledig uit getrokken. Tweeduizend inwoners. De meesten zonder werk.

'Waarom hebben jullie me niet wakker gemaakt?' vroeg Borch.

'Hebben we chips of zoiets?' vroeg Juncker. 'En ik moet echt nodig pissen.' Hij zweeg even. 'Of heeft iemand een lege fles?'

Ze stopte bij het eerstvolgende tankstation. Juncker kocht wat te eten. Hij en Borch gingen naar het toilet. Toen ze terugkwamen zagen ze er vrolijk uit.

Weer onderweg zei Borch: 'Ik heb er een hekel aan om in auto's in slaap te vallen. De laatste keer dat ik wegdommelde terwijl jij reed was in Noorwegen. Ik werd wakker met rugpijn op een of andere parkeerhaven.'

'Die rugpijn had niet met mijn rijstijl te maken.'

'O…' zei Juncker langzaam. 'Wat deden jullie in Noorwegen? Afgezien van het voor de hand liggende…'

Borch probeerde zijn lach in te houden. Zij zweeg. Niet veel later reden ze Gudbjerghavn in en vonden het politiebureau. Een laag gebouw van twee verdiepingen met slechts één auto ervoor.

De officier van dienst stond bij de motorkap te roken. Hij bekeek haar politiepasje nadat ze was uitgestapt.

'We hebben contact gehad met Kopenhagen,' zei hij en hij smeet zijn sigaret in de goot. 'Ze wisten van niets.'

'Ik wil dingen uitzoeken.'

'Er valt hier niet veel te zien.'

Borch bleef om de een of andere reden wat achteraf staan. Toen veranderde hij van gedachten, liep naar de man toe, glimlachte, gaf hem een hand en zei: 'Goed je weer te zien. Het gaat over de zaak-Zeuthen. Check het maar bij Zeeland als je wilt.'

Daar keek Lund een beetje van op. Maar de geüniformeerde agent was nog steeds niet onder de indruk.

'Volgens Kopenhagen heeft de ontvoerder het Zeuthen-meisje vermoord en is hij vervolgens op een schip mee het land uit gelift. Heeft niks met ons te maken.'

'Rood bestelbusje,' onderbrak Juncker hem. 'Jullie hebben het kenteken. Zullen we aan de slag gaan?'

'Er is hier niks te beleven, jongeman. Als die auto hier was, hadden we hem wel gezien.'

Hij haalde een nieuwe sigaret tevoorschijn en stak hem op.

'Overgaard heeft een tijdje iets met mijn zus gehad. Beetje een stomkop, die vent. Verdiende het niet hier de baas te zijn. Maar toch…'

'Luister…' begon Borch.

'Er is een pension om de hoek. Niet erg chic, maar iets anders hebben we niet,' zei hij en hij liep naar de auto. 'We kunnen morgenvroeg verder praten als jullie willen.'

Lennart Brix had talloze keren disciplinaire maatregelen moeten treffen jegens anderen en was er zelf ook een paar keer net aan ontsnapt. Deze keer lukte het niet om de consequenties te vermijden. Dat had Ruth Hedeby wel duidelijk gemaakt toen ze hem had meegenomen naar een verhoorkamer en de inspecteur van Justitie had voorgesteld. Hij heette Tage Steiner, een pezige man, even lang als Brix, met een doordringende blik achter een bril zonder montuur.

Brix luisterde naar een lijst eenzijdige vragen die door Steiner werd opgedreund en deed zijn best om antwoord te geven. Op de meeste vragen had hij een goed weerwoord. Niet dat dat er iets toe deed. Emilie Zeuthen was dood. En dat gold ook voor zijn carrière.

Na de zoveelste persoonlijke aanval begon het hem te vervelen.

'Laten we open kaart spelen, Steiner. Jij hebt een zondebok nodig en ik voldoe aan de beschrijving.' Hij leunde achterover, keek de man tegenover hem aan. Een jurist, een ambtenaar, geen politieman. 'Probeer het niet mooier te maken dan het is.'

Steiner nipte van zijn koffie en zei: 'Ik doe gewoon mijn werk.'

'Ik ook. Als je denkt dat je een zaak hebt, moet je er werk van maken. Maar verknoei mijn tijd niet. We zijn nog steeds…'

'De manier waarop jij de zaak hebt aangepakt was volkomen verkeerd,' onderbrak Steiner hem.

'Ben jij politieman geweest in een vorig leven? Voel jij je gekwalificeerd om daarover te oordelen?'

'Ik oordeel over jou, Brix. Of je dat nu leuk vindt of niet.'

'We hebben de standaardprocedures gevolgd. Hebben de juiste beslissingen genomen…'

'En het meisje is dood. Een integer iemand zou uit eigen beweging zijn ontslag aanbieden.'

Brix keek op zijn horloge. Zei niets. De deur ging open en Ruth Hedeby kwam binnen, negeerde Steiner toen hij tegen haar zei dat ze moest weggaan.

'Ik heb je nu nodig,' zei ze en ze wachtte tot Brix naar haar toe kwam.

'Wat is er in godsnaam gaande, Lennart?' vroeg Hedeby fluisterend. 'Ik heb net gehoord dat Borch, Lund en Juncker in Jutland zijn. Ze vragen om extra mankracht voor een grondig onderzoek.'

'Naar wat?' vroeg hij.

'Ik had gehoopt dat jij me dat kon vertellen.'

De inspecteur stond op en liep naar hen toe.

'Ik krijg een zeer interessante indruk van deze hele afdeling, moet ik zeggen. Misschien ligt het niet aan één werknemer, maar gaat het probleem dieper.'

Hedeby begon sussende geluidjes te maken. Brix' telefoon ging.

Hij keek naar de naam op het schermpje, kuierde terug naar het kantoor.

'Zelfs naar jouw maatstaven gemeten heb je nu het een en ander uit te leggen, Lund.'

'Mogelijk heeft hij haar niet vermoord. Hij wil die Hjelby-zaak tot de bodem uitspitten. We denken dat hij een bestelbusje heeft gestolen bij de haven en haar hiernaartoe heeft gebracht.'

'Waarom zou hij dat meisje gespaard hebben?'

'Ik heb hem verteld dat Zeeland niet verantwoordelijk was voor de dood van Louise Hjelby. Emilie vermoorden lost niks op. Hij wil weten wie Louise heeft vermoord.'

Door het raam aan de overkant van de gang zag hij Maja Zeuthen heen en weer lopen.

'Heb je ook maar het geringste bewijs om dat aannemelijk te maken?'

'Hij heeft Emilie voor in de boot verstopt. We hebben daar een wollen muts van haar gevonden.'

Brix ademde diep in.

'Een wollen muts?'

'Hij houdt pas op als hij weet wat er is gebeurd. Emilie is nu bijzaak voor hem. We hebben hier meer mensen nodig.'

Ruth Hedeby ging voor hem staan.

'Haal Lund terug,' verordonneerde ze. 'Laat dit onmiddellijk ophouden.'

Madsen en de andere mannen verwijderden zich. Ze voelden dat er storm op komst was.

'Brix?' vroeg Lund.

'Ik zal zorgen dat er steun komt uit de omringende regio's. Laat Borch doen wat hij kan.'

Hedeby pakte haar eigen telefoon en zei: 'Als jij het niet doet, doe ik het zelf.'

'Ruth.' Brix liep naar haar toe en legde zijn hand op de hare. 'Ik heb hier geen tijd voor. Dat meisje leeft misschien nog. Als je dit onderzoek wilt stopzetten precies op het moment dat wij mogelijk een doorbraak hebben, moet je het zelf weten.' Hij knikte naar Steiner. 'Maar dan krijg jij met hem te maken. Ik niet.'

De inspecteur van Interne Zaken stond er weer en eiste dat de bespreking verder zou gaan.

'Ik verwacht enige medewerking van jullie,' zei hij.

Brix reageerde fel. 'Medewerking? Waarom vraag je mij dat? Niemand doet dat. Iedereen probeert uitsluitend zijn eigen hachje te redden.'

'Ik kan regelen dat je zonder ophef vertrekt met een gouden handdruk,' zei Steiner. 'Of je gaat weg met de halve media van Kopenhagen op je nek. Je mag het zelf weten…'

'Val dood,' blafte Brix hem af. 'Wat ga je tegen je bazen van het ministerie van Justitie zeggen? "We hebben het team ontbonden precies toen de kans bestond om Emilie Zeuthen levend terug te vinden"?'

Dat snoerde hem de mond.

Hedeby kwam tussenbeide.

'We stellen het uit tot morgen. Ik neem de verantwoordelijkheid voor die beslissing.'

Steiner knikte, greep zijn aktetas.

'Dat zul je zeker, verdomme.'

Ze was er nog steeds toen Brix zich weer op het telefoongesprek richtte.

'Heb je dat gehoord, Lund?'

'Een beetje.'

'Deze keer kun je het maar beter bij het rechte eind hebben.'

Hij zei dat Madsen contact moest opnemen met de lokale districten om meer man naar Jutland te krijgen. De rechercheur knikte in de richting van de wachtkamer.

Daar zat Maja Zeuthen, met wijd open ogen, nieuwsgierig.

'Je wilt dit vast niet horen,' fluisterde Madsen. 'Maar ik denk dat ze iets van dat gesprek heeft gehoord.'

Een kleine steiger boven de kalme golven. Een verlaten schip dat een paar honderd meter uit de kust slagzij maakte. De geur van diesel, rottend zeewier, zompig water.

Mannen en vrouwen druppelden binnen uit nabijgelegen districten, mopperden over de kou, stelden vragen over de vergoeding voor overwerk. Borch had hen erop uitgestuurd om alle lokale plekken te checken waar een bezoeker zou kunnen verblijven. Er was nog geen teken van de rode bestelbus.

Lund trapte tegen de touwen op het beton, probeerde zich voor te stellen wat hier gebeurd zou kunnen zijn.

'Hebben ze haar hier gevonden?'

Borch knikte.

'Het schip van Zeeland lag afgemeerd aan de overkant. De haven was toentertijd nog in bedrijf. Kunnen we nu gaan?'

Lund verroerde zich niet. Ze zocht naar nieuwe beelden in haar hoofd.

Beelden die ze kon gebruiken. Die de herinnering aan Emilie en de boot van de vorige avond zouden kunnen vervangen.

'Iemand kan Louise hierheen gereden hebben en haar in het water hebben gegooid. Er hoeft helemaal geen verband te bestaan met de haven.'

Borch snoof de bedompte lucht op.

'Zullen we ons concentreren op de reden van onze komst hier? Het vinden van die man…'

'Dat kun je niet los zien van elkaar,' zei ze. 'Als dat pleeggezin gelijk had, is Louise een dag eerder verdwenen dan wij dachten.'

'Dat is waar,' stemde Juncker in. Hij bestudeerde een kaart van het gebied en probeerde de locatie te vinden van enkele vakantiewoningen waarover hij had gehoord.

'Als Peter Schultz de datum heeft gewijzigd,' ging Lund verder, 'moet hij daar een reden voor hebben gehad. Er is de dag ervoor iets gebeurd. Hij probeerde de moord op haar daarvan los te koppelen.'

'Ik heb een opsporingsbericht voor dat bestelbusje doorgegeven,' zei Juncker. 'En de details ook onder taxichauffeurs verspreid.'

Borch pakte de kaart, legde hem op de motorkap van hun auto en trok met zijn gehandschoende vinger een cirkel rond de stad.

'Neem een straal van tien kilometer. Dat is een begin.'

'Ach, schei toch uit!' riep Lund. 'Hij heeft geen kamer geboekt in een plaatselijke bed and breakfast. We weten hoe hij is. Zoek op sloopterreinen en campings.'

'Prima,' stemde Borch in. 'Je kunt met hem meegaan.'

'Nee.' Lund rinkelde met de autosleutels. 'Ik wil eerst met het pleeggezin praten.' Ze knikte in de richting van de plaatselijke politie. 'Van hen kun je wel een auto krijgen. Ze lijken toch al beter met jou overweg te kunnen dan met mij.'

Toen Brix met Maja Zeuthen ging praten zag hij dat de jonge arts, haar vriend, was meegekomen. Een man die permanent boos leek en die dat wilde botvieren op de eerste de beste die hij tegenkwam.

Brix luisterende toen hij weer begon te tieren en zei toen: 'Het reddingsteam doet zijn uiterste best.'

De vrouw staarde hem aan, had haar armen om zich heen geslagen in haar groene parka.

'Waarom duurt het zo lang?' wilde de vriend weten.

'Het touw waarmee het zeildoek vastzat aan het beton is gebroken. De stroming is erg sterk. Ze kan een heel eind zijn meegevoerd.'

Daar was hij niet tevreden mee.

'Maar zijn jullie meteen gaan zoeken? Zijn jullie niet zoals anders blijven dralen?'

'We zijn meteen begonnen,' bevestigde Brix. 'Als ze daar is, zullen we haar hopelijk snel vinden.'

Maja Zeuthen keek op.

'Als? Ik hoorde jullie redetwisten. Ik dacht…'

'Het spijt me dat u onze discussie hebt kunnen horen,' zei Brix en hij gaf zijn visitekaartje met privénummer. 'Dat is zeer betreurenswaardig. Als u me wilt excuseren…'

Hij draaide zich om en wilde gaan.

'Brix!' Ze had een hoge stem, kon soms erg vasthoudend zijn. 'Wat bedoelde je met "als ze daar is"? Ik dacht dat ik hoorde…'

Op zijn plaats gezet worden door die idiote jurist en ook door Hedeby, daar kon hij wel tegen. Maar deze vrouw hoop geven…

'We onderzoeken ieder aspect van gisteravond,' zei hij.

'Kan ze nog leven?'

Haar ogen waren rood van het huilen. De pijn was zichtbaar.

'Mevrouw Zeuthen, ik…'

'Het is een eenvoudige vraag.'

Brix keek haar aan. Kon het niet opbrengen om haar leed erger te maken.

'Nee. Dat geloof ik niet. Het spijt me.'

Karen Nebel had de persconferentie afgezegd. Om negen uur zat ze naast Hartmann naar het avondnieuws te kijken. Het had erger gekund. Er werd nog steeds gespeculeerd dat hij de niet eerder vertoonde stap zou zetten om af te treden. Er ging ook een ander gerucht. Er waren nieuwe ontwikkelingen die de hele zaak een andere wending konden geven. Hartmann zou de storm kunnen doorstaan, misschien zelfs weer aan kop kunnen komen.

Hij glimlachte, klopte haar op de arm.

'Ik neem aan dat ik dat aan jou te danken heb.'

'Daar word ik voor betaald,' zei Nebel. 'Maar ik heb wel een deel van mijn geloofwaardigheid op het spel gezet, Troels. We moeten snel met iets concreets komen.'

'Nog iets van Morten gehoord?'

'Niets.'

Hij haalde zijn schouders op.

'Zo is hij soms. We zijn net een langgetrouwd stel. Je hebt wel eens ruzie. Later leg je het weer bij.'

'Misschien heb je hem niet meer nodig.'

De glimlach verstijfde ietwat. Hij trok zijn hand terug.

'Op een dag, mogelijk. Nu nog niet. Heb je het gecheckt? Is de vergadering begonnen?'

Ze keek op haar horloge.

'Een kwartier geleden. Waarschijnlijk zullen ze nu ongeveer ter zake komen.'

Hij klapte in zijn handen, pakte zijn jasje, controleerde zijn overhemd en das. Liep over de binnenhof naar het parlementsgebouw. Een paar fotografen kregen opeens in de gaten dat hij het was en begonnen te klikken en te flitsen.

Troels Hartmann glimlachte breed. Zijn verkiezingstronie. Vol zelfvertrouwen. Open. Oprecht.

Toen vond hij de kamer van het comité en liep er regelrecht naar binnen.

Rosa Lebech, grijs mantelpakje, haar strak in model, serieus gezicht, zat aan de ene kant van de tafel. Anders Ussing tegenover haar. Beiden omringd door hun personeel.

Ussing was razend.

'Ben je nog niet weg?'

'Er kwam iets tussen,' antwoordde Hartmann.

Rosa Lebech staarde naar de tafel, in verlegenheid gebracht.

'Dit is een privébijeenkomst,' klaagde Ussing. 'Je kunt hier niet zomaar binnenstormen.'

Hij ging zitten. Zei tegen de adviseurs dat ze moesten vertrekken. Ze keken naar hun leiders. Lebech knikte. Daarna Ussing. Weldra zaten ze nog maar met zijn drieën rond de tafel.

'Al een deal gesloten?' vroeg hij haar.

Ze gaf geen antwoord.

'Je hebt iedereen misleid,' zei Ussing. 'Je kunt geen steun verwachten na de manier waarop je de zaak Zeuthen hebt afgehandeld.'

'Dat was het werk van de politie en de PET. Niet van mij. Ik zal hen echter wel ter verantwoording roepen. En dat geldt voor alle betrokkenen. Rosa?'

'We praten later wel, Troels.'

'Je hebt gelijk.' Hij knikte naar de deur. 'Dit is niet voor jouw oren bestemd.'

Ze vloekte, grabbelde haar papieren bij elkaar, beende de kamer uit.

'Ik hoop dat je goed nieuws hebt,' zei Ussing lachend.

'Het is fantastisch. Jij probeert me aan de schandpaal te nagelen omdat mijn minister van Justitie zich niet elke seconde kan herinneren van een gesprek van zeventien minuten met een hulpaanklager, twee jaar geleden.'

'Dat is niet alles…'

'Maar ondertussen heb jij niets gezegd over je eigen betrokkenheid bij de zaak.' Hartmann smeet een stel foto's op tafel. 'Mogens Rank. Een paar minuten op de gang. Er werd niets van enig belang gezegd. Jij…' Hij schoof de foto naar voren van Schultz en Ussing die elkaar ontmoetten in het parlementsgebouw. 'Bijna een uur alleen met hem in je kantoor. Hier gaan jullie naar binnen.' Een foto. 'Hier geven jullie elkaar een hand als hij vertrekt. Datum en tijd staan erbij.'

Ussing zei niets.

'En jij hebt de brutaliteit om Mogens Rank ervan te beschuldigen dat hij de feiten verdraait?'

'Van wie heb je dit gekregen?'

'Doet dat ertoe?'

'Is dit officieel? Als je denkt dat ik iets verkeerds heb gedaan moet je je vriendjes van de PET op me afsturen.'

'Dat ben ik ook van plan. Immers...' Een glimlach. 'Je zou toch niet willen dat ik relevante gegevens achterhield, of wel soms? Jij hebt met Schultz gesproken terwijl hij bezig was met die oude zaak.'

'En jij denkt dat ik hem op de een of andere manier onder druk heb gezet? Waarom zou ik dat doen?'

'Waar hebben jullie het over gehad?'

'Het was privé. Had niets met jou te maken. Ook niet met Zeeland, of die eerdere zaak. Als dat wel zo was geweest had ik dat eerder gezegd. Zelfs voor jouw doen zijn dit smerige zaakjes...'

Hij klopte Ussing op de schouder.

'We zullen het oordeel aan de PET overlaten, oké?'

Hartmann liet hem alleen. Weer terug in zijn kantoor vertelde hij Nebel wat er was gebeurd.

'Een privébijeenkomst?' vroeg ze ongelovig. 'Net nadat Schultz Mogens Rank had gesproken?'

'Misschien was dat echt zo. Waarom zou Ussing erbij betrokken zijn? Het doet er niet toe. Hij maakt zich zorgen. En Rosa ook. Ik moet hier een nachtje over slapen. Misschien moet ik Birgit bellen...'

Haar hand lag op de telefoon voordat hij de hoorn kon oppakken.

'De politie houdt rekening met de mogelijkheid dat Emilie nog leeft,' zei Nebel. 'Ze zijn in West-Jutland. Het lijkt erop dat de ontvoerder haar daarnaartoe heeft gebracht in een poging meer te weten te komen over die zaak van vroeger.'

Dat moest Hartmann even verwerken.

'Je moet het volgende doen,' ging ze verder. 'Ik regel een verklaring voor de tv. Een half uur. Jij bent overmand door verdriet. Betuigt je medeleven aan de familie. Je zegt dat je onderzoekt hoe de ontvoering is behandeld en dat je antwoorden wilt. Je bevestigt dat er mogelijk nieuwe informatie is die een ander licht op de zaak kan werpen. Vervolgens zeg je dat je de partijleiders morgen bijeen zult roepen en dat je hun zult vragen de privétragedie van de familie Zeuthen niet tot twistpunt van de verkiezingen te maken.'

Ze had een mediabrein. Dat ging nooit weg.

'Moet ik mijn verklaring eerst afstemmen met de PET? Met Brix?'

Nebel lachte.

'Nee, Troels. Je moet het met mij afstemmen. Ik wil dat je alle details tot in de puntjes beheerst voordat de uitzending begint. Het is een verklaring, meer niet. Je zult geen vragen beantwoorden.'

Ze pakte een notitieblok en begon wat aantekeningen te maken.

'Als het meisje dood is kunnen we laten zien dat we hebben gehandeld met compassie en waardigheid. Als ze nog blijkt te leven strijken wij de eer op en laten we Anders Ussing liggen in de goot waar hij thuishoort.'

De pleegouders woonden in een kleine, onopvallende bungalow op een heuvel die uitkeek op de haven. De man was een werkeloze scheepsmachinist. De vrouw werkte kennelijk ook niet en was weg, op bezoek bij familie. Hij was lang, stug, argwanend. Ongeveer van Lunds leeftijd. Louise Hjelby was kort na haar dertiende verjaardag bij hen komen wonen.

'Waar bent u naar op zoek?' vroeg hij nadat Lund haar politiepasje had getoond en naar binnen liep.

'Ik weet het niet echt. Vrienden. Mensen met wie ze tijd doorbracht.'

'Ze ging niet uit. Ze had alleen ons. Niemand anders. Louise had een moeilijke jeugd gehad. Ze was een verlegen kind. Waarom vertel ik u dit allemaal? We hebben dit al eerder doorgegeven.'

Er stond een foto op het dressoir. Ze liep ernaartoe en pakte hem op. Een meisje met een witte fiets. Lang zwart haar. Ze lachte niet, maar zag er niet ongelukkig uit.

'Is dat Louise?'

'Wie zou het anders zijn?'

Hij wilde haar weg hebben en dat maakte Lund des te vastberadener om te blijven.

'Hoe is ze bij u terechtgekomen?'

Hij pakte de foto en zette hem terug op zijn vaste plek. Er lag hier nergens stof. Geen rommel. Nette, keurige mensen.

'Louise woonde bij haar moeder in Kopenhagen totdat zij stierf aan kanker. Ze hebben haar een tijdje ondergebracht in een kindertehuis, maar dat moest sluiten, vanwege bezuinigingen of zoiets.'

Hij ging aan de ouderwetse tafel zitten en gebaarde dat ze tegenover hem plaats moest nemen.

'Ze hebben ons verteld dat ze al in heel wat gezinnen was geplaatst. Het lag er niet aan dat ze zo onhandelbaar was. Ze kon nergens aarden. Toen kwam ze bij ons, drie jaar geleden.'

Hij keek een tijdje om zich heen in de kamer.

'We konden zelf geen kinderen krijgen. Het leek hier in huis altijd zo leeg.'

Lund pakte haar aantekeningenboekje.

'Heeft ze iets over haar vader gezegd?'

Hij schudde zijn hoofd.

'Niet echt. Haar moeder heeft haar een fantasieverhaal verteld. Dat hij een grote held was die de zeven zeeën heeft bevaren, net als de vader van Pippi Langkous.'

'Heeft ze ooit een naam genoemd?'

'Louise was een slimme meid. Ik denk niet dat ze in sprookjes geloofde. Niet meer.'

'Een naam?'

'Nee. Ik neem aan dat ze hoopte dat hij haar op een dag zou komen halen. Maar dat is niet gebeurd.'

Het verhaal deed hem pijn, dat zag ze. Nadat hij nog een keer zijn hoofd had geschud, wendde hij zich tot haar.

'We hebben ons uiterste best gedaan. Ik dacht dat onze aanpak succes had. Ze leek gelukkig. We voelden ons... ik denk dat we ons een echt gezinnetje voelden.' Hij tuurde naar de foto. 'Maar ik denk dat we niet echt wisten hoe dat voelde. Dus op een dag...'

Het huis was niet groter dan haar eigen bungalowtje. Toch had het iets huiselijks. Zelf was het haar nooit gelukt die sfeer te creëren.

'Als u dacht dat ze gelukkig was, dan was ze dat vermoedelijk ook. Louise heeft geen zelfmoord gepleegd.'

'Pardon?'

'We denken dat ze is vermoord.'

Hij wist niet wat hij moest zeggen.

'Zou ik haar kamer mogen zien... haar spulletjes...'

Zonder een woord nam hij haar mee naar de garage. Het stond er vol dozen. Geen ruimte meer voor een auto. Foto's en plakboeken. Hij nam haar laatste dag door. Louise reed naar school op haar fiets, zou vroeg in de middag thuiskomen, zoals altijd. Ze nam altijd dezelfde route: via de haven langs het water bij de pier.

'Weet u zeker dat ze op een donderdag vermist raakte? Niet op vrijdag?'

De argwanende, vijandige blik was weer terug.

'Dat soort dingen vergeet je niet.'

'Wie was de laatste die haar heeft gezien?'

Daar moest hij over nadenken.

'De hoofdonderwijzeres. Zij heeft gezien dat ze met haar fiets in de richting van de haven liep. Maar...'

'Wat maar?'

'Even later vertelde iemand me dat ze haar op de hoofdweg hadden gezien. Helemaal niet in de buurt van de school. Dat heb ik tegen die politieman gezegd, Overgaard. Hij zei dat hij dat had gecheckt en dat het om iemand anders ging. Al die politici waren toen in de stad vanwege de verkiezingen. Ik geloof niet dat de politie veel tijd had voor Louise.'

Lund liet de spullen van het meisje voor wat ze waren.

'Hebben ze haar fiets ooit gevonden?'

'Als dat zo is dan hebben ze ons dat nooit verteld. Ze hebben ons sowieso erg weinig verteld.' Hij sloot even zijn ogen. 'Vermoord? Onze Louise?'

'Dat nemen we aan.'

'Ze was een kind. Had haar leven net weer op de rails. Wie zou zoiets doen? Waarom?'

De autopsie had dat uitgewezen. Maar toen ze naar deze fatsoenlijke man keek, besefte ze hoeveel verdriet ze weer had opgerakeld en ze zweeg.

Bij het weggaan gaf Lund hem haar visitekaartje. Stapte naar de auto. Ademde de vervuilde zeelucht in.

Toen pleegde ze een paar telefoontjes. Het laatste naar Borch om te zeggen dat ze naar de school ging.

Maja Zeuthen liep Drekar in, passeerde de zwart-wit betegelde hal en begaf zich zonder omwegen naar de kantoorruimte. Hij was in het gezelschap van Reinhardt. Ze had de indruk dat beide mannen bijna ruzie hadden gemaakt. Dat was ongekend. Robert had zich niet geschoren, zijn haar zat in de war en hij droeg geen das. De kamer stonk naar cognac, hoewel hij helemaal geen dronken indruk maakte.

Toen zag ze het. Gebroken flessen. Gebroken glazen. Kapotte lampenkappen. Hij had het grote grijze schilderij van de oceaan en het Zeeland-vrachtschip van de muur getrokken. Het kapotgesneden. Misschien had hij erdoorheen getrapt.

Hij was meer dan alleen radeloos. Pathetisch. Zo had ze hem nog nooit gezien en ze wist niet goed wat ze ervan moest denken.

Ze hervatten hun discussie. Ze had algauw door wat de oorzaak was. Robert had zijn eigen reddingsteam naar de brug gestuurd om Emilie te vinden. De politie had hen bruusk tegengehouden.

'Je kunt je daar niet zomaar mee bemoeien,' zei Reinhardt. 'Niet op zo'n manier.'

'Als zij haar niet kunnen vinden doe ik het zelf wel.'

Een dienstmeisje kwam binnen om het gebroken glas op te vegen. Reinhardt stuurde haar weg. Hij wierp een blik op Maja.

'Robert wil praten over de begrafenis,' zei hij met zachte stem. Daarna ging hij weg.

Ze overwoog naast hem te gaan zitten. Bleef waar ze was.

'We moeten dit met de kerk bespreken,' begon hij.

'Carl logeert bij oma. Carsten wacht buiten in de auto. We gaan haar zoeken. Ga je mee?'

Hij keek op. Verbijsterd. Beledigd.

'Wie weet staat ze ergens langs de weg op ons te wachten.'

Robert Zeuthen zette grote ogen op van ongeloof. Ze dacht dat hij misschien in tranen zou uitbarsten.

'Ik heb gehoord wat ze in de Politigården zeiden,' legde ze uit. 'Ze wilden niet met me praten. Maar ik heb het gehoord. Lund gelooft niet dat ze dood is.'

'Lund!' riep hij uit. 'Jij gelooft haar? Wat is dit?'

Ze haalde een zaklamp uit haar groene parka.

'Ik ga op zoek naar onze dochter. We beginnen bij de brug. Ik dacht dat je wel mee zou willen komen. Misschien heeft hij haar ergens op een boot verstopt. Misschien... ze weten niet wat er is gebeurd, Robert!'

'Ik weet het zeker,' fluisterde hij. 'Ik heb het gezien...'

Diep verdriet in zijn ogen.

'Hij heeft Emilie doodgeschoten. Daarna heeft hij haar in het water gegooid.'

'Lund was er toch ook bij? En zij gelooft niet dat ze dood is. Ga je mee? Of wil je hier blijven en alles kort en klein slaan?'

Hij stond op en ze wist wat hij dacht.

'Ik ben niet gek,' zei ze vinnig. 'Ik heb je gevraagd of je het kon voelen. Of ze dood was. Je zei van niet. Voel je het nu?'

'Ik heb het gezien! Is dit wat we Carl gaan vertellen? Dat zijn grote zus terugkomt?' Hij aarzelde, keek om zich heen naar de kapotte spullen. 'Dat alles weer net zo wordt als vroeger? Toen we nog gelukkig waren?'

Geen antwoord. Haar hoofd was leeg.

'Ik heb je hulp nodig met Carl. Met de begrafenis,' smeekte hij. 'Vraag me niet in het onmogelijke te geloven.'

'Mij best,' zei ze en ze liep weg.

De school lag vlak bij de steiger. Schommels op het speelplein. Een leeg parkeerterrein. Een laag gebouw van één verdieping, afbladderende verf, kindertekeningen voor de ramen.

Borch belde en wilde weten waar ze was.

'Op de school van Louise. Wist je dat deze stad krioelde van de politici op de dag dat Louise Hjelby werd vermist?'

Geen direct antwoord. Toen zei hij: 'We hebben alle vakantiewoningen doorzocht. We hebben geen donder gevonden.'

'O.'

'Je hoeft niet hatelijk te doen.'

'Dat deed ik niet!'

'Nou ja. We moeten nog een varkenshouderij checken. Ga je mee?'

Arme Borch. Hij wilde haar gezelschap.

Lund liep naar de voordeur van de school. Voelde aan de klink. De deur was open. Ze liep naar binnen.

'Wat doe je, Sarah?'

'Er is een onderwijzeres die ik wil spreken. Ze zei dat we hier konden afspreken. Ze was de laatste persoon die Louise in leven heeft gezien.'

Het hele gebouw was in duisternis gehuld. Lund vond de lichtschakelaar. Knipperde tegen het plotselinge felle licht. De muren waren bedekt met schilderijen en posters.

'Ik hoop dat je meegaat naar die varkens,' zei hij, met een hoopvolle ondertoon in zijn stem.

'Je wist me altijd al te paaien met mooie woorden.'

'Betekent dat dat je komt?'

Met de telefoon tegen haar oor liep ze door. Een klaslokaal, stoelen omgekeerd op de tafeltjes, grappige tekeningen aan de muren.

Ze liep naar de hoge ramen. Gebroken glas, glasscherven aan de binnenkant.

'Ik denk dat hij hier is geweest,' zei ze zacht. 'Iemand heeft hier ingebroken.'

'Ik kom,' zei hij meteen. 'Blijf waar je bent. En doe deze keer wat ik zeg.'

Lund stopte de telefoon weg, pakte haar pistool. Ze sloeg rechts af een donkere gang in.

Aan het eind stond een deur op een kier. Het licht brandde. Het was een kantoor, witte muren, schema's, roosters, familiefoto's. Bij het raam stond een dossierkast, met de bovenste lade opengeschoven. Ze bladerde snel door de papieren, leerlinggegevens, toen ze voetstappen in de gang hoorde.

Met haar pistool in de aanslag, rillend van de kou in haar korte regenjas, zich bewust van de geuren van ontsmettingsmiddel en zweet van een gymnastieklokaal ergens vlakbij, liep ze het lokaal uit. Ze spiedde voortdurend om zich heen.

Twee dingen, tegelijkertijd.

Borch rende door de ingang, zijn pistool voor zich uit gestoken, heen en weer zwaaiend.

Uit een deur tegenover hem stapte een vrouw naar buiten. Ze droeg een lang vest, blond haar, te lang voor haar leeftijd, staarde naar hen en begon te gillen.

Twintig minuten later, in een tijdelijk commandocentrum dat ze hadden ingericht in het pension, nipte de onderwijzeres nerveus van haar koffie. Voorbij de slaapkamers krioelde het van de plaatselijke politie en medewerkers uit nabijgelegen districten.

'Rondrennen met getrokken pistool,' klaagde de vrouw. 'In een school. Zoiets heb ik nog nooit meegemaakt.'

Lund noemde de naam Louise Hjelby. De onderwijzeres zette haar koffie neer, zei een tijdje niets.

'Misschien is die ruit gebroken door de wind,' zei ze.

'Hij is hier binnen geweest, hij heeft dossiers bekeken.'

'Mogelijk heeft iemand die la open laten staan. Er gebeurt hier nooit iets,' antwoordde de vrouw. 'Niets. Nooit.'

'Vertelt u eens wat meer over Louise,' vroeg Lund.

Een vaag glimlachje.

'Ze was een lief kind. Slim. Beleefd.' Ze sloot haar ogen. 'Ik denk dat ze in de loop der jaren beschadigd is geraakt. Door het verlies van haar moeder, denk ik. Opgroeien in een tehuis.'

'Gelooft u dat ze zelfmoord heeft gepleegd?' vroeg Lund.

'Niet echt.' Ze knikte naar de plaatselijke politiemensen. 'Maar zij zeiden van wel. Wie ben ik om hen tegen te spreken?'

'Wij denken dat ze is vermoord.'

De vrouw keek haar aan als even tevoren: alsof ze te maken had met een stel krankzinnigen.

'Vermoord?'

'Dat zei ik. Op de dag dat Louise verdween hebt u gezien dat ze haar fiets naar huis duwde, na schooltijd? Heeft iemand anders haar ook gezien?'

Weer een vinnige blik op de medewerkers van de plaatselijke politie.

'Een van haar klasgenootjes heeft haar gezien. Op de hoofdweg. God mag weten wat ze daar deed. Maar die lui daar…' Ze maakte een wuivend gebaar hun kant op. 'Ze zeiden tegen haar dat ze gek was en dat was dat. Ik weet niet waarom u me al die vragen stelt. Ik heb dit allemaal al besproken met die medewerker van u die me een uur of twee geleden heeft gebeld.'

'Wie was dat?' vroeg Lund.

'Hij zei dat hij Mathias Borch heette. Hij was erg aardig en beleefd, moet ik zeggen. Klonk niet als iemand die met een pistool voor mijn gezicht zou gaan zwaaien.'

Borch, gezeten aan het eind van de tafel, keek naar haar op.

'Shit,' mompelde hij en hij vroeg de vrouw om haar telefoonnummer.

Tien minuten later. Ze hadden haar laten gaan. Lund had in haar eentje zitten peinzen. Borch kwam terug en zei dat het ze niet was gelukt het telefoontje te traceren.

'Hij zit weer op Skype, denk ik.'

Ze keek naar de bureaus, de bedrijvige politiemensen. De zoektocht had niets opgeleverd.

'Hij zocht iets op de school,' zei Lund.

Borch kwam bij haar staan en leunde op een bureau.

'Sarah. Hij is hier waarschijnlijk niet eens geweest. Het was gewoon een kapot raam. Als jij me had helpen zoeken…'

'Je hebt niets gevonden.'

'Misschien als jij erbij was geweest…'

Ze legde een hand tegen haar hoofd. Lange dag. Herinneringen aan de vorige avond, het blauwe zeildoek, de schoten, de gestalte die iets overboord duwde, het bleef allemaal door haar hoofd spoken. En daarbij een nietig figuurtje op een ziekenhuismonitor, een nieuw leven verborgen in Eva Lauersens dikke buik.

Hij nam een telefoontje aan. Kennelijk vond hij het nodig om zich te verwijderen. Hij liep naar de slaapkamers.

Ze liep op een afstandje achter hem aan. Hij ging zijn kamer in. De deur stond open. Ze bleef buiten staan en luisterde.

Je kunt zo veel afleiden uit de toon van een stem. Hij sprak tegen een meerdere. Vermoedelijk Dyhring, de zwijgzame chef van de PET die hem voortdurend leek dwars te zitten en hem onophoudelijk lastigviel.

'In dat geval,' zei Borch, 'hebben we een groot probleem. Dat heeft ze al uitgevogeld.'

Hij trok een schoon overhemd aan en stond voor de spiegel. Zag haar.

'We praten later verder,' zei hij en hij hing op, liep naar haar toe bij de deur.

'Is er iets?'

'Met wie sprak je?'

'Hoofdkwartier.'

Hij knoopte zijn overhemd dicht. Ze liep zijn kamer in.

'Jouw kamer is verderop. Mooier dan de mijne. Volgens mij heb je meer…'

'Hou op met die flauwekul,' zei Lund op scherpe toon. 'Wat is hier gaande?'

Hij deed zijn ogen dicht. Zag er weer uit als een puppy.

'Huh?'

'Hoe heeft hij jouw naam kunnen gebruiken?'

'Misschien is hij helderziend. Hoe moet ik dat weten?'

Ze ging dichter bij hem staan.

'Twee jaar geleden wemelde het hier van de politici. De PET heeft hen bewaakt. Je moet hier medewerkers hebben gehad toen dat gebeurde. Waren zij betrokken bij het in de doofpot stoppen van die oude zaak? Heb jij hen een handje geholpen?'

Hij dacht na, knikte alsof hij duidelijk wilde maken dat hij de vragen serieus nam en zei toen: 'Nee.'

'Wat deed je hier dan twee dagen geleden?'

Hij leek beledigd.

'Ik probeerde te helpen. Ik wilde... ik wilde je een aanknopingspunt geven.'

'Godallemachtig. Denk je nu echt dat ik geloof...'

'Ik had niks te maken met die oude zaak, Sarah. Misschien heeft hij mijn naam op de radio gehoord. Of misschien is hij...' Zijn stem kreeg een sarcastisch toontje. 'Misschien heeft hij er zo voor gezorgd dat we dit gesprek zouden voeren. Dát, of je bent weer net zo paranoïde als altijd...'

Lund vloekte, draaide zich om en wilde weggaan. Maar hij hield haar tegen, trok haar terug met zijn sterke armen.

'Waarom geloof je me niet, verdomme? Waarom is het zo moeilijk voor jou om iemand te vertrouwen?'

Hij begon kwaad te worden op haar en dat had ze nog nauwelijks meegemaakt, zelfs vroeger niet, toen ze het beslist zelf had uitgelokt.

'Dat is leuterpraat.'

'Niet waar! Jij sluit je helemaal af zodra iemand te dicht bij je in de buurt komt. Wij vroeger. Je zoon. Ik nu.'

Ze hief haar handen in een afwerend gebaar en stapte achteruit.

'Jij nu? Geen denken aan.'

'Het is waar! Ik hield van jou. Ik wilde jou. En jij hebt me uit je leven gesmeten omdat je dat beangstigend vond...'

'Nee...'

'Ja!'

Borch stond daar in zijn schone overhemd, ongeschoren.

'Ja,' herhaalde hij, iets kalmer nu. 'Als je me had gedumpt omdat ik je verveelde, had ik dat kunnen verdragen. Of als je iemand anders had gevonden. Maar je...' Hij kwam vlak bij haar staan en stak zijn wijsvinger waarschuwend op voor haar gezicht. 'Je bent hem gesmeerd omdat het zo verdomd goed tussen ons ging. En dat vond je eng. Dat...'

Lund draaide zich om en liet hem weer alleen achter.

Bij de brug regende het. Maja Zeuthen keek links en rechts over de lange lege weg, ging bij de reling staan, probeerde zich het tafereel voor te stellen.

Na een tijdje gaf ze het op. Sprak met het reddingsteam. Ze lieten weten dat ze nog steeds aan het zoeken waren.

Ze liet Carsten Lassen alle paden in de buurt verkennen, zonder dat ze veel naar hem luisterde. Ze kon het beeld van Robert, in de war, verloren, kwetsbaar, niet van zich afzetten.

Zo was hij ook geweest toen ze elkaar net kenden. Hij was de solitaire, ijverige student die door iedereen werd gemeden. Zij was het mooie meisje dat wel van een feestje hield en geliefd was bij alle mannen. Bij hen was er geen sprake van tegenpolen die elkaar aantrekken. Verre van dat. Toen ze elkaar die zomer leerden kennen groeiden ze langzaam naar elkaar toe. Zijn verlegenheid smolt weg, haar kortdurende flirt met het wilde leven was voorbij. En ondertussen groeide haar ontzag voor zijn rustige, loyale oprechtheid.

Alles ontvouwde zich geleidelijk, onvoorzien. En toch op de een of andere manier onontkoombaar.

Herinneringen.

Na een uur, ergens op een duister, smal weggetje, was ze drijfnat geworden. Met een zaklamp in haar hand riep ze de naam van haar dochter.

In het commandocentrum. Nog steeds niets. Een van de teamleden zei dat Juncker haar zocht. Lund snauwde dat het nu niet het juiste moment was. Ze liep naar buiten en ging in haar auto zitten. Zou willen dat ze nog rookte. Haalde haar vingers door haar vochtige haren. Vroeg zich af of ze de hele weg terug naar de stad zou rijden. De volgende ochtend zou opstaan en een kantooruniform zou aantrekken: witte blouse, grijze rok, praktische schoenen. Naar een bureau zou lopen bij de OPA. De stapel paperclips zou zien liggen. Zou beginnen met tellen.

Het portier werd geopend. Ze hoopte vurig dat hij het niet was.

Asbjørn Juncker plofte neer op de passagiersstoel.

'Ik geloof dat ik het weet,' zei hij monter.

'Wat weet?'

Hij keek haar aan.

'Wat ben jij slechtgehumeurd. Ik heb wat buurtonderzoek gedaan. Ik geloof dat ik een verklaring heb. Een journalist heeft vanochtend het politiebureau gebeld met vragen over de Hjelby-zaak. De centrale heeft hem gezegd dat hij Borch moest bellen in Kopenhagen omdat hij hier pas was geweest.'

Hij haalde zijn aantekeningenboekje voor de dag.

'Ik heb de krant gebeld. Ze wisten nergens van. Niemand heeft hierheen gebeld. Hij is scherp, nietwaar? Dat moet wel gezegd worden.'

Scherp.

Computers. Kaarten. Wapens. Nu een gewiekst telefoontje in een poging de identiteit van een politieman te stelen. Het was waar. En daarom had ze Borch aangevallen. En hem iets ontlokt wat ze helemaal niet had willen horen.

'Nou?' Juncker wachtte op een reactie. Kreeg er geen. 'Ik ben er klaar mee.'

Stapte de auto uit, de regen weer in.

207

Op een goede dag was er maar één weg voorwaarts. Eenvoudig, duidelijk, onweerlegbaar. Dat maakte het leven een stuk gemakkelijker. Schraal, karig, armzalig. Eenzaam.

Lund legde een hand voor haar mond en probeerde haar ademhaling onder controle te krijgen. Toen nam ze een pepermuntje. Veegde zonder enige reden haar jas schoon. Waar probeerde ze omheen te draaien?

Ook daar had ze een grote hekel aan.

Stapte uit. Liep via het drukke commandocentrum naar de vleugel met de slaapkamers achterin.

Door de gang. Kamer zestien. Klopte op de deur.

Borch liep nog in overhemd en spijkerbroek. Het bed was opgemaakt. Tweepersoons.

'Asbjørn heeft me net verteld dat hij vermoedelijk hierheen heeft gebeld vanochtend en dat de plaatselijke politie hem jouw naam heeft gegeven.'

Hij had nog steeds die gekwetste, jongensachtige uitdrukking die ze zo grappig vond.

'Is dat zo?'

'Dus het ziet ernaar uit dat ik... het verkeerd begrepen heb of zo.'

Hij luisterde, knikte.

'Is dat een excuus?'

Lund stapte naar binnen, trapte de deur achter zich dicht en smeet haar jas op de grond.

Sloeg haar armen om zijn nek.

'Nee. Dit wel,' zei ze en ze kuste hem.

Een omhelzing die al heel lang in de lucht had gehangen.

Haar handen rukten aan zijn overhemd.

Zijn vingers schoven haar ruwe wollen trui omhoog.

Op het doodse vlakke land buiten de stad stommelde Maja Zeuthen nog steeds door het duister. De lichtstraal van de zaklamp voor haar uit. Luide stem. Ze zag niets.

Uiteindelijk bleef ze staan. Ze wist niet meer waar ze was. Carsten liep achter haar. Hij klonk moe en boos.

De verkeerde stem.

Ze moest dat gluiperige stemmetje tot zwijgen brengen. Het was al moeilijk genoeg geweest om hier te geraken. De terugweg kon alleen maar erger zijn.

'Maja. In godsnaam... Maja!'

Hij was een knappe man en dat wist hij. Hij wilde zo graag vergeten dat ze vóór hem ook een leven had gehad.

Hij haalde haar in. Ging voor haar staan. De regen viel neer. De ijzige wind begon te huilen. Ze kon de rivier ruiken, het zompige water, de moerassige, stinkende aarde.

'Dit is waanzin.' Hij pakte haar bij de schouders. Kille, dwingende ogen. 'We moeten nu echt naar huis. Ze is hier niet. Dat weet je zelf…'

Hij omhelsde haar. Hard. Alsof hij het verdriet uit haar kon persen met niets anders dan de kracht van zijn armen.

Zachtaardig. Dat was het woord dat ze altijd met Robert had geassocieerd. Te laconiek om de baas van Zeeland te zijn. Te aardig en te meelevend voor die wereld.

'Maja…'

De stem van een andere man in haar oor.

'Nu even niet, Carsten,' zei ze. Ze maakte zich van hem los en liep terug naar de auto.

6

Maandag 14 november

De zachte deining van verre golven. Gekrijs van ruziënde meeuwen. Een vreemd bed. Het aanhoudende gerinkel van een telefoon.

Lund werd naakt wakker onder de goedkope polyester lakens van het pension in Gudbjerghavn. Alleen. Even wist ze niet precies hoe ze het had.

Kleding slingerde rond op een al te fel oranje tapijt. Op de klok zag ze dat het 08.31 uur was. Het was haar eigen telefoon die rinkelde, in de tas naast het bed.

Ze greep ernaar, blij dat Borch er niet was.

'Waar ben je?' schreeuwde Brix.

'Ik ben...'

'Er is ingebroken in de school. Borch is er al volop mee bezig. Hij is niet mijn werknemer. Jij wel. Ga erheen.'

De gordijnen waren maar half gesloten. Ze vroeg zich af of iemand iets had gezien. Ze klom uit bed, trok ze helemaal dicht. Grabbelde haar kleren van de vloer en ging terug naar haar eigen kamer. Een zo snel mogelijke douche. Toen tussen de tijdelijke bureaus door, langs oplettend geïnteresseerde ogen naar buiten, de auto in.

Niet lang nadat Lund naar de school vertrok, nam Hartmann plaats in het kleine café waar Morten Weber elke ochtend kwam voordat hij naar zijn werk ging. Het was in de buurt van zijn bescheiden woning, niet ver van het centraal station. Weber had zijn huis gekocht toen hij na zijn universitaire studie zijn eerste baan kreeg als politiek onderzoeker. Ze hadden in hetzelfde jaar gezeten. Als knappe, welbespraakte, charmante man was Hartmann het publieke gezicht van hun partnerschap. Weber was het brein op de achtergrond. Samen hadden ze plannen gesmeed en intriges beraamd, steeds hoger opgeklommen in de plaatselijke politiek, eerst in het gemeentehuis van Kopenhagen, later de ultieme prijs: het premierschap.

Meestal waren ze het met elkaar eens. Maar er waren altijd onderhuidse spanningen en soms kwam het tot een explosie.

'Je bent laat,' zei Hartmann terwijl hij ging zitten en koffie bestelde. De ministeriële auto stond buiten, de lijfwachten genoten van een klein beetje winterzon. Weber keek niet op. 'Kan ik een ontbijtje voor je bestellen?'

'Ik kan mijn eigen ontbijt betalen. Donder op.'

'Dat is weer eens wat anders dan een vrolijk goedemorgen. Kom je toevallig nog naar kantoor?'

'Iemand gekruisigd zien worden is niet zo prettig, dus nee bedankt.'

Hartmann knikte.

'Ik ben niet afgetreden, weet je.'

Weber keek hem aan met zijn kraaloogjes.

'Je denkt er nog steeds over na. We hebben dit zes jaar geleden al een keer besproken. De vorige keer dat we met Lund te maken hadden. Zonder mij had je toen de handdoek in de ring gegooid.'

Dat was waar. Maar hij hoefde daar niet aan herinnerd te worden.

'Ik dacht dat we Ussing te pakken hadden,' zei Hartmann. 'Mogelijk heb ik me vergist. Misschien waren die foto's van Karen al te mooi om waar te zijn. Het blijkt dat Schultz en hij oude vrienden waren. Ze gingen soms samen squashen.'

'Vertrouw nooit iemand die squash speelt.' Weber, een lijvige man, hield niet van sport. 'Het is onnatuurlijk.'

'Ze zijn nog steeds op zoek naar Emilie Zeuthen. Brix stelt zich terughoudend op. Ik geloof niet dat hij enig idee heeft of ze dood is of… of dat Lund iets op het spoor is.'

Weber duwde zijn koffiekopje van zich af, keek op zijn horloge, geeuwde. 'Ik heb je vandaag nodig, Morten.'

'Je hebt me altijd nodig.'

'Dus je gaat mee?'

'Ben je doof?'

'Aan het eind van de dag ben ik of heer en meester, of Birgit Eggert kijkt neer op mijn koude, roerloze lijk. Wil je dat werkelijk allemaal missen?'

Weber dronk zijn koffie op, hief zijn kopje, ving de blik van de knappe serveerster achter de toonbank. Zonder een woord te hoeven zeggen kwam ze naar hem toe en vulde zijn koffie bij. Ze glimlachte breed naar Hartmann, en ontving zijn stralende glimlach als respons.

'Zet dat maar uit je hoofd, Troels,' siste Weber toen ze was vertrokken. 'Dat kind is negentien. Geen dag ouder.'

'Ik doe gewoon aardig. Dat verwachten de mensen van me. Jij denkt altijd meteen het slechtste.'

'Hoe schat je je kansen in?'

'Goede vraag,' merkte Hartmann op. 'Als ik Ussing een beetje door de modder kan halen en het blijft aan hem kleven… goed. Als God welwillend is en Emilie Zeuthen levend opduikt... wie weet?'

Weber sloot zijn ogen.

'Je moet je alleen zorgen maken over zaken die je in eigen hand hebt. Hoe vaak moet ik dat nog zeggen?'

'Ik heb niets in eigen hand als jij er niet bij bent. Gaat dit lopen zoals altijd? We maken ruzie. Jij vertrekt. Een paar uur later duik je in het kantoor op alsof er niets is gebeurd. We applaudisseren allemaal. Goeie oude Morten. Uiteindelijk komt hij altijd weer terug.'

Die scène hadden ze al vaak gehad.

'Niet zo aanmatigend doen.'

'Dat doe ik niet. Ik heb je nodig. Vandaag meer dan ooit. Ik zal je alles geven wat je maar wilt.'

Daar dacht de kleine man over na.

'Nou?' vroeg Hartmann.

'Je vertrekt niet. Je gaat pas als je wordt ontslagen.'

'Afgesproken.'

'Je moet meer naar mij luisteren dan naar Karen.'

Hij lachte.

'Dat doe ik sowieso al. Is je dat nog niet opgevallen?'

Weber dacht even na. Toen zei hij: 'Goed dan. Ik zal mijn best doen om te zorgen dat jij weer premier wordt. Wat er ook voor nodig is.'

Hartmann gaf hem een klopje op zijn hand.

'En daarna ga je je invloed aanwenden bij de universiteit. Zeg maar dat ze me een professoraat toekennen. Ik wil weg uit dit leventje. Ik heb er genoeg van.'

Dat kwam als een verrassing.

'Laten we het daar later over hebben.'

'Nee!' Webers stem was een toonhoogte gestegen, klonk luider. Mensen keken. 'Dat is mijn eis. Graag of niet.'

'Ik hou niet van ultimatums. Je hebt me altijd verteld dat ik die moest weigeren.'

'Ik ben God niet!' schreeuwde Weber. 'Ik weet niet alles. Jezus...'

'Later,' hield Hartmann voet bij stuk.

'Je snapt het niet, hè?' Morten Weber tikte tegen zijn hoofd. 'Ergens daarbinnen denk je nog steeds dat je John F. Kennedy bent die de lakens uitdeelt in het Witte Huis van Kopenhagen. En ik ben je slimme broertje Robert die je op de achtergrond wijze woorden mag influisteren.'

'Ik heb een jongere broer gehad,' zei Hartmann met droevige berusting. 'Ik hield van hem, maar hij was niet al te slim.'

Weber sloot zijn ogen en mompelde: 'Zo bedoelde ik het niet.'

'Maar geen slechte droom, toch?'

'Het blijft maar een droom. Wil je waarheid horen? Jij bent Don Quixot en ik ben je zielige knechtje Sancho Panza. Het enige wat we doen is vechten tegen windmolens. Zelfs nu. Toen we nog jong waren dachten we dat we de wereld beter konden maken. Nu we oud zijn proberen we alleen nog maar krampachtig te voorkomen dat de dingen erger worden dan ze al zijn.'

De wanhoop was van zijn gezicht te lezen. Iets wat Hartmann nog nooit eerder had gezien.

'Ik had me niet gerealiseerd dat je er zo over dacht. Ligt het aan mij?'

'Nee! Net zomin als aan mij, of aan Karen. Of aan Ussing. Of aan Rosa Lebech. Of... aan wie dan ook. Probeer nou eens een keer naar me te luisteren. Het ligt aan de wereld. Wij hebben hem verkloot. Rechts, links en de middenpartijen.'

De premier van Denemarken wist even niet wat hij moest zeggen.

'Dat is mijn eis,' herhaalde Weber.

'Wat je maar wilt,' stemde Hartmann in. Hij knikte naar de auto en de lijfwachten buiten. 'Als je klaar bent, kun je meerijden.'

In het daglicht zag de school er anders uit. Kinderen renden rond in de schelle winterzon en vulden het speelplein met vrolijke stemmen. Lund liep zonder omhaal naar binnen, trof Juncker aan in het kantoor dat ze de vorige avond al had bekeken.

Dossierkasten die openstonden. Overal papieren.

'Waar heb jij in godsnaam uitgehangen?' vroeg hij.

'Wat is er gebeurd?'

'Jij geeft nooit gewoon antwoord, hè?'

'Wat is er gebeurd, Asbjørn?'

'De schoonmakers hebben een inbraak gerapporteerd. Volgens Borch was dat gebroken ruitje alleen maar een test. Misschien is hij in de buurt blijven rondhangen totdat jullie waren vertrokken.'

Borch zat in kleermakerszit op de vloer de papieren door te pluizen. Hij keurde haar geen blik waardig.

'Ik ben naar je kamer gegaan,' zei Juncker. 'Je was er niet. Ik maakte me zorgen.'

'Ik ben een grote meid,' zei Lund. 'Je moet je scheren.'

Hij had een heel vlassig stoppelbaardje. Het paste niet bij hem.

'Heeft Borch iets gevonden?' vroeg ze.

Juncker wees naar de man die op de vloer zat.

'Bedoel je... die Borch?'

Hij stond op, wierp een blik op haar, wees naar de schoolfoto's aan de muren. Jaar na jaar. Kinderen in opeenvolgende klassen.

'Voor zover ik kan beoordelen was hij op zoek naar leerlinggegevens.'

'Dus hij is hier gisteravond geweest?' zei ze.

Hij trok een gezicht.

'Niet toen wij hier waren.'

'Maar hij was dus in de buurt?'

'In de buurt,' stemde Borch korzelig in. 'Ja.'

Juncker sloeg haar gade, verwonderd door Borchs kregelige stem, en haalde zijn schouders op. Een lid van de technische recherche inspecteerde de muur met behulp van vingerafdrukpoeder.

'Hij heeft een foto van de klas van Louise Hjelby meegenomen,' mengde Juncker zich in het gesprek. 'Ik heb een kopie opgevraagd bij een van de andere ouders.'

Ze staarde hem aan.

'Andere ouders?'

Juncker knikte.

'Hij moet toch wel haar vader of haar oom zijn of zoiets? Waarom zou hij anders al die moeite doen? De moeder heeft zijn naam niet op de geboorteakte vermeld. We weten niet eens of hij het kind ooit zag. Of zelfs maar van haar bestaan wist. Lund...' Hij raakte zijn mond aan. 'Je hebt daar tandpasta zitten. Je had zeker nogal haast...'

Ze bevochtigde haar vinger en veegde de vlek weg. Juncker vond de foto. Klas 7B. Louise was het droevigste meisje op de foto. Gekleed in het zwart. Maar ze hield de hand van het meisje naast haar vast.

Lund liet de foto aan de onderwijzeres zien en vroeg wie het was.

'Katja. Die twee konden goed met elkaar opschieten. Zaten naast elkaar.'

'Is ze hier?'

Dezelfde woedende blik die ze een dag eerder had gezien.

'Ze zei dat een van uw mannen gisteren met haar heeft gesproken. Ze is al overstuur genoeg.'

'Gisteren?' wilde Lund weten.

Borch schudde zijn hoofd. Juncker eveneens.

'Waar is ze?'

De vrouw liep naar het raam. Wees naar een lang meisje in een spijkerbroek, met een groene wollen muts, een goedkope jas.

'Kom mee,' verordonneerde Lund.

Buiten met Juncker en Borch. Katja durfde niet goed te praten met al die andere leerlingen in de buurt. Daarom liepen ze naar een braakliggend stuk grond iets verderop. De vorige dag was ze om vier uur op haar fiets tegengehouden door een man die zei dat hij van de politie was.

Juncker kreeg de precieze locatie te horen en ging die controleren. Borch liet het meisje een foto van Emilie Zeuthen zien.

'Dat is het meisje dat in alle kranten staat.'

'Heb je haar gezien?'

'Nee.'

'Die man,' zei Lund. 'Hoe zag hij eruit?'

Ze wees naar Borch.

'Zoals hij. Gewoon. Donker haar. Hij wilde weten of ik degene was die Louise had gezien op de dag dat ze werd vermist.'

'En was dat zo?'

'Ja.' Ze wees naar de weg. 'Bij het plaatsnaambord, als je vanuit Esbjerg komt. Ik wilde net mijn paard gaan voeren.'

Lund haalde een plattegrond voor de dag, keek naar de exacte locatie.

'Waarom was ze daar? Ging ze niet meestal langs de waterkant naar huis?'

'Ze zei dat er iets mis was met haar fiets. De versnelling, geloof ik. Ze was waarschijnlijk van plan om die te laten repareren. Ik denk dat ze daarom een lift kreeg.'

'Een lift?'

'Van een man in een zwarte auto. Ik dacht dat Louise hem kende. Hij heeft haar fiets achter in zijn auto getild.'

'Hoe zag hij eruit?' vroeg Borch.

'Het was veraf. Ik kon het niet goed zien. Ze waren al weggereden voordat ik daar kwam…'

'Wat voor auto?'

'Zwart. Groot. Duur… Ik weet het niet.'

Lund wilde meer weten. Het meisje begon te huilen. Ze bleef dezelfde vragen stellen, steeds opnieuw.

'Sarah,' zei Borch uiteindelijk. 'Is het zo genoeg?'

Ze zweeg. Hij keek naar het meisje.

'Weet je nog in welke richting die auto wegreed?'

Te laat. Te veel tranen.

'Dat weet ik niet! Ik heb het tegen meneer Overgaard gezegd. Louise heeft geen zelfmoord gepleegd. We waren vriendinnen. Hij zei dat ik mijn mond moest houden, anders zou ik het wel merken.'

Borch vroeg: 'Die man die je gisteren hebt ontmoet… Heb je dit allemaal aan hem verteld?'

Katja knikte.

'Ik moet even bellen,' zei hij en hij liep weg.

Robert Zeuthen zat in de Politigården Brix het leven zuur te maken. Hij eiste antwoorden.

'Ik heb duikploegen,' zei hij. 'Die kunnen helpen zoeken.'

'Wij hebben de marine. De luchtmacht. Onze eigen mensen. We hebben genoeg mankracht.'

'En hoe lang moeten we nog wachten? Weet je wat dit voor effect heeft op Maja? Ze gelooft zelfs dat Emilie nog leeft, verdorie.'

De politiechef zei niets.

'Dat is jullie schuld. Ze heeft jullie horen praten...'

'Dat was betreurenswaardig,' antwoordde Brix. 'Het spijt me dat dat is gebeurd. We moeten elke mogelijkheid onderzoeken...'

'En die farce in Jutland?' Zeuthens stem klonk hoog en luid. Tot het uiterste gespannen. 'Wat is er allemaal aan de hand?'

'We hebben geen enkele indicatie dat uw dochter nog leeft.'

'Waar is ze?'

Brix schudde zijn hoofd.

'Emilie is in een snelstromende rivier gegooid. Het touw waaraan ze vastzat is geknapt. Ze kan overal zijn. Het is helaas niet ongebruikelijk dat dergelijke zoektochten heel lang...'

'Ik moet voorbereidingen treffen voor een begrafenis. Met een vrouw die niet gelooft dat haar dochter dood is.'

'Het spijt me...' begon Brix.

'Dat is niet goed genoeg. Als jullie mijn dochter aan het eind van de dag nog niet hebben gevonden, ga ik zelf aan de slag.'

Zeuthen liep de gang op. Reinhardt had een bericht achtergelaten. Maja wilde niet met hem naar de kerk.

Hij belde haar. Kreeg haar voicemail.

'Ik ga, of jij nu meegaat of niet, Maja,' zei hij.

Aan de andere kant van de stad, in Lassens flat, met Carl naast haar, keek ze naar het berichticoontje. Wachtte. Luisterde. Wiste het bericht.

De kleine jongen ging op in zijn speelgoed. Hij wist dat er iets was. Daar was ze van overtuigd. Het zou vreemd zijn geweest als dat niet zo was.

Maja Zeuthen legde haar telefoon neer, sloot haar ogen. Voelde twee kleine armen die om haar hoofd werden gelegd en haar vasthielden.

'Mam?' vroeg hij. 'Waarom huil je?'

Geen antwoord.

'Ik zorg wel voor je,' beloofde Carl en hij kuste haar haren.

Op advies van Weber richtte Hartmann zijn eerste pijlen op de Partij van het Centrum. Rosa Lebech beantwoordde zijn telefoontjes niet, dus wachtte hij haar stiekem op in een van de galerijen van het parlementsgebouw. Ze glimlachte niet. Maakte geen bezwaar toen hij haar vroeg mee te gaan naar een rustige alkoof. Karen Nebel luisterde mee. Weber was elders poolshoogte aan het nemen.

'Wij zouden niet met elkaar moeten praten, Troels,' zei ze, een blik op

Nebel werpend. 'Niet totdat de zaken zijn opgelost.'

'Ik begrijp waarom je je tegen Ussing hebt aangevlijd. Het is geen probleem.'

'Wat wil je dan?'

'Je steun. Zoals we hadden afgesproken.'

'Troels! Jouw minister van Justitie kan medeplichtig zijn aan de dood van Emilie Zeuthen! Dat wist je en dat heb je me nooit verteld. Je hebt Jens laten arresteren...'

'Dat was het werk van Dyhring. Niet van mij.' Hij bleef haar aankijken. 'Ik heb ze gevraagd hem schappelijk te behandelen. Er komt geen aanklacht. Dat had wel gekund...'

'En moet ik daar dankbaar voor zijn?'

Hartmann dacht na over zijn antwoord.

'Ik zou niet verwachten dat je ondankbaar was. De PET onderzoekt de zaak-Zeuthen. En een eventueel verband met Ussing.'

Ze fronste haar voorhoofd.

'Anders heeft me alles verteld over die Schultz.'

'Wat dan?'

'Ze waren oude vrienden. Hij is verbijsterd dat je zo'n streek met hem probeert uit te halen. Het is idioot...'

'Ach, in hemelsnaam, Rosa,' stoof Nebel op. 'Wat heeft het voor zin? We hebben je honderdduizend keer gesmeekt en gebeden. We hebben je posten in het kabinet aangeboden. Ons beleid opzijgeschoven en vervangen door het jouwe. En toch blijf je maar geloven wat Ussing je op de mouw speldt...'

'Misschien omdat hij geloofwaardiger is.' Een zijdelingse blik op Hartmann. 'En omdat hij niet zo'n beladen verleden heeft...'

'Het helpt niet dat je ex-man overal documenten lekt! Daar kan hij voor in de gevangenis komen...'

'Karen!' onderbrak Hartmann haar. 'Er gaat niemand naar de gevangenis.' Hij pakte Lebechs hand, zorgde dat Nebel het zag. 'Rosa en ik hebben even tijd nodig om dit privé te bespreken. Voordat de partijleiders elkaar ontmoeten. We kunnen...'

'Ik steun Ussing,' zei Lebech en ze trok haar vingers weg. 'Het spijt me. In deze omstandigheden heb ik geen andere keus.'

Ze liep weg.

'Bedankt voor je bijdrage over haar ex,' mopperde Hartmann. 'Dat hielp enorm.'

'Die vrouw vertrouwt jou niet meer. Het heeft geen zin...'

'Bij een vrouw heeft het altijd zin.'

Weber liep door de gang. Hij leek geschokt, legde een vinger op zijn lippen.

'Rustig, rustig, mensen.'
'Ah, ben je daar weer?' zei Nebel.
Weber glimlachte.
'Blij me te zien?'
'Altijd.' Ze keek naar Hartmann. 'Juich niet te vroeg. Ik heb niet veel tijd gehad om alles te checken. Maar er is iemand die je moet spreken. Een van Anders Ussings vroegere werknemers. Hij heeft heel wat te vertellen.'
Weber sloeg zijn armen over elkaar.
'Ik hoop dat het een goed verhaal is,' zei hij.

Ze stonden langs de hoofdweg bij de school te bellen. Borch met de PET, Lund met Brix. Ze keken elkaar niet aan.
Hij verbrak de verbinding als laatste. Keek om zich heen.
'We zijn de hele kust afgegaan en de hele hoofdweg. Nergens een teken van hem.'
'Ik heb het nog eens gecontroleerd,' zei ze. 'Nergens in het dossier van Louise Hjelby wordt een zwarte auto genoemd. Overgaard heeft dat meisje ondervraagd. Hij moet het weggelaten hebben.'
'Misschien...'
'Nee! Niet misschien. Er is toch geen andere verklaring? Een grote, zwarte, dure auto, zei dat meisje. Die zie je hier niet veel. De auto van een zakenman.' Ze keek hem aan. 'Misschien een politicus. Daar liepen er hier toen genoeg van rond.'
Hij pakte een kaart, spreidde hem uit op het dak van de auto en drukte de hoeken omlaag vanwege de stevige zeebries.
'Ik geloof niet dat die auto nu van belang is. Waar is Asbjørn?'
Lund vernauwde haar ogen tot spleetjes en keek hem aan.
'Niet van belang? Haar fiets werd achter in...'
'Ja! Twee jaar geleden. Op dit moment zijn we op zoek naar Emilie Zeuthen. En een rood bestelbusje.'
Er hing een vreemde mengeling van gêne en boosheid tussen hen. Misschien ook schaamte.
'Hij wil uitzoeken wat er is gebeurd,' zei Lund.
'Alles op zijn tijd. Eerst dat meisje van Zeuthen...'
'Ben je boos op me vanwege gisteravond? Is dat de reden dat je zo dwars doet?'
Dat deed pijn.
'Ik doe niet dwars. Of wel?'
'Zeer.'
'Je keert steeds terug naar die oude zaak, Sarah. We hebben nu te maken met een nieuwe. Een zaak die nú speelt...'

'Kunnen we het niet eens over die zwarte auto hebben? Ik bedoel… na…'
Hij verfrommelde de kaart.

'Voor de laatste keer: het heeft niks te maken met gisteravond.'

'Louise Hjelby is dood aangetroffen nadat ze was ingestapt in een zwarte, luxe sedan. De bestuurder heeft haar fiets achter in de kofferbak getild.'

Een witte politieauto was achter hen gestopt. Juncker stapte uit.

'Voor het geval dat jij het niet snapt,' ging ze verder, 'op dit moment is onze verdachte bezig met uitzoeken waar die zwarte auto heen is gereden en wie er achter het stuur zat. Hij doet dus eigenlijk ons werk.'

'Mij best! Ga dan maar op zoek naar die zwarte auto.'

Juncker kwam naderbij.

'Ik wil niet storen…'

'Dat doe je ook niet,' blafte ze hem toe.

'Mooi,' zei hij met een vrolijke grijns. 'Want terwijl jullie de tijd hebben gedood met kijven heb ik een vent in een garage gevonden. Die iets heeft gezien.' Hij klopte zich op de borst. 'Dat heb ik gedaan.'

'Welke garage?' vroeg Borch meteen.

'Buiten de stad. Langs de weg naar Esbjerg.' Juncker wees naar de witte auto. 'Rij maar achter me aan.'

Het was eerder een schroothandel dan een garage. Autowrakken voor een lang wit gebouw. Binnen slechts één man, die in een met vetvlekken besmeurde overall aan een oude Lancia sleutelde.

Hij keek nauwelijks op toen Juncker zei: 'Ik heb gehoord dat u een overzicht bijhoudt van de auto's die hier voorbijrijden.'

De monteur schudde zijn hoofd.

'Denkt u dat ik daar tijd voor heb?'

'Ik heb gehoord…' begon Juncker.

'Dat hebt u fout gehoord. Dat doet mijn zoon. We hebben hier allerlei soorten auto's.' Hij wees naar de roestige wrakken. 'Frans. Italiaans. Japans. Amerikaans. Hij is dol op lijstjes.'

Hij gebaarde naar een gebutste Ford.

'Om de een of andere reden bewaart hij zijn aantekeningen in het handschoenenkastje van dat ding. Neem maar een kijkje als u wilt.'

Lund zorgde ervoor dat zij de eerste was. De voorruit was kapot, maar het interieur was redelijk netjes. Er lagen vier schriften. Ze begon te bladeren. Een kinderlijk handschrift. Datums. Cijfers.

'Hij is nog gekker van kentekenplaten dan van auto's. Als hij een nieuwe ziet schrijft hij die op.' De man legde een smerige moersleutel op de motorkap. 'Volgens mij droomt hij ervan om ooit aan deze puinhoop te ontsnappen. Wie niet?'

Hij lachte, wuifde.

'Daar is hij. Hallo, Jakob!'

Een blonde jongen van ongeveer tien jaar reed op zijn fiets naar het woonhuis naast de garage.

'Ik praat wel met hem,' zei Borch. 'Kijk jij in die boekjes.'

Juncker vroeg de man hoe lang de jongen al kentekens noteerde.

'Een jaar of drie, vier,' zei de man.

Borch voerde een lang gesprek met de jongen. Vriendelijk. Lund keek toe. Liep erheen. Mengde zich in het gesprek en vroeg naar een rood bestelbusje.

Jakob stak zijn pols uit. Er was een nummer op gekrabbeld.

'Is het misschien deze?'

'Was hij rood?' vroeg Lund.

'Ja. Hij reed in de buurt van die vakantiehuisjes.'

'Wanneer?'

'Vanochtend. Toen ik naar school ging.'

Juncker rende naar de auto.

'Ik wil die schriftjes,' zei Lund tegen de vader. 'Ik stuur later wel iemand om ze op te halen.'

Aan het water vlak bij het beeld van de kleine zeemeermin ontmoetten Hartmann en Weber de man die Karen Nebel had opgespoord. Hij heette Kristoffer Seifert, rond de veertig, gelikt pak, gelikt haar, vlotte glimlach. Was vroeger een van Ussings administratieve medewerkers. Hij zei dat hij er twee jaar geleden bij was geweest toen Ussing een ontmoeting had met Peter Schultz.

'Ik kwam binnen om wat papieren te laten tekenen. Ik zag hen.'

Weber vroeg waarom hij niet meer voor Ussing werkte. De onwrikbare glimlach hield stand.

'Er was een probleem met het campagnebudget. Theoretisch viel dat onder mijn verantwoordelijkheid.'

'Wat voor probleem?'

'Het klopte niet. Het was niet mijn fout. Wilt u mijn verhaal nog horen of niet?'

Hartmann zei dat hij door moest gaan.

'Ussing vroeg om een afspraak met Schultz. Ze spraken. Hij had een paar afspraken verzet om tijd voor hem vrij te maken.'

Weber gromde.

'Ze waren toch wel vrienden?' vroeg hij zich af.

Seifert aarzelde en zei toen: 'Ik heb altijd voor de regering willen werken, niet voor de oppositie. Ik ben afgestudeerd politicoloog. Ik wil mijn kennis graag goed gebruiken.'

'Het verhaal…' zuchtte Weber.

'Ja, ja. Ik luisterde uiteraard nooit gesprekken af. Maar Ussing vroeg me buiten bij de deur te wachten. Wat eerlijk gezegd nogal vreemd was. Nergens voor nodig. Ik kon het niet helpen dat ik hoorde wat ze zeiden.' Hij knikte. 'Echt waar. Het was niet te voorkomen.'

'Wat hebt u dan gehoord?'

'Ussing was geïnteresseerd in een zaak die Schultz behandelde. Iets met een dood meisje in West-Jutland. Ik geloof niet dat de aanklager er graag over sprak. Waarom zou hij ook. Het had niets met ons te maken.'

Hartmann zweeg even. Er kwam een fietser voorbij.

'Ussing drong aan,' ging Seifert verder. 'Hij wilde het per se weten.'

Weber leek eindelijk geïnteresseerd.

'Zei hij waarom?'

'Ik kreeg de indruk dat hij iets geheim wilde houden.' Hij viste een envelop uit zijn zak. 'Ik heb een paar jaar in Brussel gewerkt. Veel ervaring. Het zit allemaal hierin.'

'Wat wilde Ussing geheimhouden?'

'Het had iets te maken met dat meisje. Ik heb het niet precies gehoord. Hij leek nogal in de rats te zitten.' Een schouderophaal. 'Daarna deden ze de deur dicht.'

Hartmann en Weber keken elkaar aan.

'Ik ben freelancer op dit moment. Als jullie me willen inhuren... ik kan elk moment beginnen.'

'U moet dit allemaal aan de PET vertellen,' zei Hartmann.

Seifert keek bezorgd.

'De PET? Hoezo?' Een zenuwachtig lachje. 'Dit is alleen maar politiek...'

Webers telefoon ging.

'Ik wil liever niet met de politie te maken krijgen.'

'Daar is het nu te laat voor,' zei Hartmann. Daarna liep hij naar Weber, die langs de waterkant ijsbeerde, ondertussen druk in zijn telefoon pratend.

Hij wachtte.

'Wat vind jij ervan?' vroeg hij toen Weber het gesprek had beëindigd.

'Het zaakje stinkt. We moeten teruggaan naar Christiansborg. Birgit heeft haar tank op het gazon geparkeerd. Een heel grote.'

Een kwartier later ontmoette Hartmann haar in het parlementsgebouw. Ze was buiten adem, leek erg druk.

'Ik denk dat we nieuwe informatie hebben,' begon hij.

'Daar heb ik nu geen tijd voor, Troels. Het partijcomité komt bijeen. De vergadering begint over een uur.'

'Ik ben de premier, Birgit. Ik denk dat ik het wel zou weten als dat gebeurde.'

'Toch is het zo. Er staat maar één ding op de agenda.' Ze gaf hem een vel papier. 'We willen dit fatsoenlijk afhandelen. Zonder rancune. Als je vrijwillig terug wilt treden zullen we doen wat we kunnen om je op een later moment weer een positie in het kabinet te gunnen.' Een grimmig lachje. 'Afhankelijk van de verkiezingsuitslag, uiteraard.'

'En zo niet?'

'Dan trekken we collectief en openlijk onze steun in voor jou als leider van de partij.'

Hartmann verfrommelde het vel papier en smeet het op de traptreden.

'Je hebt ons helaas geen andere keus gelaten. Het spijt me.'

Ze keek op haar horloge.

'Eén uur.'

Er was slechts één plek die in aanmerking kwam voor een begrafenis van de familie Zeuthen: Frederik's Kirke. De marmeren kerk, de basiliek met de grote koepel die het westelijke gebied van paleis Amalienborg domineerde. De kerk was leeg, afgezien van Zeuthen, zijn vrouw en de vrouwelijke dominee.

'We willen het privé houden,' zei hij. 'Alleen familie en vrienden.'

'Heb je nagedacht over de gezangen?'

Maja Zeuthen liet haar hoofd hangen. Wanhoop en woede op haar gezicht.

Zeuthen in zijn donkere regenjas, scheve stropdas, ongekamd haar, zei: 'We hebben iets gezongen bij haar doop, ik geloof dat het...' Hij schudde zijn hoofd. 'Ik weet het niet meer.'

'"Leer me, ster van de nacht,"' fluisterde Maja.

Het was erg donker in de kerk. Zelfs het koper en brons van de kroonluchter leek in de rouw te zijn.

De dominee maakte een aantekening, zei dat het een uitstekende keus was.

'Op een bepaald moment tijdens de ceremonie kan ik een paar dingen over Emilie zeggen.' Ze keek hen beurtelings aan. 'Misschien is er iets speciaals, iets waarvan jullie het fijn zouden vinden als ik het noem. Ik weet niet of haar broertje bij de dienst aanwezig zal zijn. Maar als dat zo is zou ik hem ook graag noemen.'

Stilte tussen hen. Ze vermeden elkaars blik.

'We hebben nog niet besloten of Carl meekomt,' zei Zeuthen tegen haar.

De vrouw knikte.

'Soms kan het nuttig zijn. Een manier om afscheid te nemen. Naar voren lopen. Een bloem op de kist leggen. Het heeft een zekere schoonheid...'

'Schoonheid?' riep Maja Zeuthen. 'Mijn dochter is dood. Vermoord. Hoezo schoonheid?'

De dominee verstijfde.

'Niemand kan je pijn wegnemen, Maja. Maar we rouwen omdat we hebben liefgehad. Het is die liefde die je moet onthouden. De liefde die blijft. Voor jou. Voor Carl. Misschien zou het hem goeddoen als hij zag dat jullie elkaar steunden...'

Met haar hoofd omlaag, vechtend tegen de tranen, stond Maja Zeuthen op, liep naar de zware deuren, trok eraan.

Stevig op slot.

'Maja?'

Zijn voetstappen die dichterbij kwamen.

'Waarom zit die deur verdomme op slot?' jammerde ze. 'Wie heeft dat gedaan? Ik wil hier weg. Die stompzinnige platitudes...'

Hij was bij haar, ogen smekend, handen ook.

'We moeten dit regelen. We moeten die beslissingen nemen.'

'Ik wil hier weg, Robert. Ik ben niet jouw eigendom. En ook niet dat van de kerk.' Ze draaide zich om, schreeuwde naar de dominee. 'Hoor je wat ik zeg?'

Hij leunde tegen een pilaar.

'We moeten het Carl vertellen. We moeten dat samen doen...'

In de alkoof bij de deur was het zo donker als de nacht. Ze hield op met schreeuwen, zag dat zijn gestalte schril afstak tegen een lichtbundel uit de koepel boven zijn hoofd.

Hetzelfde gezicht waarop ze verliefd was geworden. Ze had nooit kunnen denken dat ze daar ooit zo veel leed op zou zien.

'Laat me eruit...' fluisterde ze terwijl ze zich omdraaide.

Brix ruimde zijn bureau op. Gooide papieren weg waarvan hij liever had dat niemand die onder ogen zou krijgen. Hij vroeg zich af wanneer Ruth Hedeby terug zou komen met Tage Steiner, klaar voor een nieuwe aanval. De laatste.

Hij had Lund in Gudbjerghavn gebeld. Had niets gehoord wat hem ervan zou kunnen overtuigen dat hij zich nog kon redden. Stond voor het raam in zijn kantoor en vroeg zich af hoeveel hij deze plek zou missen.

Toen kwam Madsen binnenstormen.

'Als het Hedeby is, zeg haar dan dat ik geen tijd heb.'

De rechercheur reageerde verbaasd.

'Het is Hedeby niet. De reddingsploeg heeft het kind gevonden. Ze brengen haar nu binnen.' Hij keek op zijn horloge. 'Over tien minuten is ze bij het forensisch instituut. Ik vroeg me af of...'

Voordat hij was uitgesproken was Brix al onderweg.

Nog één ritje door de stad. Lund achter het stuur. Borch zat moe en zwijgend naast haar.

'Hij moet hier zijn,' hield ze vol. 'Nog nieuws van Asbjørn?'

Het regende weer. En er waaide een bestendige, ijskoude wind.

'Niets,' zei hij. 'Is dit het echt waard?'

De kaart lag uitgespreid op zijn schoot.

'We hebben overal gekeken. Het is verspilling van...'

'Hij is slim! Dat weten we toch? Hij is...' Lund had hier een tijdje over nagedacht. 'Ik heb ooit met iemand samengewerkt die in het leger had gezeten. Bij de commando's. Hij zei dat sommigen van hen overal konden opduiken. Dat ze zichzelf onzichtbaar konden maken. Louises moeder heeft haar verteld dat hij een held was. Die veel had gereisd. Misschien...'

Misschien is hij net als Ulrik Strange, dacht ze. Een fatsoenlijke man, verscheurd door het verleden, door de gebeurtenissen.

Borch haalde diep adem.

'Wat gisteravond betreft...'

'Ik weet het,' onderbrak ze hem. 'Het had niet mogen gebeuren.'

Een auto naderde uit de tegenovergestelde richting. De koplampen verlichtten zijn gezicht. Gekwetst. Bang zelfs. Ogen op haar, nergens anders.

'Nee, dat is waar,' zei Borch instemmend.

Meer niet. Ze stopte langs de weg, nam de kaart van hem over.

'Het probleem is...'

'Het is goed. Je hoeft niks te zeggen.'

Dat raakte hem.

'Maar dat wil ik wel. Het probleem is... dat ik er geen spijt van heb.'

Lund liet haar vinger over de kaart glijden. Keek voor zich uit. Probeerde niet te luisteren.

'Totaal niet,' voegde hij eraan toe. 'Dus...'

Ze zweeg lange tijd, wees toen voor zich uit.

'Die weg.' Ze tikte met een vinger op de kaart. 'Waar gaat die heen?'

De koplampen schenen op een stuk afzettingslint. Het was geknapt en lag deels over het wegdek.

Borch zuchtte.

'Er ligt daar een verlaten scheepswerf. De plaatselijke politie heeft dat al gecheckt.'

'Een scheepswerf?'

'Oké. Hij houdt inderdaad van boten...'

'Ze zouden dat lint toch weer gerepareerd hebben, niet dan?'

'Sarah...'

Ze schakelde en reed over het gescheurde lint.

Na vijfhonderd meter hield de weg op. Lund stapte uit, Borch achter haar.

Een nevelige mist dreef van de nabijgelegen zee het land op, het zware, klagende geluid van een misthoorn met zich meevoerend. Bij de ingang van wat ooit een bedrijvig industrieterrein moest zijn geweest stond een beveiligings-hek. Ze pakten hun zaklampen. Borch liep voorop. De poort van het hek stond open, het hangslot was verbrijzeld.

Ze liepen erdoor.

Het terrein leek omvangrijker naarmate je er verder door liep. Werkplaat-sen en opslagruimten. Verlaten boten die gestrand leken op het beton. Een paar half afgebouwde scheepsrompen. Masten en roestende machines. Een reusachtige schroef.

Ze kwamen bij het water. Aan het eind van een kleine aanlegsteiger brand-de een enkele lamp, als een wakend oog dat naar de sluiers van mist staarde.

Waar ze ook keken, alles zag er wrakkig uit. Gebroken ruiten. Lekkende houten wanden. Bouwvallig maar niet bepaald privé.

Het laatste gebouw was anders. Metaal, geen glas, geen enkele opening af-gezien van één deur.

Zo te ruiken een verfwinkel. Of een plek waar ooit aan machines was ge-werkt. Misschien beide. Ze begon te praten, maar Borch maande haar tot stil-te.

Wees naar de deur, die op een kier stond.

Binnen. Verf. Olie. Vet. Chemicaliën. Plastic hoezen die voorwerpen be-dekten. Roestig gereedschap in rekken. Een vervallen werkplek. Typerend voor hem.

Ze liepen langs een gedeelte met machines. Kwamen in een aangebouwd stuk terecht. Dikke touwen hingen als stroppen van het plafond. Van bene-den kwam het ritmische geluid van golven die tegen palen klotsten. Ze be-vonden zich boven de zee, zonder ramen, zonder referentiepunt.

Ze vond een lichtknop, en drukte erop. Liep verder. Na de touwen kwamen kettingen en lage, beweegbare platforms om onder scheepsrompen en -mo-toren te kunnen werken.

Met haar pistool boven de zaklamp liep ze verder, vergat Borch, praatte tegen zichzelf.

Hij is hier geweest.

Dat wist ze. Ze voelde het. Ze kon hem ruiken.

Toen, in een hoek, viel de lichtbundel op een witte vorm. Lund besefte dat ze eindelijk op een antwoord was gestuit.

In Kopenhagen hadden ze dit soort fietsen ook. Niet heel modieus. Ge-woon goedkoop en handig. Hij leunde een beetje lomp rechtop tegen een lange, grijze plastic hoes.

Borch liep achter haar.

'Dat is haar fiets,' zei ze. 'Die van Louise. Ik heb hem gezien op de foto bij het pleeggezin.'

Ze bukte zich, trok een paar latexhandschoenen uit haar zak. De ketting lag eraf. De rugzak van een schoolkind lag bij het achterwiel.

'Sarah?'

Nu even niet, dacht ze. Ik denk na. Dat probeer ik althans.

'Sarah!'

Borch had een ander plastic zeil weggetrokken, verderop langs de muur. Iets in zijn gezicht, bedroefd, jong en geschokt, zei haar dat ze moest kijken. Twee lichtbundels voor hen. Het grijze zeil opzij getrokken.

Op de vloer een smoezelig, geelbruin matras. Bloedvlekken aan de rand en op de vloer ernaast. Een stel kettingen en handboeien.

'Jullie mannen hebben deze plek gecheckt?' vroeg ze.

'Ze zeiden dat het hek dicht was. Hij moet gisteravond hier zijn geweest. Jezus…' Borch leek op het punt te staan in schreeuwen uit te barsten. 'Die ellendeling van een Overgaard heeft niet eens de moeite genomen hier te kijken.'

Terwijl hij verder rondkeek bleef zij daar staan, keek naar de matras, de bloedvlekken. De handboeien. Probeerde zich een beeld te vormen.

Telefoon.

'Lund?' zei Juncker.

Hij klonk somber.

'Asbjørn…'

'Luister,' onderbrak hij haar. 'Ik heb net een telefoontje gehad van die garage. Die met dat kind dat kentekens opschreef.'

'Ja. Mooi. We zijn in de scheepswerf waarvan we dachten dat die al door de plaatselijke politie was geïnspecteerd. Ik heb mensen nodig…'

'Luister naar me! Toen ik weer met hem praatte zei hij dat Borch er al voor ons was geweest, vanochtend. Hij heeft met dat kind gesproken. Heeft een van zijn schriftjes meegenomen voordat wij er überhaupt waren geweest.'

Een matras. Een geweldsdaad. Het leven van een meisje was hier beëindigd en in zekere zin begreep ze totaal niet hoe de simpele, brute wreedheid van die daad onzichtbaar had kunnen blijven.

'Welk schrift?'

'Van twee jaar geleden. Hij zegt dat ze Borch kenden. Hij is hier ook geweest toen Louise Hjelby net werd vermist. Heeft toen vragen gesteld.'

Het was donker. Ze wist niet waar Borch was gebleven.

'Hoor je wat ik zeg?' Junckers stem klonk schril en bezorgd. 'Iemand zit ons te belazeren en je hoeft geen genie te zijn om te weten wie.'

Voetstappen. Zijn zaklamp. Lund stak haar telefoon weg.

'Ik heb de rode bestelbus gevonden. Hij staat hierachter geparkeerd,' zei Borch. 'Laten we gaan. We kunnen er later een team bij halen.'

Ze verroerde zich niet.

'Sarah!'

De nieuwe Borch weer. Bazig en efficiënt.

'Waarom is dat schrift belangrijk?' vroeg ze.

Hij stond in een hoek, ergens waar ze hem niet kon zien.

'Wat voor schrift?'

Ze volgde het geluid van zijn stem, richtte de zaklamp op zijn gezicht.

'Dat schrift dat je vanochtend bij die jongen hebt meegenomen. Voordat de rest van ons er was.'

Niets.

'Jij en de PET hebben die zwarte auto uit het rapport gehouden, nietwaar? Gewoon gewist.'

Zijn hoofd schuin. Die blik van 'je draait door'.

'Waar heb je het nu weer over?'

'Heeft Schultz dat verordonneerd? Of vertelde jij Schultz wat hij moest doen?'

'Geen van beide.'

'Je bent hier niet gekomen om iets voor mij te vinden!' schreeuwde ze. 'Je probeerde je sporen uit te wissen. Probeerde ervoor te zorgen dat wij dit hier...' Ze wierp een blik op de matras en de bebloede kettingen. '... nooit zouden vinden.'

Hij was razend.

'Ik weet dat je die jongen vanochtend hebt gesproken.'

'Daar kan ik nu niet over praten.'

'Wie staat er in dat schrift? Wie probeer je verborgen te houden?'

Hij sloeg zijn armen over elkaar. Kwam dichterbij.

'Het zit zo, Sarah. Die jongen noteerde willekeurige kentekens in de periode dat dat meisje vermist raakte. Eén kenteken viel ons in het bijzonder op. We hebben het nagetrokken. Dat was ons werk. Er kwam niets uit. Een vals spoor. Einde...'

'Waarom was jij daarbij betrokken?'

Hij stak zijn handen met een bezwerend gebaar in de lucht.

'Omdat...'

Ergens kwam een geluid vandaan. Voetstappen. Een machine. Een oude industriële motor die puffend tot leven kwam.

Toen een hevig kabaal. Ze draaide de zaklamp in de richting van het geluid. De zware metalen deur aan de andere kant van de ruimte sloeg met een klap dicht.

Borch rende, zette zijn schouders tegen de deur. Zonder resultaat.

Het kwam bij het plafond naar binnen, kringelend en schadelijk: een blauwgrijze, sliertige wolk.

Dieselrook. Veel.

Geen ramen. Geen enkele ventilatie.

Alleen die voorstelling in haar hoofd, die altijd ongevraagd opdook: buiten een oude generator, een pijp van de uitlaat naar het enige ventilatiekanaal in het dak.

Borch beukte op de deur, schreeuwde, werd woest.

Lund scheen haar zaklamp op de rookslierten die op hen af dreven.

Inademen. Uitademen. Inademen.

Geen keus.

De eerste ongewenste rook in haar longen. Ze begon te hoesten.

Karen Nebel bracht Hartmann op de hoogte terwijl ze onderweg waren naar het partijcomité. De politie was optimistisch over de onderzoeksresultaten in Jutland. Ze wisten nog steeds niet of Emilie nu dood was of niet.

Onderweg rende een keurig verzorgde man hen op de trap achterna. Mogens Rank.

'Troels! Troels! Wacht even. Wees niet kwaad op mij.'

Hartmann draaide zich om.

'Het spijt me dat het zover heeft moeten komen,' zei Rank. 'Ik wil dat je dit weet. Ik steun jou. Altijd. En dat zal ik ook altijd blijven doen. Deze hele zaak staat los van jou.'

'Dat hebben we Birgit ook geprobeerd te vertellen,' merkte Nebel op. 'Ze was niet erg geïnteresseerd.'

Rank knikte.

'Ze heeft ambities. Het is maar...' Hij haalde zijn schouders op. 'Politiek. Als de vergadering begint stel ik voor...'

'Er komt geen vergadering,' zei Hartmann bruusk en hij liep door.

In de vergaderzaal. Lange tafel, kroonluchters erboven. Er werden papieren uitgedeeld. Waterkannen op hun plaats gezet. Birgit Eggert stond in haar eentje aan het tafelhoofd. Nieuw zwart mantelpak, haar volmaakt gekapt, klaar voor de camera's.

Hartmann liep recht op haar af. Nebel en Rank bleven achter en luisterden.

'Dit is heel eenvoudig, Birgit. We zijn bezig met het evalueren van nieuwe informatie over de zaak-Zeuthen. Ik heb er het volste vertrouwen in dat de regering van alle blaam wordt gezuiverd.'

'Troels...'

'Als partijlid, als een van mijn ministers, ben je verantwoording schuldig aan mij, en aan mij alleen. Dit verraad blijft niet onopgemerkt.' Hij wees naar de tafel. 'Zeg tegen je aanhangers dat het je spijt dat je hun tijd hebt verknoeid.'

Een flauw glimlachje.

'En wat voor informatie is dat dan wel?'

'We hebben een getuige die heeft gezien dat Ussing de aanklager onder druk heeft gezet. Iemand van Ussings personeel. De PET onderzoekt het. Om die reden kan ik niet meer zeggen...'

'Vertel me alsjeblieft dat het niet gaat om die hansworst Kristoffer Seifert.' Mogens Rank hief zijn beide handen wanhopig in de lucht.

'O, in godsnaam, Birgit. Denk je dat we helemaal gestoord zijn? Natuurlijk gaat het niet om Seifert.' Hij ving Hartmanns verbaasde blik op. 'Ik bedoel: die man was bijna veroordeeld voor diefstal uit Ussings campagnefonds.'

'Mogens...' fluisterde Nebel.

'Niet dat dat relevant is,' voegde Rank er snel aan toe. 'Onder deze omstandigheden. Al het bewijsmateriaal moet worden onderzocht. En dat zal ook gebeuren...'

'De PET houdt zich ermee bezig,' volhardde Hartmann.

'Je hebt je kans gehad.' Eggert pakte haar papieren op. 'We beginnen met de vergadering. Je kunt blijven of weggaan. Moet je zelf weten.'

Twee verdiepingen naar beneden. De forensische afdeling. Een doodse, kille kamer. Mannen die Brix kende stonden te wachten.

Dit was de akte in het drama waar ze beiden naar uitkeken en die ze beiden verafschuwden. Het einde van deze jacht. Het begin van een nieuwe.

De zak lag op een glimmende, zilverkleurige tafel. Er drupte stinkend water vanaf en hij had de grootte en omvang van een kind. Onder de laag modder en wier was de lichtblauwe stof te zien. Een naam op de zijkant. De afbeelding van een zeil.

Lund had iets gezegd. Over hoe moeilijk het was de man die ze zochten los te zien van de oceaan. Bij alles wat hij deed leek er een verband met zout water te zijn. Misschien stroomde het door zijn aderen, werd het door zijn gevoelloze hart gepompt.

Maar hij werd door iets gedreven. Een of andere onafgemaakte zaak.

De hoofdpatholoog-anatoom was er. Ook de hoogste man van de technische recherche. Beiden stonden daar zwijgend, gehuld in een wit pak, scalpel in de aanslag.

De een voor het lijk. De ander voor bewijsmateriaal. Wie moest beginnen?

'Wat is het?' vroeg Brix.

De man van de technische recherche gaf antwoord.

'Een zak van geteerd doek bestemd voor een zeil van een klein bootje. Heel algemeen. Je ziet ze overal in de haven.'

Het water rook naar zout en rotting. Weldra zou de stank nog erger worden. Daar konden ze niet aan ontsnappen.

'Nou?' vroeg de patholoog-anatoom. Hij hief zijn scherpe scalpel. Hij knikte naar zijn collega. 'Ik of hij? Kiezen jullie maar.'

Wat er was gebeurd, was gebeurd. Het verleden werd niet gevormd door het heden. Alleen andersom, hoezeer men ook hoopte dat het anders was.

Brix wendde zich tot de man van de technische recherche en zei: 'Jij.'

Toen deed hij een paar stappen achteruit, ademde diep in, bereidde zich mentaal voor op de komende stank en keek toe hoe de man zijn gezichtsmasker opzette.

Een paar politiemensen die het niet konden verdragen liepen naar buiten. In zekere zin benijdde hij hen. Straks, als de inspecteur en Ruth Hedeby hun werk hadden gedaan, zou soortgelijke onwetendheid deel van zijn dagelijks leven worden. Hij vroeg zich af hoe dat zou zijn. Troostrijk of gewoon deprimerend.

'Ik ga snijden,' zei de forensisch specialist. Hij zette de scalpel boven op de zak, waar hij dichtgeknoopt zat, en ging langzaam, behoedzaam te werk. Hij maakte een ondiepe snede over de gehele lengte van de stof.

Een nieuwe geur. Brix kon het niet plaatsen.

De forensisch specialist draaide zich niet weg.

Een tweede snee, horizontaal over het midden. Toen nog een paar.

Het ging allemaal te snel. Wat er in de zak zat moest voorzichtig tevoorschijn worden gehaald, als een vlinderpop uit zijn cocon.

Toen nog een snee. Brix stoof op hem af, begon te schreeuwen.

Om direct daarna weer stil te vallen.

De forensisch onderzoeker zette zijn masker af. Haalde zijn schouders op.

Brix keek, probeerde de geur te plaatsen.

Een stuk stof en hars. Schoon. Niet gebruikt.

Maagdelijk, strak opgevouwen, nog grotendeels wit zat het in de blauwe tas.

Een zeil. Niets meer. Een zwart kogelgat aan de bovenkant. Een tweede in het midden.

'Lund had gelijk,' zei Madsen achter hem. 'Ze was…'

Brix beende al door de gang. Een man met nieuwe moed.

'Zeg tegen Hedeby dat we doorgaan met ons onderzoek,' verordonneerde hij terwijl de rechercheur hem probeerde bij te houden. 'Schakel zo veel mogelijk mensen in. Het kan me niet schelen of ze vrij hebben. Ik wil ze allemaal hier hebben.'

Er moesten mensen worden geïnformeerd. Er moest een plan van aanpak worden bepaald.

'Zeg tegen de Zeuthens dat we ze snel willen spreken,' voegde hij eraan toe. 'En bel Lund voor me.'

Terug in het commandocentrum. Er heerste al de nodige hectiek. Juncker had gebeld vanuit Jutland. Ze dachten dat Lund de dader eindelijk op het spoor was gekomen. Maar het ging niet goed.

Een ververij. Een werkplaats voor scheepsmotoren. Een dakraam, hoog boven hun hoofd.

Buiten ratelde en schudde de generator. Ze voelden hoe de uitlaatgassen zich vermengden met hun adem. Hij was er al die tijd geweest. Toekijkend. Luisterend.

Borch deed wat mannen nu eenmaal doen. Vloog tegen de muren op, smeet met dingen, schreeuwde.

Overal baksteen en metaal. Mouwen voor de mond, oppervlakkige ademhaling. Niet dat dat veel uithaalde.

Een geluid. Vreemd maar toch bekend.

Emilies telefoon die rinkelde in haar zak.

Lund haalde hem tevoorschijn, liep naar een hoek, probeerde lucht te vinden zodat ze kon spreken.

'Dit is leuk,' zei ze, half stikkend.

'Ik wil alleen dat schrift, Lund. Niet jou. Geef het me en ik laat je in leven.'

Borch kwam naar haar toe. Ze bracht hem op de hoogte. Hij pakte de telefoon af en blafte hem toe: 'Luister! We hebben dat schrift niet. Er is politie onderweg hiernaartoe. Schakel dat ding uit, oké?'

Geen reactie.

Ze keek omhoog naar het onbereikbare dakraam. Borch pakte een emmer, zei dat ze erop moest gaan staan. Ze reikte omhoog, maar kon niet eens de eerste balk aanraken.

'Dat lukt me niet,' zei Lund en ze sprong weer op de vloer. 'Jij kunt het wel. Zet die motor uit. Kom daarna terug om mij te halen.'

Aarzeling op zijn gezicht. Ze schreeuwde hem toe totdat hij in actie kwam.

Fitte man. Eén sprong van de emmer, armen om de balk. Trok zich op. Klom via de dwarsbalk omhoog naar het dak. Pistool door de ruit. Oud ijzer dat in beweging kwam. Een vleugje nachtlucht dat zich vermengde met het giftige gas, als water na een droge periode.

Ze snoof het op. Sloot haar ogen. Probeerde na te denken.

Toen ze weer keek was hij al half door het raam. Ze zag zijn benen verdwijnen.

En weg was hij. Zijn lichaam rolde over het golfplaten dak.

Ze hoorde hem vallen.

Hoorde hem kreunen.

Toen een ander geluid.

De scherpe knal van een pistool.

Borch tuimelde van het dak van de werkplaats, landde op de modderige grond, draaide twee keer om, hoorde iets. Rolde weg.

Keek op. Een zwarte gestalte. Bivakmuts. Pistool in de hand. Loop pal op zijn gezicht gericht.

'Het schrift,' zei een effen, kille stem en toen knalde het pistool, zo dicht bij zijn hoofd dat het geluid hem even doof maakte. De geur van cordiet overtrof de stank van de generator die vlakbij stond te puffen en te ratelen en die Lund in het gebouw vergiftigde.

Hij kreeg weer lucht. Probeerde te ontdekken wie er achter de bivakmuts schuilging.

'Ik heb dat schrift niet. Ik heb gezegd...'

'Ik zal je doden als het moet.'

'Ik heb geen...!'

Een trap in zijn maag. Nog een tegen zijn hoofd. Borch gilde. Deed verwoede pogingen overeind te komen. Hij moest zich verzetten.

Maar de trappen bleven maar komen. Na een tijdje was er niets anders meer.

Hoestend, met branderige ogen en piepende longen schopte Lund de troep over de vloer, speurend en speurend.

Een gedachte in haar hoofd: onder de vloerplanken had ze de zee gehoord, koud, somber en onverschillig. Een uitweg. Dat moest.

In de hoek dicht bij de deur vond ze het. Een paar groezelige scharnieren. Een handgreep, rond, roestig. Stroef.

Na drie rukken ging hij een paar centimeter omhoog. Na nog drie pogingen in de grijze waas die haar omringde was het haar gelukt.

Het luik kwam omhoog. In de lichtbundel van haar zaklamp zag ze het water glinsteren, ruim vijf meter onder haar. Een ijzeren ladder met onderaan een wandelgang die moest leiden naar de aanlegsteiger aan de voorkant.

Lund klom omlaag, hand over hand. Kwam bij de gammele ijzeren wandelgang. Baande zich een weg naar de betonnen aanlegsteiger. Klom omhoog. Tuurde voor zich uit.

Een staande gestalte, een andere op de grond. Toen boog de man zich voorover, schopte Borch nog een keer en begon zijn zakken te doorzoeken.

Ze liep door, pistool in de aanslag, stil, probeerde haar ademhaling te reguleren.

Er gebeurde iets. Terwijl ze keek viste de man iets wat leek op een plastic bewijszakje uit Borchs zak, zwaaide ermee voor de ogen van de neergeslagen gedaante op de grond, vloekte en schreeuwde: 'Wat is dit dan, klootzak?'

Een schrift, dacht ze. Het schrift. Waarvan Borch had gezegd dat hij het nooit had gehad.

Ze liep nog steeds door.

De man met de bivakmuts stapte achteruit, trok zijn pistool, richtte het recht op Borchs gezicht.

Lund schoot in het wilde weg. Ze kon niet goed richten.

'Laat vallen!' schreeuwde ze terwijl ze recht op hem af bleef lopen.

Hij trok zich terug en het was net of ze zijn gezichtsuitdrukking achter de bivakmuts kon zien: geamuseerd.

'Laat vallen...'

Hij hief zijn pistool zo snel dat een onbekend deel van haar ontwaakte.

Een schot.

Van hem.

Het miste haar.

Een schot.

Van haar.

Een kreet van pijn. De zwarte gedaante schoot weg in het duister in de buurt van de rommelende generator.

Ze dacht er niet verder over na. Snelde naar Borch, hurkte bij hem neer. Bloed op zijn mond. Raakte zijn wang aan.

'Sarah... hij heeft het schrift. Je moet...'

Zonder aarzeling stond ze op en liep naar de generator.

Kale planken over de modder. Een paar voetafdrukken. Mogelijk enkele bloedvlekken. Verder niets.

Het wapen hoger. Liep door.

Zag niets.

In de verte het geluid van sirenes en blauwe zwaailichten.

Vanaf het water het gebrom van een kleine bootmotor.

Geen lichtje te zien op het water. Weer ontsnapt.

Borch voegde zich bij haar.

'Ik heb hem geraakt,' zei ze. 'Ik heb hem gezien. Ik heb hem geraakt.'

En God mag weten hoe, dacht ze.

Borch tikte op zijn borst, verbeet de pijn.

'Ik heb het al eerder tegen je gezegd. Hij draagt een of ander kogelwerend vest.' Hij beklopte zijn lijf. Leek half blij met hetgeen hij voelde. 'Toch moet het pijn hebben gedaan.'

'Dat moet jij zeggen,' fluisterde Lund.

Borch keek haar aan, zweeg.

'Wat voor soort man is hij?' vroeg ze.

Hij dacht na.

'Ongewoon,' zei Borch. 'Zeer ongewoon.'

Een telefoon knipperde en rinkelde. Haar eigen mobieltje dit keer.

Lund luisterde. Keek Borch aan.

'Ze leeft nog,' zei Brix vanuit een zo te horen druk commandocentrum. 'Emilie leeft en ze moet ergens zijn. We gaan weer aan de slag.'

De vergadering van het comité was op stoom. Vijftien mensen om de tafel. Eggert had de leiding.

'We maken allemaal fouten,' zei ze. 'Maar als politici moeten we daar verantwoording voor afleggen. We hebben het niet over een enkele fout. Alleen al je relatie met Rosa Lebech...'

'Een privézaak,' hield Hartmann vol. 'Het heeft mijn werk of de politiek die ik voorsta nooit beïnvloed.'

'Ik betwijfel of haar echtgenoot het daarmee eens is,' zei Eggert met uitgesproken minachting. 'En de hele manier waarop je de zaak-Zeuthen hebt aangepakt... Je hebt elke waarschuwing genegeerd. Je hebt beweerd dat Mogens Rank geen blaam trof terwijl we weten dat dat wel het geval is.'

'Dit is lariekoek,' kwam Rank tussenbeide. 'Mijn ministerie was niet...'

Ze smeet de avondkrant voor zijn neus.

'Lees dit, Mogens. De media maken of breken ons. Het heeft geen zin om te klagen dat ze... onvriendelijk zijn geweest. De waarheid is wat zij ervan maken. Je hebt ontwijkende antwoorden gegeven. Terwijl Troels bij de zaak betrokken is geraakt op een wijze die niet past bij een premier. Onze geloofwaardigheid als partij is ondermijnd en we zitten vlak voor de verkiezingen. Een stuurloos schip dat voor onze neus zinkt. We zijn het verplicht aan de partij, aan het electoraat, aan de Zeuthens...'

Rank maande haar met een gebaar tot stilte.

'Het is niet aan de partij om de premier af te zetten. Hij vertegenwoordigt de coalitie...'

'Denk je dat die hem nog steunt? Zelfs Rosa komt niet meer in de buurt. En als zij het bed heeft verlaten...'

Hartmann wendde zich tot haar.

'Hoor ik dit goed? Is dit wat er van ons terecht is gekomen? Een kijvend, roddelend, achterbaks stel opportunisten en strebers?'

Hij liet zijn blik de tafel rondgaan en keek elk gezicht aan.

'Ik heb jullie tot hier gebracht. Ik heb dit opgebouwd. Ja... onze geloofwaardigheid, onze toekomst, onze verhouding met het publiek, met Zeeland... al die zaken staan op het spel. Maar we hebben een plan. Als jullie mij lozen, lozen jullie ook die visie. Jullie hebben mij gekozen om dezelfde reden dat ik jullie heb gekozen. Vertrouwen.' Hartmann sloeg met zijn vuist op tafel. 'Ik heb dat vertrouwen nu nodig. En jullie ook. Ik eis het.'

Stilte. Onderbroken door een korte lach van Birgit Eggert.

'Je kunt goed spreken, Troels. Maar woorden brengen Emilie Zeuthen niet weer tot leven. Treed af of we laten je vallen. Een waardige aftocht of een bloederige burgeroorlog. De keus is...'

Achter hen werden de dubbele deuren geopend. Karen Nebel beende naar binnen en keek naar hem. Hartmann stond op. Mogens Rank deed hetzelfde.

Ze luisterden naar haar, afgezonderd van de rest.

Eggert ging over op praktische zaken. Een vergadering van het zakelijk comité. Regels en procedures.

'Troels!' krijste ze. 'Wil je zo vriendelijk zijn om weer aan tafel te komen en dit af te handelen?'

Het was Mogens Rank die antwoord gaf. Hij schoof zijn bril omhoog, keek haar vriendelijk aan en zei: 'Je moet me excuseren. We hebben nieuws van de Politigården.'

'Goed nieuws,' voegde Hartmann eraan toe. 'De politie heeft de tas terug-gevonden waarvan ze dachten dat die het lijk van Emilie Zeuthen bevatte. Het was een truc... er zat niets in behalve een zeiltje.'

Nebel smeet enkele foto's op tafel. De blauwe, modderige tas, twee kogel-gaten, het witte stuk stof dat erin zat.

'Ze zijn er vast van overtuigd dat Emilie nog in leven is,' vulde Rank aan. 'Ik besteed mijn tijd liever daaraan dan dat ik hier blijf discussiëren...' Een wuivend handgebaar. 'Wat dit ook mocht voorstellen. Birgit?'

Haar glimlach was uiterst flauw en ze zei niets.

Hartmann liep de zaal uit. Nebel kwam achter hem aan. Ze vertelde hem wat ze wist. De politie geloofde niet dat Emilie naar Jutland was meegenomen. Het was waarschijnlijker dat ze ergens in de buurt van de stad werd vastgehouden.

In het kantoor gingen ze alle drie zitten. Hartmann sloot zijn ogen, maakte een bedachtzame indruk. Nebel bekeek haar berichten. Weber liep naar de drankkast.

'Nu niet,' zei Hartmann, die plotseling weer alert werd.

Weber bleef staan, keek niet-begrijpend.

'Jij en Karen hebben een lange dag gehad,' voegde Hartmann eraan toe. 'Ga ergens wat drinken op mijn kosten.' Hij trok zijn portefeuille, smeet wat geld op tafel. 'Met dank.'

'Wat ga jij doen?' vroeg Nebel terwijl ze het geld pakte.

Hij keek de comfortabele kamer rond. De banken. De schilderijen.

'Ik wil even een momentje voor mezelf. Ga maar.' Hij maakte een wuivend gebaar. 'Weg!'

Ze stonden op, verbaasd.

'En bestel op weg naar buiten iets voor me te eten. Kreeft, salade. Genoeg voor twee. Ik rammel van de honger.'

Weber zuchtte, keek haar veelbetekenend aan en daarna vertrokken ze.

Hartmann liep naar de kantoorkoelkast. Twee flessen champagne. Van prima kwaliteit. Goed koud.

Dat moest lukken.

De werf was verlicht als een kermisterrein. Overal recherche. Plaatselijke politie stond zich te vergapen. Te veel mensen. Ze probeerde hen op afstand te houden maar Gudbjerghavn had zoiets niet eerder meegemaakt. Het was een spektakel dat je niet wilde missen.

Brix hing weer aan de lijn en wilde weten hoe de dader had kunnen ontsnappen.

'Hij had een boot,' legde Lund uit. 'Hij heeft altijd een boot.'

'Het meisje…'

'We hebben de plek gevonden waar Louise Hjelby is vermoord. Ik geloof niet dat iemand daar ooit heeft gekeken. Er was een zwarte auto bij betrokken. Borch had kentekens in een schrift…' En hield dat voor zichzelf, dacht ze. 'Hij hoorde ons praten. Hij heeft het afgepakt.'

Lund dacht aan de matras op de grond, de bloedvlekken, de handboeien.

'Degene die Louise heeft vermoord moet veel zelfvertrouwen hebben gehad. Hij heeft niet eens de moeite genomen om het schoon te maken. Of misschien…'

Misschien was dat de taak van iemand anders. En was die persoon daar nog steeds mee bezig.

'Hoe kwam Borch aan dat schrift? Waarom had jij het niet?'

Hij wist altijd de juiste vragen te stellen.

'Dat moet je hem vragen. Of Dyhring. Iemand van de PET. Ik weet het niet.'

Toen ze het gesprek had beëindigd drong het tot haar door dat hij er stond en mee had geluisterd.

Ze liepen naar een hoek van de werkplaats, verwijderd van de technisch rechercheurs, in de buurt van de witte fiets. Hij had een verband op zijn arm waar de man hem had geslagen. Niets gebroken.

'Er was een reden voor,' zei Borch. 'Ik wil het je vertellen.'

'Is dat zo?'

'Ja. Daar heb je recht op. En…'

Ze stond op en liep de nacht in.

Juncker bracht haar op de hoogte van de laatste feiten. Ze doorzochten de zandduinen. Een paar campings in de buurt. Het was niet gemakkelijk om te bepalen in welke richting hij was gevlucht.

'Hij zal een plan hebben,' zei ze. 'Kant-en-klaar. Alles voorbereid. Voor het geval dat.'

De jonge rechercheur knikte.

'Je zult wel gelijk hebben.'

Borch kwam erbij, bleef koppig naast haar staan.

'Ik heb het onderzoek niet belemmerd, Sarah. Wil je naar me luisteren?'

Juncker keek hem boos aan.

'Volgens mij zat er een bloedvlek op het hout bij de generator,' zei Lund. 'Ik heb hem geraakt. Hij droeg een kogelwerend vest, maar hij kan zich gesneden hebben. Hij kan sowieso gewond zijn geraakt. Ik wil dat de technische recherche een monster naar het lab stuurt.'

De bestelbus was aangetroffen op het parkeerterrein bij de werf. Geen teken van Emilie. De honden hadden geen enkel spoor in de bus geroken.

'Ze is hier nooit geweest,' zei Lund. 'We gaan terug naar Kopenhagen. Wie het ook was in die zwarte auto...'

'Ik heb gedaan wat ik kon!' riep Borch.

Ze liep door, onder het rood-witte afzettingslint, terug naar de politieauto's.

'Ik probeerde te helpen...'

Ze bleef kwaad staan en wendde zich tot hem.

'En wie probeerde jij te dekken? Welke klootzak probeert de PET hier te beschermen?'

Juncker sloeg zijn armen over elkaar en keek Borch nijdig aan.

'Ja, dat zou ik ook wel eens willen weten. Ik dacht dat we een team waren.'

'Jullie hebben geen toestemming!' Borch klonk gespannen. 'Totdat... totdat...'

Het was Juncker, niet zij, die zijn geduld verloor.

'Dat kind is verkracht en vermoord. Emilie Zeuthen wordt nog steeds vermist. En jij staat hier te mekkeren als een kommaneuker. Ik word misselijk van jou.'

'Ik rijd,' verkondigde Lund en ze liet de sleutels zien.

Juncker klom op de passagiersstoel naast haar.

Een gezicht voor het raam.

'Ik heb een lift nodig,' smeekte Borch.

'Daar hebben we geen toestemming voor,' zei Lund en ze reed weg.

Brix had verwacht dat hij Robert en Maja Zeuthen een lijk zou moeten tonen. In plaats daarvan was het een groezelige blauwe tas met een stuk stof erin gepropt. Twee kogelgaten. Onmiskenbaar bewijs dat dit het object was dat Zeuthen vanaf de brug had gezien.

De zak was overgebracht naar een kamertje bij de technische recherche. De Zeuthens staarden ernaar, zeiden geen woord.

'Ik zou willen dat ik wat meer antwoorden had,' zei Brix. 'Het is duidelijk dat hij ons in de maling wilde nemen. Maar...'

'Denk je dat ze nog leeft?' vroeg de moeder.

Brix had een grote hekel aan directe antwoorden.

'Hij is gevolgd tot in Jutland. Niets wijst erop dat Emilie met hem mee is gegaan. Voor zover wij weten is ze met de speedboot naar de haven van Kopenhagen gebracht. Daarna... We doorzoeken het gebied, bekijken scheeps-bewegingen. Hij had toegang tot een container, dat staat vast.'

Hij keek Zeuthen aan.

'Er bestaat een of andere maritieme connectie. Afgezien daarvan... Ik zou nog niet al te optimistisch zijn. Hij is een gewelddadige, goed georganiseerde man. Als...'

Robert Zeuthen draaide zich abrupt om en beende het kantoor uit. Zijn vrouw liep achter hem aan. Brix ook. Zeuthen was al aan het bellen met het hoofd van Zeelands beveiliging en zijn team.

'Meneer Zeuthen...' begon Brix.

'We zullen de haven zelf wel doorzoeken. Nu meteen. We kennen die plek-ken beter dan jullie. Eerlijk gezegd, na wat ik heb gezien...'

Brix schudde zijn hoofd.

'Ik begrijp uw frustratie. Ik kan u niet toestaan onze operaties te hinde-ren.'

'U hebt achtenveertig uur verspild met die onzin!' schreeuwde Zeuthen.

'Die uren zijn niet verspild. Mijn mensen...'

'We stonden op het punt onze zoon te laten weten dat zijn zus dood was. Kun je je dat voorstellen? Wat moeten we nu zeggen?'

Brix bleef staan.

'Dit is een ongewone zaak. Jullie maken het alleen maar ingewikkelder als jullie je ermee gaan bemoeien.'

Zeuthen liep weg zonder nog een woord te zeggen. De vrouw bleef.

'Dit is niet de juiste manier,' zei Brix. 'Toe...'

'Hij wil iets doen! Begrijp je dat niet? We willen allebei iets doen.'

'Zoek dan dichter bij huis. Die man heeft heel dicht bij jullie kunnen ko-men. Dicht bij Emilie. Hij weet dingen over jullie, over Zeeland, die hij niet zou mogen weten. Als we konden begrijpen hoe...'

'Je hebt mijn hele familie al nagetrokken, Brix. Heel Zeeland...'

'Dat betekent niet dat daar geen antwoorden te vinden zijn. Alleen dat wij ze nog niet hebben gevonden. Een nieuw paar ogen. Van iemand die er nau-wer bij betrokken is, wellicht...'

'Ik zal zien wat ik kan doen,' beloofde ze.

Hij keek hoe ze wegliep door de gang en zich bij haar man voegde. Ze leken iets minder afstandelijk tegen elkaar dan eerder.

Daarna ging hij terug naar het commandocentrum. Zag de interesse, de gretigheid, de energie. De zaak was weer springlevend.

Robert Zeuthen zat in het kantoor in Drekar met Reinhardt en een team van Zeelands eigen beveiliging. Grijze, ernstige, vastberaden professionals die spraken over de plekken waar ze moesten zoeken, schepen, bestemmingen.

Maja had een paar bedienden horen roddelen. Zeeland leiden ging niet vanzelf. Er waren al problemen binnen het bestuur voordat Emilie was ontvoerd. Er werd gefluisterd over muiterij en over het feit dat Robert echt niet op zijn vader leek.

En dat klopte. Anders zou ze nooit met hem zijn getrouwd. Terwijl ze toekeek hoe ze zaten te praten en hoe hij leiding aan hen probeerde te geven, voelde ze zich machteloos. Net als hij.

Er stond een grote monitor bij de tafel waarop kaarten en scheepsbewegingen werden weergegeven. Hij vroeg waar de politie was geweest, waar ze mee bezig waren. Het leek haar dat ze behoorlijk grondig waren geweest.

'Ze hebben alle schepen in de haven gecontroleerd,' zei Reinhardt.

'Hoe zit het met de containers?'

'Die zijn verzegeld. We kunnen niet zomaar…'

'Ik wil dat jullie met de mensen van de vrachtdienst spreken,' onderbrak Zeuthen hen. 'Zeg dat elke container moet worden geopend en gecheckt. Wij betalen de onkosten. En ook alle bijkomende kosten vanwege de vertraging.'

De beveiligingsmedewerker schudde zijn hoofd.

'We hebben het recht niet. Het zijn scheepsladingen. De inhoud is privé-eigendom. Als…'

'Vraag wat de prijs is. En betaal die dan. Ik betwijfel of ze bezwaar zullen maken.'

'De raad van bestuur moet bijeenkomen,' vulde Reinhardt aan. 'Het is belangrijk…'

'Niet voor mij,' zei Zeuthen narrig.

Een geluid bij de deur. Carsten Lassen stond daar. Hij keek naar Maja. Carl was bij hem. Hij had gehuild.

Ze liep naar de jongen toe. Zeuthen ook. Lassen keek beschaamd. Hij had de tv aan gehad. Carl had het nieuws gezien.

'Ik was het vergeten. Het…'

Maja had haar armen om de jongen heen geslagen, keek Lassen veelbetekenend aan. Hij snapte de hint en vertrok.

Ze gingen naar de familiekamer, zetten Carl tussen hen in, armen om hem heen. Zoals het vroeger was.

'Mama en papa zoeken naar haar,' zei Zeuthen. 'Overal. We vinden onze Emilie wel. We… iedereen mist haar.'

'En als jullie haar niet vinden?'

Haar hand ging naar zijn haar. Zeuthen deed hetzelfde.

'We vinden haar heus wel,' zei Maja tegen hem.

'Wanneer?'

'Gauw.'

Hij ging liggen op de bank, legde zijn hoofd op haar schoot, zijn benen op de schoot van zijn vader.

'Ik heb naar haar gezocht,' zei de jongen.

Ze moest huilen maar ze wilde zich beheersen.

'Waar?'

'Ik dacht dat ze in de tussenruimte was. Maar dat was niet zo.'

Maja Zeuthen sloot haar ogen. Het oude landhuis was zo ontzettend groot. De kinderen brachten vaak uren door op plekken die zij nog nooit had gezien.

'Wat voor tussenruimte, schat?'

Hij keek bezorgd. Ze vroeg het nog een keer.

'De plek waar Emilie heen gaat als ze niks wil horen.'

Zeuthen legde zijn hand tegen Carls wang.

'Wat niet wil horen?'

'Jullie twee. Als jullie ruziemaken en zo.'

Ze wierpen elkaar een blik toe. Een gedeeld moment van verdriet, van schuldgevoel. Van iets wat nog niet dood was, hoezeer ze ook hadden geprobeerd het te smoren.

Toen ze opkeek stond Carsten Lassen bij de deur, verloren en verdrietig, een koffertje in zijn hand.

'We gaan een koekje halen. En melk of zoiets,' zei Zeuthen en hij nam zijn zoon mee.

Lassen kwam binnen. Hij zei weifelend: 'Misschien moeten we Carl wat meer dingen van hier laten meenemen. Zodat hij zich thuis voelt bij ons.'

Ze zei niets.

'Is er nog nieuws?'

Maja schudde haar hoofd.

'Heeft Carl of Emilie ooit iets gezegd over een geheime plek die ze hadden? Ze noemden het "de tussenruimte"?'

Hij lachte, niet vriendelijk.

'Denk je dat ze hun geheimen met mij zouden delen?'

Maja keek naar de oude, vertrouwde kamer. Dacht aan alle gelukkige momenten die ze hier had beleefd. Door de breuk met Robert was ze die momenten vergeten. Alleen de ruzies en de pijn waren zichtbaar gebleven. Ze hadden Emilie verjaagd naar een verborgen, duistere plek. En ze had geen idee waar die plek kon zijn. Misschien was ze daarvandaan meegenomen om nooit meer terug te keren.

'We blijven vannacht hier,' zei ze zachtjes. 'Het is beter voor hem om nu dicht bij zijn vader te zijn.'

Een knikje, een bitter lachje. Ze had hem opnieuw teleurgesteld.

Hij zette de tas op de grond.

'Als je er zo over denkt.'

Maja had nauwelijks in de gaten dat hij weg was.

De tussenruimte.

Een plek waar ze naartoe was gevlucht.

De tussenruimte.

Ze moest het weten.

Het liep tegen middernacht toen Lund thuiskwam. Brix belde terwijl ze naar binnen stapte. Op de terugweg van Jutland had ze geklaagd over Borch en de PET en het vermiste schrift. Hij had het aangekaart. Kwam terug met zo goed als niets.

'Ze zeiden dat het een routinecontrole was, Lund. Niks bijzonders.'

'Is dat de reden dat Borch daar twee jaar geleden alles heeft meegenomen waar hij de hand op kon leggen?'

'Nee. Anders had hij die scheepswerf wel gevonden, nietwaar?'

'Borch heeft dat schrift meegenomen zonder het mij te vertellen. Hij had daar een reden voor.'

Aan de andere kant van de lijn klonk een onderdrukte vloek.

'Het zijn mensen van de PET. Ze regelen de beveiliging voor politici. Je weet hoe ze te werk gaan. Niet paranoïde worden.'

Haar huis was in duisternis gehuld en erg koud.

'Dat ben ik niet,' hield ze vol. 'Ze moeten een kopie hebben bewaard van de kentekens die ze eerder hebben genoteerd.'

'Morgenvroeg komt Dyhring hier. Je kunt komen en kijken hoe ik hem alle hoeken van de kamer ga laten zien. Had Borch nog informatie?'

'Nee,' zei ze en daar liet ze het bij.

'We hebben een voorlopige uitslag van het bloed dat je hebt gevonden. Het ziet ernaar uit dat hij de vader van Louise Hjelby is.'

Een geluid achter haar. Eva kwam binnen in een nachtpon. Ze jammerde dat Lund niet de verwarming moest aanzetten. Ze droeg een kaars in een jampotje. Het geurde naar wierook. Ze liep rond en stak nog meer kaarsen aan. Planten in potten op het tapijt, op de tafels, overal.

'Alles wat nog leefde heb ik binnen gezet,' zei ze. 'Als de kamer te warm wordt, denken ze dat het lente is. Dan worden ze wakker en gaan ze dood.'

Lund legde de telefoon neer. Vroeg zich af wat ze moest doen.

Eva zei heel serieus: 'Het zit zo... als we een milde winter zonder vorst krijgen kunnen ze allemaal snel weer naar buiten, zolang we een oogje in het zeil houden. Zo niet...'

'Ik ga niet de hele winter in de kou zitten vanwege die verdomde rotplanten,' mompelde Lund.

Eva glimlachte, deed alsof ze dat niet had gehoord.

'Ik heb pompoensoep gemaakt. Heel gezond. Wil je wat?'

Geen antwoord. Lund liep naar de koelkast, keek naar het bier.

'Nee!' riep Eva met een schrille kreet en ze sloeg snel de deur dicht. 'Je hebt het niet gezien!'

Foto's op de deur. Echo's uit het ziekenhuis.

'Ik zal de soep opzetten…'

'Ik ben op dit moment niet geïnteresseerd in soep, kaarsen, planten of foto's van baby's.'

Een biertje. Koud en uitnodigend. Ze pakte voor de zekerheid ook een tweede mee.

'Je hoeft niet boos te worden,' klaagde Eva. 'Ik blijf maar tot morgen.'

Lund keek naar haar, had heel even een schuldgevoel.

'Lees je ooit kranten, Eva? Of kijk je wel eens tv?'

'Nu niet. Het is allemaal ellende. Wat als dat van invloed is op de kleine?'

Het schuldgevoel werd groter.

'Heb je met Mark gepraat?' vroeg Lund.

Ze had een naïef en knap gezicht waarop haar verdriet erg duidelijk was af te lezen.

'Hij zei dat hij niet wist wat hij moest doen. Met mij. Met…'

Ze klopte op haar buik en Lund wenste dat ze niets had gevraagd.

'Ik moet aan mezelf denken. Aan de baby. Ik geloof dat ik bij een vriendin kan intrekken. Je hoeft je geen zorgen te maken.'

Het was nog niet te laat om een ei te bakken, zelfs als de planten het op een schreeuwen zouden zetten.

'Zo kun je niet leven met een baby. Je hebt altijd nog jullie flatje.'

Een schouderophaling die verslagenheid uitdrukte.

'Het plafond bevat asbest. Ze hebben het hele blok afgesloten. Het wordt gesloopt.' Een kort lachje, niet bitter. Dat zou ze waarschijnlijk niet eens kunnen. 'Daarom konden we het zeker zo goedkoop krijgen.'

Lund sloeg nog wat bier achterover. Vroeg zich af of ze een derde zou nemen.

'Ik denk dat het niet zo raar is om een alleenstaande moeder te zijn,' zei Eva. 'Jij hebt het ook klaargespeeld.'

'Nee, dat heb ik niet,' zei Lund zonder nadenken. 'Ik dacht dat ik het kon. Ik wilde het wel. Heel graag zelfs. Maar…'

'Maar wat?'

'Het liep niet goed met Marks vader. Ik dacht dat ik hem niet nodig had. Dat ik niemand nodig had.'

Met glanzende ogen in het kaarslicht vroeg Eva: 'Waarom liep het niet goed?'

'Misschien lust ik toch wel wat van die soep.'

Een blik van herkenning.

'Was jij ook zwanger? Ben je daarom getrouwd?'

Lund lachte. Knikte.

'En je hield niet van hem?'

Dit kwam te dichtbij, maar die ogen bleven haar aanstaren.

'Nee. Ik hield van iemand anders. Eerder. Maar ik was bang. Dus heb ik hem weggejaagd. Dat leek gemakkelijker…'

Een geluid. Haar telefoon rinkelde.

'Je mag hier zo lang blijven als je wilt,' zei ze. 'Ik zal met trots een foto van je baby op de koelkast hangen. Wat je maar…'

Lund vermande zich, pakte haar telefoon en zei: 'Zeg het maar.'

'Waarom heb je me tegengehouden, Lund? Wat betekent die ellendeling voor jou?'

De stem die ze kende van Emilies telefoon. Kil. Intelligent. Ontwikkeld.

Haar hoofd tolde.

'Hoe kom je aan mijn nummer?'

'Ik krijg wat ik wil. Je vriend van de PET verdiende het te sterven. Je hebt gehoord wat hij probeerde te verheimelijken. En ik ook.'

'Waar is Emilie? Wat heb je met haar gedaan?'

'Er valt nog meer te onderhandelen. Ik heb je hulp nodig.'

Ze liep door de kamer. Iets in haar toon zorgde ervoor dat Eva zich uit de voeten maakte naar de keuken.

'We weten dat je haar niet mee naar Jutland hebt genomen. Leeft ze nog?'

'Er staan twaalf zwarte auto's in dat schrift. Ik heb namen en burgerservicenummers van de bestuurders nodig. De rest handel ik zelf wel af.'

'Doe niet zo belachelijk. Geef je aan. Geef me Emilie. Ik zoek wel uit wie je dochter heeft vermoord.'

Stilte.

'We hebben bloedsporen van je gevonden. Ik weet dat je de vader van Louise bent. Ze heeft tegen haar vriendinnen gezegd dat je een goed mens bent. Een held. Doen helden zoiets? Kinderen ontvoeren bij nacht en ontij?'

'Iemand heeft mijn kind meegenomen.'

'Dit kan zo niet doorgaan. Je bent gewond. Ik heb je geraakt.'

'Ik heb ergere dingen meegemaakt. Ik bel je morgen. Vanaf nu op deze telefoon. Ik wil namen en burgerservicenummers. Ik wil…'

Eva kwam binnen met een kom soep en een verbaasde glimlach.

'Vergeet het maar,' zei Lund tegen hem. 'Wil je die zaak van je dochter op-gelost zien of niet? Geef me Emilie en ik zoek uit wie je kind heeft vermoord. Als je doorgaat met dit soort spelletjes gaat hij vrijuit.'

Ze wist niet of hij nog luisterde.

'Morgen roepen we de PET op het matje. Als ze een kopie van die kentekens hebben bewaard kunnen we daarmee beginnen. Meteen. Oké?'

Een langdurige stilte.

'Oké,' zei hij uiteindelijk. 'Stel me niet teleur. Dat heeft consequenties.'

'Emilie...'

'Je hoeft niet tot morgenochtend te wachten. Er ligt een exemplaar bij je voordeur.'

Ze hoorde een auto starten op de weg voor haar huis.

Hij was verdwenen tegen de tijd dat ze buiten stond. Niets dan twee rode achterlichten die verdwenen in de verte, de heuvel af in de richting van de stad.

Een witte envelop op de mat.

Eén pagina, een kopie. Het kinderlijke handschrift van een jongetje uit Jutland. Cijfers. Letters. Meer niet.

7

Dinsdag 15 november

In de Politigården heerste topdrukte toen Lund aankwam. Ze liep zonder omhaal naar de vergadering met Brix, Borch en de PET-chef. Voordat iemand iets kon zeggen kwam Dyhring met de laatste feiten. De auto die de kidnapper had gebruikt was verlaten aangetroffen in een achterafstraat in de buurt van Nyhavn. Er zat bloed op de passagiersstoel. Niet veel.

'We zullen uw huis laten bewaken,' voegde hij eraan toe. 'Misschien komt hij terug.'

'Bedankt, maar ik heb meer vertrouwen in de plaatselijke kleuterschool,' kaatste ze terug. 'We kunnen het zelf wel aan.'

Op het gezicht van Brix was een uiterst flauw glimlachje verschenen. Borch droeg een donker pak en een das. Fris geschoren. Moe. Hij zag eruit als een vertegenwoordiger die zenuwachtig zat te wachten op een sollicitatiegesprek.

'Ons werkterrein is niet hetzelfde als dat van jullie,' zei Dyhring behoedzaam. 'Jullie kunnen sommige zaken verkeerd interpreteren. Twee jaar geleden moesten we zeker weten dat het blazoen van Hartmann niet ten onrechte werd bezoedeld.' Hij keek Lund doordringend aan. 'We weten allemaal wat hij heeft meegemaakt. Als premier verdiende hij het niet nog een keer door die hel te gaan.'

'Was dat mijn schuld?' vroeg Lund. 'Hartmann heeft zichzelf tot verdachte gemaakt in de zaak-Birk Larsen. Als hij vanaf het begin de waarheid had verteld hadden we hem nooit van de moord op dat meisje verdacht. Hij had ons al veel eerder kunnen helpen bij het uitzoeken van…'

'De zaak-Birk Larsen is verleden tijd,' viel Brix in de rede. 'We gaan het daar niet meer over hebben.'

'Hoe weet u dat Hartmann niet bij die zaak in Jutland betrokken was?' wilde Lund weten.

Brix rolde met zijn ogen.

'Dat is toch een heel redelijke vraag, niet dan?' voegde ze eraan toe.

'We hebben transportgegevens van die dag bekeken. Gps-locaties,' zei Dyhring. 'Hij heeft al die tijd met zijn chauffeur en personeel in de auto gezeten. Meer hoefden we niet te weten. Niemand van de PET heeft met Peter Schultz gesproken. Wie die man ook onder druk heeft gezet… wij waren het niet.'

Borch zweeg.

'Het gedrag van Schultz heeft ons verrast,' ging de PET-chef door. 'We hebben voortdurend en vanaf het begin open kaart met jullie gespeeld.'

Brix snoof minachtend.

'Afgezien van het feit dat Borch dat schrift heeft gestolen. Een belangrijk bewijsstuk. Pal onder onze neus. En jij zou daar niets over gezegd hebben, ware het niet dat…'

Dyhring gaf geen krimp.

'Dat wilde ik jullie vanochtend duidelijk maken. We moesten het eerst zelf bekijken en uitzoeken wat het betekende. Zoals ik al zei, ons werkterrein is niet hetzelfde als dat van jullie. Wij hebben andere verantwoordelijkheden.'

'Politici beschermen?' vroeg Lund.

'Je hoeft niet zo bijdehand te doen. Jij moet toch al helemaal beseffen dat wij altijd op onze hoede moeten zijn.'

Ze pakte een vel papier van tafel, een kopie van de pagina die de kidnapper bij haar voordeur had achtergelaten. Ze zwaaide er dreigend mee.

'Welke van deze twaalf auto's is het?'

Stilte.

'Peter Schultz heeft de datum van het misdrijf gewijzigd om het kenteken van een van die voertuigen geheim te kunnen houden. Welke…?'

'Als we dat wisten,' zei Borch, 'hadden we je dat wel verteld.'

'Dus je hebt je tong niet verloren?' Ze tikte met een vinger op het papier. 'Staat de auto van Ussing hierbij?'

'Ja,' gaf Dyhring toe. 'We onderzoeken de mogelijkheid dat hij Louise Hjelby kende. Die zogenaamde getuige klinkt een beetje twijfelachtig…'

Ze keek naar Brix en zei dat ze de man wilde verhoren.

'Het parlement is onze zaak…' begon de PET-chef.

'Jullie werkterrein is niet het onze. Het Hjelby-meisje is verkracht en vermoord en daarna in de haven gedumpt alsof ze een stuk vuil was. Verkrachting. Moord. Dat is ons werkterrein. En als de kidnapper in ruil voor Emilie Zeuthen niets anders wil dan de waarheid dan zal ik hem die geven.'

'Tenzij jij andere suggesties hebt?' vroeg Brix.

'We hebben hier protocollen te volgen,' hield Dyhring vol. 'Veiligheidszaken die de regering betreffen. En Hartmann.'

'Bedoel je dat de premier niet wil dat de politie een moordzaak onderzoekt?' vroeg Brix. 'Nadat we hem van blaam hebben gezuiverd in die zaak van het Birk Larsen-meisje?' Hij haalde zijn schouders op. 'Dat kan ik maar moeilijk geloven.'

'Je kunt je hier niet zomaar in mengen,' bitste Dyhring. 'Jullie kunnen de haven doorzoeken. Wij stellen het onderzoeksteam samen. Als...'

'Vergeet het maar,' zei Lund. 'We hebben de hele nacht al een team in de haven gehad. Deze zaak is nu van ons.' Ze knikte naar Borch. 'We zullen hem hier houden voor het geval dat hem nog iets te binnen schiet. Ik zal het je laten weten als we nog iets anders nodig hebben.'

Brix glimlachte breeduit.

'Tenzij je wilt gaan klagen en jammeren bij de minister van Justitie,' vulde hij aan. 'Hoewel ik betwijfel of hij zijn kop nog boven het maaiveld durft uit te steken, na hetgeen ik heb gehoord. Dus...' Hij klapte in zijn handen. 'Laten we aan de slag gaan.'

Juncker was al vanaf zeven uur bij de haven, maar hij was niet moe. Wel boos. Op de PET. Op de kidnapper. Op zichzelf. Hij banjerde langs de haven, veiligheidshelm op, en vroeg zich af of ze haar ooit nog zouden vinden.

Het nachtteam had vastgesteld dat de auto die de man had gebruikt van een van de pieren was gestolen. Meer informatie hadden ze niet.

Toen belde Lund.

'Niet boos worden,' smeekte hij. 'Er zijn zo veel plekken hier waar hij Emilie verborgen kan houden. Ik denk dat maar een kwart van de pakhuizen nog in gebruik is.'

'Inspecteer alle gebouwen,' verordonneerde ze. 'Check de boten. Bekijk de camerabeelden. Iemand moet iets hebben gezien.'

'Is dat een... een soort wet? De wet van Lund?'

Een stilte. Hij wist zeker dat hij haar soms aan het lachen kon maken.

'Ja, Asbjørn, dat is zo.'

'Over wetten gesproken... wat moet ik met die mensen van Zeuthen? Ze zijn overal.'

Drie mannen in pak met grijze helmen op hielden hem in de gaten terwijl hij telefoneerde.

'Moeten die ons assisteren of zoiets?' vroeg Juncker.

'Nee, in geen geval. Je moet je door hen niets laten vertellen. En zeker niet waar je wel en niet heen mag gaan. Ik zal het hier opnemen met...'

Hij moest het vragen.

'Hoe zit het met Borch?'

'Hoezo?'

'Alles oké tussen jullie? Ik weet dat hij ons bedroog. Maar hij is een aardige vent. Ik bedoel... toen wij dachten dat Emilie dood was, heeft hij ons weer op het juiste spoor gezet. Hij kan niet helemaal slecht zijn.'

Een lange stilte.

'Ik moet met wat mensen in Christiansborg praten,' zei ze. 'Bel me als je iets vindt.'

Hartmanns eerste verplichting die dag was een debat met de andere partijleiders in een tuincentrum ten westen van de stad. Hij zat met Karen Nebel in de zwarte auto en reed door de buitenwijken. Toen ze hun bestemming naderden, boog ze zich over hem heen en schoof zijn das recht.

Bevochtigde een tissue. Bette iets op zijn kraag.

Hij deinsde terug, als een kind met een betuttelende moeder.

'Ik kan niet toelaten dat je wordt gefotografeerd met lippenstift op je overhemd,' zei ze monter. 'Zit stil.'

Dat deed hij. Voelde zich een beetje schuldig.

'Moet ik het nog vragen?' vroeg ze.

'Vertel me meer over dit oord.'

Het bekende verhaal. Bijna honderd werknemers. Zwaar in de schulden. Draaiden op krediet van de bank. Onmiddellijke sluiting hing boven hun hoofd.

'Je kan het wel eens zwaar te verduren krijgen,' waarschuwde ze.

'Van jou of van hen?'

Nebel pakte haar aktetas.

'Wat jij in je vrije tijd doet gaat mij niet aan.'

'Dat is zo.'

'Theoretisch gesproken,' voegde Nebel eraan toe. 'Als het iets met politiek te maken heeft…'

'Dan zeg ik dat wel.' Hij aarzelde. 'Maar het is persoonlijk. Eerlijk.' Zijn hand raakte de hare. Ze knipperde zeer traag. 'Ik waardeer echt wat je allemaal hebt gedaan.'

'En terecht. Maar ik heb liever niet dat je op kantoor met Rosa Lebech rollebolt. De mensen merken dat.'

'Mensen?'

Ze tikte op haar borst.

'Mensen zoals ik.'

Ze stapten uit.

'Rosa zal geen partij kiezen voor Ussing,' zei hij terwijl ze naar de deur liepen. 'Iets heeft haar van gedachten doen veranderen.'

'Dat moet een tactische beslissing zijn geweest,' was het commentaar van Nebel. 'Hij heeft daar in het openbaar niets over gezegd. En zij ook niet.'

Hartmann tikte tegen zijn neus en knipoogde. Ze kon haar lachen niet inhouden.

'Je bent een vreselijk mens.'

'Ach, kom op! Niemand wil dat het land wordt geleid door een heilige. Niemand met enig verstand, in ieder geval. Een schelm met een vleugje integriteit is veel betrouwbaarder.'

Ze veegde het laatste restje van de rode vlek van zijn boord.

'Laten we ons met name richten op die integriteit, oké?'

Een drukke menigte mensen in overall. Omringd door fotografen en verslaggevers stond Anders Ussing vragen te beantwoorden. Rosa Lebech stond naast hem en zag er moe uit.

Nebel zette haar beste glimlach op, kuierde naar haar toe en gaf haar een vel papier.

'Goed geslapen? Nee, nee, je hoeft geen antwoord te geven. De organisatoren wilden een paar extra vragen stellen. Als dat goed is...'

'Ik vind het best,' zei Ussing.

Lebech mompelde iets over praten met haar politiek adviseur en liep weg. Ussing kwam dicht bij Hartmann staan.

'Zelfs voor jou is dit een vuil spelletje, Troels. Denk je echt dat je de verkiezingen kunt winnen met roddels van een dwaas als Seifert?' Een lachje, zonder veel zelfvertrouwen of humor. 'Je moet ten einde raad zijn.'

Hartmann reageerde onaangedaan.

'Ik dacht dat je wilde dat ik de zaak-Zeuthen tot de bodem zou uitzoeken. De PET lijkt te denken dat jij kunt helpen. Vraag je me hen tegen te houden?'

'Eén woord, jij smeerlap... één verkeerd woord en ik daag je voor de rechter wegens smaad. Ik beloof je...'

Er dook een assistent op die iets in zijn oor fluisterde. Ussing verstarde. Hij beende weg om een telefoontje aan te nemen.

'Anders moet terug naar Christiansborg,' verklaarde de man. 'De politie wil met hem praten.'

'Wat jammer nou,' zei Hartmann. 'Kon dat niet even wachten?'

'Kennelijk niet.'

Ussing baande zich een weg door de persmenigte en negeerde de vragen die hem werden toegeroepen. Flitsende camera's. Een gezicht dat op onweer stond.

Hartmann kuierde naar Nebel.

'Nou,' merkte hij op met een knipoog, 'zo te zien zijn we onder ons.'

Het was koud in het kantoor. Ze liep naar de kluisjes in het kleedhok, pakte een wollen trui met patroon en trok die aan over haar blouse. Toen ze haar hoofd door de halsopening wrong merkte ze dat Borch bij de deur naar haar keek. Elegant pak, gestreken overhemd, donkere das.

'Waarom loop je in die kleren rond? Je ziet eruit als een assurantieverkoper.'

Een sarcastische glimlach als antwoord. Toen liep hij naar haar toe.

'Ik werk voor de PET, Sarah. Je weet dat er dingen zijn die ik je niet kan vertellen. Doe niet zo. Dat verdien ik niet. Ik heb gedaan wat ik kon.'

Haar handen trokken aan de trui. Ze herinnerde zich dat hij hetzelfde had gedaan in dat armetierige slaapkamertje in Gudbjerghavn.

'Wat doe je hier? Waarom ben je niet gebleven in…?'

'Ik wilde je zien.' Hij bukte zich, probeerde haar blik te vangen. 'Ik wilde weten hoe het met je ging. Of er iemand was…'

'Je bent getrouwd. Je hebt kinderen.'

Hij knikte.

'Dat is zo. Maar ik kon er niks aan doen. Heb er ook geen spijt van. Ga niet…'

Ze trok haar jas aan. Pakte haar tas.

'Je zit in mijn team,' zei Lund. 'Niet in dat van Dyhring. Als we met Ussing spreken… of wie dan ook daar… dan doe je wat ik zeg.'

Hij knikte.

'Dus het idee is dat we doen of er nooit iets is gebeurd? Is dat…?'

Ze legde een vinger tegen haar lippen.

Deed: 'Sst.'

Robert Zeuthen had de hoofden van zijn beveiligingsteams opgetrommeld. Ze onderzochten containers op schepen die in terminals van Zeeland lagen afgemeerd en openden ze een voor een. Het was een tijdrovend proces en het zorgde voor de nodige moeilijkheden met klanten.

Acht man rond de tafel. Reinhardt was er ook.

De hoogste beveiligingsmedewerker zei dat het werk wel een week kon duren.

'Huur meer mensen in,' verordonneerde Zeuthen. 'Zo veel als je nodig hebt.'

'Het gaat niet om het personeel. We moeten de reders zien te overtuigen dat ze verzegelde goederen laten openmaken. Dat betekent dat ze de hele papierwinkel opnieuw moeten doen. De kosten…'

'Doe het gewoon.'

Reinhardt wilde hem even apart spreken. Ze liepen naar het raam. De grijze oceaan buiten, steigers bij de haven. Beneden zagen ze groepjes medewerkers van de beveiliging samenwerken met de politie.

'Ik heb contact gehad met de raad van bestuur. Uiteraard hoopt iedereen op een goede afloop.'

Er hing iets onuitgesprokens in de lucht.

'Maar?' vroeg Zeuthen.

'We zijn stuurloos, Robert. De aandelenprijs daalt. Er gaan allerlei geruchten rond. Als de prijs nog verder zakt kan er een vijandig bod komen. Van de Koreanen, de Chinezen. Je weet het niet.'

'Als ze klachten hebben moet je ze maar naar mij sturen.'

Reinhardt verstrakte, niet gelukkig met Zeuthens toon.

'Kornerup is nog niet weg. Het zou helpen als we hem op tijdelijke basis lieten terugkeren. Ik houd wel een oogje...'

'Doe gewoon wat ik vraag, wil je? Waar je voor betaald wordt.'

'Ik werk hier al vanaf mijn achttiende, Robert. Het grootste deel van de tijd was dat voor je vader. Hij heeft nooit op die manier tegen me gesproken. Dat was niet nodig.'

'Heeft mijn vader ooit met zo'n situatie te maken gehad?'

Hij wachtte niet op antwoord. Er stond iemand bij de receptie. Maja, in een kobaltblauwe trui en een zwarte broek. Zeuthen liep naar haar toe.

'Ik kan niemand vinden die weet wat "de tussenruimte" is,' zei ze, nadat ze een telefoontje had beëindigd. 'Ik heb met de oppas gesproken. En met hun leraren.'

'Misschien is het gewoon een spelletje dat ze hebben verzonnen. De tv-ploeg is hier. Het script is klaar. We kunnen nu die oproep doen. Ze sturen het direct door naar de nieuwszenders.'

Ze hadden die ochtend overlegd. Brix had hen gebeld.

'De politie wil liever niet dat we dit doen, Robert. Ze zeggen dat ze overspoeld zullen worden met telefoontjes. De meeste afkomstig van gelukzoekers.'

'De politie...' mopperde hij. 'Wat hebben die voor ons gedaan?'

'Dat weet ik...'

Een hand op haar schouder.

'Ik heb je nooit iets gevraagd. Maar... toe.'

Ooit zou ze achteruit zijn gedeinsd, automatisch nee hebben geschud. Nu niet.

'Alleen dit,' smeekte hij.

De kamer ernaast. Twee stoelen voor het raam. Lampen. Cameraman. Een regisseur, een vrouw met een microfoon.

Alleen het blinde oog van de lens om tegen te praten.

Ussings kantoor, een kleine, sobere kamer achter in het parlementsgebouw. Hij ging niet zitten. Wilde niet toegeven dat Lund en Borch het recht hadden hem uit de verkiezingscampagne weg te sleuren. Een assistent ging zitten en luisterde mee als getuige.

'Dit gaat over het vinden van Emilie Zeuthen,' onderbrak Lund hem toen hij maar bleef zeuren. 'Ik weet zeker dat het electoraat je je afwezigheid zal vergeven.'

Een gezette man met een sluw, agressief gezicht. Hij keek haar woedend aan en zei: 'Probeer geen trucjes met me uit te halen. Ik ben Troels Hartmann niet en dit is niet de zaak-Birk Larsen. Je kunt mij niet zomaar in de cel gooien. Ik heb jullie de waarheid al eerder verteld.'

Ze ging toch door met vragen stellen.

'Peter Schultz was een vriend van je. Jullie hebben elkaar gesproken. Jouw auto was in de buurt toen Louise Hjelby verdween. Denk je nu werkelijk dat we geen recht hebben om hier te zijn?'

'Luister. Ik vind het vreselijk wat er is gebeurd. Als ik kon helpen zou ik het doen. Schultz en ik waren gewoon bevriend...'

'We hebben een getuige die zegt dat hij jullie heeft horen praten over het Hjelby-meisje,' zei Borch.

Ussing lachte.

'Seifert? Die idioot heb ik eruit gegooid omdat hij uit de campagnekas had gestolen. Hij mag nog van geluk spreken dat ik geen aanklacht wegens diefstal tegen hem heb ingediend.'

'Waarom heb je dat niet gedaan?' vroeg Lund.

Die vraag werd niet op prijs gesteld.

'We zaten niet op de publiciteit te wachten. Je moet je imago beschermen...'

Lund haalde een foto van Louise Hjelby tevoorschijn en zwaaide ermee voor zijn gezicht.

Een nieuwe foto. Een week voor ze verdween. Knap meisje. Lang donker haar. Erg bleke huid. Geen glimlach.

'Heb je haar ooit ontmoet?' wilde ze weten.

Ussing keek naar zijn assistent. De man staarde naar de vloer.

'We zijn al je gangen nagegaan,' voegde Borch eraan toe. 'Twee jaar geleden, op 20 april, voerde je campagne in Gudbjerghavn. Waar Louise is vermoord.'

'Iedereen was daar. Zeeland was bezig daar havenbedrijven te sluiten. Er was een debat. Het trok veel aandacht.'

'Hier is een kopie van je hotelrekening,' vulde Lund aan en ze smeet een document op het bureau.

Ussing ging zitten, keek naar de factuur. Zweeg.

'Je reed in een zwarte auto,' zei Borch. 'Een BMW. Hij is gezien op dezelfde weg die Louise heeft genomen. Op dezelfde dag. Ongeveer op dezelfde tijd.'

'Ik was campagne aan het voeren!'

Lund pakte een stoel en ging zitten. Wat zo veel wilde zeggen als: dit kan nog wel even duren.

'Het meisje is verkracht en vermoord. Je vriend Peter Schultz deed het af als zelfmoord. Emilie Zeuthen kan als gevolg van dit alles haar leven verliezen. Dus laten we even heel precies zijn. Waar hebben Schultz en jij bijna een uur lang over gepraat? En zeg niet dat het over het weer ging...'

De assistent kwam naderbij. Er werd gefluisterd.

'Het schijnt dat we dat meisje in een van onze campagnes hebben gebruikt,' zei Ussing uiteindelijk.

De man legde een brochure op het bureau en zei: 'Het was de bedoeling mensen te motiveren pleegouder te worden. Een aantal privékindertehuizen was onlangs gesloten. Er was een tekort. Nog steeds. Het was een plaatselijk initiatief...'

'En jij bent?' vroeg Borch.

De man heette Per Monrad. Ussings campagnemanager.

'Anders heeft de organisatie opgericht. We wilden het meisje gebruiken als voorbeeld hoe het kon werken. Toen...' Hij fronste zijn voorhoofd. 'We kwamen erachter dat ze zelfmoord had gepleegd.'

Hij tikte op de brochure.

'Ik heb hier duizenden van laten drukken. We konden alles weggooien. Het zou geen goede indruk hebben gemaakt...'

Lund bladerde de brochure vluchtig door.

'Wat was de rol van Schultz hierbij? Waar hadden jullie hem voor nodig?'

Ussing haalde zijn schouders op.

'Eigenlijk nergens voor. We hoorden dat het meisje zelfmoord had gepleegd. Ik moest besluiten of we de campagne door moesten laten gaan of niet. Dus we spraken over wat er was gebeurd. Ik wilde zeker weten dat we dat kind niet overstuur hadden gemaakt door haar in die advertentie te zetten. Ze leek een beetje verlegen. En het reclamebureau heeft om een of andere reden nooit toestemming gekregen van de pleegouders of de school. Onoplettendheid, denk ik. Ze zeiden dat ze het pas wilde vertellen als de brochure was gepubliceerd.'

Een tweepaginagrote foto midden in de brochure. Anders Ussing en Louise Hjelby. Hij met een brede glimlach, met zijn arm om haar schouder geslagen.

Lund hield de foto op, liet hem zien aan Borch, toen aan Ussing. Wachtte.

Hij had het moeilijk.

'Ik kende dat meisje niet eens. Ik kwam alleen opdagen voor de foto. Heb haar daarvoor of daarna nooit gezien.'

Borch knikte alsof hij wilde zeggen: 'Werkelijk?'

'Heb je haar die middag geen lift gegeven?' vroeg Lund. 'Heb je haar fiets niet in de kofferbak van je auto geladen?'

'Nee! Bedoel je soms dat ik dat meisje heb vermoord?'

'We stellen gewoon een paar vragen,' zei Borch.

Monrad legde een ander document op tafel.

'Dit is wat Anders die dag heeft gedaan. Een heel druk schema. De hele dag bijeenkomsten. In de middag gingen we naar Esbjerg voor een debat met Hartmann.'

'Goed genoeg?' vroeg Ussing. Hij stond op en ging zijn jas halen.

'Ik wil alle informatie uit je agenda van die dag,' zei Lund.

'Dit gaat alle perken te buiten…'

Borch hing al aan de telefoon.

'Als we die informatie vanmiddag niet hebben kom ik terug met een arrestatiebevel,' beloofde ze.

Buiten had Borch zijn telefoontje inmiddels beëindigd. Hij zei dat het reclamebureau had bevestigd dat Louise had deelgenomen aan een fotoshoot voor de brochure, een week voor de vermissing. Ussing had nog andere banden met Schultz, iets met een banklening. De informatie daarover moest nog bevestigd worden.

'Hoe hebben jullie al die zaken over het hoofd kunnen zien?' vroeg Lund. 'Waar waren jullie mee bezig?'

'Dat weet ik niet. Ik heb kopieën van alle foto's gevraagd.'

Ze knikte in de richting van Ussings kantoor.

'Wat weet je over hem? Zijn privéleven?'

Niets.

'Of is dat ook geheim?'

'Soms ben je echt een zeurpiet. Ussing is vijf jaar geleden gescheiden. Hij heeft twee volwassen kinderen. Die hij niet vaak ziet. Hij is hetero en houdt van vrouwen. Niet van meisjes, voor zover we weten. Nog iets?'

'Laat onze mensen zijn agenda doorgaan met een stofkam,' verordonneerde ze. 'Praat met zijn campagnepersoneel. Niet alleen zijn oogappel Monrad daarbinnen. Ik wil de mensen van Hartmann spreken. Laten we uitzoeken of het klopt van die vergaderingen. En…'

Borch luisterde niet. Aan het eind van de gang hing een tv. Hij liep erheen, starend naar het scherm.

Maja en Robert Zeuthen naast elkaar, deze keer op hun gemak in die positie. Achter hen de haven en de vlakke, ijskoude zee.

'We hopen dat mensen ons zullen helpen,' zei Zeuthen.

'Als iemand iets heeft gezien, Emilie heeft gezien, meld dat dan alstublieft,' voegde Maja daaraan toe, lezend van een verborgen autocue.

De camera zoomde in op haar gezicht.

'Ze weet dat we haar zoeken. Ze weet dat we niet stoppen totdat we haar hebben gevonden.'

Er werd overgeschakeld naar de nieuwspresentator. Er was een beloning uitgegeven voor de veilige terugkeer van Emilie: honderd miljoen kronen.

Lund herinnerde zich dat de Birk Larsens dezelfde kansloze poging hadden gewaagd, hoewel zij lang niet zo veel geld konden bieden.

'Ik dacht dat je Zeuthen onder controle had,' zei Borch. 'Nu gaat elke krankzinnige in het land bellen en worden we overspoeld met telefoontjes. Dit is…'

'Slecht,' onderbrak ze hem. 'Heel slecht. Ja, dat weet ik.'

Maja Zeuthen ging na het tv-interview terug naar Drekar. Carl was daar. Hij peddelde door de gangen op zijn driewieler.

Het landhuis deed leeg aan. Misschien was een deel van het personeel met verlof gestuurd.

Carsten belde en vroeg: 'Komen jullie twee snel thuis?'

Thuis.

Zo'n klein woordje. Maar tegelijkertijd zo gecompliceerd en vol dilemma's.

'Later,' zei ze. 'Ik bel je wel.'

Dat was het.

Ze keek hoe de jongen naar de open haard in de studeerkamer racete en zijn driewieler daar neerzette.

'Je kunt ook naar "de tussenruimte" fietsen,' opperde Maja. 'Dat is geen geheim meer.'

Carl keek haar aan en zei: 'Mam…'

Toen pakte hij een stel kaarten en begon ermee te rommelen.

'Ik weet heus wel waar dat is.' Ze observeerde hem, zag hoezeer hij zich op zijn gemak voelde in het grote huis. 'Het is in de garage.'

Hij snoof.

'Niet!'

'In de kelder dan.'

'Nee.'

'Dan…'

'Ik wil niet helemaal naar boven fietsen.'

Ze knikte, probeerde zich voor te stellen wat hij kon bedoelen.

'Boven?'

De kaarten. Hij schudde ze.

'Carl. Wat bedoel je met "boven"?'

'Emilie zei dat ik het niet mocht vertellen. Ze zei…'

Genoeg. Ze liep naar hem toe, pakte hem bij de schouders, keek hem indringend in zijn jonge, verbaasde gezicht.

'Je moet me laten zien waar het is, Carl. Misschien heeft Emilie daar iets laten liggen. Misschien kunnen we…' Dromen. Meer waren het niet en ze leken onbereikbaarder dan ooit. 'Misschien kunnen we haar gaan zoeken.'

Hij liep weg en wachtte bij de deur op haar.

Op de vierde verdieping, onder het dak, ergens in de oostelijke vleugel dicht bij de stenen draak die hen altijd had gefascineerd. Verlaten kamers. Ruimten die ze nooit nodig hadden, nooit schoonmaakten, nooit hadden bewoond.

Een opslagruimte, kale planken, kartonnen dozen. Dingen van voor hun huwelijk, die voor het laatst waren aangeraakt door Roberts ouders.

Het dak werd lager. Carl koerste regelrecht af op een verborgen licht-knopje. Op haar knieën volgde ze hem naar een smalle spleet tussen twee muren.

Een kleed op de vloer onder een klein dakraam. Hij ging zitten, kroop in de hoek, vond een lampenkapje en knipte het aan.

Maja keek naar het cirkelvormige glas boven hen, herkende de vorm. Dit was een van de ogen van het stenen monster van de oude Zeuthen. Het mythische schepsel van de Vikingen dat hij tot embleem van Zeeland had gemaakt. Eronder bevond zich de plek waar de kinderen zich terugtrokken als Robert en zij ruziemaakten. Een geheim toevluchtsoord in een gezin dat uit elkaar viel.

Maja kroop verder en ging op het kleed zitten. Keek naar de stukjes papier. Net als in haar plakboek. Hetzelfde eenvoudige, kinderlijke handschrift.

Hartjes en bloemen. De woorden 'mama' en 'papa' samengevoegd, alsof ze dat had gehoopt. Ze sloeg de bladzijde om. Een foto uit het trouwalbum, vastgelijmd. Robert en zij toen ze nog jong waren. Erg verliefd.

'Weet papa dat je hier komt?'

Hij veegde zijn pony opzij en keek haar aan. Schudde zijn hoofd.

'We speelden gewoon. Dat is alles.'

Ze doorzocht de papieren. Ook foto's. Afdrukken van een katje in hoog gras. Toen, verscholen onder een speelgoedbeest, een dun wit snoertje. Ze trok eraan en haalde een iPad onder het kleed tevoorschijn. Het zat in een leren hoes, zwart, als het speeltje van een zakenman.

'Deze is niet van Emilie. De hare ligt beneden.'

Hij keek niet-begrijpend.

'Waar komt dit vandaan, Carl?'

De jongen aarzelde.

'Toe,' smeekte ze. 'Dit is belangrijk.'

'Emilie zei dat ze hem van de man had gekregen.'

Haar adem stokte, haar hart ging tekeer.

'Welke man?'

Hij sloot zijn ogen. Dit kostte hem moeite.

'Welke man?'

'De man met de kat.' Hij huilde. Wist dat hij dit eerder had moeten zeggen. Maar hij had dat om de een of andere reden niet gedurfd. 'Dat katje, bij het hek.'

Maja Zeuthen opende de zware hoes van de iPad. Vond het knopje. Zette het ding aan.

Morten Weber belde op de terugweg van de bijeenkomst in het tuincentrum. Hij klonk vrolijk.

'De pers stort zich op Ussing,' zei hij tegen Hartmann en Nebel die achter in de auto zaten te luisteren. 'Ik geef door dat er nog meer komt. Laten we het hopen.'

'Niet overdrijven,' waarschuwde Nebel. 'Laat hem zichzelf maar in de nesten werken.'

Een stilte. Toen zei Weber: 'Daar kunnen we slechts op hopen. Alle mensen die gisteravond nog bereid waren je te ontslaan draaien nu bij, Troels. Birgit Eggert klokt als een blije moederkloek. Zelf heb ik de neiging om haar magere nek om te draaien...'

'Morten...' gierde ze.

'Ik zei dat ik de neiging had. Niet de intentie. Nog niet. O, en ik heb bericht gekregen dat Rosa Lebech om de een of andere reden is overgelopen. Ze steunt ons weer.' Opnieuw een stilte. 'Ik kan me niet voorstellen hoe dat is gekomen.'

'Ik zei toch dat het allemaal goed zou komen,' verklaarde Hartmann.

'Was dat gisteren, toen je hout stond te hakken, klaar om het op te geven? Nog één ding: Lund heeft gebeld. Ze vraagt naar onze agenda's van de vorige verkiezing. Ze willen Ussings beweringen checken dat hij op tournee was toen dat meisje werd vermist.'

'Geef haar alles wat ze wil, Morgen. Als je dat mens maar bij me weg houdt.'

Gelach.

'Ik doe mijn best, dat beloof ik.'

Nu was het Hartmann die aarzelde. Toen zei hij: 'En bedankt dat je teruggekomen bent. Ik kwam een beetje onzeker over, nietwaar?'

'Nogal, Troels. En dat past helemaal niet bij jou.'

'Dat zal ik onthouden,' beloofde hij.

Het telefoongesprek was voorbij. Nebel keek hem aan terwijl de auto zich tussen het stadsverkeer mengde.

'Wat had dat te betekenen?' vroeg ze.

'Je lijkt geen dag ouder, Lund,' zei Weber terwijl zij en Borch de burelen van de premier betraden.

'Is dat zo?' zei ze.

Weber leek ook niet veel veranderd. Een kleine, ietwat sjofele man met weerbarstig, zwart krulhaar en dikke brillenglazen. Bij de overstap van de plaatselijke naar de landelijke politiek had hij ergens een slecht zittend pak en vest opgedoken, maar dat was dan ook alles. Tijdens het langdurige onderzoek in de Birk Larsen-zaak was hij de intelligente, gewiekste, toegewijde steunpilaar van Hartmann. Hij kon een dwarsligger zijn. Iemand die ervoor zorgde dat alles gladjes verliep als dat in het voordeel van Hartmann was.

'Dit is Mathias Borch van de PET,' zei ze terwijl ze de twee mannen aan elkaar voorstelde. 'Kennen jullie elkaar?'

Ze schudden beiden het hoofd. Lund ging er maar van uit dat ze hen kon geloven.

Brix was aan de telefoon geweest net voordat ze het gebouw in liepen. Na de tv-oproep van de Zeuthens werd de Politigården overspoeld met telefoontjes. Half Denemarken leek te denken dat ze Emilie hadden gezien en vroeg zich af hoe ze de beloning konden opstrijken.

'Ussing is woedend op ons,' zei Lund tegen Weber. 'Hij zegt dat jullie hem om politieke redenen in de stront laten zakken.'

'Klonk hij overtuigend toen hij dat zei?'

'Niet echt,' zei Lund instemmend. 'Ik had de indruk dat hij keihard loog.'

Weber glimlachte.

'Maar wat wil je, hij is politicus,' voegde ze eraan toe. 'Wat kon je anders van hem verwachten?'

De glimlach verstarde.

'Wat wil je precies van mij?'

'Heeft Hartmann twee jaar geleden op 20 april een debat met Ussing gevoerd?' vroeg Lund.

Webers vingers ratelden over de toetsen van zijn laptop op het bureau.

'Ja, dat klopt.'

'Dat is niet alleen een aantekening in een oude agenda? Je weet het zeker?'

De kleine man lachte.

'Sorry, dat was ik vergeten. Met jou praten is net zoiets als de spreekwoordelijke moslimscheiding, nietwaar? Je moet alles drie keer herhalen. Ja, dat klopt. Ja, dat klopt. Ja, dat klopt.' Nog meer ratelende toetsen. 'Het was in een vismeelfabriek in Esbjerg. Het begon om half zes.'

Nog wat getik op de laptop. Hij draaide het scherm zodat ze konden meekijken. Een artikel uit een plaatselijke krant. Een foto van Ussing en Hartmann op een podium.

'Deed Ussing vreemd?' vroeg Borch.

'Niet meer dan gewoonlijk, denk ik. Hij is een doorgewinterde schurk. Je moet van hem geen subtiliteiten verwachten.'

'En Hartmann?' vroeg Lund. 'Hoe was hij?'

Weber zei niets. Borch keek haar ook zwijgend aan.

'Ik was gewoon nieuwsgierig,' legde Lund uit. 'Reed hij zelf die dag? Of nam hij zijn gemak in de ministeriële auto?'

'Waarom zou hij dat doen?' vroeg Weber.

'Dat weet ik niet. Ik vroeg het me alleen af.'

'Ik denk het niet.'

'Maar je weet het niet zeker?'

Weber leunde achterover in zijn stoel.

'Hij heeft een chauffeur. Om veiligheidsredenen worden zijn bewegingen zeer nauwkeurig bijgehouden. Vraag het de PET. Het is hún taak. Daarnaast hebben we een campagnebus en wat extra auto's. Als hij onderweg is verlaat Troels Hartmann slechts de route als ik het zeg. En als hij dat doet is er altijd iemand bij.'

Borchs telefoon ging over. Hij liep een eindje weg en nam op.

'Waarom vraag je dat?' wilde Weber weten.

'Dat is mijn werk.'

'Lund. Ik begrijp dat je vindt dat Troels vroeger niet genoeg heeft gedaan.'

'Dat is ook zo.'

'Best. Je hebt gelijk. Maar hij is een fatsoenlijke, eerlijke man. Op het emotionele vlak ietwat geneigd tot stiekeme, oppervlakkige relaties. Maar niemand van ons is volmaakt. Hij heeft recht op een privéleven, net als iedereen. Was dat het?'

Ze keek naar Borch. Hij had niets.

'Voorlopig,' zei Lund.

De laatste peilingen kwamen aan het eind van de middag binnen. Hartmann glunderde. Toen bracht Weber hem op de hoogte van de details van het politieonderzoek.

'Ik begrijp dat je Brünhilde op bezoek hebt gehad.'

Weber keek hem niet-begrijpend aan en ging bij het raam zitten.

'De Walkure van de Politigården.'

'O. Ik geef niks om opera. Sorry. Ze doet gewoon haar werk, Troels. Tamelijk goed, trouwens. We geloven toch niet echt dat Ussing dat meisje heeft vermoord, wel?'

Nebel stond in de deuropening mee te luisteren.

'Laat hem maar lekker worstelen met die aantijgingen. Het is niet de misdaad die je de das omdoet, maar de leugen,' zei Hartmann opgewekt.

'Het kan een van beide zijn,' merkte Weber op. 'Of allebei.'

'Ik heb Mogens hier,' zei Nebel, van onderwerp veranderend. 'Met Birgit. Ik zei toch dat ze je wilden spreken.'

'Dat is waar,' gaf Weber toe. 'Laat ze maar binnenkomen.'

Breeduit glimlachend stapten ze door de deuropening naar binnen. Rank in een duur pak, Eggert vrij gewoontjes gekleed.

'We hebben een informele comitévergadering gehad,' zei Rank. 'Na al dat gedoe van gisteravond. Ze doen je de groeten. Het ziet er goed uit! De peilingen!'

'Zo veel steun hebben we in de provincie in tien jaar niet gehad!' voegde Eggert eraan toe. 'Het is fantastisch. En als je naar de details kijkt geldt heel veel van die steun jou persoonlijk. Je leiderschap. Je charisma. Je karakter.'

'Dat heb je dus gecheckt?' vroeg Hartmann.

'Nou ja, dat moest wel,' antwoordde ze. 'En het lijkt er nu op dat jouw getuige niet helemaal ongelijk had wat betreft Ussing.'

Ze hield haar handen op de rug. Ze had iets vast. Eggert liep naar het bureau en hield een fles rode wijn op. Bordeaux. Oud. Duur.

'Ik kan me niet genoeg verontschuldigen voor wat er is gebeurd. Mogens heeft geweldig werk verricht door een lastige situatie op te helderen. Op een paar punten heeft hij me gecorrigeerd.' Ze zwaaide met de fles. 'Ik hoop dat dit... het een beetje goed maakt.'

Hij staarde naar het etiket.

'Ik heb gehoord dat het een van je favorieten is,' ging ze hoopvol verder. 'Ik wilde hem bewaren voor de verkiezingsavond, maar...' Ze keek om zich heen. 'Waarom niet nu?'

'Laat maar,' zei Hartmann. 'Bewaar hem maar voor wanneer ik mijn nieuwe kabinet benoem. Dan kun je wel wat troost gebruiken.'

'Troels,' zei Rank zacht. 'We hebben de laatste tijd allemaal flink onder druk gestaan. Birgit weet dat ze fout zat. Ze probeert...'

Hij zweeg toen Weber opstond en naast hen beiden ging staan, zijn armen over elkaar sloeg en hen van top tot teen opnam.

'Dit is geen punt van discussie,' zei de kleine man. 'De premier vertrouwt je niet meer, Birgit. Waarom zou hij?'

Ze keek niet naar hem. Alleen naar Hartmann.

'We hebben jarenlang samengewerkt, Troels...'

'Des te meer reden om ons te steunen toen het nodig was,' merkte Weber op. 'De staatssecretaris zal het ministerie van Financiën voorbereiden op je ontslag zodra de verkiezingen zijn geweest. Tot die tijd mag je niet meer in de openbaarheid treden. Noch mag je jezelf nog langer als lid van deze regering beschouwen.'

Hij liep naar de deur, opende hem en knikte naar de fles.

'Er ligt een kurkentrekker in mijn kantoor. Die mag je wel lenen op weg naar de uitgang, als je wilt.'

Hij sloot de deur achter haar en keek toen naar Rank, die daar nu alleen stond, ernstig, bezorgd.

'Niet bang zijn, Mogens,' zei Weber en hij klopte hem op de rug. 'Dat was alles. Jij mag dan een slecht geheugen hebben, maar je bent in ieder geval loyaal.'

Rank bedankte hem en vertrok gedwee.

'Ze belt haar doortrapte vriendjes al voordat ze bij de lift is, Troels. Dat weet je.'

'Laat haar. Het zijn nietsnutten. Ik ben aan de winnende hand, dat is het enige wat van belang is.'

'En Rosa?'

Hartmann stond op.

'Laat haar maar aan mij over.'

Achter de receptie, voorbij een lange gang, vond hij haar, zittend op een bank, met een uitdrukkingsloos gezicht in een elegant nieuw pakje. Ze stond op toen hij haar naderde. Voordat Hartmann iets kon zeggen begon ze al druk te praten.

'Ik kom net van het partijbestuur. Het is rond. Zelfs de twijfelaars raken opgewonden. We kunnen het nu doen. We kunnen het openbaar maken.'

'Werkelijk? Weet je het deze keer zeker?'

'Absoluut! De Partij van het Centrum zal achter je nominatie als premier gaan staan. Als je wint zullen we erbij zijn en applaudisseren.' Ze pakte haar jas op. 'Laten we het persbericht uitgeven en uit eten gaan. Gisteravond was een beetje... hoe moet ik het noemen... overhaast?'

'Mag ik ook even iets zeggen?' vroeg Hartmann.

'Pardon?'

'Ik bedoel, bedankt... maar nee, bedankt. Er komt geen alliantie. Niet politiek gezien.' Hij bleef haar onophoudelijk aankijken. 'En persoonlijk gezien ook niet.'

Haar gezicht betrok.

'Ik begrijp het niet.'

Een uiterst kort, wrang glimlachje.

'Hoe verrukkelijk je gezelschap ook is, Rosa, hoe fijn onze tijd samen ook was... je ex-man heeft me nog steeds proberen te naaien door documenten uit het ministerie van Justitie te lekken. En erger nog, jij bent meteen naar Anders Ussing gerend op het moment dat het er hier om ging spannen. Je was er niet toen ik je nodig had. En nu dat niet meer zo is... tja...' Een spijtig fronsende blik die niet echt spijt uitstraalde. 'Wat dondert het?'

'We betekenen iets voor elkaar. Niet dan?'

Hartmann zuchtte, leek terneergeslagen.

'Ik moet eerlijk zijn. Ik ben een eenvoudige, liefhebbende man. Ik heb nooit aan mijn eigen oprechtheid getwijfeld. Het probleem is... ik ben niet overtuigd van de jouwe.'

Een woedende uitdrukking op haar gezicht. Dat effect had hij soms op vrouwen en het verbaasde hem altijd.

'Wat?' zei ze woest. 'Wat?'

'Dit hoeft ons werk niet te beïnvloeden,' drong hij aan. 'Ik zal altijd waarde blijven hechten aan je opinie als het om beleid gaat. Binnen redelijke grenzen, uiteraard.'

Een glimlach. Een handdruk, wat haar zo overviel dat ze zijn hand nog aanpakte ook.

Nebel keek toe vanuit de receptieruimte toen hij wegliep. Ze greep hem bij de arm en trok hem mee een hoek in.

'Mag ik zo brutaal zijn te vragen waar dat over ging?'

'Knopen doorhakken.'

'Ik kwam net Birgit Eggert tegen, op de trap. Ze is laaiend.'

'Nou en?' vroeg hij. 'Ik heb haar niet nodig.' Hij keek over zijn schouder naar Lebech, die naar buiten liep. 'Net zomin als ik de Partij van het Centrum nodig heb. Je hebt de peilingen toch gezien? Wij liggen op kop.' Hij klopte zich op de borst. 'Ik lig op kop. Dit land wil mij. Niet Birgit. Niet Rosa.'

Ze keek hem woedend aan.

'Dus jij en Morten hebben dit bekokstoofd? En jullie hebben mij niks verteld?'

Hartmann hield zijn hoofd schuin, alsof hij verbaasd was.

'Ik vertel het je nu toch?'

In de ondergrondse garage van het parlement baanden Lund en Borch zich een weg langs de rijen voertuigen.

Overal zwarte auto's. Politici leken daar een voorkeur voor te hebben. Er kwam informatie binnen over Ussing. Het zag er interessant uit.

Na tien minuten stuitte Borch op een auto die voldeed aan het profiel. BMW. Nog steeds geregistreerd op naam van Ussing.

Ze liepen om de auto heen, centimeter voor centimeter. Bijna drie jaar oud, Ussings privévoertuig.

'Als jij denkt wat ik denk dat jij denkt, Sarah: vergeet het.'

Ze hurkte neer bij de achterkant. De kofferbak was groot genoeg voor een kinderfietsje.

'Hij zou de nieuwe premier kunnen worden,' ging Borch verder. 'We moeten voorzichtig zijn.'

Ze hurkte neer bij de banden. Hij voegde zich bij haar.

'Ik weet dat hij een stierlijk vervelende eikel is, maar dat is niet tegen de wet. Nog niet…'

De lichten knipperden. Er klonk een pieptoon. Ze keken op. Ussing liep naar hen toe, afstandsbediening van de auto in zijn hand.

'Wat is dit?' riep hij. 'Zijn jullie Hartmanns lakeien of zo? Donder op!'

Hij wilde zijn portier openen. Lund versperde hem de weg.

'We hebben met je mensen in Jutland gesproken,' zei Borch. 'Ze wisten niet waar je was op 20 april, twee jaar geleden, voordat je opdook voor het debat.'

Hij werd ziedend.

'Ik heb een afspraak. Ik wil dat jullie bij mijn auto weggaan.'

Borch trok zijn opschrijfboekje.

'Je zit in de raad van de Arbeidersbank. Schultz stond zwaar bij hen in het krijt in verband met een lening voor onroerend goed. De bank heeft het geld nooit bij hem opgeëist.'

Ussing keek hen met open mond aan en schudde zijn hoofd, zei: 'Wat?'

'Was dat de afspraak?' vroeg Lund. 'Jij hebt zijn schuld betaald en hij liet de dood van het meisje passeren als zelfmoord?'

'En nu is het genoeg!' Hij deed een uitval naar het autoportier. 'Als jullie meer willen weten praat je maar met mijn advocaat.'

Hij trok het portier open, wilde instappen. Lund duwde hem opzij en smeet het weer dicht.

'Je hebt Louise Hjelby herkend,' zei ze. 'Hoe is het gegaan? Ga met mij mee en ik maak je beroemd? Leg je fiets achterin en we gaan de stad uit, een eindje rijden?'

'Dit is belachelijk. Ik ga.'

Hij zwaaide met de autosleuteltjes. Lund pakte ze af.

'Niet zoals jij denkt,' zei ze. 'We nemen de auto in beslag voor nader onderzoek. Je zult vragen moeten beantwoorden...'

Ussing begon dingen te schreeuwen over pesterijen en nog veel meer. Lunds telefoon ging over.

Juncker, nog steeds in de haven. Het was niet goed. Een camera had de speedboot gefilmd toen hij onder de brug door was gevaren.

'Er staat maar één man op. Hij draagt nog steeds die bivakmuts. Geen teken van Emilie. Misschien heeft hij haar onderweg overboord gegooid.'

'Dat is niet...'

'Ik heb de beelden! Twintig minuten later zie je de rode bestelbus vertrekken. Emilie was er niet bij.'

Ze kon de wanhoop in zijn stem horen.

'Als dat arme kind dood is,' zei Juncker, 'doet het er niet meer toe of we die oude zaak nog oplossen, of wel?'

'Zeker wel. Blijf zoeken.'

Toen ze de verbinding verbrak was Ussing nog steeds aan het jammeren. Ze vroeg zich af of ze hem ter plekke moesten arresteren.

Toen ging haar telefoon opnieuw. Brix.

'We doen dit precies volgens de regels,' zei ze op haar hoede. 'Wat de mensen van Ussing ook mogen zeggen...'

'Vergeet Ussing,' onderbrak hij haar. 'Ik heb je nodig bij de haven. Ik heb de Zeuthens gesproken. Ze hebben iets gevonden.'

Het regende toen ze bij de Zeeland-terminal aankwamen. Kranen en vrachtwagens waren in de weer op de steigers, felle lampen schitterden op het vlakke water. Juncker en Madsen stonden buiten bij de cabine die Zeuthen had laten neerzetten als commandopost voor de zoektocht. De politie was op afstand gehouden, hoewel Reinhardt van tijd tot tijd met hen had gesproken en hen op de hoogte hield van de ontwikkelingen. Zo te horen was het een kostbare, vruchteloze onderneming.

Lund tuurde door de raampjes van de cabine. Zeuthen droeg dit keer een werkjasje, Reinhardt zat naast hem met een veiligheidshelm op. Toen zag ze de tengere gestalte van Maja Zeuthen, die iets bij zich droeg. Ze hadden Juncker niet willen vertellen wat ze hadden gevonden. Ze wilden Lund spreken.

'Oké,' zei ze en ze stapte als eerste naar binnen.

Maja Zeuthen had een iPad in haar handen. Bewijs, zei ze, hoe de kidnapper contact had gemaakt met Emilie. Zeuthen stond een beetje op de achtergrond terwijl zij uitleg gaf. Het was op Drekar gebeurd. Misschien voelde hij zich verantwoordelijk.

Toen toonde ze de video die ze had gevonden.

Emilie, blij, opgewonden, in de camera kijkend. Een bericht voor een onbekende. Een reactie op iets aardigs.

'Hoi! Bedankt voor de iPad. Ik ben er erg blij mee. En ik beloof dat ik niks zal verklappen.'

Lund keek nog eens goed. Het meisje droeg een nachtpon, lang haar, prachtig gekamd. Achter haar zo te zien een zolderwand. Dit was een geheim. Een geheim dat bewaard moest worden.

'Van mama en papa mag ik toch niet online. Ze zeggen dat ik niet met vreemden mag praten.' Ze schudde haar blonde haar. 'Maar dat geeft niet.'

Zeuthen keek weg. Ze hadden dit eerder gezien. Hij wilde het niet nog een keer ervaren.

'Ze praten niet vaak meer met elkaar,' zei Emilie hoofdschuddend. 'Ze maken alleen maar ruzie. Ze weten niet wat ik doe. Het kan ze niet schelen.' Ze klaarde op. 'En bedankt voor de foto's van de katjes. Ze zijn zo snoezig. Ik weet niet welke ik moet kiezen.'

Juncker vloekte, keek naar Lund.

'Je kunt ze bij het hek brengen, dan kan ik ze in het echt zien.' Weer woelde ze zenuwachtig door haar haar. 'Als je morgen zin hebt om te kletsen moet je maar een berichtje op mijn prikbord achterlaten. Dag…'

Ze zwaaide. Zeuthen liep naar de andere kant van het kantoortje en staarde naar de kaarten aan de wand.

Lund ging naar hem toe. Wachtte tot hij haar aankeek.

'Ik had dit kunnen voorkomen,' zei hij.

'Hoe?'

Hij gaf geen antwoord.

'Je moet je mensen terugroepen, Robert. Emilie is nooit bij de haven geweest. We hebben videobeelden van het moment dat hij terugkeerde van de brug. Hij was alleen.'

Zeuthen dacht even na en wees toen op de kaarten.

'Hij moet haar ergens op een schip hebben gezet. We zullen het zoekgebied vergroten. We kunnen…'

Zijn vrouw keek nog steeds naar de video. Vingers op het scherm. Alsof ze het meisje zo echt kon aanraken.

'Je moet met haar praten, Robert. Ze heeft je nodig.'

Zo veel kaarten en plattegronden. Inhammen en fjorden. Oceaanroutes en weersvoorspellingen. Een grote wereld buiten deze kleine ruimte.

'Je kunt de pijn niet wegnemen,' ging ze verder, 'maar misschien kun je het iets verzachten als je er samen over praat.'

Toen liep hij naar haar toe, keek naar de video. Legde zijn vingers naast die van zijn vrouw op het schermpje. Toen zijn arm om haar schouder.

Juncker begon onrustig te worden.

'Ik moet even kijken,' zei hij, naar de iPad wijzend. 'Ik wil iets checken.'

Maja Zeuthen aarzelde even en gaf hem toen de iPad.

'Hij heeft dit ding aan Emilie gegeven,' zei Juncker. 'Hij heeft verstand van computers. Hij moet hem eerst zodanig hebben ingesteld dat ze samen konden praten.'

'Klinkt logisch,' stemde Borch in.

Juncker sloot de video af en ging naar de instellingen. Het apparaat hield bij via welke netwerken men online was gegaan. Ze stonden er allemaal: een serie nummers, IP-adressen. Eerst slechts één. Drekar.

Toen, helemaal aan het begin van de lijst, nog een.

Een reeks cijfers. En een naam: Marigold Café.

Juncker pakte zijn smartphone en typte iets in met zijn duimen.

Hij liet het zien: een industrieel gebied ergens bij het water achter Vesterbro.

'Dat is de plek waar hij voor het eerst online is gegaan,' zei de jonge rechercheur. 'Hij moet daar een plek hebben gehad.'

Lund kon haar ogen niet van de kaart afhouden. De rivier lag tussen de haven en de brug waar hij Emilie zogenaamd had doodgeschoten. Hij had onderweg een tussenstop kunnen maken.

Na twintig minuten waren ze ter plekke. Een verlaten fabriek bij het water, lege steigers, lege parkeerterreinen. Juncker was te weten gekomen dat het allemaal van Zeeland was geweest. Het enige bedrijf dat nog open was, was het café. Lund stuurde hem naar binnen om poolshoogte te nemen terwijl zij en Borch rondkeken.

Niet veel te zien.

Na een paar minuten kwam Juncker terug met nieuws. De moeder van Louise Hjelby had gewerkt in het café toen er in deze buurt nog veel bedrijvigheid heerste. Mensen konden zich haar herinneren, mochten haar. Eén man kon zich zelfs nog de dochter als peuter herinneren. Hij zei dat nog niet zo lang geleden iemand vragen had gesteld over de moeder en de dochter.

'En?' vroeg Borch.

'En dat was het. Er wonen hier in de buurt een paar daklozen. Hebben jullie al kennisgemaakt?'

Het was moeilijk iemand te vinden die met hen wilde praten. Borch probeerde het bij een paar mannen die dicht opeengepakt bij een stoof zaten, maar ze spraken nauwelijks Deens. Lund keek onderzoekend naar het verlaten terrein dat voor de fabriek lag. In een van de nissen was een gedaante te zien.

Ze liep ernaartoe. Een vrouw met lang, verward grijs haar zat in elkaar gedoken tegen de muur, een fles in haar hand.

Het was een poging waard.

'Drie nachten geleden voer dit ding hier in deze buurt,' zei Lund. Ze had een foto van de speedboot van de technische recherche. 'Heb je iets gezien?'

De vrouw keek stuurs en schudde met de fles.

'De nacht is om te slapen. Waarom ga je niet naar huis om het te proberen?'

'Omdat we op zoek zijn naar een vermist meisje, oma,' merkte Juncker terloops op.

Dat leverde hem de nodige verwensingen op. En een nijdige blik van Lund.

Borch pakte een paar bankbiljetten.

'Mooi. We hebben vastgesteld dat je niet de oma van Asbjørn bent. Hier heb je tweehonderd kronen als je ons iets nieuws kunt vertellen.'

Ze wilde iets gaan zeggen.

'Iets nuttigs,' vulde hij aan. 'Hebt u hier iemand gezien die je hier niet zou verwachten?'

'Luister, jochie. Je hebt mij. En dan nog die smerige engerd om de hoek. Meer mensen zijn hier meestal niet.

'Huisdieren,' zei Lund. 'Is hier iemand die huisdieren heeft?'

Ze zweeg even en dacht na.

'Het gaat ons vooral om katten,' voegde Borch eraan toe.

De vrouw wees naar de andere kant van het gebouw.

'Er gaat daar soms een of andere rare snuiter naar binnen. Hij heeft katten. Woont in de kelder. Ik bemoei me niet met hem.'

'Waarom niet?' vroeg Juncker.

'Hij is onbeleefd. Praat met niemand. En hij heeft geld. Dat kun je gewoon ruiken. Mensen zoals ik negeert hij volkomen.'

'Wanneer heb je hem voor het laatst gezien?' vroeg Lund.

Ze trok aan haar lange, vettige haar.

'Paar uur geleden.'

Borch vroeg welke kant ze precies op moesten en gaf haar het geld.

Een leeg gebouw. Eén trappenhuis in een hoek. Zaklamp en pistool erbij. Borch wurmde zich naar voren.

Er hing een aardse, schimmelige geur in het gebouw. Maar van ergens verderop kwam een geluid, laag en mechanisch.

Borch ging als eerste naar binnen. Hij vond een lichtschakelaar. Niemand. Slechts een kleine, lege kamer. Aan het plafond draaide een ventilator. Er was hier iemand geweest.

'Jezus,' fluisterde Juncker. 'Die vent gaat waar hij wil.'

De lichtbundel van Lunds zaklamp viel op een stapel bebloede tissues en verband.

Juncker raakte met zijn hoofd een snoer dat uit het plafond hing.

'Verdomme, hij heeft stroom. En vermoedelijk ook verbinding met internet.'

In de hoek lag een stapeltje kleren. Donker, warm, praktisch, goedkoop. Ze bleef haar licht erop schijnen. Borch bekeek de spullen en keek haar toen aan.

'Dat was wat Emilie droeg toen we haar op de boot zagen. Toch?'

Juncker had nog een stapeltje in de hoek gevonden. Dit keer ging het om kleren van een volwassene. Winterlaarzen, survivalspullen, regenjassen.

'Het lijkt wel alsof hij oorlog gaat voeren.'

'Dat doet hij al,' zei Lund en ze vond de onvermijdelijke laptop, een goedkope Samsung, boven op een geïmproviseerd bureautje gemaakt van kartonnen dozen.

Borch kwam erbij, pakte een paar van de vellen papier die verspreid om de computer heen lagen. Scheepsbewegingen. Containernummers. Ladingsschema's en roosters.

'Denk je dat hij Emilie in een van die containers heeft gestopt?' vroeg Juncker. 'Alsof het om een vracht ging?'

Een kaart van de wereld, ruw geschetst met stiften op een wit schoolbord. Pijlen ter aanduiding van scheepvaartroutes.

Het was te eenvoudig. Te voor de hand liggend.

'Nee,' zei Lund. 'Ik denk niet…'

Op de laptop begon een lampje te knipperen. Webcam. Actief.

Haar telefoon ging en ze wist dat hij het was.

'Ik dacht dat we een afspraak hadden, Lund. Je zou naar hem op zoek gaan. Niet naar mij.'

'Wordt aan gewerkt. Zeuthen heeft een beloning uitgeloofd en dat heeft de zaken gecompliceerd…'

'Hij en zijn geld kunnen me geen reet schelen. Je hebt me beloofd dat je die oude zaak zou oplossen.'

Hij hoestte. Klonk ziek.

'Dat gaat niet in één dag. We doen ons best.'

'Ja,' zei hij honend. 'Ik lees ook kranten. Dus nu denk je dat het Ussing was?'

Juncker bladerde door nog meer papieren. Borch zat te hannesen met de laptop.

'We bekijken nog wat mogelijkheden...' hield ze vol.

'Nee, dat doen jullie niet. Je zit weer verkeerd. Ussing heeft er niets mee te maken.'

'Godallemachtig, gun me wat meer tijd!' schreeuwde ze.

Een stilte, toen zei hij, weer met die schorre stem: 'Je hebt tijd genoeg gehad. Het zit zo. Er waren die dag geen twaalf zwarte auto's. Het waren er dertien.'

'Wat?'

'Kijk achter je, in de prullenbak. Je bent in mijn appartement. Doe alsof je thuis bent.'

Ze liep naar de dozen, vond de prullenbak, keerde hem om.

Iets bekends. Zo'n soort schrift als het kind in Jutland had gebruikt.

'Heb je het?'

'Ja.'

'Iemand heeft er een pagina uit gescheurd voordat ik het in handen kreeg. Vermoedelijk je vriendje van de PET.'

Lund hield het schrift op zodat Borch het kon zien.

'Je hebt me zeer teleurgesteld. Nu moet ik het zelf maar doen,' zei de man en hij hing op.

Ze staarde Borch aan.

'Er was nog een auto. Iemand heeft de laatste pagina eruit gescheurd. Was jij dat?'

'Godallemachtig, Sarah. Geloof je hem?'

Lund hield het schrift weer op.

'De pagina ontbreekt. Ja, ik geloof hem.'

Juncker boog zich over het schrift.

'Die pagina mag dan ontbreken, maar het nummer is er nog.'

Hij pakte het schrift voorzichtig beet. Legde het bij de laptop. Het potlood van de jongen had afdrukken in de omslag gemaakt. De afdruk was met inkt omlijnd: AF 98 208.

'Dit is een grap,' zei Borch. Hij greep het schrift. 'Dat moet wel. Die auto is daar nooit geweest.'

'Welke auto?' wilde Lund weten.

Juncker had nu de laptop in handen en opende de browser.

'Hij heeft het nieuws gelezen, mensen. Wilde op de hoogte blijven.'

'Welke auto?' schreeuwde Lund.

Borch duwde Juncker opzij en begon de open vensters op het scherm te bekijken.

In een foto-app stond een close-up van een kentekenplaat aan de achterkant van een auto. Hetzelfde nummer. Zwarte Mercedes.

'Zeg iets,' smeekte Lund.

Borch drukte op de zoomknop. Zoomde uit.

Drie figuren op de achtergrond. Hartmann, Morten Weber, Karen Nebel, glimlachend, klaar voor hun bezoek aan het tuincentrum die ochtend.

Juncker legde zijn dunne vinger op het scherm.

'Je zei dat de PET Hartmanns auto had gecheckt.'

'We hebben zijn campagneauto gecontroleerd. Voor zover we wisten was dat de enige auto die hij die dag had gebruikt. Dit is zijn eigen auto. We wisten niet...'

Lund hing al aan de telefoon, rende naar de trap.

Kreeg Brix te pakken zodra ze in de koude nachtlucht stond.

'Het lijkt erop dat onze man zijn oog op Hartmann heeft laten vallen,' zei ze, terwijl ze naar haar autosleuteltjes zocht. 'We gaan naar Christiansborg. Misschien is het een idee om hem in een beveiligde kamer te stoppen.'

Met het blauwe zwaailicht aan kwam Lunds auto met een scherpe draai tot stilstand op de glibberige kasseien voor slot Christiansborg. Ze had Juncker in het gebouw achtergelaten. Alleen Borch was bij haar. Hij had druk zitten bellen met de PET.

Hij beweerde dat ze niet wisten dat Hartmanns privéauto in Jutland was geweest, hoewel ook die auto van een zendertje was voorzien.

Lund keek hem aan.

'Als hij niet op de officiële lijst van voertuigen stond, dan hebben we hem niet gecheckt,' probeerde Borch uit te leggen.

'En wie heeft die pagina eruit gescheurd, vraag ik me af.'

Ze stapte uit, beende de treden op naar de ingang van het paleis. Overal bewakers in uniform. Hartmann zat niet in de beveiligde kamer. Hij zat een of andere vergadering voor en weigerde daar te vertrekken.

'We zien hier geen enkele bedreiging,' zei het hoofd van de beveiliging. 'Niemand komt hier binnen zonder identiteitspapieren.'

'Er is een concrete dreiging,' hield ze vol. 'Ik wil dat het gebouw hermetisch wordt afgesloten. Ik wil een lijst van de huidige bezoekers...'

Borch stond nog steeds te mekkeren over het schrift.

'Niemand van de PET heeft die verdomde pagina aangeraakt. We moeten ons concentreren op Ussing...'

'Hij zegt dat Ussing het niet was!'

'Hoe kan hij dat in godsnaam weten?'

'Controleer de videobeelden van de bewaking,' zei ze. 'Bekijk iedereen die hier het afgelopen uur is binnengekomen.'

'Iedereen is in orde,' hield de beveiligingsman vol. 'De juiste papieren...'

'Ik wil dat het wordt gecontroleerd!' schreeuwde ze.

Iemand kwam aanzetten met een lijst van de huidige bezoekers. Haar telefoon rinkelde. Lund liep een eindje weg en nam op.

'Wat gebeurt er allemaal, verdomme?' vroeg Brix. 'Ik heb klachten gekregen van de mensen van Hartmann. En ook van Ussing. Ze mogen jou niet, Lund.'

'Daar leer ik wel mee leven. Hij is hier in Christiansborg. Ik weet het zeker.'

'Je meent het. Wat Ussing betreft...'

Hartmann had een vergadering met de leiders van drie minderheidspartijen. Tweederangs acteurs in het theater van de Deense politiek. Maar als de peilingen klopten zou hij genoeg stemmen verzamelen om een regering te kunnen vormen met hun steun, waarvoor zij op hun beurt werden bedankt met enkele minder belangrijke ministersposten.

Ze gaven elkaar een hand nadat de voorlopige afspraken waren gemaakt. Karen Nebel keek glimlachend toe terwijl de mannen terugliepen naar hun kantoor.

'Ik ben nog steeds pisnijdig dat je Birgit hebt ontslagen zonder mij in te lichten.'

'Er was geen tijd. Bespreek het met Morten.'

'Dat gaat niet. Hij is naar een bijeenkomst van de beveiliging geroepen. Er is iets aan de hand. Je had dit met mij kunnen bespreken.'

Dat viel verkeerd.

'Als mensen samenzweren, weten ze dat het verkeerd kan aflopen. Laten we een streep trekken onder...'

'Laat de clichés alsjeblieft aan mij over. Je hebt zojuist de hele verkiezingen op het spel gezet op basis van een voorgevoel. Er wordt pas vrijdag gestemd.'

'Die datum is mij bekend.'

'We zijn nu kwetsbaar. We hoeven maar een paar procent minder steun te krijgen en je hebt geen meerderheid, niet met die drie pipo's met wie je net hebt zitten praten.'

Hij liep terug naar zijn kantoor.

'Waag het niet weg te lopen als ik tegen je praat,' krijste ze. 'Als...'

'Je wordt ervoor betaald om dat soort ongemak te voorkomen, Karen. Concentreer je daarop. Ik heb het gehad met Rosa Lebech. Ussing zit in moeilijkheden met de politie. Wie gaat er op hen stemmen? En als het lukt om Emilie veilig thuis te krijgen...'

'Ik dacht dat Emilie Zeuthen geen onderdeel van onze campagne was.'

Hij keek even schuldig.

'En daarnaast is er iets vreemds aan de hand,' zei ze. 'Lund heeft transport-details uit het archief opgevraagd. De openbare aanklager moppert dat de logboeken voor het vervoer van die dagen in Jutland ontbreken.'

Hartmann krabde zich op het hoofd.

'Onze logboeken, bedoel je?'

'Precies. En...'

Snelle voetstappen in de hal. Morten Weber spoedde zich naar hen toe.

'Oké,' onderbrak de kleine man hun gesprek. 'Ik heb net gesproken met de mensen van de beveiliging. Volgens Lund is Emilies kidnapper in het gebouw. Op zoek naar iemand.'

'De kidnapper?' vroeg Hartmann, stomverbaasd.

'Juist. Ik wil dat je teruggaat naar je kantoor.' Hij pakte Hartmann bij de arm en trok hem mee. 'Nu meteen.'

Beneden in het beveiligingskantoor bekeken Borch en Lund de beelden van de bewakingscamera's. Eén monitor, beelden van allerlei verschillende camera's.

'Iedereen is bij ons bekend,' zei het hoofd van de beveiliging. 'Geen teken van een indringer. We hebben de identiteitspapieren van iedereen bekeken.'

'Dit voelt niet goed,' bromde Borch. 'Misschien heeft hij ons weer om de tuin geleid en gaat hij intussen op Ussing af.'

'Nee,' zei Lund. 'Ussing zit in de Politigården met zijn advocaat. Hij is geen verdachte.'

Borchs das zat scheef. Zijn haar zat weer in de war. Zo zag hij er beter uit.

'Hoezo is hij geen verdachte?'

'Hij heeft een alibi. Hij zat in een hotel met de vrouw van een van zijn campagnemedewerkers. Ze heeft zijn verhaal bevestigd.'

Ze ging met haar vinger langs de lijst.

'Wat hebben die mensen toch ingewikkelde levens...'

De beveiligingschef klaagde over het werk, mensen wilden naar huis, moesten hun trein halen.

'Hier,' zei Lund terwijl ze een naam aanwees. 'Vier uur geleden is er een onderhoudsmonteur geweest voor een kopieerapparaat.'

De man knikte.

'We hebben hier veel kopieerapparaten.'

'Twintig minuten geleden heeft iemand die identiteitspapieren gebruikt om opnieuw binnen te komen.' Ze keek naar de tijd. 'Om half zeven. Voor een kopieerapparaat.'

Hij haalde zijn schouders op.

'Al die mensen zijn gecheckt door de beveiliging. Misschien was hij iets vergeten...'

'Hier staat dat hij toestemming heeft om zich tot in het kantoor van de premier te begeven. Waar is hij nu dan?'

Weer een schouderophaal. Borch vroeg hoe hij de video vooruit moest spoelen. Hij schakelde over naar het gedeelte van het gebouw waar Hartmann verbleef.

Na een tijdje zoeken vond hij daar een gestalte, met zijn rug naar de camera, honkbalpetje, jasje van een bedrijf.

Ze keken toe.

'Hij hinkt,' zei Lund. 'Hij is gewond.' Een gedachte. 'Hij draagt geen tas of iets dergelijks. Waar leidt die gang heen?'

'Naar het privékantoor van de premier,' zei de beveiligingsman.

Voordat ze iets kon zeggen stond Borch al op en vroeg welke kant dat op was.

Twee verdiepingen hoger verstoorden de beveiligingsmensen het gesprek dat Hartmann had met Morten Weber.

'U moet meekomen naar de beveiligde kamer,' zei een van hen.

'Ach, schei toch uit…'

'Doe het maar wel, Troels,' onderbrak Weber hem. 'Niet zeuren. Waar is Karen?'

'Ze is iets aan het opzoeken. Dat transportrapport waar Lund naar vroeg. Het is kwijt. Volgens haar was er ergens een back-up…'

'Meneer…'

Een sterke hand op Hartmanns arm. Ze liepen naar de beveiligde kamer naast het kantoor. Gingen naar binnen. Geen ramen. Alleen een paar stoelen, een bureau, een computer en een koelkast.

De beveiligingsmensen sloten de metalen deur. Een ventilator aan het plafond draaide rond.

Weber liep naar de koelkast, trok de deur open.

Floot.

'Water?' vroeg hij.

Karen Nebel zat vier kamers verderop, in het hoofdkantoor, en zocht in de bestanden op haar computer. Het was laat. Iedereen was al naar huis. Ze werkte bij het licht van een bureaulamp en van het scherm.

Ze doorzocht het archief.

Ze schrok van een onverwacht geluid. Naast het kantoor bevond zich de serverruimte van het ministerie. Zoemende computers en diskdrives.

Het licht was aan. Er was daar iemand.

Nebel liep naar de deur, zag een man in het duister gehurkt zitten. Hij scheen met een zaklamp op de computers.

Uniform. Honkbalpetje.
'Hallo?'
Geen antwoord. Hij liep langs de rij servers. Leek te vinden wat hij zocht.
'Pardon,' zei Nebel iets harder. 'Dit kantoor is gesloten.'
Ze zag nog net dat hij een harde schijf uit de behuizing trok en in zijn tas stopte. Toen stond hij op en begaf zich naar de deur. Hand op zijn pet, die hij omlaag trok. Hinkend.
'Ik heb het tegen u...'
Nebel kwam niet dichterbij. Om de een of andere reden durfde ze dat niet.
Toen hij weg was, ging ze zitten. Kwam weer op adem. Had het gevoel dat ze niet begreep waarvan ze zojuist getuige was geweest.
Weer een geluid. Twee gestalten bij de deur. Getrokken wapens.
Nebel uitte een kreetje van schrik.
Lund en Borch keken rond.
'Er was hier een man,' mompelde Nebel. 'Ik geloof dat hij iets heeft meegenomen.'
Een aantal snelle vragen. Daarna belde Lund de beveiliging.
Een heel korte beschrijving.
Een uniform.
Een honkbalpetje.
Trekkend met zijn been.

Eén camera had hem gefilmd toen hij de diensttrap af liep die naar de begane grond leidde en daarna naar de kelder.
Borch en Lund renden samen. Stenen wenteltrap. Na een tijdje liepen ze in het donker. Nergens lichtknopjes te zien. Ze moesten hun zaklamp weer tevoorschijn halen.
Op de begane grond was niets te zien. Ze zei tegen Borch dat hij een kijkje moest nemen. Hij weifelde.
'Doe het nu maar gewoon,' fluisterde Lund. Toen liep ze weer naar de trap en daalde af naar de kelder.
In haar eentje. Alleen een zaklamp en een pistool. Ze liep langzaam, behoedzaam. Een lange, koude gang, witte muren, stenen vloer.
Een vlek rechts. Ze keek: bloed.
Nog vijf stappen. Weer een vlek. Een dichtslaande deur in het donker voor haar uit.
Lund liep die kant op. Suizende verwarmingsbuizen. Het geluid van wegschietende diertjes vlakbij.
Ze liep door. De gang werd smaller tot hij nauwelijks breed genoeg was voor twee mensen, naast de ruisende buis naast haar.
Uiteindelijk een gestalte, gevangen in het licht van een beveiligingslamp.

'Blijf staan!' riep Lund.

Een hoofd draaide om. Ze kon het niet goed zien.

Hij had een stuk papier in zijn hand. Stak het aan met een lucifer, hief het brandende vel naar het plafond.

Rookmelder.

Er klonk ergens een bel. Het brandende papier zweefde weg op een sterke tochtstroom.

Koude winterlucht.

Toen ze weer keek was hij weg.

Lund rende de hoek om, zag een open raam, klom erdoor.

Regen op haar gezicht. Bonzend hart. Voor haar lag de binnenplaats van Christiansborg. De kasseien glansden in de vochtige nacht.

Ze rende het plein over, bleef in het midden staan, draaide zich om, bekeek elke vluchtroute.

Donkere gebouwen achter haar. Voor haar de stad. Lichten en verkeer.

Iemand voegde zich bij haar en ze wist wie het was. Hoefde niet te kijken.

Borch schopte tegen een leeg bierblikje. Het schoot weg over de kasseien. Hij schreeuwde een paar schunnige woorden de nacht in.

'Hielp dat?' vroeg Lund toen hij klaar was.

Karen Nebel had niet veel gezien. Alleen een man in een blauw uniform met een honkbalpetje laag voor zijn gezicht getrokken. Hij had een harde schijf uit de serverruimte gestolen.

'Hebben jullie hem laten gaan?' vroeg ze toen er even een pauze was in de ondervraging.

'Ja,' gaf Lund toe. 'Zo doen wij dat.'

Commotie bij de deur. Een lange, bekende, knappe verschijning. Troels Hartmann beende de kamer in, nam haar van top tot teen op.

'Jij bent nooit goed nieuws, wel dan, Lund? Wat deed die man hier in godsnaam?'

Borch hield zich op de achtergrond. Zij niet.

'Hij probeert uit te zoeken waar je auto is geweest op 20 april, twee jaar geleden. Enig idee?'

Hartmann keek haar woedend aan.

'Ik heb de details over het vervoer doorgestuurd,' onderbrak Weber haar. 'Na ons gesprek...'

'Nee!' riep Lund. 'Er ontbreekt iets...'

'De route van de campagneauto wordt van 's morgens tot 's avonds bijgehouden...' ging hij verder.

'We hebben het niet over de campagneauto,' zei Borch. Hij keek Hartmann strak aan. 'Maar wel over jouw privéauto. Hij is geïnteresseerd in jouw auto. En wij ook.'

Weber kwam tussenbeide.

'Oké. Zo is het genoeg. We gebruiken geen privévoertuigen tijdens verkiezingscampagnes. Het heeft geen zin…'

'Die auto was daar,' zei Lund tegen hem. 'Een jongen heeft hem gezien. En het kenteken opgeschreven. Op de dag dat Louise Hjelby verdween…'

'Wat heeft dit in vredesnaam met mij te maken?' vroeg Hartmann. 'Trek je je oude trukendoos weer open?'

'Jullie moeten je op Ussing richten,' zei Weber. 'Hier verspillen jullie je tijd.'

'Ussing gaat vrijuit. Hij had niks te maken met de moord op dat meisje.'

Weber zweeg. Hartmann ook.

'Emilie Zeuthen is ontvoerd omdat we die zaak nooit tot de bodem hebben uitgezocht,' ging ze verder. 'We moeten elke aanwijzing uitpluizen…'

Hartmann glimlachte. De bekende gezichtsuitdrukking, knap en onuitstaanbaar.

'Omdat die crimineel dat eist, Lund? Denk je werkelijk dat wij er op de een of andere manier bij betrokken zijn?'

'Ik suggereerde niet…'

'Het is een feit dat die vervloekte auto van jou daar was,' zei Borch bits. 'Dat weten we. Dus vertel ons nu maar wie er achter het stuur zat, oké?'

'Je toon bevalt me niet…'

'Het kan me geen donder schelen of het je wel of niet bevalt, Hartmann!' Hij gebaarde met zijn duim naar de serverruimte.

'De harde schijf die hij heeft gejat bevatte alle gps-gegevens van dit kantoor. Officiële auto's. Privéauto's. Hij zal kunnen zien wie er in die auto reed. Waar. Wanneer. Het zou heel fijn zijn als wij dat ook wisten.'

'Ik hoef dat niet te pikken van jou!' schreeuwde Hartmann. 'En ook niet van haar. Jullie beschuldigen hier iemand van moord…'

'We willen dit graag even rustig bespreken,' opperde Lund.

Weber sloeg zijn armen over elkaar.

'Vergeet dat maar, Lund. Het circus houdt hier op. Niemand van ons reed die dag in die auto…'

Borch duwde hem opzij en ging pal voor Hartmann staan.

'Iemand heeft de pagina met jouw kenteken erop uit het schrift gescheurd. We worden belazerd, Hartmann. Als jij het bent, dan zweer ik…'

'Zo praat je niet tegen de premier,' begon Weber.

Hartmann draaide zich om, wilde weglopen. Ze liepen achter hem aan, Borch volgde hem op de voet, de beveiligers probeerden dat te verhinderen.

Een van hen probeerde hem in een armklem te nemen. Borch duwde hem weg.

'Vertel ons wie reed. Vertel ons wie Schultz opdracht heeft gegeven die zaak te sluiten.'

Zijn hand schoot uit, pakte Hartmann bij zijn jasje. Borch had hem net omgedraaid en naar zich toe gerukt toen de lijfwachten tussenbeide sprongen en hem wegtrokken.

Rood gezicht, handen grijpend naar de lange man in het elegante pak.

'We zullen erachter komen. Denk niet dat je dit keer kunt ontkomen, Hartmann. Deze keer gaat het niet om een tienermeisje uit Vesterbro...'

Stilte.

Hartmann liep de volgende kamer in, met Nebel en Weber achter hem aan. De deuren gingen dicht.

Lund sloot haar ogen. Opende ze.

'O. Je bent er nog.'

'Misschien ben ik iets te ver gegaan...'

'Nee, nee. Jij? Te ver?'

Ze draaide zich om, liep naar de trap.

'Het was geweldig. Echt geweldig.'

Robert Zeuthen had niet geluisterd. Nadat hij van Reinhardt had vernomen wat de politie had aangetroffen in het hol van de ontvoerder, liet hij de zoektocht uitbreiden naar internationale wateren.

De veiligheidsmensen van Zeeland waren weer in de directiekamer verzameld en brachten hem en Maja op de hoogte, terwijl Reinhardt met aanvullende details kwam die hij van Brix in de Politigården had vergaard.

Een kaart op een reusachtig projectiescherm toonde de scheepvaartroutes rondom de stad. Brix had tegen Reinhardt gezegd dat Emilie mogelijk vastzat in een container aan boord van een schip. Uit de boeken bleek dat er drieëntwintig vrachtschepen in de Øresund voeren in de nacht dat de ontvoerder haar dood in scène had gezet.

'Het probleem is dat dat drie dagen geleden is,' zei de teamleider. Hij drukte een toets van de computer in. De stipjes begonnen zich over heel Europa te verspreiden. 'De schepen hebben zich verplaatst, hebben nieuwe lading gekregen. Het aantal waarop Emilie aan boord zou kunnen zijn is misschien wel verdubbeld. Of meer. Het is moeilijk...'

'Ik wil dat elk schip wordt gecontroleerd,' bleef Zeuthen aandringen. 'Elk schip. Elke terminal.'

'De meeste schepen zijn op zee,' zei Reinhardt.

'Zeg dat ze zich naar de dichtstbijzijnde haven moeten begeven. Wij betalen de rekening.'

De veiligheidsmensen zeiden niets. Het kwam op Reinhardt neer.

'Zelfs als de eigenaren toestemming geven kunnen we niet elke mogelijkheid onderzoeken. Ze kan al aan land zijn. We moeten dit aan de autoriteiten overlaten...'

'Hoe zit het met die oproep?' vroeg Maja. 'Heeft iemand zich gemeld met nuttige informatie?'

Reinhardt schudde zijn hoofd.

'We zijn overspoeld met telefoontjes. De politie ook. Niets substantieels. Nog niet.'

Zeuthen knikte en zei: 'Breng de vrachtschepen op de hoogte zoals ik vroeg. Blijf de telefoontjes beantwoorden. Ik ben in mijn kantoor.'

Hij verliet de kamer. De mannen daar wilden niet met haar praten. Een gestalte bij de deur. Carsten. Ze vroeg zich af hoe lang hij daar al stond te luisteren.

Hij kwam binnen en vroeg of er nog nieuws was.

Ze vroeg hem te wachten. Liep naar het kantoor. Een plek die ze steeds meer was gaan haten.

Hij stond bij het raam, telefoon in de hand. Zwarte trui nu. Spijkerbroek. Een gewone man, zonder zijn uniform.

'Ik bel Carl om hem welterusten te wensen,' zei Zeuthen.

Hij had gehuild. Ogen rood en waterig.

'Ik wilde gewoon zijn stem even horen,' zei hij schouderophalend, met een vluchtig, beschaamd lachje.

Toen kwamen de tranen opnieuw, ook bij haar.

'Het is niet jouw schuld, Robert.'

'Ik wist niet van die iPad. Niet van die plek op zolder waar ze met hem sprak. Niet van de kat. Niet van het gat in het hek. Ik heb haar in de steek gelaten. Ik heb jou in de steek gelaten. Iedereen...'

Haar hand greep zijn arm steviger vast.

'Emilie was boos op ons allebei. Jij was... Je bent een goede vader.' Ze ademde diep in. Probeerde de woorden te vinden. 'Je hebt tegen mij gezegd dat we haar zullen vinden. Dus doen we dat ook.'

Het ging zo natuurlijk. Haar armen om hem heen, de zijne om haar. Een lange, trage, warme omhelzing.

Ze maakte zich met tegenzin van hem los. Hij van haar. Maar Carsten Lassen stond toe te kijken, een droevige weerspiegeling in het kletsnatte raam.

Ze zeiden niets toen ze naar Lassens auto liepen. Spraken niet toen hij haar terug naar de stad reed. Een telefoontje van het kantoor. Meer reacties op de oproep. Niets concreets. Alleen geldwolven.

Ze luisterde, bedankte, staarde uit het raampje aan de passagierskant naar de vochtige nacht.

De beveiligingsmensen hadden een link op haar iPad gezet. Namen, nummers, commentaar achtergelaten door bellers naar de hotline. Ze bladerde erdoorheen op haar schoot.

'Zo veel mensen,' mompelde ze, voornamelijk in zichzelf. 'Ik weet niet hoe we...'

'Als je mensen honderd miljoen kronen belooft kun je erop rekenen dat je een heleboel krankzinnigen aantrekt.'

Zijn stem had een harde, gekwetste toon.

Hij draaide weg van de haven, de hoofdweg op.

'Je snapt toch wel waar hij mee bezig is, hè?' vroeg Lassen.

'Hij probeert onze dochter te vinden.'

Hij snoof verachtelijk.

'Robert is dezelfde man die hij altijd is geweest. Bazig. Onredelijk. Ongevoelig.'

'Nu even niet.'

'Als hij zich als een goede vader had gedragen zou dit allemaal nooit zijn gebeurd. Misschien is Zeeland sowieso schuldig. Ze hebben iets verheimelijkt.'

Op de iPad kwam een update binnen. Nog meer namen. Nog meer nummers.

'Robert en Zeeland treffen geen blaam. De politie heeft dat verklaard…'

'Die idioten? Wat weten zij ervan?'

Ze bleef naar de iPad kijken. Niet naar hem.

'Hij grijpt dit aan om je terug te winnen,' zei Lassen. 'Ik wil je niet kwijt. Ik doe alles voor je.'

Zijn hand liet het stuur los, raakte haar been aan.

'Rijd nou maar door,' fluisterde ze. 'Ik wil mijn zoon zien.'

Juncker belde van de fabriek. Er was niets gevonden wat erop duidde dat Emilie aanwijzingen had achtergelaten, een kras op de muur, een verborgen kenteken. Juncker vermoedde dat ze niet lang op die plek vastgehouden was. Het toilet was niet gebruikt. Er lagen geen etensresten.

Ze hadden vingerafdrukken gevonden. Niet terug te vinden in de database. Geen nieuwe informatie van de daklozen die vlakbij woonden. Maar ze hadden een foto van de moeder van Louise Hjelby, genomen vlak voordat ze ziek werd: een glimlachende vrouw in bikini op een Spaans strand.

'Hij heeft een harde schijf gestolen,' zei Lund. 'Hij heeft een computer nodig om te bekijken wat erop staat. Denk je dat die plek zijn hoofdbasis was?'

'Hij had daar alles. Stroom. Licht. Internet. Ik denk het wel.'

'Laten we aannemen dat hij nu alleen is. Begin met de bibliotheken en de internetcafés. Ik bel je later…'

Brix zat in de kamer naast haar. Dyhring was op bezoek. Borch was nog steeds woest over de rel in Christiansborg. De twee mannen van de PET waren al aan het ruziën.

Toen ze de kamer in kwam zaten ze om de tafel, de PET aan de ene kant, de politie aan de andere.

Een nieuwtje van Dyhring: de kidnapper had ingebroken in een busje van het kopieerapparatenbedrijf en had een uniform en een identiteitsbewijs gestolen.

Hij keek Borch woedend aan.

'Ik heb zojuist de videobeelden bekeken. Hij hinkte. Hij is gewond. Echt indrukwekkend dat het jullie niet is gelukt die ellendeling in die omstandigheden aan te houden.'

Lund smeet een plastic bewijszakje op tafel. Het bevatte het schrift dat ze in de kelder hadden gevonden.

'Hebben we de routes van Hartmanns auto al?' vroeg Brix.

'Daar wachten we nog op.'

'Hoezo?' snauwde Dyhring. 'Vanwege een paar krabbels in een kinderschrift? Waarom…'

'Ik zou willen dat ik daar vanochtend van had geweten,' onderbrak Brix hem. 'Toen je zei dat je ons alles had verteld wat je wist.'

De PET-man haalde zijn schouders op.

'Het was ook nieuw voor ons.'

'Dat geldt voor veel dingen,' merkte Brix op. 'Dus het is zeker dat Hartmanns privéauto in Jutland was?'

Dyhring hief zijn handen in de lucht.

'Het was verkiezingstijd. We hadden het te druk om privéauto's te controleren.'

Borch pakte de zak met het schrift, haalde het eruit, bladerde door naar het eind.

'Iemand heeft die pagina eruit gescheurd, Dyhring. Dat is met een reden gedaan. Iemand heeft geprobeerd…'

'Je weet niet waar je het over hebt! Het kan Schultz zijn geweest. Of die jongen zelf.'

'Of iemand van de PET die het schrift twee jaar geleden heeft gezien,' zei Lund.

Dyhring maakte een wegwerpgebaar en keek haar nors aan.

'We moeten laten zien dat we de Hjelby-zaak willen oplossen,' hield ze vol. 'Dat is de enige manier om met hem in contact te blijven.'

'Wie is hier het slachtoffer, Lund?' Dyhring begon kwaad te worden. 'Wie is de misdadiger? We zijn hier om die smeerlap te vinden. Niet om naar zijn pijpen te dansen.'

Borch stond op, ramde met beide vuisten op tafel.

'Dat hebben we ook gedaan, verdomme! Maar niet dankzij jullie hulp…'

Een lange stilte. Dyhring stond op, zei tegen Borch dat hij mee moest komen.

Borch verroerde zich niet.

'Borch! Kom mee!'

Ze liepen de gang op. Lund en Brix konden hen door het glas heen zien ruziën en schreeuwen.

'Je moet naar de commissaris gaan en hem vragen toestemming te geven om Hartmanns kantoor volledig te doorzoeken,' zei ze.

'Op basis van een jongetje dat als hobby kentekens verzamelt?'

'Bedenk dan iets anders. Als we niets ondernemen horen we nooit meer iets van hem.'

'Ik heb Troels Hartmann ooit bijna beschuldigd van een moord waar hij niets mee te maken had.'

'Omdat hij tegen ons had gelogen. De ene leugen na de andere.'

Iemand bij de deur. Ruth Hedeby.

'Ik heb de containernummers naar Zeeland gestuurd,' zei Lund. 'Ik zal navragen hoe dat gaat.'

'Blijf even tot je dit ook hebt gehoord,' zei Hedeby. 'Aangezien het wederom door jou is veroorzaakt.'

Lund keek verbaasd.

'Wat?'

'Ik heb zojuist een formele klacht ontvangen van het kantoor van de premier over jouw gedrag. Onbeleefdheid. Agressie. Ongefundeerde beschuldigingen...'

'Die onbeleefdheid betrof Borch,' zei Lund, naar het raam wijzend. 'Hij heeft zich al verontschuldigd.'

'Wat is hier in godsnaam aan de hand?' wilde Hedeby weten. 'Eerst proberen jullie een van de leiders van de oppositie een moord in de schoenen te schuiven. En nu is het opeens de premier.'

Lund schudde haar hoofd.

'Nee, dat is niet zo. We hebben ze alleen wat vragen gesteld. Ussing probeerde te verheimelijken dat hij Louise Hjelby had ontmoet. Hartmann...' Ze haalde haar schouders op. 'We weten nog steeds niet wat zijn auto in dat gebied deed.'

Ze keek Brix aan en wachtte.

'Er was een gegronde reden voor alles wat we hebben gedaan,' zei hij ten slotte. 'Ik sta erachter. Zoals ik ook pal achter mijn medewerkers sta.'

Hedeby wachtte en vroeg toen: 'Is dat alles?'

'Wat wil je nog meer?'

'Ik wil over de ijsberg horen zodra jullie hem zien,' zei ze. 'Niet pas als je hem hebt geraakt. Geen verrassingen meer. Van geen van beiden.'

Toen vertrok ze.

Iemand bedanken was niet gemakkelijk. Voor haar niet om het te zeggen. Voor Brix niet om het aan te horen.

Lund keek door het raam. Het kantoor aan de overkant was leeg.

'We kunnen het ook zonder de PET,' zei Brix.

Het duurde even voordat Hartmann was gekalmeerd. De rest van het personeel ging naar huis. Een team van de technische recherche ging door met het onderzoek in de serverruimte. Weber haalde een fles cognac, gaf Hartmann een flink glas, schonk voor Karen Nebel en zichzelf in en ging bij hen in de studeerkamer zitten. Hij luisterde en werd steeds somberder.

'Ik wil dit niet nog een keer meemaken,' klaagde Hartmann. 'Lund kan me dit niet twee keer aandoen.'

'De verkiezingen zijn vrijdag, Troels,' zei Nebel. 'Ik heb alle reden om Brix onder druk te zetten en haar hier weg te houden.'

'Sodemieter op met die verkiezingen!' krijste hij. Hij wees op zijn borst. 'Dit gaat om mij.'

'Drink je cognac,' adviseerde Weber. 'Hou je gemak.'

Hartmann keek hem woedend aan.

'Jij weet niet hoe het voelt.'

'Jawel, Troels. Dat weet ik wel. Ik was erbij, weet je nog.'

Gunsten waren snel weer vergeten. Ze waren niet met een schoon blazoen uit de zaak-Birk Larsen gekomen. Lund had goede redenen om aanstoot te nemen aan hun gebrek aan medewerking toen.

'Wat heeft mijn privéauto hier in godsnaam mee te maken?'

Het jammeren hield niet op, dat zag Weber wel in.

'Waarom wordt dat hier bijgehouden?'

'Omdat je de premier bent,' zei Weber zacht. 'Dat moet.'

'Zoek dan uit wie er achter het stuur zat, oké? Ik was het niet.'

Nebel haalde haar schouders op. Zei het voor de hand liggende. De transportgegevens stonden op de harde schijf die de man had gestolen. Het waren back-ups. De originele bestanden waren ook weg.

'Ter zake,' zei Weber. 'Ik heb alle vergaderingen voor vanavond afgelast. Morgen hebben we een ontbijt met een stel zakelijke sponsoren. Daarna...'

'Ik wil die gegevens,' onderbrak Hartmann hem. Hij staarde Nebel aan. 'Ik doe niks meer totdat die zaak is opgelost...'

'Ik ben aan het zoeken!' riep ze. 'Het origineel is weg. De back-ups zijn bij de man die ze heeft gestolen, wie dat ook mag zijn. Ik weet niet wie anders...'

'Vind iemand! Hoe moeilijk kan het zijn?'

Weber stond op, schonk nog wat cognac voor zichzelf in.

'Je hoeft het niet aan iemand anders te vragen,' zei hij uiteindelijk.

Hartmann fronste zijn wenkbrauwen en zei: 'Wat bedoel je?'

'Ik heb dat verdomde rapport. Ik heb het uit het systeem gewist zodra ik hoorde dat Lund hier vanmiddag kwam rondsnuffelen.'

Hij pakte zijn aktetas, haalde een uitdraai tevoorschijn en gooide die op tafel.

'Benjamin reed die dag in jouw auto. Hij is ermee naar Jutland gereden. Ga zitten. Laten we dit uitpraten.'

Benjamin.

Jongere broer. Bijna als een zoon voor Hartmann. Een echte lastpak. Een vlegel. Een nietsnut. Een tragedie in de dop. Zesentwintig jaar, gedroeg zich als een tiener. Alcohol. Rondhangen met linkse extremisten. God mocht weten wat nog meer.

Niet het soort familie op wie een man die premier wilde worden zat te wachten.

'Je hebt hem die dag niet gezien,' zei Weber. 'Daar heb ik voor gezorgd. Er was een demonstratie in Kopenhagen tegen de banken. De PET heeft hem laten oppakken.'

'Dat had ik moeten weten…' fluisterde Hartmann.

'Je zat midden in een campagne! Dyhring wist wie hij was. Als het een ander was geweest was hij wellicht voor het gerecht gesleept. Maar hij sprak met mij. We hebben het laten schieten.'

Een nip van zijn cognac. Een schuldige blik.

'Benjamin leek daar niet blij mee. Hij kwam thuis. Pakte jouw autosleutels. Reed naar Jutland om voor meer problemen te zorgen. Hij schreef artikelen, nam foto's voor een of andere antikapitalistische website of zoiets…'

'Je had het me moeten vertellen!'

Een schouderophaal.

'Misschien. Maar ik wilde je er niet bij betrekken. Hij was er slecht aan toe. Was razend. Hij had een paar glazen op. Ik wilde het niet in de krant hebben. Hij ook niet, volgens mij. Hij…'

De kleine man zette zijn glas neer, sloot zijn ogen.

'Hij bewonderde jou echt, Troels. Het is moeilijk uit te leggen. Ik geloof dat hij het zelf ook niet begreep. Maar hij hield van jou. Wilde je niet schaden. Hij was gewoon… de weg kwijt, denk ik.'

'Hoe lang heeft hij die auto gebruikt?' vroeg Nebel.

'De hele dag,' antwoordde Weber. 'Hij belde me rond tien uur 's avonds van een tankstation iets buiten Esbjerg. Hij had geen geld meer. Zat zonder benzine. Wist niet wat hij moest doen.'

'Heeft hij dat meisje ontmoet?' vroeg Nebel.

'Nee! Hij reed gewoon rond, deed niets. Ik heb wat benzine in de auto gedaan en hem thuisgebracht. En dat was alles. Of in ieder geval… dat dacht ik.'

Hartmann wees beschuldigend met zijn vinger.

'Ik wil hier een volledig rapport over. Wanneer hij heeft gebeld. Waar hij is geweest. Waar je hem hebt aangetroffen. Zijn er nog meer leugens die je wilt opbiechten?'

Weber verstijfde.

'Ik heb tegen niemand gelogen. Ik heb alleen dingen verzwegen. Ik wist niets van een moord. Bovendien... Benjamin heeft dat meisje niet vermoord. Hij was de zachtaardigste mens die ik ooit heb ontmoet. Te zachtaardig. Te...'

'Vertel dat maar aan de politie.'

Weber en Nebel keken elkaar even aan.

'We moeten hier goed over nadenken,' zei ze behoedzaam. 'Als dit op de verkeerde manier naar buiten komt, lijkt het alsof we misbruik hebben gemaakt van onze invloed.'

'Dat interesseert me geen reet. Je moet...'

Er werd op de deur geklopt. Iemand van het mediateam. Ze keek bezorgd, wilde Nebel iets op tv laten zien.

Weber sprong op en zette de tv aan die in een hoek stond. Brix, op de trappen van de Politigården, met een laat in de avond afgelegde verklaring over de zaak-Zeuthen.

'We onderzoeken een reeks gebeurtenissen in het kantoor van de premier,' zei hij. 'Het is een routineonderzoek. We gaan door totdat we bevredigende antwoorden hebben.'

Vragen die over de rij tv-microfoons werden geschreeuwd. Brix schudde zijn hoofd.

'Ik kan geen details geven en dat snappen jullie ook wel,' hield hij vol, terwijl hij recht in de camera keek. 'Het enige wat ik kan zeggen is dat niets ons ervan kan weerhouden om Emilie Zeuthen levend terug te vinden.'

Nebel stond op.

'Ik kan er maar beter naartoe gaan voor de telefoontjes. We zullen een toepasselijke verklaring moeten afleggen.'

En weg was ze.

'Dus dat is de reden dat je ontslag wilde nemen?'

Die vraag leek Weber te verbazen.

'Helemaal niet. Ik deed gewoon mijn werk. Zoals altijd. Jou uit de wind houden. De vorige keer moest ik je tegen jezelf beschermen. Deze keer... ging het om je lijpe broertje. Hoe dan ook...'

'Donder op.'

Weber verroerde zich niet.

'Dat is niet de juiste manier, vrees ik. Ik ben gauw genoeg weg. Nadat je herkozen bent...'

Het gebeurde zo snel dat zelfs Hartmann zich nauwelijks bewust was van wat hij deed. Hij vatte de kleine man bij de kraag van zijn goedkope pak en sleepte hem, krijsend en tegenstribbelend, naar de deur.

Hij smeet hem op de gang van Christiansborg. Liep naar het raam en staarde naar het binnenplein, waar de kasseien glansden in de glibberige regen.

In de directiekamer van Zeeland dook een onverwacht gezicht op. Robert Zeuthen moest even nadenken voordat hij de man kon plaatsen. Toen liep hij woedend naar Reinhardt en vroeg wat Kornerup hier deed.

'Wat je hebt gevraagd is ingewikkeld, Robert. Niemand kent dit bedrijf beter dan hij.'

'Ik heb hem ontslagen.'

'Technisch gesproken niet. De raad van bestuur heeft nog niets goedgekeurd. Ze hebben hem gevraagd in de buurt te blijven en ons hierdoorheen te helpen.'

'Heb ik dan niets meer in te brengen?' vroeg Zeuthen.

'O jawel, heel veel. Maar we hebben ervaren mensen nodig. Je moet persoonlijke zaken opzijzetten. Anders kunnen we dit niet effectief oplossen.'

Als het om interne zaken ging was Kornerup een zeer behendige speler. Veel gewiekster dan Zeuthen ooit zou kunnen zijn.

Een telefoontje van de receptie. Hij liep naar de balie. Lund was er, bleek, vermoeid, zenuwachtig.

'Tenzij je me gaat vertellen dat jullie Emilie hebben gevonden, zou ik niet weten waar we over moeten praten,' zei hij. 'Jullie hebben die man wéér laten ontsnappen. En nu al die onzin over Hartmann...'

'Vergeet Hartmann. Ik heb je die containernummers gestuurd...'

'Degene die in de havens liggen zijn doorzocht.'

'Die man weet zo ontzettend veel over je, Robert. Hij moet een voormalig werknemer zijn... iemand met wie je in contact stond...'

Reinhardt luisterde mee en liep naar hen toe.

'We hebben alle personeelsgegevens gecontroleerd. Ik heb u de bestanden gestuurd van degenen die aan uw criteria voldeden.'

'Er moet iemand anders zijn...'

Zeuthen kreeg een telefoontje. Hij liep boos weg.

Reinhardt fronste zijn wenkbrauwen en verontschuldigde zich.

'Die is er niet. We zijn hier erg druk bezig, Lund. Het is veel stress. We doen wat we kunnen.'

Ze wist nog steeds niet precies wat Reinhardt deed voor de Zeuthens. Soms leek het alsof hij het bedrijf leidde. Op andere momenten leek hij weinig meer dan een bediende.

'De moord op dat meisje in Jutland is de sleutel tot het vinden van Emilie,' zei Lund. 'De man die haar heeft ontvoerd is de vader van het vermoorde

meisje. Voor zover we weten werkte hij in de scheepvaartsector.'
'Wat kunnen we u nog meer geven?' vroeg hij. 'Zeg het maar. Ik zal ervoor
zorgen. Maar eerlijk gezegd…'
'Hij weet veel van computers. En van wapens. Hoe de scheepvaart werkt.
Hij is intelligent. Hij was niet zomaar een of andere matroos. Het is in het belang van Zeuthen…'
'U hoeft me niets te vertellen over de belangen van Robert. Die ken ik beter
dan wie dan ook. Ik zorg al voor hem sinds zijn kindertijd.'
'Help me dan! Misschien is het een ingenieur. Een technisch iemand. Hij
wist niet dat het meisje dood was dus misschien was hij hier twee jaar geleden
nog niet. Als er iets was…'
Hij had een onaangedaan, berustend gezicht. Maar even leek hij door iets
geroerd.
'In die tijd heeft de crisis ons fors geraakt, Lund. We hebben duizenden
mensen moeten ontslaan. Over de hele wereld. We hebben sommige bedrij-
ven gesloten. Andere hebben we overgenomen en er personeel ontslagen.'
Een spijtig knikje.
'Als u me echt vraagt om een ontevreden vroegere werknemer voor u te
vinden… ik zou niet weten waar ik moest beginnen.'
Ze dacht erover na.
'Hij is in de veertig. Heeft iets technisch gestudeerd. Heeft in het midden-
kader of op hoger managementniveau gewerkt. Hij is Deens. Uit Kopenha-
gen. Zijn accent…'
Reinhardt zei niets.
'Stuur me de gegevens,' voegde ze eraan toe. 'We zullen alles bekijken.'
'Ik zal doen wat ik kan,' stemde hij in.
Ze wilde weglopen, toen hij zijn lange arm uitstak en haar tegenhield.
Niels Reinhardt keek om zich heen om te zien of niemand hen kon horen.
'Even voor de goede orde.'
'Ja?'
'Als Emilie haar leven verliest vanwege een of andere oude moordzaak die
jullie niet konden oplossen, zal dat het einde van Robert betekenen. En ook
van zijn vrouw.'
'Dat snap ik.'
'Snapt u ook de gevolgen?' vroeg hij. 'Want ik kan dat niet. Geen moment.'

Het telefoontje was van Maja. Om de een of andere reden was ze in de onder-
grondse parkeergarage.
Zeuthen nam de lift en ging naar beneden. Hij trof hen bij zijn auto. Maja.
Carl. Een paar reistassen.
'Hoi, pap,' riep de jongen. Hij probeerde opgewekt te klinken.

Alleen al het geluid van zijn stem was vrolijk makend. Zeuthen glimlachte en aaide hem over zijn bol.

'Wat is er?'

Ze wilde hem niet aankijken.

'Ik vroeg me af of we in de logeerkamer mogen blijven?' Schouderophalen. 'Alleen maar tot we iets anders hebben gevonden.'

Het kwam als een verrassing. Hij pakte de tas en zei dat dat natuurlijk goed was.

Keek naar Carl.

'We kunnen een pizza bestellen bij Toni's. Net als…'

Net als vroeger.

Hij durfde het niet te zeggen.

'Geen ansjovis!' riep Carl.

De oude discussie. Een terugkerende grap.

Zeuthen sloeg zijn armen over elkaar, keek streng.

'Maar ik ben dol op ansjovis.'

'Geen ansjovis, pap! Jakkes. Extra kaas…'

Het bleef leuk.

Maja's blik had iets glazigs. Ze pakte haar zoon bij de hand, liep naar de Range Rover aan het eind van de rij auto's.

'Ansjovis voor papa,' zei ze. Een knikje naar Carl. 'Kaas voor het jongetje.'

Gelukkig.

Zo voelde het. Eenvoudig. Onverklaarbaar. Echt.

Ze liepen met zijn drieën door de muffe, bedompte parkeergarage en langzaam stak ze haar vrije hand naar hem uit, vond de zijne.

Lund at ook pizza. Geen ansjovis. Zeer duidelijk aanwezige politiebewaking voor haar huis toen ze terugkwam. Twee mannen die ze kende. Ze vroegen vrolijk of ze ook een stukje mochten.

Brix belde toen ze naar binnen liep. Hartmann had contact opgenomen om te bevestigen dat zijn auto in Jutland was geweest ten tijde van de moord op Louise Hjelby. Zijn jongere broer Benjamin had zijn auto geleend, buiten zijn medeweten.

Het huis leek leeg. Lund keek rond en riep Eva.

'Wat deed die broer daar?' vroeg ze.

'Zo te horen zat hij in de problemen. Had te maken met drank en drugs. Een of andere linkse groepering.'

'Dat verklaart nog niet waarom hij in Jutland was.'

'Hij was kwaad op Hartmann. De PET had hem opgepakt bij een demonstratie in de stad. Er zou geen aanklacht tegen hem worden ingediend. Voorkeursbehandeling.'

Daar dacht ze even over na.

'Waarom heeft Morten Weber me dat niet verteld?'

'Het schijnt dat iemand van de administratie het rapport verkeerd heeft opgeborgen. Ze zeiden dat het hun oprecht speet.'

'Dat zal best. Geloven we hen?'

Na een korte stilte zei Brix: 'Dat denk ik wel. Weber heeft die broer daar gezien. Hij heeft hem mee terug naar de stad genomen. Hij had geen geld meer. Was dronken. Hij komt morgen een verklaring afleggen.'

'Dat zal...'

Op de koelkast, boven de echo's, hing een briefje in een kinderlijk handschrift. Er stond: Ik ben bij een vriendin ingetrokken. Ontzettend bedankt voor alle hulp. Liefs, Eva.

'Liefs?' zei Lund.

'Wat zeg je?' vroeg Brix.

'Niks. Laten we die broer maar eens aan de tand voelen.'

Een zucht.

'Probeer bij de les te blijven. Benjamin Hartmann is dood. Volgens het rapport was het een ongeluk. Hij is aangereden door een trein, een paar weken nadat zijn broer de verkiezingen had gewonnen. Volgens de PET ging het vermoedelijk om zelfmoord. Ze denken niet dat hij iets te maken gehad heeft met de Hjelby-zaak.'

'Waarom niet?'

'Hij was een hippie of zoiets. We bekijken het morgen wel. Laat je telefoon aan. Laten we hopen dat onze man weer belt.'

Lund pakte een biertje, bekeek de twee pizza's. Een met groente voor Eva. De andere, met drie soorten vlees, voor haarzelf.

Die van Eva gooide ze in de afvalbak. Ze ging zitten, begon uit de doos te eten, dronk uit de fles. Er werd op de achterdeur geklopt. Een gezicht dat ze niet wilde zien.

Het was Borch. Hij was sjofel gekleed en had een zeemanspet diep over zijn ogen getrokken.

'Ik heb een uur in de kou staan wachten. Is dat pizza?'

'Ik heb er maar een.'

Hij zei niets. Misschien zag hij het.

'Kunnen we even praten? Of ben je te boos op me?'

'Even...'

Hij stapte naar binnen, trok de gordijnen dicht. Hij had een map met documenten onder zijn arm. Hij zag er koud en hongerig uit.

Lund viste de pizza met groente uit de afvalbak en zei: 'Neem deze maar, als je wilt. Krijg je thuis geen eten?'

Hij loerde naar het bier. Ze zuchtte, haalde een flesje uit de koelkast.

'Je kunt hier niet blijven…'

'Dat wil ik ook niet. Als je over Hartmanns broer hebt gehoord, weet je dat ze iets verbergen. Er zit meer achter dan…'

'Wat wil je?'

Hij legde de map op tafel, pakte een stuk pizza. Maakte het flesje bier open, nam een teug.

'Dit is een kopie van ons bestand over Benjamin Hartmann. Ik wil het aan jou geven. Hij was… bekend.'

'Volgens Brix was hij een hippie.'

'Ja. Een ontevredene. Hij ging om met actiegroepjes. Een beetje gênant voor zijn grote broer, lijkt me.'

Ze schoof de documenten opzij.

'Je had me dit morgen kunnen geven.'

'Nee, dat kon niet. Dan ben ik er niet. Dyhring haalt me van de zaak af. Ik mag me nergens meer mee bemoeien. Niet met Hartmann. Zeuthen.' Een stilte. 'Niet met jou.'

Meer pizza. Hij was vroeger nogal kieskeurig geweest. Meer dan zij.

Borch keek haar aan, trok een grimas, zei: 'Het spijt me dat ik je zo veel problemen heb bezorgd. Ik wilde niet…'

'Je hoeft dit niet te zeggen.'

'Jawel, Sarah. Ik had het je vanaf het begin moeten vertellen. Ik weet echt niet wat er met die pagina in dat schrift is gebeurd. Dyhring had hem. Hij is in het systeem gezet. Toen we zagen dat het niet veel bijzonders was heeft die jongen het teruggekregen.'

En daar had je hem weer, net zoals hij op de politieopleiding was geweest. Jongensachtig, een beetje naïef, wanhopig.

'Ik wil zeker weten dat je me gelooft. Het is belangrijk. Het…'

Zo was het al die jaren geleden begonnen. Lund deed een stap achteruit, probeerde hem niet aan te kijken. Zei helemaal niets.

Hij stak zijn arm uit. Ze ging weer een eindje van hem vandaan. Borch liet zijn hoofd hangen. Hij snoof, nam nog een slok bier.

'Bedankt voor het eten,' zei hij en hij ging door dezelfde deur weg.

Ze hadden twintig jaar gescheiden geleefd. Zij was degene die had gezorgd voor een hereniging. Het zou nooit zijn gebeurd zonder die plotselinge, wanhopige begeerte in Jutland.

Waarom?

Lund keek naar haar huisje. De planten. De foto's op de koelkast. Het briefje dat eindigde met 'Liefs…'

Het werd tijd dat ze het gewone leven eens leerde oppakken, hoezeer dat haar ook was ontgaan, hoezeer ze ook had geprobeerd zich eraan te onttrekken.

En misschien dat daar, ergens, het geluk te vinden was.

Met Mathias Borch...

Haar ogen dwaalden af naar de tafel. Een map met een naam erop: Benjamin Hartmann. Er zat een foto in van een jongeman met lang haar en de knappe, onweerstaanbare gelaatstrekken van zijn broer. Maar toch een andere uitdrukking. Hartmann kon soms iets broos hebben, iets beschadigds. Maar niet zoals zijn jongere broer.

Misschien...

Het idee kwam terug. Ze duwde het weg. Scheurde nog een stuk pizza af. Bladerde door de pagina's. Begroef zich erin.

8

Woensdag 16 november

De volgende ochtend om half elf probeerde Troels Hartmann te doen alsof alles weer normaal was. Nebel was bij hem voor een openbaar optreden in een school in de stad. Een groep verslaggevers en cameramensen volgde hen van de auto naar de hal en vuurden vragen af over de auto, zijn overleden broer, het gebrek aan voortgang in de zaak-Zeuthen.

Hartmann zweeg, liep de school in, zette zijn grootste glimlach op voor de jonge leerlingen die in rijen klaarstonden om hem te begroeten.

Er werden handen geschud. Geen vragen van hen afgezien van een verzoek om met hem op de foto te mogen terwijl Nebel een paar telefoontjes afhandelde.

Daarna een kort privémoment.

'Morten zit bij de politie,' zei ze tegen hem. 'Ik zeg tegen de media dat het om instructies gaat.'

Hij knikte. Wuifde naar de kinderen.

'Ik probeer contact te krijgen met die assistent van Zeuthen, Reinhardt. We moeten de lucht klaren. Tot nu toe is het nog niet gelukt.'

'Er valt niets te klaren.'

'Dat kunnen wij dan maar beter tegen hem zeggen. En...' Ze keek de gang in. 'Ik heb gehoord dat Ussing hier dadelijk komt binnenvallen.'

Een woedende blik in zijn ogen, gericht op haar.

'Dat meen je toch niet? Wij bepalen zelf met wie we in de openbaarheid verschijnen en wanneer.'

'Toch is het hem gelukt. De school is op zoek naar financiële middelen voor een opknapbeurt. Hij heeft beloften gedaan. Jullie hebben een kort optreden samen en daarna nog wat foto's buiten met de kinderen.'

Ze gaf hem een vel papier: een opzetje van de socialisten om het budget voor lokaal onderwijs te verhogen.

'Geld uitgeven dat we niet hebben,' gromde Hartmann. 'Zeg tegen ze dat wij dat ook doen. Nog meer goed nieuws?'

'De politie beweert dat er een gat van twaalf uur is waarbinnen ze niet kunnen zeggen waar Benjamin heeft uitgehangen.'

'Dat kan Morten uitleggen.'

'Dat is niet zo. Ze hebben nog steeds niet de juiste navigatiegegevens van de auto. Hij heeft zich twee weken later van het leven beroofd. De politie moet haast wel denken dat het op de een of andere manier verband houdt met die zaak...'

Een voorbijlopende leerling legde Hartmann uit waar hij heen moest en hij begon naar de hal te lopen.

'Er is geen verband, Karen. Ik kende mijn broer beter dan wie dan ook. Hij was in de war. Depressief. Dat is alles.'

Een glimlachende vrouw kwam hen tegemoet. De hoofdonderwijzeres. Ze vroeg of Hartmann in een zijkamertje wilde wachten tot het publiek zich had verzameld.

Het moest een klaslokaal voor jonge leerlingen zijn geweest. De muren hingen vol met kleurige, fantasierijke schilderingen. Anders Ussing stond ervoor, samen met zijn assistent Per Monrad.

'Een beetje kleur vrolijkt alles altijd op, vind je ook niet?' zei hij met een brede grijns.

'Klopt,' mompelde Hartmann.

'Grappig, hè? Het ene moment geloven die idioten van de politie nog dat het mijn auto was waarin dat meisje werd opgepikt voordat ze werd vermoord.' Zijn grijns werd breder. 'En nu denken ze dat het jouw auto was.'

Hartmann hield zijn hoofd schuin en keek hem aan.

'Jij hebt dat meisje ontmoet, Anders. Ik niet. En mijn broer ook niet...'

'Daar denkt Lund anders over. Ze zit je weer op de hielen. Moet wel eng zijn. Maak je geen zorgen, ik zal er niets over zeggen.' Hij keek om zich heen in het klaslokaal. 'Niet hier.'

'Je hoeft je voor mij niet in te houden.'

Ussing lachte.

'Weet je, mijn staf zei precies hetzelfde. Morten heeft er wel lang over gedaan voordat hij openheid van zaken gaf, nietwaar? Hij en Mogens Rank zijn goede maatjes. Weet je zeker dat zij Schultz niet onder druk hebben gezet?'

'Dat weet ik zeker.'

Een knikje. Hij dronk zijn koffie op.

'Dat moet je natuurlijk wel zeggen. Anders zou het er pas echt slecht uitzien voor jullie met Zeeland en dat meisje van Zeuthen. Nog twee dagen voor de verkiezingen. Hoe voelt het? Alsof je gaat winnen?'

Hartmann liep naar het raam, keek naar de troosteloze speelplaats, de grijze, koude dag.

Karen Nebel kwam naar hem toe.

'Je moet het kort houden,' zei ze. 'Brix heeft net gebeld. Ze willen met je praten. Ze denken dat Benjamin dat meisje in Jutland heeft vermoord.'

Het nachtteam had het dossier over Hartmanns broer gevonden, en zijn medische gegevens. Tien maanden voor zijn dood was hij in Amerika van de universiteit geschopt na een arrestatie tijdens de Occupy-protesten op Wall Street, New York.

Lund luisterde terwijl Brix de details besprak.

'Hij werd behandeld voor een depressie. Volgens de arts was hij bipolair. Is gearresteerd voor het in bezit hebben van kleine hoeveelheden drugs...'

Zesentwintig jaar oud. Geen echte baan. Een eeuwige student. Hij had banden met extreem linkse groeperingen. Had stukken geschreven voor activistische blaadjes en websites. Na een ruzie in een kraakpand in de stad had hij zijn intrek genomen in het huis van Hartmann. Niet dat zijn broer veel thuis was.

De meest recente foto kwam uit het PET-dossier: lang haar, een neusring, tatoeages. De blik van een relschopper. De gerechtelijk onderzoeker had vernomen dat Benjamin de laatste twee weken van zijn leven in de war was, had gevraagd om medische behandeling en dat hij had geklaagd over hoofdpijn. Troels Hartmann was druk bezig met het vormen van een regering en wist nergens van. Toen liep Benjamin voor een goederentrein in Nørrebro.

'Morten Weber zegt dat hij nooit ook maar in de buurt is geweest van de plek waar Louise Hjelby zich bevond in Gudbjerghavn,' ging Brix verder. 'Hij had rondgereden door het platteland, reed achter een paar campagneauto's aan.'

'Is daar bewijs voor?' vroeg ze.

Lund had de hele ochtend geprobeerd Eva te bellen. Ze kreeg alleen maar haar voicemail.

'Geen enkel. Aan de andere kant is er ook niets bekend over geweld. Of over seksuele agressie. Hij klinkt eerder als een verwarde tiener die nooit volwassen is geworden. Heeft Zeuthen nog nieuwe personeelsgegevens opgestuurd?'

Ze schudde haar hoofd.

'We kunnen niet langer wachten. Zeuthen denkt dat hij dit op eigen houtje kan afhandelen. Hartmann moet komen met...'

'Lund! De kidnapper heeft je niet gebeld. Ik heb Hartmann onder druk gezet om jou te helpen. Lijkt niet gewerkt te hebben, hè? En wat moet dit voorstellen?'

Op het bureau lagen stapels dossiers uitgespreid die ze uit het archief had opgedoken. Rapporten, namen, foto's van de zaak-Birk Larsen. Ze had het beter kunnen opruimen voordat hij binnenkwam.

'Ik was op zoek naar…' begon Lund.

'Die zaak is allang passé. Ik wil niet dat je alles weer overhoop gaat halen. Hartmann had niks te maken met de dood van dat meisje…'

'Dat wil niet zeggen dat we niks kunnen leren van die zaak.'

'Als we de premier door de mangel halen zonder goede reden zullen er hier koppen gaan rollen.'

'Het moet die broer zijn!' riep ze, met een vinger op de foto tikkend. 'De PET heeft hem gevrijwaard van een aanklacht wegens verstoring van de openbare orde. Wie weet wat ze nog meer hebben verborgen?'

Dat punt leek hij te erkennen.

'Ik ga Hartmann niet arresteren. Hij mag zelf bepalen of hij verhoord wil worden of niet. En vertrouw niet te veel op die onzin die je van Borch krijgt. We weten niet wat hij en Dyhring hebben bekokstoofd.'

Brix liet het daarbij en liep met haar mee terug naar het kantoor. Juncker had geen succes gehad met het opsporen van de harde schijf.

'Die vent moet nog een plek hebben, Lund. Dat moet wel.'

Maar dat klopte niet. Ze kon het voelen. Die man was gewond. Hij had weinig keus meer. En hij kwam in tijdnood.

'Wat is er met Borch gebeurd?' vroeg hij.

Ze bekeek de foto's aan de wand: Emilie Zeuthen, Louise Hjelby en nu Benjamin Hartmann. Twee dood. Een derde in levensgevaar.

Een foto van een vrouw in bikini, die er gelukkig uitzag op een strand, lang geleden.

'Hij is van de zaak gehaald. Ben je nog iets nuttigs te weten gekomen over Louises moeder?'

'Monika Hjelby. Ze woonde bij de jachthaven. Ik probeer uit te vissen waar precies. Wat Borch betreft…'

'Vergeet Borch! Hij zit niet meer op deze zaak. Dat heb ik al eerder gezegd. Dat is alles wat ik ervan weet.'

Ze liep naar de tafel, begon zonder reden door de documenten te rommelen. Hij kwam achter haar aan.

'Was het vanwege jou?'

'Wat?'

'Niet kwaad worden. Het was maar een vraag. Is hij van de zaak gehaald, omdat hij ons heeft bedrogen in Jutland?'

'Dat… weet ik… niet. Oké?'

'Oké.'

Hij haalde zijn schouders op. Ze kon schreeuwen wat ze wilde, het zou toch geen enkel verschil maken. 'Ik vroeg het maar omdat zijn vrouw buiten staat en ze zegt dat ze pas weggaat nadat ze jou heeft gesproken.'

Een tengere vrouw met een bleek, afgepeigerd gezicht zat alleen op een bankje in de gang. Ze keek zenuwachtig op toen Lund opdook, stelde zich voor, stak vergeefs een hand uit.

'Ik ben op weg naar een afspraak,' zei Lund. 'Als je me had gebeld...'

'Mathias is gisteravond laat thuisgekomen.'

Starende blik. Beschuldigend. Verdrietig.

'Hij is niet in bed komen liggen.' Hoofd naar één kant, dwingende blik. 'Ik vond hem in de woonkamer. Op de bank.'

Lund keek naar de deur, probeerde een excuus te verzinnen.

'Eerst dacht ik dat hij was geobsedeerd door die zaak van jullie.' Een bitter, sarcastisch glimlachje. 'Maar dat was het niet, hè? Hij zegt dat hij van iemand anders houdt. En dat ben jij, nietwaar?'

Geen antwoord.

'Jullie zijn samen naar Jutland geweest. Wat is daar gebeurd?'

'Ik heb niets...'

'Ik wil geen leugens horen. Niet...'

Stilte. Slechts één stem die de stilte kon verbreken.

'Hou je van hem? Ken je hem überhaupt? Het kan me geen donder schelen dat jullie ooit een relatie hebben gehad. Het kan me niet schelen wat jullie nog hebben uit te zoeken.'

Ze begon te huilen, te trillen. Mensen om haar heen konden het horen. Keken beschaamd.

'We hebben twee kleine meisjes. Hij is hun vader. Pak hem niet van ons af.'

Ze wachtte even op een antwoord. Toen dat uitbleef, draaide ze zich om en vertrok. Driftige voetstappen door de lange gang van de Politigården.

Toen stoof Brix op haar af.

'Actie. Hartmann wil praten. Christiansborg.' Hij staarde haar aan. 'Alles in orde?'

'Ja,' fluisterde ze werktuiglijk.

Kornerup zat weer achter zijn bureau toen Zeuthen de volgende ochtend het kantoor van Zeeland binnenstapte. Het leek alsof hij nooit was weggeweest.

'Iedereen leeft met je mee, Robert,' zei hij. 'Maar het bedrijf moet geleid worden. En al die eisen die je stelt. Ze worden steeds ingewikkelder.'

'Doe wat nodig is en donder dan op.'

Kornerup glimlachte.

'Je mededirecteuren hebben me gevraagd om... een oogje in het zeil te houden.'

In de gang ging een deur open. Enkele vrouwen en mannen in pak kwamen naar buiten. De raad van bestuur.

'Er is vanochtend een informele vergadering geweest. Het leek me beter om jou en Reinhardt er niet bij te betrekken. Begrijpelijkerwijs had je het te druk met het zoeken naar je dochter.'

'Ik kan hier een veto over uitspreken,' zei Zeuthen.

'Klopt. Maar dat is alles wat je kunt doen. Je hebt niet voldoende steun om een alternatief te forceren. Als je een patstelling veroorzaakt zal de markt daarvan horen. Dan zijn we een gemakkelijke prooi voor een belager. De aandelenprijs is al tot treurige diepten gezonken.'

Reinhardt was in discussie met twee van de mannen die uit de vergadering kwamen. Ze spraken op boze toon.

Een hand op Zeuthens arm. Kornerups kraaloogjes glommen achter zijn uilenbril.

'Bekommer jij je nu maar om je gezin. Laat de rest aan mij over. We kunnen dit aanzien en de situatie over een week of wat opnieuw bekijken.' Een stilte. 'Hoewel het nodig kan zijn om sommige operaties al binnen een week te beëindigen. De aandelen...'

Zeuthen knipperde met zijn ogen, moest moeite doen om zijn woede te beheersen.

'We hebben een overeenkomst met Hartmann gesloten...'

'En wat is dat waard?'

'Zeeland blijft hier.'

'Hartmann wordt ondervraagd. Ik zou eerlijk gezegd niet al te veel op hem vertrouwen.' Hij keek op zijn horloge. 'Je moet me excuseren. Ik heb een telefonische vergadering met Sjanghai.'

Hij liep weg. Weer helemaal strijdlustig.

Reinhardt kwam naar hem toe, nog steeds woedend.

'Ik wist dat ze achter je rug om zaten te smoezen. Ik had geen idee dat ze zo ver zouden gaan.'

'Jij hebt hem binnengelaten, Niels.'

Die beschuldiging kwam hard aan.

'Om ons te helpen met het onderzoek naar al die scheepsladingen! Dat is alles.' Hij schudde zijn grijze hoofd. 'Misschien had ik beter moeten weten. Hij is een sluwe oude vos. Ik zal ervoor zorgen dat hij je niet in de wielen rijdt. Vanaf nu praat hij alleen met mij.'

De ladingcontrole was in volle gang. De beveiliging schatte dat Emilie aan boord kon zijn van vijftien verschillende vrachtschepen op zee, of in zes terminals in Europa. De meeste havens waren gecontroleerd, maar Rotterdam, Hamburg, Stavanger en Sint Petersburg weigerden ladingen open te maken zonder toestemming van de eigenaren.

'Aan de politie hebben we ook niet veel, vrees ik,' voegde Reinhardt eraan toe.

'We zullen hen direct benaderen. Ik kan Hamburg en Rotterdam voor mijn rekening nemen. Ga jij naar Stavanger en Sint Petersburg.'

'Robert… is het echt mogelijk dat hij dit heeft gedaan? Ik weet dat de politie die documenten heeft gevonden. Maar… waarom?'

'Wat kan ik anders doen?'

'Dat weet ik niet. Hier iets, wellicht.'

'De raad luistert niet naar me. Kornerup ook niet. Ga je met hen meedoen?'

Reinhardt schudde zijn hoofd.

'Ik heb je vader door dik en dun gesteund. Voor zijn zoon doe ik hetzelfde.'

Zeuthen legde een hand op zijn arm. Een kort glimlachje.

'Zorg dan dat het vliegtuig klaarstaat.'

Een statige kamer in Christiansborg, de winterzon viel binnen door de glas-in-loodramen. Een schilderij van de oude haven. Een marmeren open haard en boekenkasten van walnotenhout. Lund zat aan de ene kant van de tafel met Brix en Dyhring. Hartmann aan de andere, naast Karen Nebel. Geen Morten Weber, wat vreemd was. De man leek een beetje verloren zonder zijn politiek adviseur, bleef maar om zich heen kijken alsof hij het meubilair, de schilderijen en de accessoires natelde, als iemand die op het punt stond uit zijn huis te worden gezet.

Toen vermande hij zich, keek haar aan en zei: 'Ik heb nooit geweten dat Benjamin die dag in Jutland was. Hij heeft mijn auto genomen zonder dat ik het wist. Niet dat ik ook maar één moment geloof…'

'Waarom heeft Morten je dat dan niet verteld?' vroeg ze.

'Omwille van Benjamin. Voor het geval dat ik kwaad op hem zou worden. Omwille van mij, om te voorkomen dat ik me zorgen zou maken.'

Ze zag iets in Hartmanns blik wat ze nog niet eerder had opgemerkt. Een zweem van zelfkennis. Twijfel.

'Had hij het maar wel verteld. Dat vindt Morten achteraf ook. Maar we zaten midden in de gekte van de verkiezingen. Je bent alleen maar bezig met het resultaat. Je denkt niet aan vrienden of familie…'

Lund keek naar de twee mannen die naast haar zaten. Geen van beiden wilde iets zeggen.

'Louise Hjelby is verkracht en vermoord op een scheepswerf. Je broer was in de buurt…'

'De premier is van de zaak op de hoogte,' zei Dyhring abrupt. 'Je hoeft zijn tijd niet te verknoeien door die hele kwestie opnieuw op te rakelen.'

Ze keek de PET-man aan. In ieder geval wisten Brix en zij nu waar ze stonden.

'Benjamin werd behandeld voor depressie. Hij was bipolair. Gearresteerd bij een demonstratie in de stad. Amerika uitgeschopt vanwege...'

'Lund!' zei Dyhring. 'Dat is allemaal al bekend.'

'Dan moet je ook weten waarom ik het vraag.' Ze wendde zich weer tot Hartmann. 'Hoe was hij na die episode in Jutland? Gedroeg hij zich anders?'

Hij haalde zijn schouders op.

'Het was verkiezingstijd. Ik was veel onderweg. We hebben elkaar nauwelijks gesproken.' Hij sloot zijn ogen, trok een grimas. 'Er was geen tijd. Nooit. Dat was daarvoor ook al zo.'

Een kort lachje.

'Ik heb tegen hem gezegd dat we samen op vakantie zouden gaan als ik verloor. Naar de Alpen of zoiets. Ons verschansen in een hut in de bergen en verder alleen maar wandelen, uur na uur, dag na dag.'

Hij boog zich naar voren, handen tegen elkaar, zijn blik op haar gericht.

'Ik wist dat het niet goed ging met Benjamin. Hij wist het zelf ook. We probeerden er iets aan te doen. Hij was in behandeling bij specialisten in het ziekenhuis. Die zeiden allemaal hetzelfde. Het zou tijd kosten.' Hartmann fronste zijn wenkbrauwen. 'Die tijd hadden we niet.'

'Wat deed hij de hele dag?' vroeg Brix.

'Hij luisterde naar muziek. Keek tv. Zat uren achter de computer te rotzooien. En...' Een zure blik. 'Je weet wat hij deed. Hij hing rond bij van die linkse, anarchistische griezels. Daar heeft de PET hem gearresteerd.'

'Gênant voor jou,' merkte Lund op.

'Niet echt,' riposteerde Hartmann. 'Het is niet zo ongewoon om een lastige adolescent in huis te hebben. Alleen was die van mij zesentwintig jaar en wilde hij niet opgroeien. Hij is nooit gewelddadig geweest. Zelfs niet echt agressief. Hij was gewoon de weg kwijt en ik heb niet de tijd gevonden om hem te helpen. Daar zal ik mee moeten leven...'

Nebel tikte op haar horloge.

'We hebben al jullie vragen beantwoord. De premier heeft belangrijke afspraken...'

'Benjamin heeft zelfmoord gepleegd!' riep Lund. 'Willen jullie niet weten waarom?'

'Hij was depressief,' fluisterde Hartmann.

Ze haalde een vel papier tevoorschijn met het logo van het academisch ziekenhuis.

'Het was meer dan dat. De dag voordat hij stierf vroeg hij om een spoedafspraak met zijn medisch begeleider. Dit is het rapport. Hij wilde extra medicatie. Hij zei dat hij leed aan angstaanvallen. Hij wilde weten of hij in het ziekenhuis kon worden opgenomen.'

'Mag ik even kijken?' vroeg Hartmann.

Ze overhandigde hem het rapport.

'Ze wilden dat hij het met jou zou bespreken. Maar toen ze dat voorstelden zei hij dat hij iets had gedaan wat jij hem nooit zou vergeven. Heb je enig idee wat dat zou kunnen zijn?'

Het was zo stil in de kamer. Hartmann kon niets anders doen dan naar het medisch rapport staren.

Toen zei hij, met zachte, onzekere stem: 'De dag voordat hij stierf kwam ik thuis. Erg laat. Ik dacht... ik dacht dat hij wel zou slapen. Geen muziek. Geen tv. Dat leek me een gunstig teken.'

Hij pakte de karaf en schonk wat water voor zichzelf in.

'Ik was in de keuken. Benjamin kwam naar beneden. Hij had brochures over Zwitserland bij zich. Catalogi voor bergkleding. Tenten. Dat soort dingen...'

'Troels,' zei Nebel terwijl ze haar hand op de zijne legde. 'Je hoeft dit niet te doen.'

'Nee. Dit moet gezegd worden.' Hij keek Lund aan. 'Ik wist dat hij ergens over wilde praten. Maar ik denk dat hij wel aan me kon zien dat ik doodmoe was. Dus uiteindelijk zei hij dat het niet echt belangrijk was. Hij wilde me alleen die reisbrochures laten zien.'

Op dat moment brak Hartmann bijna. Hij had even tijd nodig om te herstellen.

'Maar we hadden gewonnen, nietwaar? Ik zei tegen hem dat ik dit jaar geen tijd had. Niet met al dat werk dat op me wachtte. Misschien een andere keer.' Hij sloot woedend zijn ogen. 'Alsof...'

Een knikje van zijn hoofd. Een moment van zelfhaat.

'De volgende ochtend stond ik op. Ik wilde ontbijt voor hem klaarmaken. Ik dacht dat het eindelijk allemaal goed zou komen tussen ons. Maar toen ging ik naar zijn slaapkamer en zijn bed was leeg. Hij was verdwenen en dat was de laatste...'

Nebel kneep even in zijn hand. Er dook een man op bij de deur. Dyhring stond op en sprak met hem in een hoek.

'Ik heb hem vreselijk in de steek gelaten,' zei Hartmann. 'Maar hij heeft dat meisje niets misdaan. Zoiets zou hij nooit kunnen. Het is niet...'

'We moeten die auto hebben,' onderbrak Lund hem. 'De technische recherche kan jaren later nog sporen vinden...'

'Dit is belachelijk!'

Hoge stem, gepijnigde blik. Hartmann keek haar nijdig aan en ze zag hem nu zoals hij zes jaar geleden in de Politigården was geweest, toen hij de voorkeur had gegeven aan alle narigheid van een moordonderzoek om de onthulling van een andere persoonlijke tragedie te vermijden.

'Benjamin zou nooit...'

'Het moet nu afgelopen zijn,' zei Lund, die boos begon te worden. 'Wat heeft hij die avond gezegd? Heeft hij dat meisje genoemd? Er zat hem iets dwars…'

Dyhring kwam naar hen toe. Hij had de iPad bij zich van de man die was binnengekomen.

'Het doet er niet toe wat hij zei. Benjamin is onschuldig.'

Hij legde de tablet op tafel. Er stond een kaart op, en een route.

'We hebben de gestolen harde schijf teruggevonden in een internetcafé in Vesterbro. De navigatiegegevens komen precies overeen met wat ons is verteld. De privéauto van de premier is nooit in de buurt van de scheepswerf geweest, en ook niet bij de haven.'

Lund greep de iPad, keek naar de kaart.

'Ik wil alles hebben wat jij hebt, Dyhring. Ik wil alles kunnen controleren…'

Hartmann vloekte, stond op, liep weg. Karen Nebel boog zich over tafel.

'Ik verwacht volledige en openlijke verontschuldiging. Als dat niet binnen een uur gebeurt, krijgt dit nog een staartje.'

Ze vertrok. Daarna Dyhring. Toen, na een verbitterde blik, Brix.

Buiten, met alleen haar map bij zich, geen idee waar ze nu heen moest, wie ze moest bellen.

Hij stond bij de paleistrap, tegen een muur geleund.

'Niet nu,' fluisterde ze terwijl ze naar hem keek.

Toen stond Borch naast haar.

'Wat is er gebeurd? Wat zei Hartmann?'

Ze liep naar haar auto. Hij volgde haar op de voet, aandringend.

'Sarah…'

'Hartmanns Mercedes is niet in de buurt van Louise geweest. De gegevens van het navigatiesysteem bewijzen het.'

'Welk navigatiesysteem?'

'De mensen van Dyhring hebben de harde schijf gevonden. Ik heb niets meer van de kidnapper gehoord. We hebben geen idee waar Emilie is.'

Ze keek hem aan.

'Ze hebben je een dienst bewezen door je van de zaak af te halen. Er staat ons een flinke uitbrander te wachten.'

Hij schudde zijn hoofd.

'Dyhring kan rotzooien met navigatiegegevens, als hij wil. Hij krijgt verdomme alles voor elkaar. Heb je Hartmann gevraagd naar zijn broer…'

'Ja! Ja!' Ze draaide zich om, wees naar het paleis. 'Ga hem zelf maar ondervragen als je mij niet gelooft.'

Toen stapte ze in haar auto. Hij zat al naast haar voordat ze het portier op slot kon doen.

'Heb je dat schrift van die jongen nog?'

'We hebben alle dertien zwarte auto's gecheckt van die dag. Dat heeft niets opgeleverd.'

Borch hield zijn hand op en zei: 'Geef hier.'

Lund gromde. Maar ze deed het toch. Borch bladerde vluchtig door het schrift en de bijbehorende rapporten.

'Wacht even. Een van de mensen die jullie hebben gecontroleerd was een vrouw die zei dat ze nog nooit in Jutland was geweest.'

Lund keek uit het raampje, zei niets.

'Misschien heeft dat jongetje zich in de datum vergist,' ging hij door. 'Of in het kenteken of zoiets. Sarah...'

Nog steeds naar de zielloze dag starend zei ze: 'Je vrouw is me vanochtend komen opzoeken.'

Borch klemde het schrift in zijn handen, zei niets. Ze draaide zich naar hem toe en keek hem recht aan.

'Ik wil niet dat je alles kapotmaakt... je gezin, hun leven... omwille van mij.'

Toen zei hij niets meer. Haar telefoon ging. Juncker.

'Ik heb het nieuws over die harde schijf gehoord, Lund. Hij zal behoorlijk boos zijn als hij ontdekt dat hij zijn tijd heeft verspild.'

'Klopt,' stemde ze in.

'Ik heb een naam van iemand die Monika Hjelby heeft gekend. Birthe. Ze woont in de jachthaven. Verwacht bezoek van ons. Ik ga controleren wat de PET heeft gevonden in dat internetcafé. Kun jij naar haar toe?'

'Stuur me een sms'je met haar adres.'

'Bedankt.'

Het bericht kwam meteen. Asbjørn Juncker liet dingen nooit liggen. Lund boog zich voor Borch langs en duwde het portier open.

'Hij zal het niet opgeven, Sarah.'

'Ik moet nu gaan.'

Borch stapte uit. Ze reed weg. Pas toen ze zich tussen het andere verkeer begaf drong het tot haar door dat hij Jakobs schrift nog had.

Reinhardt had geregeld dat het vliegtuig naar Rotterdam kon: vluchtplan gestuurd, brandstof en piloten geboekt, afspraken gemaakt met de luchthaven daar. Hij liep de details na in Zeuthens kantoor.

'Ik ga daarna nog een keer met Kornerup praten,' voegde hij eraan toe. 'Ervoor zorgen dat hij binnen de lijntjes blijft.'

'Succes,' zei Zeuthen. Hij stond op, knikte, glimlachte. 'En bedankt, ik waardeer het.'

'Graag gedaan, Robert. Dat is mijn taak.' Een kort lachje. 'Al zowat heel mijn leven.'

Ze stonden bij het raam dat op de haven uitkeek. Zolang Zeuthen zich kon herinneren had Niels Reinhardt een huis en een kantoor op het terrein gehad, niet ver van het water. Nog een teken dat hij onderdeel was van Zeeland, en het leek of dat altijd zo was geweest.

'Neem ook eens een keer vrij,' opperde Zeuthen.

'Niet voordat we Emilie terug hebben. Bovendien zit Annette in het huis in Frankrijk, met de meisjes. Ik ben nu zo goed als vrijgezel. Ik wil doen wat ik kan. Ik bel je als er nieuws is.'

Zeuthen pakte zijn jasje en aktetas, wilde net naar het vliegveld gaan toen er een medewerker van het beveiligingsteam binnenkwam. Er had zich iemand bij de receptie gemeld. Een zeiler die beweerde dat hij iets had gezien op de avond dat Emilie verdween na het incident bij de brug.

'We hebben al zo veel mogelijk met hem gepraat. Hij eist u te spreken. Ik denk...' Hij wreef in zijn handen. 'Misschien is hij alleen op het geld uit. We hebben hem in de kamer hiernaast gezet.'

Zeuthen vroeg of zijn assistent het vliegveld wilde bellen dat hij later zou komen en liep naar het lege kantoor waar ze de bezoeker naartoe hadden gebracht. Hij droeg een groene oliejas, ondanks de warmte. Dikke, zware bril. Een wollen muts. Zijn gezicht was ruw en verweerd, ongeschoren, stoppelbaardje. Een stevig gebouwde man, krachtig. Ongewoon.

Het verhaal.

Vier nachten eerder had hij in zijn bootje op de Øresund gevaren. Het was drie uur 's nachts, ijzig koud. Hij zat aan het roer.

'Plotseling hoorde ik een speedboot voorbijrazen.' Hij sprak Deens met een accent uit deze streek. Ontwikkeld. 'Hij had geen enkel licht op, wat ik een beetje vreemd vond. Je moet lichten hebben.' De man wees uit het raam. 'Jullie zijn scheepsmensen. Jullie weten dat.'

'En toen?' vroeg Zeuthen, een blik op zijn horloge werpend.

'Vlak daarna passeerde ik een kustvaarder. Geen groot vaartuig. Toen zag ik die speedboot weer. Hij had langs de zijkant van het vaartuig aangelegd. Ze lieten een ladder zakken. Ik zag een kind naar boven lopen, voor een man uit.'

'Vier nachten geleden?' vroeg de beveiliger. 'En nu komt u naar ons? Niet naar de politie?'

Hij hield zijn hoofd schuin. Hij keek Zeuthen spiedend aan door zijn dikke brillenglazen.

'Ik zat op zee. Ik hoorde het pas na mijn terugkomst. Toen heb ik geprobeerd de politie te bellen, maar er was geen doorkomen aan. Jullie lijken niet erg dankbaar.'

Zeuthen schudde zijn hoofd.

'Even voor de goede orde. U zegt dat u mijn dochter hebt gezien op de Øresund terwijl u daar voer op een zeilboot. Om drie uur in de ochtend. In het donker. De wind was behoorlijk krachtig die nacht…'

'Dat klopt,' zei de zeiler.

Zeuthen stond op, wierp een blik op de beveiligingsman en zei: 'Breng hem naar de uitgang. Ik ga naar het vliegveld.'

De zeiler barstte in lachen uit, schudde zijn hoofd. Glimlachte.

'Waarom is het zo moeilijk geloofd te worden als je de waarheid spreekt, meneer Zeuthen? Ze was ongeveer anderhalve meter lang. Rond de veertig kilo, vermoed ik.'

Zeuthen bleef staan, luisterde.

'Ze had lang blond haar. Stijl. Heel blond, zou ik zeggen. Zwarte gympen. Blauwe regenjas. Geen reddingsvest.'

Robert Zeuthen kwam terug, ging weer zitten.

'Het viel niet te missen,' hield de man vol. 'Ik deinde op dertig, veertig meter afstand op de golven. Ze hadden lichten aan op het dek. Zodat dat meisje de ladder op kon klimmen. En die man ook. Ze wisten wat ze deden, dat was wel duidelijk.'

Hij leunde achterover, rekte zijn armen uit, keek opzij.

'Ik weet niet of ik dit moet zeggen. Het is een beetje gênant.'

'Wat?'

'Het leek alsof ze zwaaide. Naar mij. Kinderen doen zoiets, natuurlijk. Ik had moeten beseffen dat er iets niet klopte.'

Met bonzend hart vroeg Zeuthen: 'Hebt u de naam van die kustvaarder gezien?'

Een knikje.

'O ja. Natuurlijk.'

'Hoe…?'

'Dat zou ik u graag vertellen. Maar u bent een zakenman. U begrijpt dat we eerst de praktische zaken moeten regelen.'

De beveiligingsmedewerker verstijfde, keek hem woest aan. Zeuthen maande hem met een gebaar tot zwijgen.

'Als uw verhaal klopt, krijgt u de beloofde beloning. Ik houd me aan mijn woord.'

Een lach. Een zenuwachtige vinger krabde aan de wollen pet.

'Daar twijfel ik niet aan. Maar toch zou ik graag een of andere garantie ontvangen. Een teken van goed vertrouwen.'

'Zoals?' vroeg de beveiligingsman.

Hij dacht even na en zei toen: 'Een papieren contract, ondertekend met getuigen erbij. En twee procent van de beloning als voorschot. Contant. Dan is het goed.'

'Zo veel geld hebben we hier niet liggen,' zei Zeuthen tegen hem.

Hij leunde ontspannen achterover in zijn stoel, keek uit het raam naar de oceaan.

'Ik heb geen haast.'

Zeuthen knipte met zijn vingers naar de man naast hem. Zei tegen hem dat hij de benodigde regelingen moest treffen.

Toen hij weg was keek hij naar de zeiler.

'We hebben het hier over mijn dochter. Elke minuut telt.'

Geen spoortje van emotie.

'Dat begrijp ik,' antwoordde de man. 'Maar toch wil ik liever even wachten.'

Hij rolde de stoel heen en weer.

'Een kop thee zou fijn zijn. Melk. Geen suiker.'

Ze lieten een assistente thee halen en lieten hem in de kamer achter.

Alleen. Een kop thee. Hij liep naar de computer. De vorige gebruiker had uitgelogd. Dus typte hij een nieuwe gebruikersnaam in, een nieuw wachtwoord. Even later staarde hij naar een volkomen open netwerk en vroeg hij zich af waar hij moest zoeken.

De jachthaven had betere dagen gekend. Lund parkeerde de auto naast een wegrottende roeiboot op een verlaten kade en controleerde nogmaals het adres. Het leek eerder op een maritieme vuilnisbelt dan op een huisadres. Reddingsgordels, touwen, ankers, gebroken masten. Verder naar achteren, naast een gebouw van twee verdiepingen met een golfplaten dak en een paar plantenpotten op de trap stond een vrouw in een lange werkjas in dozen te rommelen.

'Birthe?' vroeg Lund terwijl ze haar politiepasje tevoorschijn haalde.

Ze had schouderlang zwart haar dat ze uit haar wantrouwige gezicht veegde.

'Als u hier bent vanwege die gestolen spullen bent u te laat.'

'Daar kom ik niet voor. U hebt Monika Hjelby gekend. De moeder van Louise. We onderzoeken de dood van dat meisje.'

'Daar is het ook te laat voor.' Ze knikte naar de trap. 'Ik heb dat appartement daar tien jaar lang aan Monika verhuurd. Ze is nu allang weg.'

'Maar toch,' zei Lund. 'Kunnen we even praten?'

Binnen was het netjes, schoon, opgeruimd. De twee vrouwen hadden elkaar ontmoet in het café waar Monika werkte.

'Ze was zwanger. Een beetje deftig. Geen geld. Ze zei dat ze onderdak zocht voor een paar maanden. Daarna zou de vader terugkomen. Maar...'

Birthe zuchtte.

'Mannen,' mompelde ze. 'Dus Monika bleef.'

'U hebt de vader van Louise nooit ontmoet?'

'Ze vertelde vaak over een of andere vent. Hij is nooit opgedoken. Ze dacht dat hij geld had. Hij zou heel bijzonder zijn.'

'In welk opzicht?'

'Dat weet ik niet. Ze deed altijd nogal geheimzinnig als je ernaar vroeg. Ik wil het je wel vertellen maar dan moet ik je vermoorden, dat soort praatjes.' Ze lachte. 'Ik mocht Monika, maar werkelijk...' Ze wees met haar vinger op haar hoofd. 'Ze leefde grotendeels in haar eigen droomwereldje.'

Lund wilde duidelijkheid.

'Dus er is nooit een man langs geweest?'

'Niet toen ze nog leefde. Een paar jaar geleden is er een of andere vent aan de deur geweest. Zei dat hij een oude vriend was. Wilde haar spreken.'

'En?'

Een schouderophaal.

'Ik zei tegen hem dat hij op het Amager-kerkhof moest zijn.'

'En Louise?'

'Hij wist niet dat ze een dochter had. Leek me een grote verrassing. Tegen die tijd zat ze al in een kindertehuis.'

Lund vroeg hoe hij eruitzag. De vrouw fronste haar wenkbrauwen.

'Gewoon. Ik weet het niet echt meer. Hij wist in ieder geval niet dat Monika een kind had. Daarna heb ik hem nooit meer gezien. Heb er verder niet meer zo bij stilgestaan.'

Telefoon. Lund nam op en een dringende stem zei: 'U spreekt met de verloskundige van Eva Lauersen. Ik moet uw zoon spreken.'

Birthe begon verveeld te kijken.

'Het komt nu niet goed uit,' zei Lund.

'Eva is gisteravond binnengebracht met ernstige buikpijn. Het is mogelijk dat de baby te vroeg geboren wordt.'

Ze liep naar het raam.

'Is het ernstig?'

'We moeten echt met Mark spreken.'

'Ik zal proberen hem te bereiken.'

Grijs water. Doods land.

Toen ze zich omdraaide was de vrouw naar de trap teruggelopen, waar ze weer in de dozen rommelde. Op zoek naar iets van waarde tussen de rotzooi.

Op weg naar de auto vroeg Lund: 'Weet u in welk kindertehuis Louise was geplaatst?'

Birthe hield even stil.

'Het was niet van de gemeente. Dat weet ik wel. Die waren allemaal vol. Toen Monika wist dat ze stervende was heeft ze hulp gezocht bij een liefdadigheidsinstelling.'

Sleutels. Telefoon. Ze vroeg zich af waar Mark was gebleven.

'Welke instelling?'

'Ze wilde het beste voor Louise. Ik heb haar geholpen met het schrijven van talloze aanvragen.' De vrouw keek afkeurend. 'Waarom noem ik het zo? Bedelbrieven, dat waren het. Van een stervende moeder die het beste met haar kind voorhad.'

Haar verwrongen hand trok aan een stuk gaas. Ze gooide het opzij.

'Een van hen was geïnteresseerd. Zeeland. Monika was dolblij. Ze waren kennelijk erg gesteld op alleenstaande moeders.'

Lund kwam terug.

'Zeeland? Weet u het zeker?'

'Ja. Ze hebben immers geld genoeg. Maar ik heb nog steeds medelijden met dat arme stel. Dat meisje van hen... Ze helpen al die kinderen en dan krijgen ze dit soort ellende over zich heen.'

'Waar stond dat tehuis?'

Ze dacht even na.

'Ergens in Jutland. Dacht ik.'

Op de terugweg van het zoveelste debat zette Karen Nebel de tv in de auto aan. Het interview was niet slecht verlopen. Ussing bleef maar hameren op hetzelfde, over verborgen agenda's en doofpotaffaires. Maar hij had geen concrete informatie en dat wist hij zelf ook. Als iemand als winnaar van het debat kon worden aangewezen was het Hartmann wel.

'Ik heb contact gehad met Zeeland terwijl jij in de uitzending zat,' zei ze. 'Ze steunen ons nog steeds. De peilingen zien er goed uit voor ons. Je hoeft niet somber te zijn.'

Een avond in Kopenhagen. Verkeer. Mensen die door de regen ploeterden.

'Is dat alles wat telt? Peilingen?'

'Nee,' antwoordde ze, terwijl ze probeerde niet boos te worden. 'Overmorgen zijn er verkiezingen. In het weekend moet er een regering geformeerd worden. De kans om opnieuw te beginnen. Het publiek staat achter je. Zeeland. Je team...'

'Die tijd in Jutland... wist jij daarvan? Heeft Morten daar ooit iets over gezegd?'

'Godallemachtig... kunnen we dat nu achter ons laten? De politie begrijpt dat het niets is...'

'Wist je ervan?'

'Hij heeft er nooit iets over gezegd. Ik had geen idee dat Benjamin daar was. Hoezo?'

Hij zette de tv uit.

'Lund had gelijk. Hij was inderdaad veranderd. Ik weet niet waarom me dat nooit is opgevallen. Maar nu snap ik het.'

'Dat noem je wijsheid achteraf, Troels. Er is niets geheimzinnigs aan. Laat je niks wijsmaken door die vrouw. Morten heeft een verklaring afgelegd. Je hoeft je nergens zorgen om te maken.'

Een droog lachje.

'Dit is politiek, Karen. Er speelt altijd wel iets op de achtergrond. We zien het alleen nog niet.'

Tien minuten later. Een receptie in een van de gemeentehuizen. Een strijkkwartet speelde, obers met champagne en canapés. Geldschieters die bedankt moesten worden. Supporters om te begroeten.

Het eerste gezicht dat hij zag toen hij naar binnen stapte: Weber in een smoking, zwarte vlinderdas, warrig haar. Hij leidde hem naar de rij met gasten.

Geklets. Een toespraak uit de losse pols. Dat ging hem tegenwoordig erg gemakkelijk af.

Toen trok Weber hem in een hoek, hief zijn glas.

'Ik heb je op tv gezien met Ussing. Je hebt de vloer met hem aangeveegd.'

'Vergeet het maar.'

Weber merkte dat er iets was, zweeg.

'Wat ik bedoelde: laten we die ruzie van gisteravond maar vergeten,' legde Hartmann uit. 'Onze botsing. De reden ervoor. Zo doe jij dat toch? Gisteren van je afzetten, alleen nadenken over vandaag en daarna over morgen.'

'Lijkt goed te werken.'

Ze waren alleen. Niemand kon meeluisteren.

'Wat is er echt gebeurd in Jutland?' vroeg Hartmann.

Weber weifelde.

'Dat hebben we toch al genoeg besproken?'

'Nee. Er was iets veranderd. Benjamin gedroeg zich anders. Ik zou graag willen weten hoe dat kwam.'

Er liep een ober langs. Weber pakte een nieuw glas.

'Laat het rusten, oké?'

Hartmann boog zich voorover, staarde hem aan.

'Wat is er gebeurd, verdomme? Ik wil het weten.'

Weber keek om zich heen, nam hem mee naar de lobby.

Er was niemand. Alleen glanzend marmer en de dode gezichten van verheven standbeelden.

'Hij belde me op vanaf het busstation. Hij was behoorlijk overstuur.'

'Bedoel je dat hij het meisje had gezien?'

'Vergeet dat meisje. Benjamin was in alle staten. Hij had rondgereden om foto's te maken voor een van die stomme websites. Ze wilden dat hij moeilijkheden zou maken waar de pers bij was.'

'Nee,' hield Hartmann vol. 'Zo was hij niet.'

Weber knikte.

'Dat klopt. En daarom voelde hij zich zo rot dat hij het toch bijna had gedaan. Het was niet zijn schuld. Hij had rondgehangen bij al die krankzinnige lui en hun propaganda als zoete koek geslikt. Over hoe wij ons kruiperig gedroegen tegenover de grote bedrijven door een akkoord te sluiten met Zeeland. Ik had het daar eerder met hem over gehad. Ik heb tegen hem gezegd dat het lariekoek was…'

'Jij?' Hartmann wees beschuldigend naar hem. 'Hij was mijn broer. Hij had dat gesprek met mij moeten hebben.'

'Ach, ja. Jij was er niet. En ik wilde dat jij je op de campagne bleef richten. Hij had de zaak voor ons kunnen verpesten. We hadden zo hard gewerkt voor die verkiezingen, ik wilde niet dat Benjamin roet in het eten gooide.'

'Wat heb je toen gedaan?'

'Ik zei dat hij zijn kop dicht moest houden en heb hem terug naar Kopenhagen gereden. Hij was hysterisch. Hij ging maar door over hoe ze naar de pers wilden stappen met dat verhaal dat hij ze had gegeven. Echt, hij was zo gek als een…'

Het gebeurde in een flits. Hartmann sloeg hem hard in het gezicht, boog zich over hem heen, zei: 'Vertel me wat hij heeft gezien.'

Weber deed nog geen stap achteruit. Een kwart eeuw van vriendschap, van onderlinge strijd. Op dat moment leek dat allemaal ver weg.

'Hij dacht dat Zeeland Karen in de zak had. Ze organiseerde vergaderingen achter je rug om. Ze maakte afspraken…'

'Wat voor vergaderingen?'

Weber haalde zijn schouders op.

'Ik hoorde er niet bij. Mij moet je dat niet vragen. Benjamin zei dat iemand van het hoofdkwartier van Zeeland met haar was komen praten. Hij zag ze samen. Hij wist niet voor wie hij banger was. Voor die idioten van de website die dat verhaal de wereld in wilden brengen. Of voor jou als je erachter zou komen dat hij ons had bespioneerd. Toen heb ik hem maar naar huis gebracht en tegen hem gezegd dat hij zich koest moest houden en alles moest vergeten.'

'Is dat alles?' fluisterde Hartmann.

Hij zag haar staan in de hal. Glimlachend, iedereen vriendelijk begroetend.

'Dat… is alles.' Weber stak een vinger op. 'Afgezien van één ding.'

Hartmann wachtte.

'Het was een week voor de verkiezingen en toen we naar Jutland gingen waren we bijna door ons budget heen. Toen ik terugkwam op kantoor stond er geld op de bank.'

Het kostte anderhalf uur om het geld bij elkaar te krijgen. Zeuthen wachtte in zijn kantoor. Reinhardt liet weten dat hij Kornerup ervan had kunnen overtuigen zich een tijdje op de achtergrond te houden wat betreft bedrijfskwesties. Toen belde hij Maja, lichtte haar in. Ze kwam meteen en wilde de zeiler spreken.

'Dat heeft geen zin,' zei Zeuthen. 'Hij wil pas iets zeggen als hij geld heeft gekregen.'

'Wat is het voor iemand?'

'We denken dat hij haar heeft gezien,' zei Zeuthen. 'Zijn beschrijving…'

Het hoofd van de beveiliging stapte naar binnen, keek hem niet aan, zei: 'De politie is hier om de getuige te verhoren.'

Asbjørn Juncker stond achter hem.

'Ik heb ze niet gebeld!' riep Zeuthen.

De man verroerde zich niet.

'Het spijt me, meneer. Ik had geen keus.'

'We zijn hier om u te helpen Emilie terug te vinden,' zei Juncker. 'U moet zelf weten wat u met uw geld doet. We kunnen zijn verhaal verifiëren…'

'Hij beschreef haar blonde haar, blauwe regenjas… Hij wist…'

Juncker haalde diep adem.

'Hij kan haar niet in een blauwe regenjas hebben gezien. We hebben die kleren gevonden op de plek waar hij haar had vastgehouden. Ik zag haar bij het raam toen hij haar uit die fabriek bij de haven meenam. Zaterdag. Dezelfde dag. Ze droeg iets donkers.'

Zeuthen vloekte, rende de gang door. Ging het kamertje binnen. Leeg.

Juncker liep naar de receptionist. De zeiler had gevraagd hoe hij in het souterrain kon komen.

'Hij zei dat hij iets uit zijn auto moest halen,' legde ze uit. 'Ik zag dat hij de computer gebruikte. Was dat goed?'

Juncker inspecteerde de stoel. Een paar bloedspetters.

Hij keek naar de beveiligingsman en zei: 'Sluit het gebouw af.'

Naar de liften: Zeuthen, Maja en Juncker samen.

Het leek een eeuwigheid te duren voordat ze beneden waren. Een kale parkeergarage, half gevuld met glanzende auto's, de meeste zwart.

Juncker rende, pistool in de ene hand, telefoon in de andere, en probeerde Brix te bereiken.

Maja bleef staan en staarde naar Zeuthen, die de rijen auto's afspeurde.

'Waarom is hij hier, Robert? Wat wil hij?'

'Dat weet ik niet…'

Alles leek leeg. Hij was weer ontsnapt.

Met haar armen over elkaar leunde ze tegen een pilaar, keek hem aan.

'Ik weet het niet!' zei Zeuthen nogmaals, half schreeuwend.

Vijfhonderd meter verderop drukte Lund op de deurbel van een laag gebouw aan de waterkant. Vreemde plek. Half kantoor, half woonhuis, zo te zien. Keurig bijgehouden bloemen en struiken bij de voordeur. Computers en een groot bureau in een kamer aan de achterkant. En slechts een paar stappen verderop de haven, een korte steiger, zwart water, golven rimpelend in het maanlicht.

Eindelijk werd er gereageerd. De lange, rijzige gestalte van Niels Reinhardt kwam aan de deur. Hij leek verbaasd haar te zien.

'Je secretaresse zei dat je hier was.'

'Meestal wel. Wat wil je nu nog meer, Lund? We hebben je alle persoonlijke dossiers gestuurd die we konden vinden.'

Ze keek achter hem. Wachtte. Een beleefde man.

'Kom binnen,' zei Reinhardt. Hij hield de deur open. 'Maar houd het alsjeblieft kort. Ik moet naar Kastrup.'

Het was niet wat ze had verwacht. Moderner. Stijlvoller. Reinhardt zag eruit als een sympathieke, oudere oom. Maar er hingen abstracte schilderijen aan de muren, er stonden houten standbeeldjes die zo te zien uit Afrika kwamen. Een persoonlijk tintje dat niet helemaal leek te passen.

Ze vroeg zich af hoe oud hij was. Zestig? Vijfenzestig? Niet zo oud als ze eerst had gedacht. En hij bewoog zich gemakkelijk, soepel.

'Het gaat over het kinderfonds van Zeeland. Ik heb begrepen dat jij daarbij betrokken bent...'

Hij liep zijn kantoor in, deed nog enkele lampen aan.

'Het fonds? Waarom wil je daar iets over weten?'

'Het is waarschijnlijk een doodlopend spoor. Ik wil het kunnen uitsluiten.'

Hij bleef haar even aankijken, trok toen een dossierkast open en haalde er een paar brochures uit.

'Roberts vader was een goed christen. Hij geloofde in liefdadigheid, het helpen van de zwakken. Zeeland heeft een maatschappelijk verantwoord beleidsprogramma opgezet voordat dergelijke zaken in de mode kwamen.'

Hij spreidde de brochures uit in zijn hand.

'We hebben klinieken en tehuizen voor kinderen. In Denemarken, uiteraard. Maar ook in Afrika, het Midden-Oosten, Azië. Een hele investering. De afgelopen tijd hebben we er een beetje op moeten bezuinigen, maar...'

Ze bleven staan bij een groot raam met uitzicht op de steiger en de zee erachter.

'Waarom is dit van belang?'

'Louise Hjelby heeft een tijdje in een van jullie tehuizen gezeten. Het heette Majgården.'

Hij knikte.

'Ik kan me die naam herinneren.'

'Het is drieënhalf jaar geleden gesloten. Er zijn geen gegevens bewaard gebleven.'

Reinhardt fronste zijn wenkbrauwen.

'Zoals ik al zei, het zijn moeilijke tijden. Ik vrees dat we hier geen dossiers bewaren. U moet me nu echt excuseren. Robert wil dat ik naar Sint Peters-burg vlieg. Er ligt daar een schip...'

Hij pakte zijn aktetas.

'Emilie is ontvoerd door de vader van Louise. Om de een of andere reden wist hij niet dat hij een dochter had. Ik denk dat hij naar het tehuis is gegaan om haar te zoeken. Daarna...'

Reinhardt luisterde, leek geïnteresseerd.

'Hoe kan ik helpen?'

'Misschien is er iemand met wie hij heeft gepraat. Bij wie hij zijn naam heeft achtergelaten.'

Hij schudde zijn grijze hoofd.

'Ik moet dit tot de bodem uitzoeken als ik Emilie wil vinden. Een contact-persoon voor Majgården...'

'Ik zal kijken of ik iets kan vinden in de kamer van de secretaresse. Wacht u hier maar even.'

Toen hij weg was begon ze rond te snuffelen.

Op het bureau nog meer houten beeldjes uit Afrika. Op het dressoir erach-ter een rij souvenirs. Chinees. Indiaas.

En foto's. Daar moest ze altijd naar kijken.

Er stonden er zes op een rij. Ze boog zich voorover.

De telefoon ging.

'Met Borch.'

Op de eerste foto stond een groep kinderen. Voornamelijk meisjes. Zwart. In Afrika, zo te zien aan de droge struiken op de achtergrond. Acht kinderen, lachend naar de camera. Reinhardt stond in het midden, zijn armen stevig om twee van hen geslagen. Lachend zoals ze hem niet eerder had zien lachen.

'Er is een reden waarom je die auto niet kon vinden, Sarah.'

'En dat is?'

De tweede foto. Meisjes uit India. Reinhardt ertussen. Een van de kinderen zat bij hem op schoot.

'De nummers zijn opgeschreven door een kind van zeven. Hij heeft een fout gemaakt.'

Volgende foto. Deze had een onderschrift: GUATEMALA. Kinderen in in-heemse kleding. Een jong meisje achter Reinhardt, haar armen om zijn hals geslagen.

'Hij heeft de eerste letter omgedraaid. Hij schreef een Z terwijl hij een S be-doelde. Daarom zaten we achter een vrouw aan die nooit in Jutland was ge-weest.'

Elke foto leek onschuldig. Gewoon een aardige oude man met wezen in een kindertehuis dat werd gefinancierd door zijn bedrijf. Ze zagen er alle-maal gelukkig uit. Geen tekenen van vrees. Angst. Zorgen.

'Het zit zo.' Een stilte. 'Als je de letter vervangt door de goede, krijg je een auto van Zeeland. Het is niet moeilijk. Als ik dit kan zien, kan onze man dat ongetwijfeld ook.'

Vierde foto. Denemarken. Een bord: MAJGÅRDEN. Een groep meisjes, geen van hen ouder dan twaalf. Blauw-witte schortjurkjes. Knappe gezichtjes. Niet zo blij. Maar het was een koude, grijze dag en de enige die glimlachte was de lange, grijsharige man achter de kinderen, zijn hand op de schouder van een jong meisje.

Bezitterig. Dat was het juiste woord. Lund keek nauwkeuriger. Het was niet Louise. Zij stond twee plekken verderop, niet glimlachend, donkerharig, duistere blik. Alsof ze het al wist.

'Ik heb het nummer gecontroleerd,' ging Borch verder. 'Het is...'

'Niels Reinhardt,' viel ze hem in de rede.

Lund pakte de foto, hield hem vast, probeerde na te denken.

'Hij heeft zich al die tijd achter Robert Zeuthen verscholen,' zei Borch.

Een geluid achter haar. Lund zette de foto terug op de plank.

Daar stond hij. Hij keek haar recht aan. Zwart pak, zwarte das. Geen glimlach. Ze was geen kind.

Een briefje in zijn hand.

'Ik heb een naam en een telefoonnummer voor je.'

Borch vroeg in haar oor waar ze was. Ze verbrak de verbinding.

'Het hoofd van het secretariaat van het fonds,' voegde Reinhardt eraan toe. 'Misschien kan zij helpen. Dat kan ik niet garanderen, vrees ik.'

Ze nam het papiertje aan.

'Nu moet ik echt gaan,' zei hij.

Een routinehandeling. Hij liep naar de wand, schakelde een of ander beveiligingssysteem in.

'Je wist van Majgården,' zei ze. 'Je bent daar geweest.'

Hij pakte zijn aktetas op.

'Ik ben de voorzitter van het fonds. Ik heb niet veel tijd. Maar ik probeer altijd zo veel mogelijk mijn gezicht te laten zien.'

Ze pakte de foto weer op, wees naar Louise Hjelby.

'Kende je dit meisje?'

'Nee. Ik ben in heel veel tehuizen geweest. Wie is het?'

'Zij is...'

Een sirene overstemde haar woorden. Het geloei van een inbraakalarm. Reinhardt keek meteen naar het paneeltje aan de wand. Er knipperde een rood lampje.

'Het spijt me,' zei hij. 'Het systeem in het souterrain werkt soms niet goed. Er moet een raam openstaan.'

'Blijf hier,' verordonneerde Lund. Ze opende haar jas, pakte haar pistool.

Vier stappen naar het raam. De lichten gingen uit. Allemaal. Ze had haar zaklamp in de hand, liet haar ogen wennen aan de duisternis. Het zwarte water golfde zachtjes achter het raam.

Lund keek. Hoorde iets. Liep naar voren, de trap af, naar de schaduwen beneden.

Hartmann verliet de receptie met Karen Nebel. Ze was ingelicht door Brix. De kidnapper was het Zeeland-gebouw binnengedrongen, had geld geëist en was toen verdwenen.

'Opnieuw?' vroeg hij.

'We hebben dadelijk een vergadering met de Landbouwbond. De stemmen uit die sector blijven een beetje achter. Het is misschien slim...'

'Ik wil niet over paardenstront praten als het leven van Emilie Zeuthen op het spel staat.' Hij keek uit het raam. Ze naderden een modern hotel. Het leek precies op de andere plekken waar ze campagne hadden gevoerd. 'Deze verkiezingen hangen af van dat meisje. Niet van de Landbouwbond. Zeg tegen Mogens Rank dat hij me moet bijpraten.'

'Daar heb je Mogens niet voor nodig. De man heeft tegen Zeuthen gezegd dat hij een getuige was. Zei dat hij Emilie had gezien. Hij heeft iets op de computer opgezocht en toen was hij weg.'

Hartmann keek haar verbijsterd aan.

'Waarom is hij naar Zeeland gegaan?'

'Dat... dat weet ik niet.'

Haar telefoon ging. Het was Weber, las ze op het schermpje. Hartmann zag het en zei dat ze niet hoefde op te nemen.

'Is alles weer goed tussen jullie? Lijkt er niet op.'

'Laat een nieuwe peilingronde organiseren.' Een stilte. 'Als we daar geld voor hebben.'

'Dat hebben we. Heeft Morten iets over Benjamin gezegd?'

Hartmann keek haar aan.

'Hij zei dat hij iets had gezien.'

'Waar?'

'In Jutland. Waar anders?'

Ze schudde haar hoofd.

'Wat heeft hij gezien?'

'Dat doet er nu niet toe. Bel Mogens. Ik wil weten wat er bij Zeeland aan de hand is.'

Lund liep rond in het souterrain, zag niets dan een open raam. Kreeg een telefoontje. Brix.

'We zijn bij Zeeland. Jij moet ook komen.'

'Ik ben op het terrein. Het huis van Reinhardt. Bij de steiger.'

'Onze man is in de kantoren geweest. Hij kan nog in het gebouw zijn. Hij zoekt iemand.'

'Ik ben bij Reinhardt. De lichten gingen uit. Het alarm…'

Er blafte een hond. Ze hoorde de geluiden van een team echoën in de verte. Garage, dacht ze. Ze zag het voor zich.

'Vertel het me later,' verordonneerde Brix.

'Borch heeft gebeld. Hij zei dat een van de kentekens fout was. Die jongen heeft zich vergist.'

'Borch zit niet meer op de zaak.'

'Luister…'

'Je hebt me voor gek gezet waar Hartmann bij was, Lund. Kom onmiddellijk hiernaartoe.'

Toen was hij weg.

Ze sloot het raam. Het alarm was al opgehouden. Ze liep de trap op en zei: 'Reinhardt. Je moet met me meekomen naar de kantoren.'

De kamer was leeg. Er lag een porseleinen beeldje in scherven op de grond. De grote glazen schuiframen die uitkwamen op het water stonden open.

Met haar zaklamp op de grond schijnend, pistool in de hand, liep ze naar buiten, speurend. Uiteindelijk vond ze een bloedspat bij de steiger. En nog een.

Ze pakte haar telefoon. Wilde net bellen toen ze het geluid van een enkele voetstap hoorde, het geluid van een pistool dat op scherp werd gezet. Ze voelde een stuk koud metaal in haar nek drukken.

'Leg neer, Lund,' zei een bekende stem. 'Dat ding heb je nu niet nodig.'

Brix bevond zich in de directiekantoren en schreeuwde weer eens tegen zijn team. Zeuthen en zijn vrouw liepen achter hem aan, voortdurend vittend.

Een beeld van de beveiligingscamera suggereerde dat de man het gebouw had verlaten via een dienstingang dicht bij het water. Meer hadden ze niet.

'Hij was op zoek naar iemand van uw personeel,' zei Brix. 'Dat hebben we nu al dagenlang gezegd…'

'En wij hebben jullie namen gegeven!' riep Zeuthen.

'Niet de juiste…'

Juncker vloog naar binnen, een paar vellen papier in zijn hand.

'We hebben iets gevonden op de pc die hij heeft gebruikt. Hij heeft de lijst met voertuigen bekeken, de kentekens. Het laatste wat hij heeft bekeken was…' Hij las op van het papier. 'ZE 23 574. Net als een van de kentekens in het schrift van dat jongetje. Met slechts één andere letter.'

Brix knipperde met zijn ogen, stelde Zeuthen een vraag hoewel hij het antwoord al wist.

'Er staan hier alleen maar initialen. Wie is NJR?'

'Niels Jon Reinhardt. Mijn assistent…'

'Waarom is hij op zoek naar Reinhardt?' vroeg Maja.

'Waar is hij?'

'Maakt zich gereed om op het vliegtuig te stappen,' zei Zeuthen. 'Hij heeft een huis op het terrein. Bij de oude steiger. Hij…'

Brix belde Lund.

Er werd niet opgenomen.

Dit was een soort gerechtigheid, dus hij wilde er een getuige bij. Had iemand nodig als getuige van de veroordeling, iemand die zag hoe het vonnis werd voltrokken.

Met haar handen op haar rug gebonden, haar pistool twee stappen van haar verwijderd, keek Lund toe, wrikkend aan de touwen.

Niels Reinhardt zat op zijn knieën op de steiger en kreeg kalme, weloverwogen klappen met een pistool van een stevig gebouwde man in een groen zeiljack.

'Wat wil je?' vroeg Reinhardt met schorre stem en toen bracht de man zijn arm omlaag en stompte hem in zijn gezicht. Reinhardt viel jammerend op het koude beton.

Het water glinsterde. Een oude meerpaal lag naast hem, met het touw losjes om de onderkant.

De man ging op zijn hurken zitten en zei op kalme, beheerste toon: 'Je hebt Louise bij de school gezien. Je ging naast haar rijden en stopte. Je vroeg of ze een lift wilde.'

Haar pistool lag niet zo ver weg. Als ze stilletjes die kant op kon schuiven, haar handen los wist te krijgen…

'Zie het voor je, Reinhardt,' zei hij. 'Beleef het opnieuw. Ze was moe van het lopen. Ze kende je van het tehuis. Dus zei ze ja. Je legde haar fiets in de kofferbak…'

'Ik weet niet waar je het over hebt…'

De arm haalde weer uit. Een klap en toen nog een.

'Was ze bang toen je een andere weg nam? Toen je haar in die werkplaats gooide?'

Lund rolde om, kreeg beter zicht, schreeuwde: 'Je weet niet of hij het was! Je hebt drie onschuldige zeelieden vermoord. Wil je nog een…'

Zijn gezicht draaide haar kant op. Bivakmuts, twee gaten voor de ogen, één voor de mond.

'Je kunt het niet zeker weten,' zei ze slapjes. 'Denk na.'

'Ik heb niks anders gedaan dan nadenken, Lund. Niks anders…'

Hij schopte Reinhardt in zijn buik. Wachtte tot het gekreun voorbij was.

'Toen heb je haar naar de haven gebracht. Haar in het water gesmeten. Als een stuk vuil.'

Hij liep naar Lund, vond een ketting, een brok beton.

Hij keek op haar neer, zei: 'Wat is gerechtigheid, Lund? Weet jij dat? Heb je ooit...'

'Het heeft niks te maken met het ontvoeren van een onschuldig meisje,' onderbrak ze hem. 'Of het doden van iemand...'

Het touw zat al wat losser. Ze zat nu dichter bij het pistool.

'Dat weet je niet zeker!'

Hij liep weg van de ketting en het beton. Gooide iets voor haar op de grond. De foto. Majgården. Louise Hjelby die somber naar de camera keek. Reinhardt erachter. Alles onder controle. Triomfantelijk.

'Denk je dat zij de enige was? Waar is nu die gerechtigheid van je?'

Hij liep weer naar de neergeslagen man op de steiger en sleepte de ketting en de zware steen achter zich aan. Hij bond het rond de enkels van Reinhardt en begon weer tegen hem te tieren.

'Ging het zo?' wilde hij weten. 'Leefde ze nog toen je haar in de haven gooide?'

Een klap. Een trap. Hij zwaaide met het pistool.

'Geen antwoord?' Een bitter lachje. 'Dan ga jij op dezelfde manier. Stel je eens voor. Het water...'

Het blok zat nu vast. Toen hij eraan trok schoof Reinhardt mee, dichter naar de rand. Naar de koude zee en de vergetelheid.

'Stel...'

'Dit moet ophouden,' zei Lund. Iets in haar stem maakte dat hij naar haar keek.

Het had even geduurd, maar ze had het touw los kunnen wrikken. Het zat niet zo heel strak. Hij was gehaast te werk gegaan, onzorgvuldig. Nu stond ze op de smalle steiger, pistool in de hand, keek hem recht aan.

'Leg je wapen neer. Ga bij hem weg. Nu meteen...'

In het zwakke licht van de steiger zag ze de blik in zijn ogen: verrassing.

Hij kwam overeind, stond kaarsrecht als een soldaat. Liep door de schaduwen, weg van de bebloede Reinhardt.

'Blijf staan,' verordonneerde ze. 'In het licht.'

Hij stond nog net in de lichtkring.

'Handen op je hoofd. Op de knieën.'

Hij schudde zijn gemaskerde hoofd.

'Ach, Lund. Zo veel doelbewuste toewijding. En toch zo weinig aandacht voor de details.'

Het pistool trilde in haar handen. Ze deed een paar passen totdat ze tussen de man en de hijgende Reinhardt stond die plat op de grond lag.

Hij keek toe en zei toen: 'Ik heb het magazijn geleegd toen ik het wapen van je afpakte.'

De geur van scheepsolie en de oceaan. Een tot op het bot verkillende wind vanaf het water.

Zijn rechterhand ging naar zijn zak. De patronen vielen verspreid op het beton, rinkelend als speelgoedbelletjes.

Hij reikte naar zijn andere zak, pakte zijn pistool weer. Hield het op haar gericht.

'Ga opzij,' zei hij.

Lund haalde de trekker over. Een holle klik.

'Weg daar,' zei hij. 'Ik heb genoeg van je.'

Reinhardt lag te jammeren. Ze probeerde zich te concentreren. De juiste woorden te vinden.

Maar er was niets.

Slechts twee schoten vanuit het duister, een verscheurend geluid in de nacht.

Lund bleef staan. Stond te trillen op haar benen. Keek voor zich.

De man lag op de grond. Een andere gestalte achter hem. Ze kon nog net zien dat het Mathias Borch was.

'Reken jij hem in,' verordonneerde Lund. Ze rende naar de rand van de steiger en sleepte de bloedende Reinhardt weg van de rand.

Terwijl ze dat deed schoot haar iets te binnen. Kogelwerend vest.

Draaide zich om, zag twee benen omhoog trappen. Borch werd tegen zijn schenen geraakt.

Niet snel genoeg. De PET-man bewaarde zijn evenwicht, liet zijn pistool met kracht op de schedel van de man landen. Hield hem weer op de grond gedrukt, knieën op zijn borst, uithalend met zijn rechterarm.

'Dood hem niet,' schreeuwde ze.

Ze rende ernaartoe, schreeuwde de woorden nogmaals, pakte Borchs hand net voordat hij wilde toeslaan.

Pakte het pistool af.

Er stak iets glimmends boven zijn groene jas uit. Kunststof. Een soort militair vest.

'Sta op, Mathias,' zei ze en ze hielp hem overeind.

Buiten adem, sprakeloos stond hij daar, met bebloede knokkels van het stompen.

Sarah Lund boog zich voorover, trok de zwarte bivakmuts weg waar ze nu al een week achteraan hadden gejaagd.

Een gewoon gezicht. Bebloed. Ogen dicht. Een doorsneetype, alsof hij sliep. Geen idee wat zich in zijn hoofd had afgespeeld.

De Landbouwbond was saai. Toen het nieuws van een arrestatie bekend werd, rondde Hartmann de bijeenkomst af en ging terug naar Christiansborg, waar Mogens Rank op hem wachtte. Hij zag er opgewekt uit.

De kranten speculeerden over de uitkomst van de verkiezingen. Ussing, toch al geen populaire figuur bij vrouwelijke kiezers, verloor terrein. Als Emilie levend werd teruggevonden kon Hartmann een aardverschuiving verwachten, waarna hij zijn coalitiepartners voor het uitkiezen had.

'Wat zegt die man over het Zeuthen-meisje?' vroeg Hartmann terwijl hij met Rank het paleis betrad.

'Nog niets. Hij is tijdens zijn arrestatie neergeschoten.'

Hartmann keek verschrikt.

'Dat komt wel goed,' voegde Rank eraan toe. 'Hij droeg een of ander kogelwerend vest. Ze brengen hem vanuit het ziekenhuis naar de Politigården...'

'Ik wil alles weten. Wie hij is. Hoe hij is gearresteerd. Wat zijn motieven waren...'

Rank zweeg.

'Zijn er aanwijzingen?' vroeg Hartmann met opengesperde ogen.

'Hij heet Loke Rantzau. Drieënveertig. Hij heeft een tijdje bij een speciale marine-eenheid gediend. Daarna is hij privé als beveiligingsadviseur gaan werken. Zeeland heeft hem verschillende jaren ingehuurd als freelancer...'

'Waarom hebben ze zijn naam dan niet aan de politie doorgegeven?'

'Zoals ik al zei, hij was freelancer, hoorde niet tot het vaste personeel. Kennelijk lag het nogal... gevoelig. Hij was betrokken bij losgeldonderhandelingen tijdens verschillende kapingen in Somalië. Bij de laatste...' Rank deed de deur van Hartmanns kantoor open, keek om zich heen of er niemand meeluisterde. 'Hij werd zelf gegijzeld. Hans Zeuthen heeft de situatie persoonlijk afgehandeld, heb ik begrepen. Zelfs wij waren er niet bij betrokken.'

'Wil je zeggen dat er Deense burgers zijn gegijzeld zonder dat de regering ervan op de hoogte was?'

'Het is nog niet helemaal duidelijk, Troels. Ik ben er nog mee bezig. Rantzau was de vader van het vermoorde meisje uit Jutland. Hij is bijna vier jaar gevangengehouden voordat hij uit dat gat wist weg te komen. Toen hij terugkeerde in Denemarken...' Een schouderophaal. 'Het is geen fraai verhaal, hoe je het ook bekijkt.'

Weber kwam haastig binnenrennen vanuit het naastgelegen kantoor.

'Ik heb het net gehoord. Heeft hij iets gezegd? Wanneer vinden ze dat meisje?'

'Praat met Karen, niet met mij,' mompelde Hartmann. Hij liep zijn kamer in en smeet de deur achter zich dicht.

Mogens Rank schoof zijn das recht en duwde zijn bril omhoog.

'Ik had verwacht dat hij wel iets blijer zou zijn.'

Weber knikte, zei tegen hem dat hij kon gaan. Toen liep hij het kantoor van Hartmann binnen.

Hij zat aan de telefoon, sprak met iemand over de zaak-Zeuthen. Toen hij klaar was, zei Weber: 'Dit moet ophouden, Troels. Ik weet dat je niet kunt accepteren dat Benjamin zelfmoord heeft gepleegd, maar je hebt niet het recht om mij daarvan de schuld te geven. Ik heb geprobeerd hem te helpen. Meer dan jij weet.'

'Val dood! Hij had een zenuwinzinking. In plaats van mij toen daarover in te lichten heb je een of ander lariekoekverhaal verzonnen over Karen en Zeeland om je eigen hachje te redden.'

Weber zweeg even en zei toen: 'Ons hachje, Troels. Ons hachje.'

Een klop op de deur. Mogens Rank was niet vertrokken.

'Dit is vreselijk,' zei hij. 'Rantzau beweert dat Zeuthens persoonlijke assistent Reinhardt iets te maken had met de moord op dat meisje. Ik heb die man ontmoet. Ik heb met hem gegeten. Kennelijk heeft Rantzau hem bijna vermoord. Ik…'

'Was hij in Jutland?' vroeg Hartmann.

'Rantzau? Nou, we weten…'

'Nee!' schreeuwde Weber. 'Reinhardt!'

'Ik heb geen idee. Hoezo?'

Morten Weber ging zitten, zette zijn bril af, wreef in zijn ogen. Keek Hartmann niet aan. Keek naar niemand.

'Haal Karen er maar bij, Mogens,' zei hij. 'We moeten uitzoeken hoe we dit gaan aanpakken.'

Ze hielden hem vast in een beveiligde verhoorkamer met permanente bewaking. Geen ramen. Lund voor het verhoor, Borch bij haar. Op uitdrukkelijke wens van Brix. Zonder hem zou Lund dood zijn geweest, en Reinhardt ook.

Camera's. Brix keek toe vanaf de andere kant van het observatieraam.

Een paar details waren al duidelijk geworden, van de marine waar hij had gediend tot zijn dertigste, nadat hij was afgestudeerd in elektrotechniek aan de universiteit van Kopenhagen. En van de dossiers van Zeeland, al waren die niet volledig. Voor zover men had kunnen nagaan had Rantzau de laatste dertien jaar als freelance beveiligingsadviseur gewerkt. Een soort huurling, zelden in Denemarken. Hij had geen familie. Hij had geholpen bij het ontwikkelen en opzetten van Zeelands interne beveiligingsnetwerken. Had bewakingsteams opgeleid voor bedrijfsschepen die reisden langs gevaarlijke scheepsroutes. Had onderhandeld over losgeld met Somalische piraten. En hij was zelf gegijzeld.

Niet dat de meer recente details zeker waren. De man zelf zei niets.

'Heb je pijn?' vroeg Lund nadat alle andere vragen niets hadden opgeleverd. Het ziekenhuis had hem onderzocht. Blauwe plekken van de inslagen op het kogelwerend vest. Een snee in zijn been. Hij had tegen de verpleegster gezegd dat hij zich in Jutland had gesneden aan roestig metaal. Waarschijnlijk toen ze op hem had geschoten, vermoedde Lund. Een vleeswond in de schouder van Borchs pistool.

Geen antwoord.

'We komen er wel, Loke,' zei Borch. 'Volgens de gegevens van de marine spreek je vier talen vloeiend. Eén is nu voldoende.'

Hij legde een foto op tafel. Een jongere man, korter haar, geen lijnen in zijn gezicht. Een marine-uniform. Glimlachend.

'Hans Zeuthen heeft je gedumpt, nietwaar?' zei Lund. 'Je onderhandelde voor hem over losgeld. Somalië. Het liep verkeerd. De mannen werden vrijgelaten. Jij bleef.'

Hij ging rechtop zitten, stijf, als een soldaat, keek recht voor zich uit. Salueerde. Hield zijn mond dicht.

De deur ging open. Dyhring stapte naar binnen. Brix woedend achter hem aan.

'Ik heb hier geen toestemming voor gegeven,' klaagde de PET-man.

'Dat was niet nodig,' zei Brix. 'Hij is onze gevangene. En bovendien…' Hij knikte naar Borch. 'Je bent vertegenwoordigd.'

'Dit is een zaak van de PET,' schreeuwde Dyhring. 'Ik wil dat dit verhoor nu wordt beëindigd. Ik wil dat Borch hier weggaat. Ik wil…'

'Eruit,' zei Brix, met een duim naar de deur gebarend.

De ogen van de potige PET-man vernauwden zich.

'Meen je dat?'

'Zeker,' blafte Brix hem toe. 'Als je wilt kan ik het ministerie van Justitie laten weten dat jullie ons vanaf het begin van dit onderzoek hebben gehinderd.' Hij knikte naar de gewonde, zwijgende man achter de tafel. 'Wat de reden is dat hij Emilie Zeuthen nog steeds ergens verborgen houdt. Ik ga die taak niet aan jou overdragen…'

'Borch!' brieste Dyhring. 'Ga met me mee.'

'Hij hoort nu bij ons,' zei Brix. 'Als je hem wilt ontslaan, betaal ik zijn salaris wel. Welnu…'

Madsen stond bij de deur, klaar om in te grijpen als het nodig was.

'Robert Zeuthen is op weg hierheen om over zijn dochter te praten,' voegde Brix eraan toe. 'Ik wil niet dat jij de sfeer bederft.' Een knikje naar de stevig gebouwde rechercheur. 'Dyhring vertrekt nu, anders zetten we hem eruit.'

De PET-chef wierp één blik op de grijnzende rechercheur en verdween toen in de eindeloze gang.

Brix liep terug naar het observatievenster. Luisterde, keek toe, hield in de gaten of de camera's nog werkten.

Borch smeet containernummers op tafel. Vaarschema's. Foto's.

Rantzau bleef met een lege blik voor zich uit staren.

'Loke,' zei Lund. 'We moeten Emilie vinden. Hoe langer we bezig zijn haar te zoeken, hoe moeilijker het wordt om de man te pakken die jouw dochter heeft vermoord. Ik wil hem voor de rechter brengen. Ik wil hem de gevangenis in zien gaan. Dat wil jij toch ook?'

Er veranderde iets. Hij draaide zijn hoofd. Zijn donkere, gekwelde, intelligente ogen concentreerden zich op haar.

Geen woord. Slechts een uitdrukking van minachting.

Borch verloor zijn geduld, stortte zich op hem, vuisten in de lucht. Greep hem bij zijn nek. Dwong hem naar de foto's te kijken, de documenten.

'Welk schip is het, Loke? Welke container?'

'Hou op!' schreeuwde Lund en ze trok hem weg.

Mopperend ging Borch terug naar zijn stoel. Gedrieën zwegen ze. Toen zei ze: 'Ik weet wat ze heeft doorgemaakt, Loke. Ik weet dat je het voortdurend voor je ziet. Dag en nacht. Dat kan ik niet veranderen. Maar ik kan hem vinden. Ik zal…'

Hij keek haar recht aan. Bijna geamuseerd. Ze zweeg. Luisterde.

'Ze zullen je nooit laten begaan, Lund. Snap je dat niet? Je hebt er al voor gezorgd dat hij vrijuit kan gaan.'

'Wat als ik bewijs dat het Reinhardt was? Als hij wordt gearresteerd… aangeklaagd?'

Rantzau keek naar zijn hand, wreef over het bloed dat daar zat. Haalde zijn schouders op.

'Dan zul je moeten opschieten. De tijd dringt. Dat is altijd zo geweest. En het wordt elke minuut dringender.'

Hij zweeg.

'Wat bedoel je?' vroeg ze. 'Loke? Loke?'

Later, in een andere kamer, trof Lund Robert en Maja Zeuthen. Voor het eerst zag ze een glimp van hoop in hun ogen.

Daar werd ze niet vrolijk van.

'Hij is het,' zei ze. 'Hij beweert stellig dat Emilie nog leeft, maar hij wil niet zeggen waar ze is. We blijven met hem praten. Als ik hem ervan kan overtuigen dat we aan de zaak van zijn dochter werken…'

'Laat ons met hem praten,' smeekte Maja. 'Wij kunnen…'

Lund schudde haar hoofd.

'Dat zal niet helpen. Hij heeft kennelijk een reden om Zeeland te haten. Hij gelooft dat jullie de dood van zijn dochter in de doofpot hebben gestopt.' Ze keek Zeuthen aan terwijl ze sprak. 'Hij heeft voor jullie bedrijf gewerkt. Er waren onderhandelingen over losgeld in Somalië. Dat liep verkeerd af. Het gevolg was dat Rantzau daar zelf werd gegijzeld. Toen hij vrijkwam... toen kwam hij erachter wat er met zijn dochter was gebeurd.'

'Daar weten wij niets van,' zei Zeuthen. 'Waarom moet hij ons hebben?'

'Geloof me,' hield Lund vol, 'je kunt van hem geen medeleven verwachten. Dat heeft hij niet. We moeten ons nu richten op die assistent van je, Niels Reinhardt.'

'Reinhardt?' vroeg de moeder.

'Hij heeft het vermoorde meisje ontmoet. Zijn auto was in de buurt. Er zijn vragen die beantwoord moeten worden...'

Zeuthen begon kwaad te worden.

'Dit is belachelijk. Niels is al zolang ik me kan herinneren onderdeel van ons gezin. Jullie hebben die man. Het lijkt me toch...'

'Als we de moordenaar van zijn dochter vinden, komen we hopelijk ook te weten waar Emilie is voordat het te laat is.'

Stilte.

'Te laat?' Maja Zeuthen reageerde meteen. 'Wat bedoel je daarmee?'

'We hebben meer informatie nodig over jullie kindertehuizen...'

'Lund! Wat bedoel je met... te laat?'

Moe, verward. Stom. Zo voelde ze zich. Het was eruit geglipt, hoewel ze toch moesten horen hoe het zat.

'Rantzau zegt dat hij Emilie vier nachten geleden in Kopenhagen op een schip naar een verre bestemming heeft gezet. Hij wil niet zeggen waarheen.'

'En?' drong de vrouw aan.

'Hij beweert dat ze in een luchtdichte tank in een container zit. Hij heeft ons laten zien...'

Ze pakte haar notitieblok, sloeg de juiste pagina op.

'Het is een decompressietank voor duikers.'

Tekeningen van een metalen buis met een deur aan de zijkant.

'We zouden het weten als iets dergelijks aan boord was,' hield Zeuthen vol.

'Dit is wat hij beweert.'

'Hoe lang?' vroeg Maja Zeuthen.

'We weten niet zeker of het allemaal waar is...'

'Hoe lang?' herhaalde Zeuthen.

'Achtenveertig uur. Misschien minder. We hebben alle informatie nodig die je ons over die kindertehuizen kunt geven. Reinhardt is terug in zijn huis bij Zeeland. Hij is niet ernstig gewond. Hij had geluk...'

'Even voor de goede orde,' onderbrak Maja Zeuthen haar. 'Jullie denken dat Niels Reinhardt dat meisje heeft verkracht en vermoord? En als jullie dat kunnen bewijzen zal die Rantzau ons vertellen waar Emilie is?'

'Zo ongeveer wel,' zei Lund instemmend.

Mogens Rank trof Nebel in het kantoor. Met zijn vieren gingen ze zitten om naar zijn verslag van de zaak tot dusver te luisteren. Reinhardts connectie met het kindertehuis. Het feit dat zijn auto in de buurt was gezien.

'Is er nog iets anders dat hem met het meisje in verband brengt?' vroeg Weber.

'Het lijkt erop dat hij haar in ieder geval één keer heeft ontmoet. Er is een foto. Hij had de leiding over die organisatie voor kinderopvang. Dat is geen grote verrassing.'

Weber wilde meer weten.

'Bestaat de mogelijkheid… is er bewijs dat hij Peter Schultz onder druk heeft gezet om het onderzoek te staken?'

Rank schudde zijn hoofd.

'Wie zegt dat iemand van onze kant hem onder druk heeft gezet? Ussing had er alle reden voor. Hij had dat Hjelby-meisje in zijn campagne gebruikt. Hij is gefotografeerd…'

'Anders Ussing gaat vrijuit,' onderbrak Weber hem boos. 'Dat zegt de Politigården. Hij wist niet dat het meisje was vermoord. Schultz bewees iemand anders een dienst.'

Rank rolde met zijn ogen.

'Wij waren het niet! Als ik dacht dat het iemand van hier was zou ik het zeggen. Geloof me.'

Karen Nebel had al die tijd nog niets gezegd. Hartmann keek haar recht aan en zei: 'Tenzij er iets is wat we niet weten. Wat vind jij, Karen?'

'Waarvan?'

'Ken je Niels Reinhardt?' vroeg hij abrupt.

'Ik heb hem ontmoet. Wij allemaal. Hij was onze contactpersoon toen Hans Zeuthen nog leefde. En later ook voor zijn zoon.'

'Heb je hem die dag in Jutland ontmoet?'

Ze beantwoordde zijn blik.

'Het was verkiezingstijd. Ik heb zo veel mensen ontmoet. Ook enkelen van Zeeland. Als…'

'Beantwoord de vraag,' drong Weber aan. 'Heb je Reinhardt die dag in Jutland ontmoet?'

Ze legde haar pen neer, leunde achterover in de stoel, keek iedereen die om de tafel zat aan.

'Ja, dat klopt.'

'Waarom?' wilde Weber weten.

'Omdat de partij het nodig had. Omdat we geen keus hadden…'

Hartmann stond op, wees naar de kamer ernaast. Ging er zelf heen. Schonk zich een glas cognac in. Wachtte.

Een minuut later kwam ze binnen, ging tegenover hem zitten. Weber kwam achter haar aan, sloot de deur, bleef staan, luisterde.

'Is dit officieel, Troels?'

'Als dat zo was, zou Mogens erbij zijn. Moet ik hem roepen? Hij is tenslotte minister van Justitie.'

Ze schudde haar blonde haar.

'Nee. Ik heb Mogens niet nodig. Ik deed mijn werk. We stonden er slecht voor in de peilingen. Al dat gepraat over de crisis hielp niet. We hadden de steun van Zeeland nodig.'

'En?'

'Robert Zeuthen had de leiding van het bedrijf net overgenomen, na de dood van zijn vader. Hun CEO Kornerup probeerde het bedrijf onder zijn neus weg te kapen. Als hem dat was gelukt had Zeeland massaontslagen aangekondigd in de week van de verkiezingen.'

Ze pakte een glas, schonk een drankje in voor zichzelf.

'Reinhardt belde en vroeg of hij naar Jutland kon komen om te praten. Hij zei dat hij Kornerup op afstand kon houden en Roberts positie kon veiligstellen als wij hun een paar voordeeltjes beloofden. Een bevriezing van bepaalde belastingen. Birgit Eggert stemde in met dat idee. En jij ook, toen ze het aankaartte. We hebben het een dag later aangekondigd.'

'Benjamin heeft jullie gezien,' zei Weber.

'Nou en? Het was geen geheim. Het was niet illegaal. Zeeland is een van onze grootste bedrijven. Iedereen weet dat ze politici voor hun karretje proberen te spannen met gelobby...'

'Ik heb je nooit gevraagd dat te doen,' wierp Hartmann tegen.

'Ik val je niet lastig met elke afspraak die ik maak. We zaten midden in onze campagne.'

Weber knikte.

'En hij gaf je geld.'

'Zeeland heeft een politieke bijdrage geleverd, via de gebruikelijke kanalen. Het was niet zo dat hij me een zak geld overhandigde op een parkeerterrein.'

'Benjamin vond ook dat wij ons te veel gelegen lieten liggen aan de grote bedrijven,' zei Weber tegen haar. 'Toen hij jullie samen zag...'

'Dat is niet mijn fout, Morten. Ik heb niets verkeerds gedaan.'

Hij liep naar de tafel, pakte een glas, schonk een drankje in.

'Maar Reinhardt wel. Hij heeft dat kind later vermoord. Dat denkt Lund in ieder geval. Als dat waar blijkt te zijn, zal Ussing ons aan de schandpaal nagelen. Wie zal geloven dat we Schultz niet onder druk hebben gezet? We hadden het geld van Reinhardt op onze bankrekening staan.'

'Denk je dat ik Reinhardt heb geholpen een moord in de doofpot te stoppen?' schreeuwde ze. 'Alleen voor geld?'

'Je had ons kunnen vertellen dat je hem die dag had ontmoet,' zei Hartmann.

'Waarom? Dat is niet bij me opgekomen. Waarom zou ik een of andere vermoorde tiener in verband brengen met een oude vent van Zeeland? Ben ik soms helderziend?'

'Daar word je voor betaald,' klaagde Weber. 'Niet om...'

'Genoeg,' zei Hartmann.

Hoofd in zijn handen. Masseerde zijn voorhoofd. Hij keek naar het glas met cognac, nergens anders naar.

'Denk je echt dat ik iets te maken had met het verheimelijken van die moord, Troels?'

Ze wachtte. Hij keek haar niet aan. Gaf geen antwoord.

Nebel stond op, liep rechtstreeks de kamer uit.

Toen ze was vertrokken wendde Hartmann zich tot Weber.

'Ze moet een volledige verklaring afleggen bij de politie. Daarna moet je maar een plekje voor haar zoeken bij het secretariaat of zo. Ze kan kopiëren en zo...'

'We hebben Karen nodig,' viel Weber hem in de rede. 'Morgen is de laatste dag van de campagne. Je laatste debat. Ze heeft een heel groot netwerk...'

'Benjamin moet nog met iemand anders hebben gesproken. Niet alleen met jou.'

Weber zweeg.

'Vertel op, Morten.'

'Hij hing rond bij die protestvriendjes van hem. Daarom nam hij foto's. Ze waren bedoeld voor hun website.'

'Welke website?'

Weber keek afkeurend.

'Hij heet *Frontal*. Het gebruikelijke extremistische gelul over samenzweringen. Ze hebben het verhaal nooit geplaatst, ik heb ze in de gaten gehouden.'

Hij zweeg.

'En?'

'Hij zei dat er daar een meisje was. Hij mocht haar. Sally. Ik heb hem geld aangeboden zodat hij haar mee op vakantie kon nemen, maar... dan was ik weer de kapitalistische smeerlap die hem probeerde om te kopen.'

'Spoor haar op,' beval Hartmann.

Niels Reinhardt was ontslagen uit het ziekenhuis. Hoofdletsel. Verwondingen in zijn gezicht. Gekneusde ribben. Lund en Borch waren in zijn huis bij het water aan de rand van het Zeeland-terrein en keken toe hoe geüniformeerde agenten en de technische recherche aan een onderzoek begonnen.

'Mijn telefoon gaat,' zei Reinhardt. 'Het zal mijn vrouw zijn. Ze komt vandaag terug uit Frankrijk. Mag ik opnemen…'

'Dat kan later,' zei Lund tegen hem. 'In je agenda staat dat je in Jutland was op de dag dat Louise Hjelby verdween.'

Borch legde de agenda op het bureau.

'Weet je nog of je in Gudbjerghavn bent gestopt?' vroeg ze.

'Ik dacht het niet. We hadden de haven daar een jaar daarvoor gesloten.'

'Waar ging je naartoe?'

'Naar Esbjerg. Ik had vroeg in de ochtend een paar vergaderingen.'

'Met wie?' wilde Borch weten.

'Politici. Het was tijdens de verkiezingen. We waren flink aan het lobbyen bij iedereen om te peilen hoe het nu echt zat met hun steun voor het bedrijfsleven. Ik heb iemand uit het kamp van Hartmann ontmoet. En ook iemand van Ussing.'

Hij worstelde met het knopen van zijn das. Liet het zitten. Het deed te veel pijn.

'Wat mensen privé zeggen is soms anders dan hun uitspraken in het openbaar. We zaten economisch gezien in zwaar weer. We probeerden een manier te vinden om het bedrijf te helpen… Denemarken door de crisis heen te helpen.'

'Herinner je je dat nog?' vroeg Borch. 'Twee jaar later?'

'Ja, inderdaad. Roberts vader was kort daarvoor gestorven. Als gevolg daarvan verkeerde het hele bedrijf in een staat van beroering. En 21 april was de zestigste verjaardag van mijn vrouw. Ik moest een groot feest organiseren.'

Lund keek in de agenda. De dag erna was leeg.

'Dus na die gesprekken heb je Jutland verlaten?'

'Nee. Ik voelde me niet goed. Mijn vrouw stond erop dat ik in een hotel zou blijven. Ik ben daar halverwege de middag naartoe gegaan en ben er niet weggeweest.'

Borch vroeg de naam van het hotel. Reinhardt schudde zijn hoofd, gaf hem de naam van zijn secretaresse, zei dat die het wel zou weten.

'Je had toegang tot de dossiers van de opvanghuizen,' zei Lund. 'Je kende het adres van Louise Hjelby in Gudbjerghavn. Je had haar ontmoet in het kindertehuis…'

'Ik wist niet dat zij het meisje was over wie je sprak.' Hij gebaarde naar de foto's op de plank. 'Zou ik een foto van haar in mijn woonkamer zetten als ik iets te verbergen had?'

Ze keek naar de fotolijstjes die naast elkaar stonden.

'Mogelijk, als je een trofee wilde. Een souvenir.'

Reinhardt vloekte zachtjes.

'Dus niemand kan bevestigen wat je na die bijeenkomsten vroeg in de ochtend in Esbjerg hebt gedaan?'

'Als jij het zegt…'

Borch wapperde met telefoongegevens.

'En je mobiele telefoon is vanaf twee uur in de middag uitgezet. Op twaalf kilometer afstand van het huis van Louise. En hij ging pas weer aan toen je de volgende dag in Kopenhagen was?'

'De batterij moet leeg geweest zijn! Dit is absurd. Ik ben vierenzestig jaar oud. Zie ik eruit als iemand die jonge meisjes verkracht en vermoordt?' Zijn stem brak. Hij leek elk moment in huilen te kunnen uitbarsten. 'Ik kan niet geloven dat jullie denken dat ik zoiets zou kunnen doen.'

Borch vertelde hem dat ze DNA en vingerafdrukken nodig hadden. Reinhardts auto werd naar de garage van de Politigården gebracht.

'Ik wil je paspoort,' voegde Lund eraan toe. 'Je mag Kopenhagen niet verlaten zonder onze toestemming. Als je een van die voorwaarden schendt, arresteren we je.'

Haar telefoon ging over. Lund liep naar de brede, dubbele schuifpui om op te nemen. De kleine steiger waar zij en Reinhardt bijna waren gedood baadde nu in het licht, als een kleine pier aan zee.

Het was het ziekenhuis. Ze vroegen opnieuw naar Mark. Eva was ziek, had steun nodig, extra kleding. Ze belde hem, kreeg zijn voicemail, sprak nogmaals een bericht in.

Borch luisterde weer naar het geklaag van Juncker, die vroeg waarom ze Reinhardts huis doorzochten in plaats van Emilie Zeuthen te zoeken.

Toen ze het gesprek had beëindigd, vroeg hij wat er aan de hand was.

'We moeten Reinhardts huis in Frankrijk doorzoeken,' zei ze. 'En eventuele andere onderkomens. Als hij Louise heeft vermoord moet hij ook andere kinderen in die tehuizen hebben misbruikt. Misschien was hij niet de enige.'

'Laat het aan ons over, Sarah,' zei hij. 'Ga Mark zoeken.'

'Hebben we al geprobeerd die Rantzau een flink pak rammel te geven?' vroeg Juncker.

'Er is hier werk te doen!' betoogde ze.

'Ja. En dat doen wij wel,' antwoordde Borch. 'Neem even vrij.'

Maja zat boven in Drekar aan de telefoon. Ze moest haar paspoort hebben, wilde zelf in het buitenland gaan zoeken. Toen dook Kornerup op. Vol zelfvertrouwen. Nog net geen zelfvoldane grijns op zijn gezicht. Maar het scheelde niet veel.

Zeuthen stond voor hem onder aan de imposante trap.

'Wat doe jij hier? Ik wil je niet in mijn huis hebben.'

'Het spijt me, Robert. Ik begrijp het volledig. Maar we moeten praten over de interesse van de politie in Reinhardt.'

Zeuthen kreunde.

'Het is belachelijk. Ze hebben er weer een rommeltje van gemaakt. Niels werkt al zo lang voor ons. Ik wil…'

'Het gaat niet alleen om Reinhardt. Het is algemeen bekend dat die organisatie voor kinderopvang nauw verbonden is met Zeeland. Als de media lucht krijgen van het verhaal...'

'Ze zeiden dat die Rantzau voor ons werkte,' onderbrak Zeuthen hem. 'Kende Niels hem?'

Geen woord.

'Kende jij hem?'

'Ik wil dat onze beste advocaten Reinhardt bijstaan. Hij is onschuldig. Hij heeft er recht op.'

'Je hebt mijn vraag niet beantwoord.'

'Nee, dat klopt.'

'Nou?'

Kornerup trok een gezicht, keek naar de studeerkamer. De twee mannen liepen erheen en gingen zitten.

'Je vader handelde losgeldeisen persoonlijk af. We deden alleen maar wat ons werd opgedragen.'

'En dat was?'

'We voerden geen directe onderhandelingen. We gebruikten tussenpersonen. Kennelijk was Loke Rantzau daar een van. Ik wist dat niet. Ik weet zeker dat Reinhardt ook geen idee had. Die man kwam nauwelijks in onze boeken voor.'

'Hij is gevangengenomen. Wij deden niets.'

Kornerup keek bedenkelijk.

'Het is gevaarlijk werk. Ik heb begrepen dat hij een militaire achtergrond had. Hij kende de risico's.'

Zeuthen staarde naar de kluis voor hem. Hij wist wat erin lag. Hij had er al een tijdje aan gedacht.

'Het punt is, Robert, dat we de Politigården onder druk moeten zetten. Ze moeten ophouden Reinhardt te ondervragen alsof hij een misdadiger is en zich concentreren op die Rantzau. Waarom draaien ze hem niet de duimschroeven aan? Hij weet waar Emilie is. Niemand anders.'

Voetstappen bij de deur. Maja in een lange jas, uit haar oude garderobe, een die ze had gedragen toen ze nog samen waren.

'Hoe kun je zo zeker weten dat Reinhardt er niet bij betrokken is?' wilde ze weten.

'Maja...' begon Zeuthen.

'Ik weet dat je hem zo ongeveer als een oom beschouwt. Maar Lund zal toch een reden hebben om hem te verdenken.'

Hij liep naar de kluis. Daarin lagen de waardevolle familiepapieren. En een wapen. Een zilveren pistool. Voor noodgevallen.

Zeuthen pakte haar paspoort, liep naar haar toe, gaf het aan haar.

'Je hebt Reinhardt gevraagd om uit te zoeken of iemand binnen Zeeland iets wist over de dood van dat meisje,' zei ze. 'Waarom heeft hij niet…'

Kornerup was opgestaan, hield zijn hand uitgestoken. Keek hen beiden aan. 'Iedereen bij Zeeland heeft het beste met jullie voor, en met Emilie,' zei hij nadrukkelijk. 'Zeg het maar als ik iets kan doen.'

Hij bleef zijn hand uitsteken. Zeuthen pakte hem aan.

'We hebben onze meningsverschillen gehad,' zei Kornerup, 'maar die zijn wat mij betreft vergeten. Jij leidt dit bedrijf, Robert. Zeg wat we moeten doen.'

Toen hij was vertrokken ging ze naar boven, ging op het bed in de logeerkamer zitten. Het paspoort lag op het kussen.

Zeuthen kwam binnen, ging naast haar zitten.

'Waar wil je heen?' vroeg hij.

'Dat weet ik niet.'

'Het vliegtuig staat klaar. Ik heb van Hamburg gehoord. Daar was niets. Mogelijk in Sint Petersburg. Reinhardt zou daarheen gaan…'

Ze verstijfde bij het horen van die naam.

'Als er iets was misgegaan in het bedrijf had ik daarvan geweten,' zei hij.

Geen antwoord.

'Ik ga naar kantoor om te kijken wat ik kan doen. Als je hebt besloten waar…'

Ze stak haar hand uit, pakte de zijne.

'Blijf hier. Blijf bij mij. En bij Carl.'

Nu zag hij het. Op haar schoot lag een van Emilies plakboeken. Tekeningen van de familie. Een foto van een katje.

'We krijgen haar wel terug,' zei hij. 'Als ze thuiskomt is alles anders. Dat beloof ik. Als…'

'Ze vertellen je niet alles wat er speelt in het bedrijf. Dat zie ik aan de ogen van Kornerup. Je bent maar een stroman, Robert. De zoon van je vader. Achter je rug doen ze wat ze willen. Ze…'

'Zeeland kan me niet schelen! Ik wil alleen maar dat we weer met zijn vieren bij elkaar zijn. We kunnen ergens heen gaan. Zo lang wegblijven als je wilt. Zolang de kinderen ons kunnen verdragen.'

Daar moest ze een beetje om lachen. Ze hield zijn hand steviger vast, bracht haar hoofd dichter bij het zijne, fluisterde: 'Heb ik jou verlaten? Of jij mij? Ik weet het niet meer.'

'Allebei een beetje, denk ik.'

Zo was het vroeger. Dicht bij elkaar. Vervuld van een eenvoudige, onvoorwaardelijke liefde.

'Hoe konden we zo stom zijn?' zei ze. Toen kuste ze hem.

Hij was een verlegen man. Niet gepassioneerd, maar met veel emoties.

Ze glimlachte, voelde tranen in haar ogen prikken.

Legde een hand op zijn wang, trok hem naar zich toe.
'Nu is het jouw beurt. Weet je nog?'

Eva sliep. De arts sprak op gedempte, bezorgde toon over iets wat het meconiumaspiratiesyndroom werd genoemd. Lund keek niet-begrijpend. 'Het vruchtwater van de baby is besmet,' legde de vrouw uit. 'Als het erger wordt moeten we mogelijk de bevalling inleiden.'
Ze keek naar Lund.
'Eerlijk gezegd wilde ze niet dat ik u belde. Maar u bent de enige verwante die ik kon vinden.'
Ze hadden haar een eigen kamer gegeven op de kraamafdeling. Zachte kreetjes op de gang. In het wit gehulde gestalten die voorzichtig rondschuifelden met bundeltjes in hun armen.
'Is de baby in orde?'
Stilte. Toen: 'We houden het goed in de gaten.'
Geen direct antwoord. Nooit een goed teken.
'Weet uw zoon hoe Eva eraan toe is?'
Lund had een bos bloemen meegebracht. Dat leek nu tamelijk zinloos.
'Ik heb geprobeerd hem te pakken te krijgen. Ik weet niet waar hij is.'
Een knikje. Waarmee werd bedoeld: gebeurt zo vaak.
'Ze heeft steun nodig. Ze is bang. Logisch.'
Daarna liep de vrouw weg.
Lund vond een vaas, zette de bloemen naast het bed. Door het geluid begon Eva zich te roeren. Ze draaide zich om en om, haar jonge gezicht verhit van de warmte in het ziekenhuis, of mogelijk van de medicijnen.
Dikke buik in een wit gewaad. Woelend en kronkelend. Ze had pijn. Lund herinnerde zich hoe het was. En de angst.
Er kwam een zuster binnen. Ze zei: 'Pardon. U hebt een tas op de gang laten staan. Het is niet toegestaan...'
'Nee, dat was ik niet.'
'Er staat Eva Lauersen op,' legde de vrouw uit. 'Ik zal hem maar hier laten. Als u...'
Lund rende langs haar heen, keek de gang door. Een lange gestalte in een versleten parka was op weg naar de uitgang. Ze haalde hem in net voordat hij bij de deur was.
'Mark?'
Hij zag er uitgeput uit.
'Laat nu maar, mam.'
'Goed. Volgens mij komt het wel goed met Eva. Maar er is misschien een probleem met de baby. Ze heeft je nodig.'
Hij had zijn capuchon diep over zijn ogen getrokken. Zoals ze er op straat bij liepen.

'Ik heb haar verteld dat jullie tweeën bij mij kunnen logeren. Zo lang als jullie willen…'

'Ja. Zoals de afgelopen paar nachten. En kijk hoe we nu in de rotzooi zitten…'

Zo veel verontschuldigingen. Zo veel smeekbedes. En toch kon hij haar nog met die onzin bestoken.

'Je kunt me niet van alles de schuld geven. Van veel wel. Maar niet…'

De spottende grijns van een tiener. Even leek hij weer klein.

'Ik weet dat ik je tekort heb gedaan,' voegde ze eraan toe. 'Dat weet ik zelf maar al te goed. Als ik de kans had om het allemaal opnieuw te doen…'

'Nee!' riep hij. 'Zeg dat niet. Je hebt me nooit gewild. Ik heb je nooit geïnteresseerd. Er was altijd dat werk. Een of ander… dood meisje of zoiets. Nooit ik. Ik leefde en dat vond je maar saai.'

Ze wilde hem tegenspreken, kon de woorden niet vinden.

'En nu heb je een huisje en een tuintje. Een baantje achter een bureau. Dus nu denk je dat je eindelijk het recht hebt om mij te vertellen hoe ik moet leven.' Hij schudde zijn hoofd. 'Je weet niet wie je bent. En jij wilt…'

'Jij moet je eigen leven leiden!' schreeuwde ze. 'Ik wil je niet opleggen hoe je dat moet doen. Mark… je bent slimmer dan ik. Sterker. Dat moest ook wel.'

Ze huilde en dat hield hem staande.

'Het enige goede wat ik je heb bijgebracht was een les in hoe het niet moet. Dat kun je gebruiken. Jij en Eva…'

Iets nieuws in zijn ogen. Misschien was het haat.

Hij draaide zich om, begon weg te lopen, door de betegelde gang naar een zee van mensen in gewaden, wit, blauw en groen.

'Mark,' fluisterde ze, maar ze wist dat hij haar niet kon horen.

Haar telefoon rinkelde.

'Ik heb informatie over Reinhardt nagetrokken,' zei Borch. 'Hij heeft zijn creditcard gebruikt bij een kiosk. Een half uur voordat ze verdween. Twee kilometer van de school vandaan.'

Ze dacht dat ze een lange gestalte met capuchon zag verdwijnen door de deuren in de verte.

'Sarah?' vroeg Borch.

Haar zoon keek niet om. Misschien nooit meer.

9

Donderdag 17 november

Vroeg op. Lund was even voor zeven op het bureau. Brix zag eruit alsof hij niet naar huis was geweest. Advocaten van Zeeland hadden al aan de telefoon gehangen om luidkeels te verkondigen dat Reinhardt onschuldig was.

'Je moet met iets bezwarenders komen dan het feit dat die man chocoladekikkers heeft gekocht bij een kiosk,' zei hij terwijl ze afdaalden naar de garage van de technische recherche.

'In zijn studeerkamer staat een foto van hem met het meisje,' merkte Borch op. Hij stond naast een zwarte Mercedes en nipte van zijn koffie.

'Dat is lang niet genoeg.' Brix knikte naar de auto. 'Nou?'

'Die auto wordt regelmatig gewassen en schoongemaakt,' zei Borch. 'Directieauto. Met de bijbehorende behandeling.'

Hij liep naar de kofferbak. Wees naar een stukje aan de binnenkant dat was aangeduid met markeringen van de technische recherche.

'Er zitten krassen in de verf die overeenkomen met de fiets van Louise. Een algemene verfsoort. En nog wit ook. Ze kunnen niet met zekerheid zeggen dat er een verband is.'

De fiets stond naast de Mercedes. Brix leek in staat er een trap tegen te geven.

Lund liep naar wat foto's op een bureau. Het waren foto's uit Lis Vissenbjergs oorspronkelijke, verheimelijkte autopsierapport. Er lag ook een nieuw rapport.

'De technische recherche heeft de foto's van het lijk opnieuw bestudeerd. Ze heeft zich verzet. Verwondingen voordat ze dood was. Hij moet haar bloed op zich hebben gekregen.'

'En zijn er bloedsporen in de auto?' vroeg Brix.

'Dat zei ik al.' Borch raakte gepikeerd. 'Die auto wordt regelmatig gewassen en schoongemaakt. Het feit dat we niets kunnen vinden wil niet zeggen dat er geen sporen waren.'

Lund bleef kijken naar de nieuwste bevindingen.

'Ze had een paar gebroken tanden. Ze denken dat het veroorzaakt kan zijn door een horloge.'

Met de foto in haar hand – dode mond open, bloed, kapotte tanden – liep ze naar hen toe en liet het zien.

Brix knikte naar een van de leden van het technische rechercheteam. 'Dat hebben we drie uur geleden gezien. We hebben het horloge van Reinhardt.' De forensisch onderzoeker toonde een bewijszakje. 'Er zit nog geen krasje op.'

Borch probeerde argumenten aan te voeren. Niemand had Reinhardt gezien na zijn ochtendbijeenkomsten in Esbjerg. Of in het hotel.

'Wat hebben we daaraan?' was het commentaar van Brix.

'Ach, godallemachtig,' brieste Lund. 'Er ontbreekt verdomme een hele dag in zijn leven. Hij verlaat Esbjerg in de ochtend. Vierentwintig uur later pikt hij zijn vrouw op van Kastrup na een vlucht uit Parijs. Niemand is zo lang spoorloos…'

'Waar heeft hij zich omgekleed?' vroeg Brix. 'Als hij haar had vermoord, zou hij de auto zo snel mogelijk schoon willen hebben. Waar heeft hij dat gedaan?'

'We zijn ermee bezig! Het is niet eenvoudig…'

'Emilie Zeuthen zit ergens vast in een tank en we hebben steeds minder tijd. We moeten…'

Borchs telefoon ging over. Ze bleven redetwisten. Toen ze klaar waren zei hij: 'Annette Reinhardt is boven. Laten we het aan haar vragen.'

Een blonde vrouw in een dure zijden jurk, een glimlachend, zelfverzekerd gezicht. Ze vond het niet erg om in een verhoorkamer te gaan zitten, zag de camera meteen, glimlachte ernaar en zei: 'Dit is het stomste wat ik in mijn hele leven heb gehoord. Mijn echtgenoot is gisteravond bijna vermoord. En nu maken jullie hem het leven zuur.'

'Emilie Zeuthen wordt vermist,' zei Lund. 'We moeten haar vinden.'

De glimlach verdween.

'Denkt u dat Niels niet zou helpen als hij kon?'

Details. Ze vroegen naar het verjaardagsfeest. Ze zei dat het een verrassing was. De familie had zich in het huis verzameld en was tevoorschijn gesprongen toen ze thuiskwam.

'Onze twee meisjes en al onze beste vrienden,' zei ze. 'Echt iets voor hem om zoiets niet te vertellen.'

'Heeft hij u in zijn eigen auto opgehaald?' vroeg Lund. 'De zwarte Mercedes?'

'Natuurlijk.'

'En u hebt uw koffer in de kofferbak gelegd.'

Ze schudde haar hoofd.

'Waar anders?'

'Hoe was hij?' vroeg Borch.

'Geweldig. Hij heeft een fantastische toespraak gehouden.'

Lund bladerde door haar papieren.

'Hij was niet gestrest? Of moe?'

'Nee. Hij was de dag daarvoor vroeg naar bed gegaan. Niels heeft een hoge bloeddruk. Ik zei dat hij in Jutland moest blijven. In een hotel.'

Het team van Juncker had foto's van het feest gevonden in zijn huis. Reinhardt in avondkleding, vlinderdas, glas champagne. Tijdens zijn toespraak. De manchetten bedekten zijn polsen.

'Droeg hij een horloge tijdens het feest?' vroeg Lund.

'Dat denk ik wel. Niels is dol op zijn horloge. Het was erg duur. Ik heb het hem gegeven toen hij zestig werd.'

De glimlach werd fragieler. Lund zag dat de vrouw met haar trouwring speelde.

'Vertelt u eens over die kindertehuizen.'

'Het is maar een klein deel van zijn werk,' zei ze. 'Hij gaat naar bestuursvergaderingen. Houdt de financiën bij.'

Borch gooide wat andere foto's op tafel. Uit de tehuizen. Reinhardt met kinderen. Voornamelijk meisjes.

'Die bezoekt hij ook. Niet echt wat je zou verwachten van iemand van het bestuur.'

'Wel van Niels. Hij is erg bijzonder. Heel... zorgzaam.' Een stilte. 'Het is belangrijk om ze een kans te geven. En...'

'U hebt twee dochters,' onderbrak Borch haar. 'Hoe was hij met hen?'

De glimlach was geheel verdwenen.

'Toen ze klein waren?' voegde hij eraan toe. 'Was u ooit... bezorgd?'

Reinhardts vrouw leunde achterover, sloeg haar armen over elkaar. Tuitte haar lippen. Staarde hen beiden aan.

De deur ging open. Madsen vroeg naar Borch, dringend. Hij ging de kamer uit.

Lund bleef.

'Jullie hebben twee zomerhuizen. Een in Frankrijk. Een in Anholt.'

'Nou en? Gaat u die ook overhoophalen?'

'Alleen als het moet. Zijn er nog andere plekken waar u tijd doorbrengt? Dat huis van u in de buurt van de kantoren van Zeeland...'

'Hans Zeuthen heeft dat aan Niels nagelaten. Het is van ons.'

'Waar gaan jullie nog meer heen? Huisjes op het platteland? Boten?'

'We hebben een leuk flatje in Londen, maar dat verhuren we. En zijn galerie.'

'Zijn wat?'

Lund luisterde. Maakte aantekeningen. Liet haar daar achter. Borch was terug in het kantoor. Hij zag er verloren uit.

'Reinhardt heeft een appartement in de stad waarover hij ons nooit iets heeft verteld,' zei ze. 'Hij noemt het zijn kunstgalerie. Laten we gaan.'

Hij verroerde zich niet.

'Pak je jas, wil je?'

Niets. Ze draaide zich om. Een vrouw. Blond haar. Mager, boos gezicht. De echtgenote.

'Ik heb het druk,' zei Lund. 'Niet nu.'

'Ja! Nu!'

Ze had een tas over haar schouder. Smeet hem op de vloer. Overhemden en broeken vielen op de vloer.

'Het is jouw schuld dat we hier staan, Lund.'

Borch kwam dichterbij, schudde zijn hoofd.

'Dat is niet zo, Marie. Dat weet je.'

'Hij zat te mekkeren dat hij bij me weg wilde. Dus hier…' Ze schopte tegen de kleding. 'Jij mag zijn vuile was doen.'

Al het personeel maakte zich uit de voeten, probeerde niet mee te luisteren.

'Wat moet ik tegen de meisjes zeggen?' Ze keek naar Borch. Naar haar. 'Zien ze hem over een week? Een maand? Ooit?'

Lund zweeg, haalde diep adem.

'Zeg iets, rotwijf! Ik wil het weten. Jullie hebben liggen neuken in Jutland…'

Hij legde zijn hand op haar schouder. Ze duwde hem weg.

'Wat denk je wel, Lund? Je hebt hem jaren geleden aan de dijk gezet. Wat moet je nu met hem?'

'Het gaat niet alleen over Sarah,' zei Borch. 'We weten allebei dat…'

'Nee, dat weet ik niet. Jij…'

Kleine vuisten stompten hem tegen zijn borst. Zijn handen om de hare. Gevloek. Tranen.

Lund liet hen daar achter, liep het kantoor uit, ging de gang op, leunde tegen de muur.

Toen pakte ze haar telefoon, opende de kaart, typte het adres in van de plek die Niels Reinhardt niet had genoemd.

Ondergronds, had zijn vrouw gezegd. Een vreemde plek voor kunst.

Zeuthen was op kantoor, bleef maar op de klok kijken. Nog zeven scheepsbedrijven hadden hun scheepsruimen geopend. Nergens een spoor van een tank.

Hij zat aan tafel, gemakkelijk zittend colbertje, wit overhemd open bij de hals. Maja zat naast hem. Af en toe pakte ze zijn hand vast.

Het hielp, een beetje.

Toen ging de deur open. Een lange gestalte stapte naar binnen, stijf, duidelijk iemand met veel pijn.

Zeuthen stond op. Zijn vrouw bleef zitten.

'Kom mee,' zei Robert Zeuthen terwijl hij Reinhardt bij de arm nam.

Ze liepen naar een volgende kamer en spraken bij het raam dat op de haven uitkeek.

'Ik heb alles uitgelegd,' zei Reinhardt schouderophalend. 'Zij zijn van de politie. We weten hoe ze zijn. Annette heeft ook met hen gesproken. Ik vrees dat ik het zoveelste slachtoffer ben van hun incompetentie. Het is vreemd…'

Een secretaresse kwam binnen en bracht koffie. Hij nam het aan met de gemaniëreerde beleefdheid die Zeuthen al van hem kende sinds zijn kindertijd.

'Ze bleven me maar bestoken met stomme vragen en ik kon alleen maar denken: waarom zoeken jullie niet naar Emilie? Waarom tijd verknoeien aan mij? Maar goed, het ergste is nu voorbij.'

Hij legde een hand in zijn nek, kromp ineen.

'Ik wil dat je naar huis gaat en rustig aan doet,' zei Zeuthen. 'Vergeet het werk totdat dit allemaal voorbij is.'

'Dat is niet gemakkelijk, Robert. Godallemachtig… Brix en Lund verspillen zo ontzettend veel tijd. Emilie is daarbuiten, ergens.'

'Ga naar huis,' herhaalde Zeuthen. 'Blijf daar met Annette. Misschien wil de politie nog een keer met je praten.'

Reinhardt keek weifelend, alsof hij nog iets wilde zeggen.

'Hoe zit het met Maja?' vroeg hij. 'Ze keek me niet aan toen ik binnenkwam. Ze denkt toch niet…'

'Nee. Natuurlijk niet. We weten allebei…'

'Dat zou het ergste zijn. Als…'

'Dat is niet zo,' onderbrak Zeuthen hem. 'Ik meen het.'

Reinhardts kunstgalerie bleek het souterrain te zijn van een leegstaand pakhuis in een afgelegen stuk van de haven, een kwartier lopen van zijn huis. Lund en Borch parkeerden de auto bij het water en gebruikten de sleutels uit zijn kantoor.

Een kale, grijze kamer, met doeken tegen de muren gezet, niet opgehangen.

In het midden stond een Bauhaus-stoel op een tapijt. Een lage tafel ernaast met een glas en een dure fles whisky. Zijn vrouw zei dat hij graag alleen was als hij naar zijn schilderijen keek. Het gebouw zou worden verbouwd tot winkelcentrum, maar de eigenaren waren failliet gegaan. Reinhardt, een aardig vermogend man, had het eigendomsrecht verworven, samen met de grond eromheen.

'Hij had het rijk hier alleen, dat staat vast,' zei Lund.

Borch bekeek een doek met een abstract naakt en krabde aan zijn hoofd.

'Waarom heeft hij geen eigen huis gekocht? Waarom woont hij in een huis op het terrein van Zeeland?'

'Dat weet ik niet. Ik moet terug.'

Hij versperde haar de weg.

'Sarah. Het spijt me dat je door mij in al die toestanden verzeild bent geraakt...'

'Ik wil er echt niet over praten.'

'We hebben al heel lang problemen. Het kwam niet alleen door jou...'

'Ik zei dat ik er niet over wilde praten.'

Ze kende die uitdrukking op zijn gezicht: hoopvol.

'Dat weet ik. Je hebt gelijk. Maar ik denk toch...'

'Hou op met denken, Mathias!' schreeuwde Lund. 'Het heeft geen zin. Het ging vroeger niet goed tussen ons en het zal nu ook niet goed gaan.'

Hij keek haar zwijgend aan.

'Ik denk dat we alles gewoon moeten vergeten...'

'Dat wil ik niet. Dat kan ik niet.'

Ze draaide zich om, verward. Liep naar de verkeerde deur. Toen nog een. Ze wist niet meer hoe ze binnen waren gekomen.

'Als we ons best doen, deze keer. We zijn ouder. Wijzer...'

'Ha! Denk je dat?'

Ze dook achter een groot doek, een van de weinige die waren ingelijst. Probeerde een andere deur. Op slot.

'Ik heb je één keer verloren,' zei hij met luide, vaste stem. 'Ik laat je niet nog een keer weglopen.'

Met ferme pas liep ze naar een andere hoek, bleef staan. Borch haalde haar in.

'Als we alles nu eens openlijk uitpraten. Een beetje tijd samen doorbrengen. Misschien een vakantie...'

'Ik ga niet meer terug naar dat ellendige Noorwegen,' fluisterde ze.

Een hoog doek stond omgekeerd tegen de wand, met de geverfde kant naar de muur. Het was het enige dat zo stond. Ze liep ernaartoe, schoof het opzij.

Er zat een deur achter. Lund probeerde de klink: open.

Keek omlaag langs een lange donkere trap met een metalen leuning aan één kant.

Borch stak zijn hoofd door de deuropening. Hij haalde zijn zaklamp tevoorschijn en richtte de lichtbundel op de treden omlaag.

Zij deed hetzelfde, kroop voor hem en zei: 'Ik ga eerst.'

Het was een garage, nog een niveau dieper dan het souterrain. Geen ramen, zelfs niet in de metalen deur die leidde naar een bochtige uitrit. Achterin stond een hogedrukreiniger. Autowas. Schoonmaakspullen en vloeistoffen.

Aan de andere kant van de ruimte stond een stel voorraadkasten. Over de dichtstbijzijnde hing een plastic zeil. Eronder een grote kartonnen doos.

Met handschoenen aan maakte ze de doos open en scheen erin met haar zaklamp. Hij kwam naast haar staan. Trok nog wat meer dozen tevoorschijn.

Elke doos vol met uitdraaien van kindertehuizen. Informatie over kinderen, foto's, geboortedata, adressen van pleeggezinnen, medische gegevens.

'Dit is allemaal afkomstig uit Majgården,' zei hij.

Zijn zaklamp zwaaide naar de volgende hoek. Borch stond op en nam een kijkje.

'Sarah?'

Ze liep naar hem toe. Hij had een werkbank gevonden. Moersleutels en boorkoppen. Dopsleutels. Reinigingsvloeistof.

En een horloge.

Het was een korte rit terug naar de kantoren van Zeeland. Reinhardt keek nauwelijks op toen ze binnenkwamen. Maar Maja Zeuthen sloeg hen gade vanuit de kamer ernaast. Lund zag dat.

'Je bent eigenaar van een gebouw bij de haven,' zei Borch. 'Dat heb je ons nooit verteld.'

Hij stond op, zag er moe en aangedaan uit.

'Het is gewoon een plek waar ik mijn schilderijen bewaar.'

'Je hebt daar niet alleen schilderijen,' zei ze. 'Je hebt er ook gegevens van de kindertehuizen. Ook die van Louise in Majgården.'

Robert Zeuthen stapte de kamer in, begon te klagen zodra hij hen zag.

Maar hij zweeg toen Lund hem dat vroeg.

'Waarom heb je dossiers van kinderen verstopt in het souterrain?' vroeg ze.

Reinhardt keek naar Zeuthen, naar niemand anders.

'Dit is genoeg,' zei Borch. 'We nemen je mee voor verhoor. Ik neem aan dat je niet lang naar een advocaat hoeft te zoeken. Ze weten ons wel te vinden.'

Hij deed een paar passen naar voren, legde zijn hand op Reinhardts rug.

'Kom mee.'

Het kraakpand lag in Nørrebro, niet ver van het Ungdomshuset, het kraakpand waar rellen hadden plaatsgevonden toen het een paar jaar daarvoor was gesloopt. Hartmann was er nooit geweest. Het was een te grote bron van conflicten. Maar hij nam aan dat het er ongeveer zo had uitgezien: een oud gebouw, haveloos, besmeurd met graffiti. De verkeerde plek om een dag voor de verkiezingen te bezoeken met zijn ministeriële auto. Maar hij moest het weten.

Morten Weber zat aan zijn kop te zeuren toen ze stopten.

'Dit laatste debat wordt cruciaal. De peilingen liggen erg dicht bij elkaar. We hebben een strategie nodig. We moeten Karen terughalen. Ze weet meer van tv dan wij allemaal.'

'Karen kan ons de kop kosten…'

Weber keek hem aan met een uitdrukking van walging.

'O, doe niet zo belachelijk. Ze heeft een donatie van Zeeland geaccepteerd. Ik durf te wedden dat ze Ussing op hetzelfde moment ook iets hebben toegestopt. Ze dekten zich aan alle kanten in. Niet zo'n arrogante toon aanslaan…'

Hartmann wilde uitstappen. Weber hield hem tegen.

'Wil je dit echt doen? Bij de PET worden ze gek. Die mensen hebben een bloedhekel aan ons. Het is niet een plek waar je nu gezien wilt worden.'

Hartmann beende naar het gebouw, met twee lijfwachten achter hem aan. Er klonk lawaai, dat nog luider werd toen hij de deur opendeed. Iemand ramde op een drumstel op een podium achter in de ruimte. Een zangeres met vlechten stond monotoon in een microfoon te schreeuwen. De zaal was bijna helemaal in duisternis gehuld. Het rook er naar zweet en joints. De wanden waren bedekt met woeste graffiti. Tafeltjes aan de zijkant met laptops erop, flessen water en bier.

De mensen keken hem aan, een man in pak, alsof hij een zojuist geland buitenaards wezen was. Maar Hartmann liep door en na een tijdje liep een jonge vrouw met felblauwe mascara, rode lippen en een ring door haar neus op hem af en vroeg: 'Wilt u een kop thee?'

Hij sloeg het af en vroeg naar Sally.

De ogen van het meisje schoten veelzeggend naar een in het zwart gehulde gestalte achter een laptop in het donker.

Hartmann liep naar haar toe, boog zich voorover en zei: 'Ik ben de broer van Benjamin.'

Ze bleef doortikken op haar computer, een sigaret tussen haar lippen geklemd.

'Ik probeer uit te zoeken wat er is gebeurd. Ik hoopte dat jij me kon helpen.'

'U bent toch de premier? Waarom vraagt u dat aan mij?'

Er stond een gammele stoel. Hij trok hem bij en ging zitten. Zei tegen de twee lijfwachten dat ze weg moesten gaan.

'Omdat ik het te druk had toen Benjamin me nodig had. Ik heb…'

Ze had donkere ogen, zwarte mascara, een gezicht dat wit was gemaakt met make-up. Maar ze keek hem wel aan.

'Ik heb hem in de steek gelaten, maar ik weet niet precies hoe. Hij kwam naar Jutland toen ik daar twee jaar geleden campagne voerde...'

'Dat weet ik nog. Hij was kwaad op u. De PET had hem opgepakt nadat we een flashmob hadden georganiseerd voor het bankgebouw daar. In plaats van hem in een cel te gooien net als de rest van ons, hebben uw mensen hem eruit geschopt en hem gezegd dat hij zijn mond moest houden.'

Er werd toch een kop thee gebracht. Hij was er blij mee.

'Dat klopt,' zei hij instemmend. 'Dat weet ik nu pas. Hij heeft mijn auto meegenomen. Heeft hij gezegd wat hij daar deed?'

Het meisje van de thee verdween.

'Waarom zou ik u dat vertellen?' vroeg Sally.

'Omdat het belangrijk voor me is.'

'Volgens mij dacht Benjamin daar anders over.'

'Dat weet ik niet. Hij heeft tegen een arts gezegd dat hij daar iets onvergeeflijks had gedaan. Ik moet weten wat hij daarmee bedoelde.'

Ze drukte de sigaret uit, dacht even na.

'Benjamin heeft gezien hoe een van uw maatjes stond te slijmen met Zeeland. Hij had al wekenlang aan dat verhaal gewerkt.'

'Welk verhaal?'

'Over waar uw geld vandaan kwam. Maar dat hebt u toch tegengehouden?'

Hartmann schudde zijn hoofd.

'Nee. Ik wist er helemaal niets van.'

'Ach, kom op. Hij kon de verkiezingen voor u verpesten...'

'Ik hield van mijn broer. Ik had er alles voor overgehad om hem te helpen.'

'Behalve er voor hem zijn.'

Hij keek om zich heen. Zo te zien was niemand van de aanwezigen boven de twintig.

'Hebben jullie Benjamin daarom gestimuleerd? Zodat jullie mij konden raken via hem? Hij paste hier niet. Jullie hebben hem gebruikt. Jullie hebben hém beschadigd.'

Ze knikte naar de deur en zei: 'U moet gaan. Die waakhonden van u beginnen onrustig te worden.'

'Hij voelde zich schuldig,' zei Hartmann. 'Vanwege dat verhaal. Schuldig omdat hij mij daarmee belastte. Schuldig omdat hij jullie teleurstelde, vermoed ik. Dus we zijn allebei verantwoordelijk, Sally. Hou jezelf niet voor de gek.'

Op haar jonge gezicht verscheen twijfel. Hij vroeg zich af of zijn woorden waren doorgedrongen.

De lijfwachten stonden in hun telefoon te praten. Toen wrong Weber zich langs hen heen en zei dat ze moesten vertrekken.

'De pers heeft er lucht van gekregen. Tenzij je op het nieuws wilt verschijnen omringd door joints en kopjes kruidenthee moeten we maken dat we hier wegkomen.'

Hartmann stond op, keek het meisje aan.

'Lang geleden dat ik een joint heb gerookt. Het is echt heel gemakkelijk, weet je... je verantwoordelijkheid van je afschuiven. Iemand anders de schuld geven. Iemand moet de boel proberen te leiden. De verantwoordelijkheid nemen. Misschien zul je dat op een dag begrijpen.'

Hij krabbelde zijn nummer op een stukje papier en gooide het voor haar neer.

'Ik wil alleen maar begrijpen waarom mijn broer is gestorven. Als je van gedachten verandert en iets voor me kunt doen...'

'Troels!' riep Weber.

Hartmann tikte op het papiertje.

'Je kunt me altijd bellen.'

Reinhardt zat in een verhoorkamer. Camera aan, Lund en Borch aan de andere kant van de tafel.

'Een kunstgalerie met een garage eronder,' zei Borch. 'Wat doe je daar allemaal?'

'Niet veel,' antwoordde Reinhardt. 'Mijn auto schoonmaken. Repareren.'

'Het is een bedrijfsauto,' merkte Lund op. 'Dat wordt allemaal voor je gedaan.'

Geen reactie.

'We hebben ook een badkamertje gevonden. Een bed. Breng je daar wel eens de nacht door?'

Hij haalde zijn schouders op.

'Ik kijk graag naar mijn schilderijen. Bestudeer ze. Soms wordt het laat...'

Borch bladerde door een paar dossiers uit Majgården.

'Zeven dozen met foto's van kleine kinderen. Bestudeer je die ook?'

Hij kreunde, alsof het een idiote vraag was.

'De gegevens over Louise zaten er ook tussen, Reinhardt. Het adres van haar pleeggezin. Naar welke school ze ging.'

'Die dozen stonden daar voor het gemak. Ik heb ze nooit bekeken.'

Borch pakte een bewijszakje. Het horloge.

'Weet je wat dit is?'

'Het is mijn oude horloge.'

'Je houdt van horloges, hè? Je vrouw zei dat. Je kon er geen afstand van doen, ook niet toen hij kapot was.'

Lund duwde hem een ander zakje onder de neus.

'Dit is het horloge dat we gisteren bij je hebben gevonden. Het is identiek. Je oude horloge, dat je van je vrouw had gekregen, was stuk. Toen heb je het vervangen door eenzelfde exemplaar.'

'Ik wilde niet dat zij het wist. Ik was dingen aan het verplaatsen en stootte het per ongeluk tegen de metalen reling.'

'Waar?'

'In de garage,' zei hij onmiddellijk.

'Dat zullen we nagaan, Reinhardt. Het was net na de dood van dat meisje, nietwaar? Je horloge ging stuk toen je haar tanden kapotsloeg...'

'Nee!'

De gemoederen raakten verhit. Nog meer foto's.

'Dit is van het verjaardagsfeest,' zei Lund. 'De nacht nadat Louise was verkracht en vermoord. Op geen enkele foto is je horloge te zien.'

Hij zei niets. Schudde slechts zijn hoofd.

Borch nam de ondervraging over.

'Je zei dat je niet in Gudbjerghavn bent gestopt. Maar je creditcard is gebruikt bij een kiosk daar. Hoe kan dat?'

'Ik weet niet...'

Hand naar zijn hoofd. Gepijnigde blik.

'Ik verdien dit niet...'

Nog een foto op tafel. De kofferbak van zijn auto, de witte verfkrassen.

'Je hebt haar gevolgd,' ging Borch verder. 'Je hebt haar opgepikt. Hebt je telefoon uitgezet. Hebt haar naar die scheepswerf gereden. Haar vastgebonden. Haar urenlang verkracht...'

Lund schoof een foto van de mond van het dode meisje naar hem toe. Drie tanden kapot, bebloede lippen.

'Heeft ze zich verzet, Reinhardt? Heb je haar daarom geslagen?'

Kettingen en handboeien. Bloed op de eenpersoonsmatras op de vloer.

'Was ze niet zo gedwee als de andere meisjes? Is dat de reden dat je haar bleef slaan? Wilde ze niet gehoorzamen?'

'Dat zijn leugens...'

'Ze leefde nog toen je haar in de haven dumpte. Je hebt haar verdronken met dat stuk beton dat je aan haar benen had vastgebonden.'

Een stilte. Ze wachtte even en vroeg toen: 'Wat zullen je dochters ervan denken? Komt het als een verrassing? Of...?'

Er flitste woede en drift in zijn ogen en Lund dacht: nu zie ik hoe hij is.

'Je bent niet naar een hotel gegaan,' ging Borch verder. 'Je bent rechtstreeks naar je garage gereden. Je hebt de auto gereinigd. Een douche genomen. En toen? Een drankje ingeschonken. Haar dossier tevoorschijn gehaald. Dacht je: die heb ik nu gehad?'

'Ik heb niets gedaan!'

Ze hadden geen foto's meer. Ook geen ideeën. Afgezien van één.

'We weten dat je er bent geweest, Reinhardt,' zei Lund tegen hem. 'We weten dat we het kunnen bewijzen. De enige vraag is...'

Hij wist wat er kwam.

'Vertel je het nu, zodat we Emilie Zeuthen levend kunnen terugvinden? Of blijf je de boel belazeren totdat ze dood is?'

'Ik zou nooit iets doen wat Emilie zou kwetsen,' brieste hij. 'Ze is een Zeuthen. Een prachtig kind. Jullie moeten dat beest van een Rantzau in een kamer zetten en hem dwingen...'

De deur ging open. Brix gebaarde dat ze moesten komen.

'Geen tijd,' zei Lund tegen hem.

'Meekomen!'

Bij haar bureau. Een advocaat die Keldgård heette. Het haar van Donald Trump en dezelfde lach. Hij had een kruiperige assistent bij zich en heel veel dossiers. Dyhring was er ook.

'Jullie hebben niet het recht om een onschuldige nog langer te ondervragen,' zei Keldgård. 'Ik wil dat Niels Reinhardt...'

'Sodemieter op,' snauwde Borch. 'We hebben stapels bewijs tegen die smeerlap. Hij heeft ons vanaf het begin aan het lijntje gehouden met zijn kletsverhalen.'

De man keek woedend naar Brix.

'Zie je wel! Precies wat ik zei. Jullie mensen blijven maar insinueren dat Zeuthen en Zeeland op de een of ander manier bij deze zaak zijn betrokken. Dat ze de aanklager onder druk hebben gezet...'

'Dat hebben we nooit gezegd,' merkte Lund op.

'Wat is jullie bedoeling?' vroeg de advocaat. 'Mooie krantenkoppen? Een internationaal bedrijf dat een behoeftig weeskind uit Jutland uitkiest om...'

Borch stak een waarschuwende vinger naar hem op.

'Dat meisje is verkracht en vermoord...'

'Niet door Reinhardt,' viel de man hem in de rede. 'Jullie samenzweringstheorieën zijn bespottelijk. Het is een schande dat niemand jullie eerder heeft tegengehouden.'

'Peter Schultz...' begon Lund.

'Probeerde zijn eigen fouten te verhullen. Niets meer dan dat.'

Keldgård smeet wat documenten op het bureau.

'We hebben eigen onderzoek gedaan. Hij probeerde de schuld van dat misdrijf af te schuiven op die zeelieden. Toen hij besefte dat hij er een zootje van had gemaakt maakte hij er zelfmoord van. Hij heeft dat gedaan, Lund. Niemand anders.'

Ze wees naar de verhoorkamer.

'Reinhardt moet met antwoorden komen...'

'Het schriftje van dat kind is waardeloos. We hebben met hem gesproken. Hij schreef alleen Deense kentekens op. De weg daar ligt niet ver van de Duitse grens. Toeristen, buitenlandse werknemers... die heeft hij allemaal niet genoteerd.'

Hij glimlachte.

'Wist u dat niet?'

Keldgård wendde zich tot Dyhring.

'Reinhardt was in zijn kamer in het Royal Prince-hotel toen Louise Hjelby werd vermist.'

'Dat hebben we nagetrokken,' zei Dyhring. 'We hebben de registratiegegevens van het hotel gecontroleerd. Reinhardt heeft zijn sleutelkaart gebruikt om zijn kamer in te gaan om vijf voor half vier. Hij is pas om half negen de volgende ochtend vertrokken.'

Ze probeerde de blik van Brix te vangen.

'Dat moeten we controleren.'

'Hoezo?' vroeg Dyhring. 'Geloof je me niet? Hij was het niet, Lund.'

De advocaat pakte zijn papieren.

'Dit is de laatste keer dat jullie Reinhardt en Zeeland lastigvallen met die bespottelijke beschuldigingen. Ik kan alleen maar hopen dat jullie bij het opsporen van Emilie Zeuthen beter werk leveren.'

Brix knipte met zijn vingers. Reinhardt kwam de verhoorkamer uit, gaf de advocaat en zijn assistent een hand. Met zijn drieën vertrokken ze. Dyhring liep achter hen aan.

'Als hij het niet heeft gedaan, wie dan wel?' vroeg Borch zich af.

Brix staarde naar de documenten op Lunds bureau.

'Wat doe je toch steeds met die dossiers van de zaak-Birk Larsen?'

'Niks. Ik heb gewoon nog geen tijd gehad om ze op te bergen.'

Hij sloeg zijn armen over elkaar, een gezicht als een oorwurm, de teleurstelling was ervan af te lezen.

'De minister van Justitie wil dat wij vanaf nu de leiding over de verhoren hebben,' verkondigde Dyhring. 'Begrijpelijk. Borch?'

'Wat?'

'We moeten praten. Over een half uur is Rantzau van ons.'

Zij arriveerde als eerste, net op het moment dat een bewaker wat te eten bracht. Lund nam het dienblad van hem over en zette het op bed. Rantzau droeg een blauw gevangenispak. Hij zag er niet goed uit.

'Voel je je wel goed?' vroeg ze.

Hij zei niets, pakte het dienblad, zette het op zijn schoot en begon met bedachtzame, weloverwogen precisie te eten, alsof hij een zekere kalmte wilde bewaren.

Lund wachtte een tijdje en zei toen: 'Reinhardt kan het niet gedaan hebben.'

De vork ging omhoog, ging omlaag.

'We zijn niet al te slim geweest wat dat schrift betreft, Loke. Die jongen heeft alleen Deense kentekens opgeschreven. Reinhardt heeft een alibi.'

Niets.

'We heropenen het onderzoek. Met meer mensen. We gaan al het materiaal opnieuw bekijken. En we gaan terug naar Jutland.' Een stilte. Hij keek haar nog steeds niet aan. 'Het zal tijd kosten.'

Ogen op het dienblad gericht. Hij bleef dooreten.

'Ik ga uitzoeken wie je dochter heeft vermoord. Dat beloof ik.' Hij pakte een potje yoghurt, rook eraan. 'Laat Emilie Zeuthen hier niet om sterven.'

Lepel in de pot. Hij proefde. Trok zijn neus op.

Terwijl de bewaker bij de deur toekeek stond ze op en mepte het dienblad van zijn schoot, zodat alle spullen op de hardstenen vloer kletterden. Ze duwde hem een stapel papier onder de neus.

'Lees het zelf. Hij was in zijn hotelkamer. En er zijn die dag nog zo veel andere auto's langsgereden.'

Hij nam de papieren aan, bekeek ze.

'Misschien ben jij degene die blind is. Je bent geobsedeerd door Zeeland. Misschien ben je inderdaad wel... een rare gek.'

Stilte.

'Ach, krijg de klere,' zei ze. Ze draaide zich om en wilde weggaan.

'Er schuilt een zekere wijsheid in gekte, Lund,' zei hij, weer met die vlakke, vermoeide, intelligente stem. 'Soms. Jij hebt toch een zoon?'

'Dat heb ik je al verteld...'

'Waarom is dat dochtertje van Zeuthen dan zo belangrijk voor je? Bekommer je je niet liever om je eigen familie? Je hebt een leuk huisje. Planten in de tuin. Een goed leven.'

'Je weet niets van mijn leven! Je hebt je punt wel gemaakt. Als je gerechtigheid wilt voor Louise...'

Hij stak twee vingers op. De hoorntjes van een duivel.

'Gerechtigheid...' siste Rantzau haar toe. 'Wat nou, gerechtigheid? Het is het enige wat ik voor haar kan doen. Ik heb dag en nacht voor die lui gewerkt, jarenlang. Was bijna nooit thuis. Wist niet eens dat ik een dochter had. Kwam vast te zitten in een of ander Somalisch gat waar ik dag na dag werd getrapt en gemarteld. En wat gebeurt er als ik vrijkom? Die oude Zeuthen wil me niet kennen.'

De haat in hem werd even wat minder.

'Monika... we zijn uit elkaar gegaan. Ze heeft me nooit verteld dat ze zwanger was. Na mijn terugkomst wilde ik haar opzoeken. Ze bleek dood te zijn. En ze had een dochter...'

'Ik heb met haar pleegouders gesproken, Loke. Ze zeiden dat ze een lief, slim meisje was. Ze zou niet willen...'

'Louise is hier niet. Ik wel. Ik heb haar niets gegeven toen ze nog leefde. Zeeland...' Een harde blik vol haat. 'Je vraagt me rekening te houden met iets wat je gerechtigheid noemt. Mijn kind is verkracht en in de haven gegooid. Je hebt alle gelegenheid gehad om uit te zoeken waarom. En wat heb je gedaan?'

Er kwam een bewaker binnen die zei dat de PET Rantzau wilde spreken in de verhoorkamer. Hij boog zich over hem heen en maakte zijn boeien los.

'Als Emilie sterft,' zei Lund, 'wordt jouw dochter vergeten. Een naam in een dossier dat niemand meer opent. Niet omdat ik dat wil. Allesbehalve. Maar omdat jij ons hebt tegengewerkt, Loke. Niemand anders. Jij.'

Ze namen hem mee.

Lund ging op het bed in de lege cel zitten. Na een tijdje stapte Juncker binnen.

'Ik heb net een telefoontje gehad uit het ziekenhuis. De vriendin van je zoon is zojuist bevallen.'

Ze pakte het dienblad en raapte het gebroken serviesgoed en de etensresten op.

'Heeft hij iets gezegd, Lund?'

'Nee.'

Ze zette het dienblad op het bed en stond op. De bewaker kon de rest doen.

'En wat gaan we nu doen?'

Buiten werd het donker.

'Ik heb geen flauw idee, Asbjørn. Het spijt me.'

Hartmann zei niet veel op de terugweg naar Christiansborg. Om zes uur belegde Weber een vergadering met Mogens Rank.

'Lunds kleurrijke samenzweringstheorieën zijn het raam uit gegooid,' zei hij tegen hen. 'Daar zal ze op worden afgerekend. Al die lariekoek over zakelijke belangen en politieke inmenging zijn verleden tijd.'

'Maar is Schultz nu onder druk gezet of niet?' vroeg Hartmann.

'Nee,' hield Rank vol. 'Zoals ik al zei… toen we elkaar spraken wilde hij die zaak gewoon afsluiten. Ik heb hem laten bevestigen dat Zeeland er niet bij betrokken was. Daarna probeerde hij zijn eigen incompetentie te verdoezelen. Het had niets met ons te maken. Niets met Ussing. Gewoon één miezerig mannetje en zijn blunders.'

Weber begon dingen op te schrijven.

'We moeten een persbericht uit laten gaan. Voor het debat.'

Rank knikte.

'Mee eens. Als je wilt dat ik een persconferentie geef kan ik alles uitleggen. Ussings beschuldigingen dat wij Zeeland uit de wind probeerden te houden slaan nergens op en dat moeten we duidelijk maken. Dit is goed nieuws…'

Hartmann schudde zijn hoofd.

'We kunnen pas juichen als dat meisje is gevonden. Zet de PET zo veel mogelijk onder druk.' Hij keek op zijn horloge. 'Ik moet naar een afspraak.'

Hij liep door de gang naar de media-afdeling. Ze stond papier te rangschikken bij het kopieerapparaat.

Een drukke ruimte. Saai werk. Iemand moest het doen. Karen Nebel had een carrière bij de landelijke tv opgegeven. Voor dit werk.

Hartmann keek om zich heen, gebaarde naar de anderen in de kamer. Keek hoe ze vertrokken.

Kreeg een vuile blik van haar.

'Karen. Ik moest je wel uit het team zetten toen alles werd gecheckt. We weten nu dat er niets…'

'Dat heb ik tegen je gezegd. Je geloofde me niet.'

Hij pakte een stoel, rolde hem naast haar, ging zitten.

'Je hebt het volste recht om boos te zijn. Ik heb me als een dwaas gedragen. Ik had meer vertrouwen in je moeten hebben.'

'Klopt.'

'Ik heb je nodig. Nu meer dan ooit.'

De geroutineerde glimlach van een politicus, dwingerig, uitgekookt, verwachtingsvol.

Ze kreunde.

'Verdomme, probeer die truc niet met mij uit te halen. Ik ben Rosa Lebech niet. Zo gemakkelijk ben ik niet te paaien.'

'O nee?'

Nebel knipperde met haar ogen. Toen legde ze een hand op zijn schouder, streelde zijn wang, haalde even haar vingers door zijn haar.

'Niet zolang ik nog bij bewustzijn ben, liefje. Ben je klaar voor het debat?'

'Dat denk ik wel.'

'Nee dus.' Ze pakte een paar velletjes papier. 'Hier staat wat je gaat zeggen.'

Hij wilde de papieren aanpakken. Ze trok ze terug.

'Doe me dat nooit weer aan. Begrepen?'

Morten Weber kwam de hoek om met hun jassen.

'Zijn we allemaal weer wapenbroeders?' vroeg hij opgewekt.

Daar moest ze om lachen. Hij liep op haar af en tot haar verbazing gaf hij haar een vluchtige kus op de wang.

'Ik heb je gemist, o wijze vrouw,' zei Weber. 'En dat geldt ook voor deze idioot hier. Of niet soms?'

Hartmann zat aan de telefoon.

'Ik zie jullie in de auto,' zei hij toen hij had opgehangen.

Het meisje stond in het donker bij de trap. Zwarte muts, haar eronder gestopt. Dit keer zonder make-up.

Ze wordt volwassen, dacht hij. Dat werden ze allemaal. Benjamin was alleen wat laat. Op een dag zou het hem zijn gelukt.

Hartmann zei tegen de lijfwachten dat ze op hun plek moesten blijven en liep naar haar toe. Ze liet haar sigaret op de keistenen van Christiansborg vallen en trapte hem uit met haar zware schoen.

'Ik heb gelogen over Benjamin. Hij haatte u niet. Hij wilde u niet kwetsen.'

'Bedankt.'

'Eerlijk gezegd was hij trots op u. Hij zei dat u een fatsoenlijk mens was. Maar het wereldje waarin u zat was nu eenmaal zo. Hij wilde daar geen deel van uitmaken. Ik denk…'

Er liep iemand langs. Ze viel stil.

'Wat?' vroeg hij.

'Ik denk dat we hem inderdaad hebben gebruikt. Hij was een aardige knul. Hij hoorde niet echt bij ons.'

Ze stak haar arm uit en wees met een vinger naar Hartmanns borst.

'Maar iemand zette hem onder druk. Als u het niet was, was het iemand anders. Hij maakte zich zorgen. Hij vond dat we ons van die foto's moesten ontdoen.'

'Wacht even,' onderbrak Hartmann haar. 'Welke foto's?'

'In Jutland heeft hij veel foto's genomen. Hij heeft ze op zijn internetaccount gezet. Hij was van plan ze te publiceren op *Frontal*.'

'Foto's waarvan?'

'Ik heb ze nooit gezien. Zijn account is gewist. Benjamin werd hysterisch toen dat gebeurde. Hij was alles kwijt.'

Hartmann probeerde zich die laatste dagen voor de geest te halen.

'Ik kan me niet herinneren dat hij daar iets over heeft gezegd.'

'Dat verbaast me niet. Hij had een internetaccount van Delta. Zij zijn eigendom van Zeeland. Hij dacht…' Ze haalde haar schouders op. 'Ik weet het niet. Hij werd paranoïde. Hij zei dat hij ergens een back-up had.'

'Waar?'

'Dat heeft hij me nooit verteld.' Ze viste een setje sleutels uit haar zak. 'Hij vroeg me deze te bewaren. Ik weet niet waarvoor ze zijn. Ik weet eigenlijk niet waarom hij ze bewaarde.' Een stilte. 'Hartmann?'

Hij wist niet wat hij moest zeggen.

'Het spijt me dat ik u een rotgevoel heb gegeven. Dat was gemeen. Uw broer was een aardige vent. Beetje te lief om bij ons rond te hangen. Misschien zijn wij degenen die zich schuldig moeten voelen.' Ze keek naar het paleis voor haar. 'Ik weet het niet.'

Het meisje dat Sally heette draaide zich om en was weg.

Hartmann keek naar wat ze hem had gegeven: twee sleutels aan een stukje touw.

Aan het eind van de dag liepen de kantoren van Zeeland leeg. Zeuthen zat alleen in zijn kamer en probeerde na te denken. De beveiliging had gebeld met het laatste nieuws van de Politigården. Geen nieuwe ontwikkelingen wat betreft Emilie. Niets in de Jutland-zaak.

Hij had Brix gebeld en gevraagd om een persoonlijke ontmoeting met de kidnapper. Hij wilde een smeekbede doen, op de man af. Het antwoord was vaag. Maar als Zeuthen daar verscheen zouden ze hem moeilijk kunnen weigeren.

En oog in oog…

Hij had het zilveren pistool uit het landhuis. Nam het uit zijn aktetas. Controleerde het magazijn. Haalde zich voor de geest hoe dat ding ook alweer werkte. De beveiliging had het hem geleerd toen hij de leiding van het bedrijf van zijn vader had overgenomen. Een voorzorgsmaatregel, meer niet.

Een geluid bij de deur. Zeuthen stopte het wapen haastig in zijn jaszak. Maja kwam binnen en nam hem argwanend op.

'Wat ben je aan het doen?'

'Ik ga naar de Politigården. Misschien kan ik Brix overhalen om me met de ontvoerder te laten praten. Wie weet zegt hij iets.'

Op de een of andere manier had ze hem altijd door.

'Ik wil ook mee. Als we er allebei zijn…'

'Het zal al moeilijk genoeg worden om Brix te overtuigen dat hij mij moet binnenlaten, liefje.'

Haar nieuwsgierige ogen bleven op hem gericht.

'Het komt wel goed,' zei hij. Hij liep op haar af en gaf haar snel een kus. 'We krijgen haar terug.'

Op weg naar de uitgang hield zijn secretaresse hem tegen.

'Ik heb de gegevens van Reinhardt gecheckt, zoals u vroeg,' zei ze. 'Er is niets wat hem in verband brengt met dat Jutland-meisje.'

'Dat dacht ik al,' zei hij terwijl hij op de lift wachtte.

'Hij was met u bij die crisisbijeenkomst meteen erna.'

Ze wilde nog iets zeggen.

'Het is vreemd.' De vrouw voelde zich slecht op haar gemak. 'Ik begrijp het niet helemaal…'

'Kan dit wachten?'

Ze schudde haar hoofd.

'Ik denk dat u dit nu moet zien.'

Weer in het ziekenhuis, lopend door de lange gang, op weg naar de kamer waar Eva de vorige keer had gelegen. Dezelfde arts had dienst. Ze stond bij een wandtelefoon wat gegevens te controleren.

'Ik zei dat u me moest bellen,' klaagde Lund. 'U had een bericht kunnen achterlaten of…'

'We moesten de bevalling meteen opwekken,' zei de vrouw. 'Er was geen tijd.'

Ze had een heel laconieke, relaxte manier van doen. Het was om gek van te worden.

'Ik wilde niet dat ze alleen zou zijn als het gebeurde. Dat is het ergste…'

De arts keek verbaasd.

'Pardon?'

'Je moet zoiets niet alleen…'

'Eva was niet alleen. Uw zoon is vanochtend gekomen. Hij is hier de hele tijd geweest.' Ze glimlachte. 'Hij heeft echt goed geholpen. Aardige vent trouwens…' Ze lachte. 'Ik dacht dat hij flauw zou vallen toen ik zei dat hij de navelstreng mocht doorknippen. Maar hij heeft het goed gedaan, hoor.'

Ze liep een paar deuren verder, wenkte Lund dat ze moest meelopen.

'Ga gerust naar binnen.'

Door het raam zag ze Eva op bed liggen, een baby in haar armen. Mark, naast haar, hield het handje van de baby vast. Hij streelde Eva's haar, kuste haar.

'Ze hebben het beiden fantastisch gedaan,' voegde de arts eraan toe. 'De baby is prima in orde. Geen problemen.'

Ze stak haar hand uit.

'Gefeliciteerd. U bent oma.' Haar pieper ging af. 'Het spijt me.' Ze knikte in de richting van de kamer. 'Blijf zo lang als u wilt.'

Lund bleef achter het glas staan en keek ongezien toe. Zag hoe Mark het kleine meisje in zijn armen nam, een uitdrukking van trots en verbazing op zijn jonge gezicht.

Zes jaar geleden een bokkig kind dat veranderde in een bokkige tiener. En nu opeens vader. En een goede, dat wist ze zeker.

Hij had zijn eigen weg gevonden. Zonder haar hulp. Ondanks haar. Lund wist dat ze weg kon gaan. Ze zouden het niet in de gaten hebben. Maar ze had hem al zo vaak in de steek gelaten.

Hand op de deurklink, een diepe zucht. Een glimlach, niet geforceerd maar van echte vreugde.

Op het moment dat ze naar binnen wilde stappen ging haar telefoon.

'Lund? Ze zeiden dat ik recht had op één telefoontje. Jij bent de gelukkige.'

Een stem die ze nooit zou vergeten. Kalm. Rationeel. Gebiedend.

'Loke.'

'Ik ben bereid een risico te nemen. Als je me belooft dat de moordenaar van mijn dochter wordt gestraft, zal ik laten zien waar Emilie Zeuthen is.'

'Je weet dat ik dat beloof.'

'Haal me dan op.'

Ze liep weg van de deur, probeerde zich te beheersen.

'Maak dit voor de verandering nu eens gemakkelijk, oké? Vertel me waar ze is, dan zal ik…'

'Nee,' onderbrak Rantzau haar. 'Ik bepaal de voorwaarden. Ik neem de leiding. Graag of niet.'

Bij deze man ging niets eenvoudig.

'Ik ben daar niet bevoegd voor.'

'Zoek dan iemand die dat wel is. Er zijn geen andere opties.' Hij liet even een stilte vallen om indruk te maken. 'Je moet snel handelen, Lund. De tijd dringt. Je wilt toch geen lijk aantreffen?'

Er klonk een geluid. Andere stemmen. Toen kwam Borch aan de lijn.

'Dit bevalt me niet,' zei hij. 'Hij voert iets in zijn schild.'

Ze sloeg hen gade door het raam. Mark had de baby nog steeds in zijn armen, zijn ogen onafgebroken op het bundeltje gericht. De hand van Eva op de zijne.

'Ik kom eraan,' zei ze.

Zeuthen las de uitdraai die zijn secretaresse had gevonden en vroeg waar Kornerup was. Hij trof hem in de ondergrondse garage, zojuist teruggekeerd van een afspraak.

'Wat was jij in godsnaam van plan toen jij je twee jaar geleden in die zaak in Jutland verdiepte?'

Hij wierp de pagina's op de motorkap van de zwarte Mercedes.

'Ik heb zojuist de dossiers uit het archief gelezen,' zei Zeuthen. 'Je wilde op de hoogte gehouden worden. Waarom?'

Aan de uitdrukking op Kornerups gezicht kon hij zien dat de tijdelijke wapenstilstand tussen hen was opgeheven.

'Waarom graaf je in het verleden, Robert? Er is daar niets te vinden wat voor jou van belang is.'

Zeuthen wees naar hem.

'Je was op zoek…'

'Ik wil graag met je naar boven gaan om dit te bespreken. Een van onze zeelieden was hier mogelijk bij betrokken…'

'Lieg niet tegen me! Ze zijn niet eens aangeklaagd. Dus waarom was je zo geïnteresseerd?'

Kornerup sloeg zijn armen over elkaar en leunde tegen de auto.

'Ik ben de CEO van dit bedrijf. Je vader was kort daarvoor overleden. Het was mijn taak…'

'Dacht je dat Reinhardt er iets mee te maken had?'

Hij snoof verachtelijk.

'Natuurlijk niet. Doe niet zo belachelijk.'

Zeuthen pakte hem bij de kraag van zijn jas.

'Ik wil weten wat jij van plan was. We hebben het hier over het leven van mijn dochter. Als ik erachter kom dat jij Reinhardt hebt beschermd…'

'De enige die ik heb beschermd ben jij! Dat heb ik je vader beloofd. Hij wist dat jij het niet aankon. De crisis. Onderhandelingen met de overheid. We hadden hem nodig, niet jou. En aangezien hij er niet meer was, heb ik in die omstandigheden gehandeld zoals hij gedaan zou hebben.'

'Ik wil weten…'

'Als je twijfelt aan Reinhardt moet je met hem praten. Hij heeft zijn hele leven voor dit bedrijf en jouw familie gewerkt.'

Kornerup knikte naar een lange gedaante die bij de lift stond, verderop in de garage.

'Ik denk dat je hem dat verschuldigd bent, niet?' zei hij en hij liep weg.

Niels Reinhardt wierp een vluchtige blik op Zeuthen en keek toen weg. De sneeën en blauwe plekken op zijn gezicht waren nog duidelijk te zien. Verder zag hij er weer onberispelijk uit. Wit overhemd. Donkere das. Hij kwam naar hem toe, de altijd aanwezige dienaar.

'Ik had je moeten vertellen dat Kornerup over de Jutland-zaak werd geïnformeerd, Robert. Dat was alleen omdat onze zeelieden erbij betrokken waren. Ik was degene die hem dat dossier heeft overhandigd. Vandaar dat mijn naam erin voorkomt. Het spijt me. Door al die toestanden… ben ik het vergeten.'

Zeuthen knikte, zei niets.

'Ik zou er alles voor overhebben om Emilie weer thuis te krijgen,' voegde Reinhardt eraan toe. 'Ik hoop dat je dat weet.'

De telefoon die Zeuthen op zak had ging over.

Maja. Opgewonden, gespannen.

'Hij heeft gepraat, Robert. Hij zegt dat hij bereid is te laten zien waar Emilie is.'

'Waar?'

'Dat weten ze niet. Ze zijn op weg naar het vliegveld.'

Zeuthen knipte met zijn vingers naar Reinhardt, wierp hem de autosleutels toe.

'Ik zal met Brix praten,' zei hij. 'Blijf bij de telefoon. Ik kom zo snel mogelijk terug.'

Tien over acht, Kastrup. Brix had de inzet van een helikopter goedgekeurd. Een witte AS365 Dauphin.

Vijfhonderdvijftig kilometer naar Stavanger in Noorwegen. Vluchttijd een uur en drie kwartier. De plaatselijke politie zou hen bij aankomst opwachten.

Rantzau zat in zijn eentje achterin, geboeid en vastgeketend. Lund ging op het bankje ervoor zitten, tegenover Borch. Veiligheidsgordel. Veiligheidsinstructies van de piloot. Het geluid van de motor, het voortdurende geraas van de rotorbladen. De Dauphin verhief zich van het zwarte asfalt, rees op boven de lichtjes van Kastrup en vloog de koude, vochtige nacht in.

Even voor tienen kwam Ruth Hedeby naar beneden voor een bespreking met Brix. Dyhring was bij haar.

'Waar gaan ze heen?' vroeg ze.

'Stavanger.'

'Dat weet ik. Maar waar precies?'

'Zodra ik de details weet zal ik je volledig op de hoogte brengen.'

Een bittere glimlach.

'Ze willen het nu weten hierboven. Hoe weten we dat het meisje in Noorwegen is?'

Brix pakte zijn aantekeningen erbij.

'Hij zegt dat hij haar in een container heeft verscheept. Hij heeft tegen Lund gezegd dat hij die gereed had gemaakt voor zijn eigen ontsnapping. Het klinkt plausibel.'

Hedeby staarde hem aan.

'Plausibel? Meer niet? Dus ze zit niet in die tank, zoals hij eerder heeft gezegd?'

Brix begon er genoeg van te krijgen.

'Hij zegt dat ze in een tank zit, in de container. Op die manier kan niemand haar horen als ze begint te krijsen. Als…'

'Spoor die verdomde container dan op!'

'We zijn ermee bezig. Maar er zijn de afgelopen dagen honderden van die dingen naar Noorwegen verscheept. Sommige zijn aangekomen. Sommige staan elders in overslaghavens. Andere zijn nog onderweg.'

Ze maakte een wegwuivend gebaar.

'Je weet helemaal niks, hè? Je hebt een helikopter gecharterd. Lund en Borch samen met een moordenaar op pad gestuurd naar een gebied buiten de Deense jurisdictie? Dat alles met de belofte dat we de moordenaar van zijn dochter zullen vinden?'

'Dat gaan we ook doen,' hield Brix vol. 'Wat had jij dan gedaan in deze omstandigheden?'

Dyhring schudde zijn hoofd.

'Loke Rantzau gelooft niet in jouw onderzoek. Vanaf het begin al niet. Het is gewoon weer een spelletje…'

Hedeby droeg hem op mee te komen naar een naastgelegen leeg kantoortje. De PET-man bleef achter om te telefoneren.

'Je moet de situatie begrijpen, Lennart. Mogens Rank heeft zojuist een persconferentie gegeven. Hij heeft ons de les gelezen. Lund heeft rampzalig gehandeld en jij hebt haar gewoon haar gang laten gaan.'

'Toen ik je vroeg wat jij anders gedaan zou hebben…'

'Ik zou niet iedereen op stang hebben gejaagd. Nu zitten Zeeland en de overheid me op de nek. Of Hartmann de verkiezingen nu wint of niet, wij zijn de lul tenzij we dat kind veilig terugvinden.'

Hij sloot zijn ogen, haalde diep adem en zei toen: 'Het is voor jou misschien moeilijk te begrijpen, Ruth, maar dat is niet de reden waarom we naar haar op zoek zijn.'

Brix ging terug naar het kantoor. Zij verdween samen met Dyhring in een dicht opeengepakte groep mensen. Juncker klaagde dat hij was overgeslagen voor het reisje naar Noorwegen.

'Jouw tijd voor een reisje per helikopter komt nog wel,' bromde Brix.

'Het gaat me niet om die stomme helikopter! Ik heb de personeelsdossiers van Zeeland zitten doorspitten...'

'Wat?'

'Op verzoek van Lund,' legde Juncker uit.

'Heb je Robert Zeuthen te pakken gekregen, zoals ik je heb gevraagd?'

'Ik kan hem niet bereiken... Ik zou daar nog heen kunnen vliegen...'

'Hoe bedoel je, je kunt hem niet bereiken?'

Juncker zweeg, dacht ergens over na.

'Ik bedoel dat hij niet heeft gereageerd op mijn ingesproken berichten. Die helikopter...'

'Godallemachtig, Asbjørn, houd op over die helikopter.'

De jonge rechercheur bladerde haastig door zijn aantekeningen. Hij gaf Brix de vluchtgegevens en wees naar de kleine lettertjes onder aan de charter-formulieren.

'U weet toch wie de eigenaar is van dat bedrijf, hè?' vroeg Juncker.

Tegen het eind van de vlucht ging haar telefoon.

'Waar ben je?' vroeg Eva. 'Het klinkt als...'

'Ik ben aan het werk. Hoe gaat het met de baby?'

Een vreugdekreetje.

'Vierenveertig centimeter en zeven pond. En ze heeft al haar vingers en tenen. Ze is prachtig. Wanneer kom jij...'

'En Mark was erbij.'

'Ja. Hij was echt lief. Hij heeft haar nu vast. Wil je hem even spreken?'

De piloot gebaarde dat ze het gesprek moest beëindigen. De landingsbaan was in zicht. Ze daalden.

'Ik moet gaan. Ik ben morgen weer thuis. Stuur me een foto van haar.'

'Natuurlijk,' zei Eva. 'Ik geloof dat ze net wakker is geworden.'

Boven de herrie van de helikopter uit kon Lund nog net het hoge gekraai van een baby horen.

Ze keek naar haar berichten. Vond het bericht van Brix en liet het aan Rantzau zien.

'Dit is de bevestiging dat we de zaak van je dochter onderzoeken. We checken verkeerscamera's op de hoofdweg. We bekijken de grensgegevens...'

Hij droeg weer het groene zeiljack dat hij bij Zeeland aan had gehad. Hij wierp een onbewogen blik op de e-mail.

'Weet Zeuthen dat we Kopenhagen hebben verlaten?'

'De ouders worden op de hoogte gehouden,' zei Lund. 'Ik houd jou op de hoogte van alles wat er gebeurt rond de zaak van Louise. Je weet wat we hebben afgesproken, Loke. We richten ons nu op Emilie.'

Hij knikte. Na een tijdje zei hij: 'We moeten een stuk rijden.'

'Waarnaartoe?' wilde Borch weten. 'In de buurt van Stavanger?'

'Een stukje verder dan dat.' Hij knikte naar het raam. Het licht van de lantaarnpalen weerspiegelde in het zeewater. 'Verderop langs de kust.'

'Wacht even,' zei Borch. 'Heb je die container hierheen gestuurd en hem vervolgens ergens anders naartoe laten brengen?'

Rantzau keek Lund aan.

'Hij leert snel, hè? Als jullie doen wat ik zeg leid ik jullie naar het meisje.'

Borch schudde met zijn vuist voor zijn gezicht.

'Houd op met die flauwekul en vertel waar die container is.'

Rantzau sloot zijn ogen, leunde achterover op zijn stoel. Het leek of hij sliep. Lunds telefoon ging opnieuw over. Ze keek naar het schermpje. Nog steeds geen foto.

'We hebben een probleem,' zei Brix. 'Zeuthen heeft ontdekt waar jullie heen gingen. Die helikopterfirma is van hem. Een van zijn vliegtuigen is zojuist, nog voor jullie, in Stavanger geland.'

Ze daalden. Ze keek uit het raampje. Bij het heliplatform stond een zakenvliegtuigje. Er vlakbij stond een vloot politieauto's met blauwe zwaailichten.

'Wat wil je dat ik doe?'

'Houd hem weg bij Rantzau. Maar houd hem tevreden.'

Vrij snel na de landing ging Borch praten met de Noorse politie.

Dertig seconden. Langer duurde het niet. Toen kwam Robert Zeuthen aanwandelen, winterjas, overhemd zonder das, Niels Reinhardt in overjas, pak en das achter hem.

Hij keek naar Rantzau. Rantzau naar hem. Toen brachten ze de geboeide man naar een gevangenenbusje en zetten hem achterin.

'Wat heeft hij gezegd, Lund?' vroeg Zeuthen. 'Waar is ze?'

'We gaan noordwaarts langs de kust. Ik wil dat je hier wacht. We brengen Emilie meteen terug.'

'Niks ervan!' schreeuwde Zeuthen. 'Ze had maar voor twee dagen lucht en jullie hebben al een dag verknoeid door Niels lastig te vallen.'

'We zitten erbovenop...'

Zeuthen schudde zijn hoofd.

'Moet ik Troels Hartmann bellen? Eens kijken wat hij zegt? We kennen dit gebied. We kunnen helpen.'

'We zullen ons op de achtergrond houden,' voegde Reinhardt eraan toe.

'Ik blijf erbij, Lund,' zei Zeuthen. 'Wen er maar aan.'

Borch kwam terug, hoofdschuddend.

'Ik wil dat je mijn instructies opvolgt, Robert,' zei Lund. 'Als je me voor de voeten loopt gaat het mis.'

'Je zegt het maar,' antwoordde Zeuthen en vervolgens zei hij tegen Reinhardt dat hij een auto moest regelen.

Maja had Carl meegebracht naar het kantoor. Hij speelde met zijn autootjes op tafel terwijl de beveiligingsmedewerkers probeerden de scheepsbewegingen rond Stavanger in kaart te brengen. Het leek onmogelijk. Duizenden fjorden, waarvan de meeste bevaarbaar waren, en kleine havens verspreid door het hele gebied.

Toen kwam Kornerup binnen. Een man die ze nooit had gemogen.

'Nog nieuws?' vroeg hij.

'Nog niet. Ik moet even naar huis. Bedtijd voor Carl. Er moeten een helikopter en een arts stand-by staan in Stavanger voor wanneer ze Emilie vinden.'

Kornerup knikte.

'Vanzelfsprekend. Ik heb wat dingetjes bekeken die Rantzau voor ons heeft gedaan. Hij is regelmatig in Noorwegen geweest voor het installeren van IT-systemen en beveiligde netwerken. Hij moet de kust en de fjorden heel goed kennen.'

Ze keek hem aan.

'Heb je dat ook tegen de politie gezegd?'

'Dat komt wel, Maja. Maak je geen zorgen.'

Het moest gezegd worden.

'Ik neem aan dat er daar heel veel plekken zijn waar je iemand kunt verstoppen. Lege gebouwen. Oude scheepswerven. Nu jullie zo veel werk naar Azië hebben verplaatst.'

Hij onderdrukte een glimlach.

'Het spijt me als ik je op de een of andere manier heb beledigd. We doen alles wat...'

'Carl!' riep ze. 'Kom. We gaan naar huis.'

'De raad van bestuur en ik oefenen druk uit op de overheid om Emilie thuis te krijgen,' voegde Kornerup eraan toe.

Ze schudde haar hoofd, zei tegen Carl dat hij zijn speelgoed moest opruimen.

'Als dit voorbij is zal ik de zaken rond jullie beveiliging nog eens goed bekijken,' beloofde hij. 'Vooral wat de kinderen betreft.'

'Je bent toch ontslagen?'

Dit keer glimlachte hij wel.

'Het was een misverstand. Ik verzeker je…'

'Je geeft helemaal niks om ons. Het enige wat telt is…' Ze keek om zich heen in het luxueuze kantoor. 'Is dit. Zeeland. Geld. Macht. Hebzucht.'

'Drekar is een prachtig landhuis, Maja. Waar denk je dat het vandaan komt?'

Ze liep naar de jongen, raapte zijn speelgoed op en stopte het in haar tas. Kornerup kwam achter haar aan.

'Ik wil je laten weten…'

'Als we Emilie terug hebben gaan de zaken hier veranderen,' zei ze bits. 'En wat dat misverstand van jou betreft…'

Een kleine hand kwam omhoog en zocht de hare.

'Mam,' zei Carl. 'Kom nou.'

De tv-studio's voor het laatste debat in een verkiezingscampagne waar geen eind aan leek te komen. Hartmann deed zijn uiterste best om zich te concentreren en Benjamin uit zijn hoofd te zetten. Het meisje Sally. De sleutels.

'Kunt u bevestigen dat de politie op weg is naar Noorwegen om Emilie te bevrijden?' vroeg de presentator aan het begin van het programma. 'Ik weet dat dit een ongewone manier is om een debat te beginnen. Maar heel Denemarken zit op een antwoord te wachten…'

'Dat is juist,' zei Hartmann zonder enige aarzeling. 'Iedereen wil dat er zo snel mogelijk een einde komt aan de lijdensweg van de familie Zeuthen. De minister van Justitie zal spoedig met een uitgebreide verklaring komen. Maar ik kan zeggen dat het erop lijkt dat de ontvoering voorbij is. De misdadiger die Emilie heeft gekidnapt heeft zich bereid verklaard de politie te vertellen waar ze is.'

Ussing, Rosa Lebech en de leiders van de kleine partijen zaten op een rij.

'Daar gaan we weer,' kwam Ussing ertussen. 'Hartmann leurt weer met zijn loze optimisme. Hoe lang moet het duren voordat we beseffen dat dit niets anders is dan de zoveelste leugen?'

'Het gaat om het leven van een kind,' zei Hartmann hoofdschuddend.

'Ja, en je hebt het zo gespeeld dat je er zelf voordeel bij had,' zei Ussing. 'Want al je beloften zijn geen cent waard zonder je vriendjes van Zeeland. Is het waar dat ze hun donaties aan het campagnefonds hebben opgeschort zolang Emilie nog niet is gevonden?'

'Niet voor zover ik weet.'

'Dus je ontkent het niet?'

'Ach, schei toch uit, Ussing. Waar wil je heen?'

'Wie heeft die hulpaanklager onder druk gezet, Hartmann? Wie heeft die stommelingen van de PET op mij afgestuurd?'

Ussing raakte buiten zinnen. Hij begon steeds harder te praten. Maakte woeste gebaren.

Hartmann keek recht in de camera. Bleef kalm. Werd niet onzeker.

'Er zit iemand achter!' schreeuwde Ussing. 'Iemand...'

Een kwartier later liep Karen Nebel op en neer in de make-upruimte.

'Hij is erin geslaagd twijfel te zaaien. We zijn twee punten gezakt in de peilingen.'

Mogens Rank was op tv en gaf een interview over de zoektocht in Noorwegen.

'Er is geen vrouw in het land die hierna nog op hem zal stemmen,' zei Hartmann. 'Wat is Lund van plan?'

'Ze doet wat die smeerlap Rantzau vraagt. Hij wil geen adres geven. Ze moeten zijn aanwijzingen opvolgen.'

Hij leunde achterover en keek naar zichzelf in de spiegel.

'Hoe lang?'

Ze haalde haar schouders op.

'Ze lijken hem te geloven. Robert Zeuthen is er ook bij.' Ze kwam dichterbij en ging op de make-uptafel zitten, keek hem aan. 'Zullen we een paar van de kleine partijen uitnodigen voor een biertje?'

Hij lachte.

'Zo wanhopig ben ik nog niet.'

'Jawel, Troels. Met deze marges kan het alle kanten op.'

Een klop op de deur. Morten Weber kwam binnen. Vochtige jas vanwege de natte avond. Terneergeslagen.

'En?' vroeg Hartmann.

'Geen succes,' zei Weber terwijl hij de sleutels liet bungelen. 'Ik heb het gevraagd op die plek waar hij naartoe is gegaan. De mensen daar weten van niets.'

'Ze moeten ergens op passen. Benjamin heeft ze aan dat meisje gegeven. Hij had kopieën gemaakt van foto's uit Jutland. Geef me de sleutels.'

Weber overhandigde ze.

'Hij moet foto's hebben genomen van Karen terwijl ze met Reinhardt sprak. Het betekent geen ene moer.'

Hartmann schudde zijn hoofd.

'Waarom heeft iemand van Zeeland ze dan van de server gewist?'

'Omdat Zeeland dat bedrijf heeft gesloten. Heel veel mensen zijn hun spullen kwijt...'

Nebel zuchtte, pakte hun jassen.

'Ik wil weten wat hij had,' bleef Hartmann aandringen. 'Er moet iemand zijn die je nog niet naar die sleutels hebt gevraagd.'

'Zoals wie? Morgen zijn de verkiezingen. Waarom verspillen we hier onze tijd mee? Hebben we het al opgegeven? Het spijt me van Benjamin. Maar het begint een obsessie voor je te worden…'

'Geef me die sleutels,' zei Nebel venijnig en ze pakte ze af van Hartmann. 'Als het zo belangrijk is ga ik er wel mee aan de slag.'

'Godallemachtig, Karen…' jammerde Weber.

'Afgesproken,' zei ze opgewekt terwijl ze de sleutels in haar broekzak stak. 'Laten we maken dat we hier wegkomen, oké?'

Een uur buiten Stavanger, rijdend over smalle, bochtige wegen. De Noorse politie reed voorop. Daarna kwamen Lund en Borch in een klein bestelbusje met een beveiligde ruimte achterin. Loke Rantzau zat daar geketend aan een metalen stang die aan de rugleuning van zijn stoel was bevestigd. De artsen hadden hem pijnstillers gegevens voor zijn wond, die hij af en toe innam. Zeuthen en Reinhardt reden achter hen aan.

Brix belde. Hij had Juncker samen met de beveiligingsmensen van Zeeland op de gegevens over verschepingsroutes gezet. In de betreffende periode waren zeventig containers Stavanger gepasseerd. Stuk voor stuk een andere kant op.

Niets kwam overeen met de lijsten die ze in zijn ondergrondse schuilplaats hadden gevonden. De Medea, waar hij drie zeelieden had gemarteld, was opnieuw doorzocht op bruikbare documenten. Tot nu toe had het niets opgeleverd.

Borch reed. Lund vertelde hem wat er aan de hand was.

'Als hij ons naar het meisje brengt, maakt dat niet uit,' voegde ze eraan toe.

'Als hij dat doet,' mompelde Borch. 'Het is nog steeds mogelijk dat hij een spelletje met ons speelt. Er is geen enkele garantie dat ze nog leeft. Als hij haar in die tank heeft gestopt. Jezus…' Hij keek achter zich. 'Wie kan zoiets doen? Met een kind? Allemachtig…'

'Ze moet nog leven.'

'Ja.' Hij keek haar aan. Glimlachte breed. 'Trouwens… gefeliciteerd, oma.'

Lund lachte.

'Bedankt.'

'Een meisje.' Ze had hem dat al verteld. 'Dat is mooi. Het zou slim zijn van ze om zo snel mogelijk nog een kind te nemen. Er moet achttien maanden tot twee jaar tussen zitten. Op die manier kunnen ze samen opgroeien. Hun eigen legertje vormen.'

Hij wierp even een blik op haar.

'Jij was enig kind. Je ziet wat daarvan terechtkomt.'

'Bedankt!' Ze probeerde het zich te herinneren. 'Jij was ook enig kind.'

'Ja. Misschien zijn we daarom op elkaar gevallen. Soort zoekt soort. Allebei even gefrustreerd.'

Ze legde de kaart die ze had gebruikt neer.

'Jij was niet gefrustreerd.'

'Wel toen jij me verliet.'

Lund zei niets. Ze vond het prettig naar zijn stemgeluid te luisteren.

'Laten we zeggen dat we Emilie levend terugvinden,' ging hij verder. 'En dat alles goed afloopt. Jij gaat terug naar Kopenhagen om oma te spelen. En kantoorwerk te doen bij de OPA.'

Dat zou goed zijn, dacht ze. Dat was een leven dat ze aankon.

'Dat lijkt me prettig,' zei Lund.

'En trek je dan bij mij in? Je bent me nog steeds de waarborgsom schuldig voor die flat die we nooit hebben genomen. Ik ben bereid dat als aanbetaling te beschouwen. Je hoeft me geen cent te betalen.'

Haar hand ging naar haar voorhoofd. Hij keek naar haar. Weer die puppy. Vol verlangen en behoefte aan liefde.

'Ik trek bij niemand in. En bovendien... ben je getrouwd.'

'Niet lang meer. Dat draaide sowieso op een mislukking uit.'

'Mathias... ik wil niets horen over...'

'Je bent oma!'

'Dat blijf je maar herhalen.'

'Het wordt tijd om je ergens te settelen.' Hij haalde een hand van het stuur en tikte op zijn borst. 'Met mij. We zouden natuurlijk in dat schuurtje van jou kunnen gaan wonen...'

Haar telefoon ging. Borch bleef zeuren. Ze zei dat hij zijn mond moest houden.

Het was Juncker. Hij zei dat hij gegevens over mobiele telefoons had van de masten in Jutland op de dag dat Louise werd meegenomen. Vijftig zwarte auto's op de weg naast die uit het schrift. Duits, Pools, Zweeds...

'Praat met de chauffeurs,' zei ze. 'Controleer hun alibi.'

'Ja, maar zijn we zeker van de datum? In het rapport van de aanklager is sprake van 21 april...'

'Vergeet dat, Asbjørn. Hij heeft de datum veranderd. We moeten kijken naar 20 april. Trek de horlogemakers na, zoals ik heb gevraagd. De patholoog-anatoom dacht dat de schade aan Louises tanden door een horloge kon zijn veroorzaakt. Zoek uit of een van de automobilisten naar de garage is geweest voor een reparatie.' Ze keek even naar Borch. Hij ging nog steeds helemaal op in zijn fantasie. 'En blijf speuren in die oude dossiers.'

Een geluid achterin. Rantzau sloeg op het raampje dat hen scheidde van het gedeelte voor de gevangenen.

'Kunnen we stoppen?' vroeg hij via de intercom. 'Ik heb trek in een sigaret.'

'We stoppen pas als we er zijn,' zei Borch tegen hem.

'Best,' zei Rantzau. 'Neem de volgende links, en dan langs de fjord. Waar hij landinwaarts loopt. Je moet helemaal naar het einde rijden.'

Lund keek op de kaart.

'Dat duurt nog minstens vier uur,' zei ze. 'Die weg gaat nergens heen. Er is geen stad…'

'Dat weet ik,' zei Rantzau. 'Maak me wakker als we er zijn.'

Ze keek in de spiegel. Hij had zijn hoofd achterover laten zakken en zijn ogen gesloten, leek al bijna in slaap te vallen.

Het was bijna middernacht. Met enig geluk zouden ze de plek die hij had aangewezen bij het krieken van de dag bereiken.

'We komen er wel,' zei Lund. 'We vinden dat meisje.'

Borch knikte.

'En trouwens… mijn huis mag dan klein zijn, maar het is geen schuur.'

'Het kan wel een opknapbeurt gebruiken,' opperde hij. 'Of in ieder geval een uitbouw.'

Ze snoof.

'O ja. Ik weet nog hoe handig jij als klusser was. Schreeuwen tegen schroevendraaiers. Door buizen boren…'

Dat was zijn eer te na.

'Hé. Dat was toen. Nu ben ik best goed. Veel geoefend.'

Koplampen in de zwarte Noorse nacht. Bomen langs de weg. Bossen waar je in kon verdwalen. Ze was niet meer in het bos geweest sinds Nanna Birk Larsen vermist werd, zes lange jaren geleden. En nu was Mark, kleine Mark, vader. De ongrijpbare familiebanden begonnen eindelijk op hun plaats te vallen.

'Oké,' zei Lund. 'Je mag een uitbouw maken. Maar ik wil er wel radiatoren in.'

En daar liet ze het bij.

Mathias Borch slaakte een juichend kreetje en roffelde op het stuur. Zijn vingers reikten naar de hare.

Er doemde een tunnel op. Hij moest bijsturen om recht op de weg te blijven.

'Voor je kijken,' zei ze. 'Ogen op de weg.'

Ze gaf een klopje op zijn hand op het stuur en concentreerde zich weer op de kaart.

10

Vrijdag 18 november

Verkiezingsdag. De formele campagne was voorbij. De politici hadden niets anders meer te doen dan lachen naar de camera's, op zichzelf stemmen en dan achteroverleunen en wachten op het oordeel van het publiek.

Toen Hartmann naar het stemlokaal in de buurt van Christiansborg liep wilde de meute verslaggevers om hem heen niets weten over de economie of zijn noodmaatregelen. Elke vraag ging over Emilie.

Leefde ze nog of niet? Kon hij enige hoop bieden op het wonder waar het hele land op wachtte? Dat ze veilig thuis zou komen en met haar familie herenigd zou worden?

Zijn antwoorden waren sussend en vrijblijvend. Hij sprak over hoop en gebed. Weinig anders.

Binnen kreeg hij het laatste nieuws te horen van Weber. De oppositiepartijen kozen nog geen partij en wachtten op de afloop van de gebeurtenissen in Noorwegen.

En daarover... geen nieuws. Het nachtelijk konvooi was diep doorgedrongen in het afgelegen, lege achterland. Als de politie dacht dat de bestemming was bereikt, kwam Rantzau steeds weer met nieuwe instructies. Ze waren nu al tien uur onderweg en het ging nog steeds door.

Hartmann liep naar de deur.

'Wacht even.' Weber greep hem bij de arm en knikte naar het stemlokaal. 'Ussing is daarbinnen.'

'Ik wacht niet op Anders Ussing,' zei Hartmann en hij stapte met ferme pas naar binnen.

De leider van de socialisten stak zijn stembiljet in een bus en stond te stralen voor een rij fotografen.

'Sorry dat we hier samen opduiken,' zei Hartmann. 'Pure pech.'

'Voor jou,' antwoordde Ussing opgewekt. 'Veel plezier vandaag, Troels. Het is je laatste dag in Christiansborg.'

Hartmann zweeg, liep het stemhokje in. Keek naar het biljet met de namen, het potlood. Zijn telefoon ging.

'Met Karen…'

'Nog nieuws over die sleutels?'

'Een van Sally's vrienden heeft gezien dat hij een hangslot kocht. Hij had een plek waar hij zijn basketbalspullen en andere dingen uit Amerika bewaarde.'

'Benjamin heeft nooit basketbal gespeeld. Dat kan niet kloppen.'

'Ze zei dat het niet ver van het spoor was. Waar hij is gestorven…'

Buiten hoorde hij Ussing brallen zoals gebruikelijk.

'Misschien weet hij niet op wie hij moet stemmen!'

Hilariteit.

Hartmann kwam naar buiten, stak zijn biljet in de stembus en was verdwenen voordat het grootste deel van de fotografen het had kunnen vastleggen.

'Nog een foto,' riepen enkelen.

'Zelfs de premier mag maar één keer stemmen,' zei Hartmann met een vluchtige glimlach. Hij liep de trap op, met Weber achter hem aan hollend.

Op de treden begon de kleine man te klagen.

'Dit is je laatste kans om het tij te keren. Kun je misschien even blijven staan en lachen naar de camera's?'

'Karen heeft een plek gevonden waar Benjamin spullen bewaarde. Misschien passen die sleutels…'

'Godallemachtig. Niet vandaag…'

'Zeg al mijn afspraken af,' verordonneerde Hartmann. 'We gaan naar Nørrebro.'

Na de kronkelige landweggetjes door het Noorse binnenland had Rantzau hen terug laten rijden naar de kust, naar een kleine containerterminal ten noorden van Bergen. Borch was woedend. De man zelf zweeg, had ogenschijnlijk het grootste deel van de tijd rustig liggen slapen.

Toen ze aankwamen zagen ze dat het bescheiden haventerrein vol stond met containers uit de hele wereld. Hij zei dat ze moesten zoeken naar een groen model met nummer 67678. Die was er niet.

Lund belde met Brix. Hij begon zenuwachtig te worden.

'Waarom kun je het in godsnaam niet vinden?' wilde hij weten.

'Borch controleert de logboeken met de manager hier. Ik zal je…'

Een boze gestalte kwam het kantoor uit. Papieren in de hand. Twee Noorse geüniformeerde mannen hielden Rantzau aan beide armen vast bij de waterkant. Hij staarde geeuwend naar de grijze lucht.

Ze liep achter Borch aan terwijl hij over de steiger beende in een poging hem aan het praten te krijgen.

Ze kwamen bij Rantzau.

'Je hebt de container hier gisteren laten oppikken,' zei Borch. 'Waar is hij nu?'

Opnieuw een geeuw voordat Rantzau vroeg: 'Is dat zo?'

Het gebeurde in een oogwenk. Borchs rechterhand ging omhoog en hij sloeg hem in het gezicht.

'Waar is hij, verdomme?'

Een lach. Nog een klap. De Noren werden zenuwachtig.

Lund ging tussen hen in staan, zei dat hij moest ophouden. Rantzau zag er zieker uit dan ooit. Op zijn rechterwang verscheen een rode striem. Hij was ongeschoren. Bleek. Stond wankel op zijn benen.

'Waar is het meisje, Loke?' vroeg ze.

Hij wierp een blik op Borch.

'Zeg maar tegen je vriendje dat we allemaal naar huis kunnen gaan als hij dat nog een keer doet.'

'Dat doet hij niet,' zei ze terwijl ze Borch wegduwde. 'Je hebt ons doelloos door heel Noorwegen laten rijden. Je zei dat er weinig tijd meer was.'

Rantzau keek naar het water, hoestte.

'Hij heeft hem laten oppikken door een vrachtwagen,' zei Borch. Hij hield haar enkele papieren voor de neus. 'Er staat nergens waar hij heen is gereden.'

'Loke.' Ze ging dicht voor hem staan, net zo lang tot hij haar aankeek. 'We hebben een afspraak. Kopenhagen blijft niet bezig met de zaak van Louise als jij ons niet helpt.'

Hij knikte.

'De waarheid is dat ik hem naar een rustiger plek heb laten vervoeren. Ik wist niet dat ze hem gisteren zouden oppikken.'

Borch wrong zich tussen hen in.

'Wie heb je gebruikt voor het transport? Geef me een naam of ik zweer je dat ik je nog een klap geef, en deze keer harder.'

Rantzau keek hem aan, keek weg. Naar Lund.

'We gaan de fjord op,' zei hij. 'Jullie hebben een boot nodig.'

Commotie achter hen. Zeuthen stond er, handen in de zak, van plan zich ermee te bemoeien.

Lund schreeuwde tot de twee Noorse politiemannen tussenbeide kwamen en hem tegenhielden.

'Loke. Dit moet wel echt zijn,' zei ze.

'Alles wat ik doe is echt, Lund. Wat heeft het anders voor zin?'

Hij knikte naar een kleine witte plezierboot die bij de steiger lag afgemeerd.

'Die is goed genoeg.'

Een half uur later hadden ze de boot gecharterd en voeren ze de verlaten fjord op. Er lag sneeuw op de hellingen. Af en toe brak de zon door tussen zware, dreigende wolken. Rantzau stond in de luwte van de cabine, uit de ijzige wind, met handboeien vastgemaakt aan een metalen stang, en bietste zo veel mogelijk sigaretten.

Na een uur vonden ze dat ze hem wel genoeg hadden gegeven.

Ze voegde zich bij Borch, Reinhardt en Zeuthen die bij de achtersteven over kaarten stonden gebogen.

'Vroeger hadden we hier kleine scheepswerven,' zei Reinhardt. 'Rantzau heeft daar heel wat IT-systemen geïnstalleerd. Hij moet het gebied erg goed kennen.'

Borch had zijn twijfels. De fjord leek verlaten.

'Waar zou je hier in godsnaam een container aan land kunnen brengen?'

Reinhardt dacht dat het mogelijk was. Er waren verschillende kleine havens, een paar daarvan aan wegen die terugliepen naar het vasteland.

'We hebben hier geen tijd voor,' zei Zeuthen terwijl hij op zijn pols tikte.

Ze liet hen staan en belde Juncker. Er was nog geen nieuws over de buitenlandse auto's.

'We kunnen geen bestuurder vinden die naar een horlogemaker is geweest,' legde hij uit. 'Afgezien van Niels Reinhardt. Hij heeft een nieuw horloge gekocht in Fisketorvet, vroeg in de ochtend nadat Louise Hjelby is vermoord. Maar dat kan hij moeilijk hebben gedaan, toch? Hij was niet in Kopenhagen. Hij zat in dat hotel in Esbjerg.'

Lund keek naar de lange man die naast Zeuthen achter in de boot stond, geduldig de kaarten bestuderend.

'Weet je zeker dat het Reinhardt was?'

'Lijkt er wel op. Ik heb de winkel gebeld. Het was een heel duur horloge. Daar verkoop je er niet veel van. Ze hebben een bonnetje van de creditcard. De man die hij beschrijft klinkt als Reinhardt.'

Het leek alsof Rantzau iets zei.

'Overigens,' voegde Juncker eraan toe. 'Brix betrapte me toen ik dat oude materiaal van de zaak-Birk Larsen bekeek. Dat viel niet erg goed, dat kan ik je verzekeren.'

'Je moet blijven zoeken, Asbjørn. Als je ophoudt gebeurt er niks meer.'

'Dat zal ik proberen te onthouden. Waar gaan jullie heen? Waag het niet om op te hangen…'

Ze verbrak de verbinding. Borch liep naar haar toe.

'Het recentste sprookjesverhaal is dat we naar een verlaten pompstation gaan. Ik vraag de Noren of ze meer mensen willen sturen. Je kunt met Loke praten als je wilt. Ik zweer je dat ik die ellendeling vermoord als hij ons nog één keer voor de gek houdt.'

'Dat hotel…' zei ze, 'heb je de gegevens van het slotensysteem gecheckt?'

'Welk hotel?'

'Reinhardt heeft zijn nieuwe horloge gekocht op de dag nadat Louise is vermoord. In Kopenhagen. Heel vroeg in de ochtend. Toen hij in het hotel in Esbjerg had moeten zijn. Weten we zeker dat hij een alibi heeft?'

Borch haalde zijn schouders op.

'Dyhring heeft dat door iemand laten uitzoeken. Ze zeiden dat de sleutelgegevens van het hotel aantoonden dat hij die middag zijn kamer in is gegaan en daar tot de volgende ochtend is gebleven. De PET heeft zijn alibi heel nauwkeurig onderzocht. Misschien heeft de man van de horlogezaak zich vergist in de datum.'

'Die is geregistreerd via zijn creditcard.'

'Hij kan de sleutelgegevens van het hotel niet hebben gewijzigd. Dat is onmogelijk…'

De boot draaide een kleine baai in. Rantzau wees. Er was een steiger, groter dan ze had verwacht. Een reeks lage grijze gebouwen genesteld in een rotsige inham, met daarachter een bochtige weg. Het zag er desolaat en verlaten uit. Leeg.

'Als ze daar niet is,' zei Borch. 'Ik zweer…'

'Ja,' zei ze en ze klopte hem vluchtig op zijn arm. 'Ik heb het begrepen, bedankt.'

Net voor het middaguur reed de Mercedes van Hartmann een groezelig steegje in Nørrebro in, met twee lijfwachten van de PET in de auto achter hem. Morten Weber zat te bellen en kreeg het laatste nieuws door van Mogens Rank.

'Nog steeds geen nieuws,' zei Rank. 'Ze hebben een boot gehuurd. Hij neemt hen mee een fjord op.'

'Wat is dit? Een vakantie?' wilde Weber weten.

'Rantzau zegt dat hij hen naar het meisje brengt.'

De PET-man kwam met paraplu's. Hartmann dook er meteen onder en keek om zich heen. Benjamin was achter dit oord onder de trein gekomen. Het spoor was niet eens afgezet met een hek. Naast de gebouwen lag een basketbalveld waar een paar jongeren aan het spelen waren.

'Niemand zal ook nog maar iets met ons te maken willen hebben als we dat Zeuthen-meisje niet levend terugvinden,' zei Weber.

'Maak je geen zorgen,' hield Rank vol. 'We zitten erbovenop. Zeg tegen Troels dat ik graag de plaats van Agger op Financiën wil innemen als hij dat wil. Ik heb economie gestudeerd aan de universiteit.'

Weber mompelde iets sarcastisch en beëindigde het gesprek. Karen Nebel was er inmiddels ook, leunend tegen de derde deur van een stel garageboxen.

'Heb je hem gevonden?' vroeg Hartmann.

Weber raakte geagiteerd.

'We hebben geen enkele coalitiepartner. Ussing belt rond. Kan dit niet een andere keer?'

Nebel had het hangslot in haar handen.

'Dat is misschien geen slecht idee,' opperde ze.

Hartmann sloot even zijn ogen. Toen zei hij: 'Ik moet het zien.'

Ze ging opzij en trok een roestige metalen deur open. Erachter lag een opslagruimte. Nebel vond het lichtknopje. Een oud bureau. Uitgeknipte krantenartikelen. Allemaal over Hartmann en de partij. Aantekeningen bij elk artikel. Een groot vel waarop stond: 'Waar komt het geld vandaan?'

'Ik heb nooit geweten dat hij aan basketballen deed,' mompelde Hartmann terwijl hij keek naar een paar sportschoenen en wat kleding in een hoek.

Foto's van Hans Zeuthen en zijn zoon. Weber. Nebel. Hartmann zelf.

Weber nam alles systematisch door.

'Oké,' zei hij. 'Hier. Dit is hem.'

Een foto van Nebel met Reinhardt, naast zijn auto.

'Dus Benjamin heeft een foto van Zeeland die Karen wat geld belooft,' zei Weber. 'En Karen bedankt hem daarvoor.'

Ze keek naar de vloer, die was bezaaid met papieren. Een omgevallen stoel.

'Iemand heeft deze plek doorzocht. En daarna op slot gedaan. Het hangslot zat nog op de deur.'

'Ja, nou...' Weber keek op zijn horloge. 'We hebben gezien wat we moesten zien.'

Nebel keek naar de oude foto uit Jutland.

'Deze kunnen ze niet hebben gezocht. Anders hadden ze hem wel meegenomen.'

Hartmann liep naar het bureau. Een pakje sigaretten. Een oude aansteker. Overal papieren. Oude buskaartjes. Een oude laptop. En een honkbalpetje. Aan de voorkant stond 'HARVARD'. Die had hij uit Amerika meegenomen toen ze hem van de universiteit schopten.

'Benjamin was echt totaal in de war,' zei Weber met alle zachtaardigheid in zijn stem die hij kon opbrengen. 'Dat kun je wel zien. We hebben hier niks te zoeken.'

Hartmann pakte de pet op. Kon zich niet herinneren dat zijn broer hem ooit had gedragen.

'Hij raakte verzeild in het soort politiek waar wij niet naar luisteren, Morten. Dat heeft hem niet het leven gekost.'

Er reed een trein langs. Lawaaierig. Snel. Zo dichtbij dat de ruimte ervan trilde. Hartmann legde een hand tegen zijn hoofd, kon niet meer helder nadenken.

'Het spijt me echt dat ik jullie hierheen heb gesleept. Het is aan mij om mijn broer te begraven. Niet aan jullie.' Hij keek nog een laatste keer om zich heen in de smoezelige ruimte. 'Kun je die spullen laten inpakken en ergens opslaan?' vroeg hij.

'Uiteraard,' zei ze.

'Morten. Neem contact op met de partijleiders en zoek uit hoe lang ze nog willen wachten op nieuws uit Noorwegen. Je hebt gelijk. We moeten aan de slag.'

Hij had de pet nog in zijn handen. Niet veel gedragen. Hartmann stopte hem in zijn jaszak en liep terug naar de auto.

Maja Zeuthen was naar de Politigården gegaan en had Brix te verstaan gegeven dat ze niet van plan was te vertrekken.

Er gebeurde van alles, maar ze wilden haar niets vertellen. Daarom trok ze zich terug in een hoekje en wachtte op hem. Luisterde.

Hij zat gespannen te telefoneren, met Lund nam ze aan. Hij bestookte haar met vragen. Kreeg weinig antwoorden. De vorige nacht had Robert haar verteld dat hij zijn auto-oplader voor de telefoon was vergeten. Ze had hem niet meer kunnen bereiken en geen berichten terug ontvangen.

Toen, die ochtend, terwijl ze haar paspoort teruglegde in het brandkastje in Drekar, had ze gezien dat er iets ontbrak. Het zilveren pistool dat ze haatte. En ook een doos kogels.

'Wat maakt het uit dat niemand Reinhardt in het hotel heeft gezien?' brieste Brix. 'We hebben ons niet meer met hem beziggehouden toen hij een alibi bleek te hebben. Concentreer je op het zoeken naar het meisje...'

Hij zag dat ze meeluisterde, trok een gezicht.

'Maja Zeuthen is hier,' zei Brix. 'Ze wil per se haar man spreken. Ze heeft hem zelf niet kunnen bereiken. Haal hem aan de lijn.'

Toen gaf hij haar de telefoon.

Ze liep de gang op. Roberts stem klonk moe en ongerust.

'We hebben haar nog niet gevonden,' zei hij. 'Het spijt me. Die man Rantzau... ik weet het niet... ik moet gaan.'

'Robert,' fluisterde ze. 'Ik weet wat je daar hebt. Ik heb gezien wat je uit de kluis hebt gepakt.'

Stilte. Toen, een beetje boos, zei hij: 'Ik moet echt ophangen.'

'Wat hebben we daaraan?' Ze knipperde met haar ogen, besefte dat de tranen kwamen. 'We zijn al genoeg gekwetst zonder...'

Een klik. De verbinding was verbroken. Brix stond achter haar.

'Wat is dit?' vroeg hij.

Een lange man. Meestal beleefd. Maar grimmig als het moest.

'Ik vroeg je iets, Maja. Wat is er in godsnaam aan de hand?'

Het kostte een kwartier om de steiger en de opslagruimten te onderzoeken. Er stond geen enkele container bij het pompstation.

'Hij heeft ons vanaf het begin om de tuin geleid,' zei Borch.

Rantzau stond bij de haven, met handboeien om, en probeerde een sigaret te krijgen van iedereen die voorbijkwam.

Ze keek hem aan en zei: 'Er moet nog een plek zijn waar we niet gekeken hebben…'

'Sarah, Sarah! Houd hiermee op. Hij heeft ons bedrogen. We moeten die smeerlap zo snel mogelijk terug naar Kopenhagen…'

'Lund!' schreeuwde Rantzau. Hij probeerde te wijzen met zijn geboeide handen. 'Daar is hij.' Hij glimlachte naar Borch. 'Ik heb het toch gezegd.'

Een vrachtwagencombinatie kwam de bocht om vanaf de landtong en reed langzaam over de smalle, kronkelige weg. Op de oplegger stond een groene container.

Zeuthen kwam met Reinhardt achter de pakhuizen vandaan.

'Ik heb me niet met de details bemoeid,' legde Rantzau uit. 'Ik had geen idee dat ze hem hier via de weg zouden afleveren.'

Het duurde nog tien minuten voordat de vrachtwagen hen had bereikt. Toen lieten de Noren de container op de pier zetten, waarna de chauffeur werd verhoord.

De zware deuren zaten dicht met sloten en kettingen. Ze moesten een snij-tang zoeken en dat kostte tijd. Zeuthen werd ondertussen steeds onrustiger. Hij riep dingen naar het meisje in de container. Schreeuwde dat het bijna voorbij was.

Even voor half twee was de laatste ketting doorgeknipt en gingen de schuif-kleppen omhoog.

'Emilie!' schreeuwde Zeuthen en hij wrong zich naar voren, staarde naar het duistere gat voor hem.

Liep naar binnen.

Borch pakte zijn zaklamp. Er lag iets bij de golfplaten wand achterin.

Zeuthen dook eropaf, trok aan de donkere vorm. Het bewoog en fladderde op terwijl hij wild om zich heen trapte.

Een industriële plastic zak. Leeg. Dat was alles.

De Noren hadden Rantzau meegenomen naar een van de pakhuizen. Ze liep weg bij de container, vond hem zittend op een bankje voor een jonge en zenuwachtige geüniformeerde Noorse agent.

Lund boog zich naar hem toe, keek in zijn bont en blauwe gezicht.

'Je hebt tegen me gelogen, Loke. Je hebt me Emilie beloofd.'

'Iedereen liegt, Lund,' zei hij schouderophalend.

Borch stond vlakbij.

'Wat heeft dit voor nut?' wilde hij weten.

Rantzau schudde niet-begrijpend zijn hoofd.

'Het nut? Is dat niet overduidelijk? Ik moest het doen.' Hij ging verzitten, ontspannen. Hij grijnsde. 'Als ik dit niet had gedaan hadden jullie haar misschien gevonden.'

Lund slaakte een kreet. De echo van haar schreeuw weerkaatste tegen het gebouw.

Hij hief zijn geboeide hand. Hij wees met zijn verbonden vinger in haar richting.

'Je wilt de smeerlap die mijn dochter heeft vermoord niet pakken...'

'Ik doe mijn best,' riep ze. 'Echt. Ik beloof...'

Rantzau vloog overeind, wild en brullend.

'Waarom heb je hem dan laten gaan? Waarom zit hij me daar uit te lachen, iedere keer dat ik naar hem kijk?'

Het horloge. Het hotel. De zwarte auto. Maar bovenal de geniepige gewoonte van Reinhardt om Zeuthens blik te ontwijken als het onderwerp Emilie – niet Louise Hjelby – ter sprake kwam. Ze kon geen woord uitbrengen.

'Je had hem te pakken,' zei Rantzau iets kalmer. 'Toen heb je hem vrijgelaten en heb je hem hierheen gebracht. Om toe te kijken.' Hij boog zich naar haar toe. 'Je bent het me verschuldigd, Lund. Meer dan ik jou iets verschuldigd ben. Ik ben de bedrogen partij. Niemand anders.'

Voetstappen. Zeuthen, Reinhardt, nog twee Noorse agenten.

Voor het eerst keek Loke Rantzau de vader van Emilie recht in de ogen.

'Er is nog steeds tijd om haar te redden. Maar je moet me de waarheid vertellen.'

'Welke waarheid?' krijste Zeuthen. 'Ik weet niks.'

Rantzau knikte naar Reinhardt.

'Maar hij wel. Laat hem maar vertellen hoe hij mijn dochter heeft vermoord. Hoe jouw mensen de zaak in de doofpot hebben gestopt. Net zoals je mij hebt weggemoffeld...'

Zeuthen staarde hem aan. Rantzau hield zijn hoofd schuin, een blik van verbazing.

'Jij bent echt dom, hè? Even onnozel als alle anderen? Hebben ze...'

'Als Reinhardt de dader is, wordt hij gestraft,' zei Lund.

Hij lachte.

'Waarom zou ik dat geloven? Luister je wel eens, Lund? Ze zullen niet toestaan dat je...'

'Ik verzeker je, Loke. Ik verzeker je...'

Ze zweeg. Er lag iets zilverkleurigs in Zeuthens hand. Een halfautomatisch pistool van een rijke man. In een korte, gewelddadige beweging sloeg hij het hard tegen de slaap van Rantzau.

Toen stapte hij opzij. Met trillende hand loste Zeuthen een enkel schot in het duister.

Borch probeerde zich een weg naar voren te banen en verstandige dingen te zeggen.

'Robert. Rustig. Hou je gemak. Niet…'

'Zeg waar ze is!' brulde Zeuthen.

Het pistool was weer op het gezicht van de geboeide man gericht. Lund had het gevoel dat ze Loke Rantzau nog nooit zo kalm, zo berustend had gezien. Alsof hij nu eindelijk op de plek was beland waar hij al die tijd had willen zijn.

'Zeg op…' begon Zeuthen.

'Ik weet hoe je je voelt,' zei Rantzau. Hij klonk uitgeput en nonchalant. 'We zijn hetzelfde. Jij en ik…'

'Laat dat pistool vallen, Robert,' smeekte Lund. 'Op deze manier vinden we haar nooit.'

Rantzau sloot even zijn ogen. Toen hij ze weer opende keek hij niet meer naar Zeuthen. Alleen naar de lange, grijze gestalte van Reinhardt voor zijn neus.

Angstig.

Zwijgend.

Twijfel op het gezicht van Zeuthen.

'Doe wat ik zeg,' smeekte Lund. 'We zijn hier nog niet klaar.'

Langzaam liet Zeuthen het pistool zakken. Hij had hem op heuphoogte vast toen Rantzau hem aanvloog. Beiden rolden over de smerige vloer.

Het zilveren wapen viel uit Zeuthens handen en kletterde op het koude beton. De geboeide man stak zijn vingers uit, reikte naar de kolf, greep hem en probeerde het wapen op Niels Reinhardt te richten.

Eén schot.

Twee.

De zenuwachtige Noorse agent had zijn pistool getrokken, eerder dan alle anderen.

Deze keer droeg Loke Rantzau geen kogelwerend vest. Languit op de grond schokte zijn lichaam bij elke kogelinslag.

Borch lag als eerste op de grond, sleepte Zeuthen uit de weg, trapte het zilveren pistool opzij, het duister in. Lund volgde en hurkte naast Rantzau.

Bloed op zijn borst. Zijn ogen gingen open. Er sijpelde bloed uit zijn mond.

Een woord. Althans, een poging daartoe. Ze bracht haar oor naar zijn lippen. Heel zacht gefluister. 'Lund…'

'Als je Emilie dood wilde, had je haar al lang geleden vermoord, Loke. In godsnaam, waar is ze?'

Haar vingers waren begraven in zijn vettige haar. Zijn ogen op de hare gericht, lippen die een soort glimlach probeerden te vormen.

'Bestaat er een god?' zei Rantzau met schorre stem.

Met haar mond tegen zijn oor, zo dichtbij dat ze het zweet en vuil op zijn huid rook.

'Ik beloof het je, Loke. Ik zweer het… ik zal Louise niet vergeten. Ik geef niet op…'

Gestamelde woorden.

'Ze zullen…'

Zijn ademhaling werd zwakker, het licht in zijn ogen doofde.

'… je niet laten…'

'Ze kunnen me niet tegenhouden,' zwoer ze. 'Dat is ze nog nooit gelukt.'

De man was stervende. Ze wist hoe dat eruitzag.

Lund pakte zijn geboeide handen, hield ze vast, smeekte. 'Emilie…'

Eén woord, half hoorbaar, eerder een laatste kreun. Toen verdween de harde vonk van haat uit zijn ogen en viel zijn hoofd naar één kant.

Met trillende vingers pakte Lund haar telefoon. Ze liep naar de deur, stond buiten in de slaperige winterdag.

Zeuthen kwam achter haar aan, bestookte haar met vragen die ze niet kon beantwoorden.

Geen tijd voor discussie of uitleg.

'Lund?' schreeuwde Zeuthen. 'Wat zei hij?'

Ook geen tijd voor Brix. Ze werd meteen doorverbonden.

'Asbjørn. Haal Madsen. Verzamel alle goede mannen die je kunt vinden.'

'Ja?' zei een jonge, verbaasde stem, ver weg.

'En regel dan een boot.'

Hartmann zat in de vergaderzaal van het verblijf van de premier met Mogens Rank en Karen Nebel. Mooie schilderijen. Antieke meubels. Een lange, glimmende tafel. Hij probeerde er niet aan te denken hoezeer hij dit allemaal zou missen.

'We hebben iets nodig, Mogens.'

'Dat weet ik,' zei Rank. 'Het spijt me.'

Weber kwam binnen met een paar vellen papier.

'Dit ziet er niet goed uit. We zijn halverwege de dag en we staan er niet goed voor in de peilingen. Als je niet het podium op gaat en met de partij praat, iets doet… dan zijn we verloren.'

Hartmann schudde zijn hoofd, keek uit het raam. Hij zou Christiansborg missen. Zo'n lange weg hierheen. Geen weg terug.

'Ik heb een idee,' stelde Weber voor. 'Ik zal proberen het goed te maken met Rosa. Als we de Partij van het Centrum een paar ministersposten gunnen…'

'Ik zal niet smeken,' zei Hartmann. 'En zij evenmin.'

'Toevallig doet ze dat wel,' zei Weber en hij pakte zijn telefoon. 'Ik heb het afgelopen half uur twee berichten gehad.'

Hij liet het schermpje zien.

'Kom op. Zo gaan die dingen. Kibbelen. Onderhandelen. Marchanderen. Bel haar nu maar.'

Hartmann pakte de telefoon, liep in zijn eentje zijn kantoor in.

'Je wilde me spreken, Rosa?'

'Ik probeerde Morten te pakken te krijgen. Maar je kunt het net zo goed rechtstreeks van mij horen. We steunen Ussing als de nieuwe premier.'

'O.'

'Tenzij je een interessant aanbod hebt. En goed nieuws over Emilie Zeuthen.'

Benjamins basketbalpet lag op het bureau. Harvard. Hij was slim genoeg voor de universiteit. Alleen de wil ontbrak hem op de een of andere manier.

Hartmann draaide de pet rond tussen zijn vingers.

'Maar jullie hebben lang niet zo veel stemmen als wij.'

'Dat is de deal,' hield ze vol. 'Ieder de helft van de ministersposten. Met een sterke coalitie kunnen we er een succes van maken.'

'Dat is geen onderhandeling. Dat is chantage.'

Een stilte, toen zei ze: 'Dat krijg je ervan als je mensen laat vallen.'

Er zat iets hards onder de rand. Hartmann wurmde zijn vingers onder de stof, vond het. Een verborgen USB-stick.

'Troels?'

Zonder ook nog maar één woord te zeggen verbrak hij de verbinding. Nebel stond bij de deur.

'Heeft ze iets aangeboden wat de moeite waard was?'

'Ze wilde alleen maar dat ik me overgaf. Nog nieuws van Mogens?'

'Niets. Is Morten hier nog?' vroeg ze.

Hartmann haalde zijn schouders op.

'Als je hem niet bent tegengekomen toen je binnenkwam, dan niet, denk ik.'

Ze aarzelde, sprak pas toen hij aandrong.

'Ik heb met wat jongeren gesproken die aan het basketballen waren toen we vandaag bij die garagebox waren,' zei Nebel. 'Ik heb mijn visitekaartje achtergelaten. Een van hen heeft me zojuist teruggebeld.'

Ze sloot de deur. Ging zitten.

'Hij vroeg waarom we daar steeds terugkwamen.'

Hartmann draaide de USB-stick in zijn handen om en vroeg zich af wat erop stond, hoe lang het zou duren om daarachter te komen.

'Terugkwamen?'

'Twee jaar geleden, rond de tijd dat Benjamin stierf, heeft hij een van ons ook gezien.'

Asbjørn Juncker zat in de boeg van de rubberen politieboot, met zijn gezicht in de kille winterwind. Zwarte wolken stapelden zich op en beloofden slecht weer. Een ambulance stond met loeiende sirene bij de waterkant. Auto's kwamen met piepende banden tot stilstand. Brix had een verhitte discussie met Hedeby en Dyhring gehad nadat de jonge rechercheur hem had verteld over Lunds telefoontje. En dus had hij verder niet gewacht. Hij had Madsen op de hoogte gebracht, een paar mannen opgetrommeld en een boot geregeld.

Onderweg had hij teruggebeld naar de Politigården en niet al te veel geluisterd naar Brix die onmiddellijk in woede uitbarstte.

Maar toen Juncker omkeek naar de kust zag hij een bekende, lange gestalte op en neer lopen langs de groeiende verzameling voertuigen. Brix was daar nu. En ook een blonde vrouw. Maja Zeuthen stond te wachten. Zoals ze aldoor had gedaan.

Dit was de laatste kans, had Lund gezegd. Meer opties waren er niet. Loke Rantzau was dood, overleden voordat hij precieze instructies had kunnen geven. Hij had maar één woord gezegd: Medea. Op basis daarvan moesten ze hopen dat ergens in de roestige buik van dat aftandse vrachtschip dat nu voor hen op de golven deinde een jong meisje gevangenzat, nog in leven.

En dat terwijl ze dat schip, zoals Brix al door de telefoon had geschreeuwd, al twee keer eerder hadden doorzocht.

Vier man in de rubberboot, Juncker klom als eerste omhoog. Hij liep meteen naar de deuren achter de brug, belde ondertussen met Noorwegen.

'Waar moet ik zoeken, Lund?'

De ingang leidde naar een grote ruimte die zich uitstrekte van het bovendek tot de bodem van het ruim. Kamers en opslagruimtes op elk dek. Hij had geen idee waar hij moest beginnen.

'Weet je waar ze eerder hebben gezocht?' vroeg ze.

'Natuurlijk, ik was erbij.'

'Daar hoef je niet meer te kijken.'

Madsen en de andere mannen verspreidden zich over het eerste niveau.

Hij had gezien hoe Lund werkte, had geprobeerd op haar manier te leren denken. Het was niet eenvoudig. Ze had soms een harde, bijna wrede manier van logisch denken. Ze kon al haar emoties en de persoonlijke, menselijke kant van een probleem aan de kant zetten en rechtstreeks afgaan op een antwoord waar de meeste mensen niet aan durfden te denken.

'De eerste keer zijn we gestopt met zoeken toen we die dode zeelieden vonden,' zei hij. 'De tweede keer zochten we die man. En zijn computers. Ergens waar hij werkte.'

'Goed,' zei ze. 'Dus waar heb je niet gezocht?'

Hij dacht daarover na.

'Hoe noem je het onderste deel van een schip?'

Een diepe zucht.

'Dat weet ik niet, Asbjørn. Ga je nu aan de slag?'

Daar, dacht hij, en hij begon een ijzeren wenteltrap af te dalen.

Een groezelige machinekamer. Uitgeschakelde machines waarvan hij niets begreep.

Zijn zaklamp scheen alle kanten op.

'Er is hier niks.'

'Het moet geluiddicht zijn zodat we haar niet konden horen schreeuwen. Probeer net als hij te denken, Asbjørn.'

'Liever niet…'

'Schiet op. Een koeling. Een kleine cel ergens in het ruim.'

'Die hebben we al gecontroleerd!'

'Niet allemaal. Dat zei je zelf al. Hij heeft haar verzorgd. Heeft haar te eten gegeven…'

Aan het eind van de machinekamer bevond zich nog een deur. Daar waren ze niet geweest. Dat wist hij zeker. Met bonzend hart, zijn zaklamp hoog geheven, liep Juncker door de deuropening.

'Niets, Lund,' zei hij in de telefoon en hij wist niet of ze hem kon horen.

Lund.

Alleen al door haar naam uit te spreken vroeg hij zich af hoe zij deze plek zou doorzoeken. Hij herinnerde zich hoe zij te werk ging en op dit wanhopige moment probeerde hij haar methode te imiteren.

Diep in het ruim van het oude vrachtschip draaide Juncker om zijn as. Hij probeerde iets te zien wat gewone mensen niet konden zien. Misschien maar beter ook, omdat je een hoge prijs moest betalen voor een dergelijke verwrongen, uiterst persoonlijke visie.

Ten slotte viel de lichtbundel van de zaklamp op iets kleurigs. Roze en wit.

Hij liep ernaartoe en keek.

Een yoghurtpotje. Frambozensmaak. Leeg. Plastic lepeltje erin.

Erachter een piepklein deurtje, halverwege tussen het plafond en de vloer. Juncker trok het open. Ging naar binnen. Een klein kamertje, nauwelijks groot genoeg als bergruimte.

'Asbjørn?' De stem van Lund klonk blikkerig in zijn oor. Hij kon haar bijna niet verstaan.

Vage contouren op de vloer. Klein, in een zwarte jas. Roerloos.

Hij legde de telefoon neer, stak zijn armen uit.

Brix, die op de pier stond, kreeg het eerste telefoontje. Madsen die zei dat ze haar hadden gevonden. De boot was onderweg.

Hij zei het tegen Maja Zeuthen. Zag de angst en hoop in haar ogen.

Ze stonden naast het medisch personeel, keken naar het grijze water terwijl een bootje op de golven van de ruwe zee danste.

Op verzoek van de arts kwam er een brancard met blauwe plastic bekleding, zuurstof. Hij controleerde zijn tas.

Alle ogen gericht op de golven. De rubberboot deinde op en neer.

Al vrij snel konden ze haar zien. Een figuurtje in de armen van Asbjørn Juncker. Bij de steiger maakten Madsen en de anderen ruimte, lieten Juncker haar lichte gestalte omhoogtillen. Hij droeg haar behoedzaam de metalen ladder op, stap voor stap.

Iemand zei iets.

'Emilie'.

Het duurde even voor het tot Brix doordrong dat het de moeder was, hand voor haar mond, tranen in haar ogen terwijl ze achter de roerloze vorm in Asbjørns armen aan liep.

Het glanzende blonde haar van de foto's was vuil en sluik. Haar gezichtje was ook vies. Ze leek in slaap. Of dood.

Juncker tilde haar op de brancard. Toen deed hij iets wat Brix nooit had verwacht. Hij zeeg op zijn knieën. Met gesloten ogen, vingers tegen elkaar, fluisterde hij een gebed.

Maja Zeuthen legde haar handen op die van haar dochter. Opwellende tranen. Gesnik. De arts duwde haar opzij. Zuurstofmasker. Pols. Een verpleger sprak over onderkoeling. Hij wikkelde haar in een blauwe isolatiedeken.

'Emilie, word wakker,' riep Maja. 'Word wakker!'

Asbjørn Juncker kwam naast de moeder staan. Beiden keken naar het onbeweeglijke gezichtje op de stretcher.

Het transparante plastic van het zuurstofmasker besloeg door haar zwakke adem. Als glanzende pareltjes van leven.

'Word wakker,' smeekte Maja.

Het masker besloeg nog meer. Emilie Zeuthen opende haar ogen. Er klonk gejuich over de sombere pier en het grijze water. Politie, medisch personeel, iedereen werd overmand door plotselinge vreugde.

Brix draaide zich om en staarde naar het doodse schip dat scheef in de haven lag. Hij zei nog even niets.

En Asbjørn Juncker wankelde naar een kaapstander, ging erop zitten, pakte zijn telefoon, hervatte het telefoongesprek dat hij niet had beëindigd.

'Goddomme, Lund... we hebben haar,' zei hij met een stem die brak bij elke lettergreep. 'Ze leeft nog.'

Ze leeft nog.

Robert Zeuthen luisterde naar het nieuws van zijn vrouw. Naar wat de medici zeiden. Ziekenhuis. Voeding. Behoedzame zorg.

Emilie was eindelijk veilig.

Hij stond bij de koude Noorse fjord, niet ver van het lijk van Loke Rantzau dat in een politiebusje werd getild.

Hij probeerde door zijn tranen heen te spreken terwijl hij haar hoorde zeggen: 'Ik heb haar in mijn armen, Robert. Ik heb haar in mijn armen...'

Een stijve, gereserveerde man. Iemand die niet gemakkelijk zijn emoties toonde. Het duurde even.

'Ik kom zo snel mogelijk naar je toe,' zei hij uiteindelijk. 'Ik zal...'

Het leek of het water de spot met hem dreef. Alles wat Zeuthen bezat kwam uit die kille, onverschillige bron. En het betekende niets.

'Ik zal je nooit meer alleen laten,' fluisterde hij. Hij verbrak de verbinding en legde zijn trillende hand tegen zijn gezicht.

Ze leeft nog.

Hartmann zat alleen achter zijn bureau aan zijn ontslagbrief te schrijven toen Nebel binnenkwam met het nieuws.

Levend en wel en al die tijd in Kopenhagen.

'Weet je het deze keer zeker?' vroeg hij. 'Geen fouten. Geen...'

'Ze leeft nog, Troels.' Het leek of Nebel had gehuild. 'Ze is bij haar moeder, op weg naar het ziekenhuis. Ze zeggen dat ze het wel zal redden. De man die haar heeft ontvoerd...'

Hartmann pakte het vel papier waarop hij had zitten schrijven, maakte er een prop van en smeet hem in de prullenbak.

'Laten we het nieuws maar naar buiten brengen, Karen,' opperde hij. 'En snel ook.'

'Is al gedaan,' zei ze. 'Ik ken mijn prioriteiten.'

'Heb je al iets gehoord van de technische mensen? Weten ze al wat er op die USB-stick stond?'

'Prioriteiten.'

'Ik heb erom gevraagd.'

'Dan is het ongetwijfeld onderweg.'

'Ze leeft nog,' zei Borch terwijl ze naast elkaar naar Robert Zeuthen keken die alleen en huilend van opluchting op de kade stond, verloren in het grimmige, kale landschap om hem heen.

Lund keek op haar telefoon, vroeg zich af of dit het juiste moment was om te bellen.

'Het is je gelukt, Sarah.'

Mathias Borch had een brede glimlach op zijn gezicht. Leek weer jong, zoals bij hun eerste ontmoeting. Het puppy-uiterlijk. Daar was ze als een blok voor gevallen.

'We hebben het samen gedaan,' volhardde ze.

Hij lachte. Kuste haar op de wang, was verdergegaan als ze hem niet had afgeweerd.

'Nee. Jij hebt het gedaan. Je was altijd al veel beter dan ik.'

Ze knikte.

'In sommige dingen wel.'

Reinhardt liep naar hen toe. Ze vermande zich voor de confrontatie met hem.

Hij glimlachte diplomatiek en zei: 'Robert beseft dat hij de wet heeft overtreden door dat pistool mee te nemen. Het spijt hem zeer. Hij zou Rantzau nooit vermoord hebben…'

'Maar Loke is wel dood,' zei Lund.

Reinhardt knikte naar de plaatselijke politie.

'Zíj hebben hem doodgeschoten.' Het leek hem niet in het minst te deren. 'Het is de schuld van de Noren. Ik stel het volgende voor. We laten een helikopter komen voor Robert. Het is belangrijk dat hij zo snel mogelijk terug is bij zijn familie. Ik blijf hier en regel de formaliteiten.'

Hij keek hen aan.

'Is dat acceptabel?'

Lund zweeg. Borch zei dat het oké was.

Reinhardt liep terug naar Zeuthen, sloeg hem op de schouder, zonder enige reactie. De jongere man liep in zijn eentje naar het eind van de pier.

'Hij kan het niet zijn,' zei Borch. 'We hebben hem nagetrokken. Het is onmogelijk.'

Lund verloor Reinhardt geen moment uit het oog en hij wist het.

'Ik wil dat hij opnieuw wordt nagetrokken. Alles, van het hotel tot het horloge tot…'

Borch schudde zijn hoofd.

'Dat zal Dyhring niet goedkeuren. Ze willen ook niet dat Brix erbij betrokken wordt. We hebben hier veel tijd aan besteed. Emilie Zeuthen is veilig. Rantzau is dood…'

Ze keek hem woedend aan. Het speciale moment tussen hen was voorbij.

'Niels Reinhardt heeft de hele wereld over gereisd voor Zeelands liefdadigheidsprojecten. Dat heeft hij jarenlang gedaan.'

'Sarah,' zei Borch met een gepijnigde, vermoeide blik. 'Houd hiermee op. Dit is puur giswerk.'

'En hij doet het nog steeds,' voegde ze eraan toe. 'Loke Rantzau wist dat. Waarom wij niet?'

De stembureaus sloten pas om acht uur in de avond. Lang voor die tijd was het duidelijk dat de redding van Emilie Zeuthen de verkiezingen een andere wending had gegeven. Mogens Rank had bekendgemaakt dat ze veilig was teruggevonden. Het werd herhaald op een reusachtig tv-scherm in het parlementsgebouw waar Hartmann aankwam voor het overwinningsfeest.

Voor één keer was Rank vol lof over de PET en de politie. Hun volhardende werk had de zaak tot een bevredigend einde gebracht. Emilie werd nu in een ziekenhuis behandeld en zou later die avond naar haar familie mogen.

Er werd niet meer gesproken over de terugtrekking van Zeeland uit Denemarken. Alles wees erop dat Hartmann de coalitiepartners kon kiezen die hij wilde en zelf kon bepalen hoeveel ministersposten hij hun zou gunnen.

Niets van dit alles vond hij op dit moment van belang. Hij wilde Morten Weber in de mensenmenigte vinden.

Het duurde tien minuten. Hij moest vele handen schudden en schouderklopjes ondergaan. Toen trof hij Weber te midden van een groep partijmedewerkers bij het raam dat op het plein uitkeek.

De kleine man hief zijn glas toen Hartmann naderde.

'We stevenen af op een droomresultaat, Troels. Zo goed hebben we nog nooit gescoord, en dat allemaal dankzij jou.' De anderen kregen een teken en brachten eveneens een toost uit. 'Rosa Lebech heeft gebeld. Ze wil praten. Ik zei... als we tijd hebben. Als we van onze katers zijn bijgekomen.'

Daar werd om gelachen, maar niet door Hartmann.

Hij greep Weber bij zijn kraag en sleepte hem naar de gang.

'Godallemachtig, Troels. Wat nu weer?'

'Jij was bij die garagebox van Benjamin rond de tijd dat hij stierf. Iemand heeft je herkend.'

Weber leunde tegen de muur, sloeg zijn armen over elkaar. Hij leek niet erg van slag.

'En?'

'Wat deed je daar?'

Een schouderophaal.

'Waar ik voor word betaald. Jou beschermen. Iemand had me getipt dat Benjamin foto's had genomen van Reinhardt en Karen. Ik wilde met hem praten. Meer niet.'

'Wie heeft je die tip gegeven?'

Weber zette zijn glas neer.

'Luister. Dit is een geweldige avond voor ons. Laten we het niet verknoeien. Ik heb Benjamin uitgelegd dat het geen zin had om die foto's te publiceren. Hij wilde er niet van horen. Hij zei dat ik moest opdonderen en dat was het. Ik heb geen foto's van hem gestolen...'

'Wie heeft je getipt?' herhaalde Hartmann.

Weber schudde zijn hoofd.

'We gaan niet opnieuw beginnen.'

Hartmann greep zijn jas met beide handen beet en duwde hem tegen de muur.

'Mensen beginnen te kijken,' fluisterde Weber. 'Zo wil je niet aan je tweede termijn beginnen…'

'Zeg op of ik doe je wat. Ik zweer…'

'Mogens,' zei Weber. 'Dyhring had hem gebeld. De PET was erachter gekomen dat Benjamin die foto's op zijn internetaccount had gezet. Ze hielden ons in de gaten. Mogens vroeg zich af of ik eens rustig kon gaan praten…'

Hartmann liet hem los. Weber klopte zijn jasje af.

'In godsnaam, Troels. Er is niets gebeurd. Ik zou het je wel verteld hebben, maar de volgende dag was hij dood. Jij was over je toeren.' Hij schudde zijn hoofd. 'Ik wilde het niet erger maken door je te vertellen dat je eigen broer achter de schermen rotzooi had proberen te veroorzaken. Ik hield rekening met jouw belangen…'

'Vanaf nu niet meer.'

'Nee,' stemde Weber in. 'Niet meer. Dat heb ik je toch al verteld? Maar weet je wat?'

Hij trok zijn jasje recht. Keek de gang door. Karen Nebel stond bezorgd naar hen te kijken.

'Als het je een goed gevoel geeft om de schuld op mij af te schuiven, dan moet je dat doen. Als dat betekent dat je niet naar jezelf hoeft te kijken om je af te vragen waarom Benjamin instortte, rondhing met drugsverslaafden en engerds terwijl jij het te druk had om het te merken…'

Toen kwam de klap. Weber incasseerde hem.

'Dat is de tweede keer. Nu is het klaar.'

Hij liep terug naar de partijleden. Hartmann wilde achter hem aan gaan maar Nebel hield hem tegen bij de deur. De IT-mensen hadden de USB-stick bekeken. Hij stond vol met foto's.

De menigte groeide, steeds blijer nu de resultaten de goede kant op gingen. Hartmann wilde zich onder hen begeven. Helemaal opgaan in hun gedeelde plezier. En als hij eindelijk alleen was zou hij stomdronken worden.

Nebel bleef maar doorgaan.

'Ik weet het, ik weet het,' zei hij uiteindelijk. 'Benjamin heeft foto's genomen van jou en Reinhardt. We hebben dit al eerder besproken, Karen.'

'Hij heeft nog meer foto's genomen. Hij is Reinhardt gevolgd nadat hij bij mij was weggegaan. Luister…'

Ze had de foto's van Benjamins USB-stick op haar iPad staan en bladerde er met haar vinger doorheen.

Foto's van de man van Zeeland die zijn zwarte auto voltankte. Hij ging een kiosk in en kwam naar buiten met een tijdschrift en wat snoep.

'En dan deze,' zei Nebel.

Hartmann keek. De geluiden van de zaal drongen niet meer tot hem door. De verkiezingen konden hem helemaal niets meer schelen.

Brix keek hoe het feest zich ontvouwde in de Politigården toen ze belde.

'We moeten opnieuw beginnen met Reinhardt. De garage inspecteren. Het hotel. Zijn horloge…'

Hij sloot zijn ogen. Vroeg zich af hoe ze er bij voortduring in slaagde zijn stemming te bederven.

'Luister, Lund. Zolang hij een sluitend alibi heeft, krijgen we nergens toestemming voor. En ik zal ook niet om een bevelschrift vragen. Emilie Zeuthen is veilig. Haar ontvoerder is dood. Dat is het einde van dit verhaal.'

Aan de andere kant van de kamer zat Juncker vrolijk met Ruth Hedeby te praten. Waarschijnlijk zou het niet lang meer duren voor er iemand met bier kwam aanzetten.

'We weten nog steeds niet wie Louise Hjelby heeft vermoord,' zei ze. 'Reinhardt is onze hoofdverdachte. Volgens mij heeft hij het eerder gedaan. Het is mogelijk dat hij het nogmaals zal doen.'

Een diepe, gepijnigde zucht.

'Waarom is dat zo belangrijk voor jou? Ik dacht dat je maandag bij de OPA zou gaan werken?'

'Ik heb Rantzau beloofd…'

'Alsof dat me iets kan schelen. Ik heb de documenten hier. Reinhardt verbleef in kamer 118. Zijn binnenkomst is geregistreerd door het slot van de kamerdeur. En idem dito toen hij de volgende ochtend vertrok.'

'Dat zal ik nog eens checken…'

'Nee! Niets ervan. Je komt hier en krijgt een eervolle vermelding. En op maandag begin je bij de OPA. Je weet toch dat ik mijn best heb gedaan om je tegen te houden?'

'Reinhardt…' begon ze.

'Dat zal ik nu niet meer doen,' ging Brix verder. 'Dit onderzoek is afgesloten. De Hjelby-zaak is op een doodlopend spoor geraakt. Je hebt geen bewijzen tegen Reinhardt. Zelfs als je gelijk hebt krijgen we hem niet voor de rechter. Hij wordt aan alle kanten beschermd door de advocaten van Zeeland. Er is niets wat ik kan doen…'

Stilte. Toen zei ze: 'Bedoel je dat je me geen toestemming geeft?'

'Als je het liever zo wilt formuleren…'

Hij luisterde naar het volgende bezwaar. Maar dat kwam niet.

'Lund?'

Iemand had een fles opengetrokken. Hedeby aan de andere kant van de kamer. Het was champagne en ze schonk de glazen vol.

Het verkeerde merk, vermoedde Brix. Ze wist niets van wijn. Maar... hij zou toch een glaasje nemen.

Lund beëindigde haar telefoongesprek, trapte tegen een steen op de steiger. Ze keek hoe hij over de rand vloog en hoorde hem in het water plonzen. Het begon donker te worden. Robert Zeuthen was opgepikt door een helikopter. Hij zou al in Kopenhagen zijn voordat zijn dochter terug was in Drekar. Reinhardt was achtergebleven om dingen te regelen. Borch was... aardig geweest.

Hij liep op haar af, telefoon in de hand.

'Ik weet niet wat er gaande is op kantoor. Ik kan Dyhring niet te pakken krijgen.'

'Ze slaan elkaar allemaal op de schouders en zetten het op een zuipen.'

'Hartmann heeft de verkiezingen gewonnen,' zei hij verder. 'We zullen niet meer van hem horen. Drukke dag, hè?' Hij legde zijn hand op haar arm, glimlachte. 'En ook een goede dag.'

'Ik betwijfel of Loke Rantzau het daarmee eens zou zijn.'

'Rantzau was een moordenaar en een klootzak.'

De Noorse politie had het lijk weggehaald. Ze hoefden hier niet langer te blijven.

'Zijn dochter vond hem een held,' zei ze. 'In zekere zin was hij dat ook. Marinier. Zeeland wendde zich tot hem als het vuile werk gedaan moest worden. Ik heb beloofd...'

Zijn glimlach verdween.

'Een belofte aan zo'n vent betekent niets, Sarah. Bovendien is Reinhardts alibi waterdicht.'

Zijn hand dwaalde naar haar haren. Ze weerde hem af.

'Ik weet dat je dit niet wilt loslaten. Maar echt... het kan elk van die honderd auto's zijn geweest die door die straat reden. Je hebt Emilie gevonden. Daar ging het om.'

Een lange gestalte wandelde naderbij. Reinhardt was weer in een goed humeur.

'Ik ben hier klaar,' verklaarde hij. 'We mogen gaan van de Noren.'

Hij keek Borch aan, haar niet.

'We zijn allemaal erg dankbaar dat jullie Emilie hebben gevonden. Ik heb een privévliegtuig naar Kopenhagen gecharterd. Een klein vliegveld. Het is maar een half uurtje rijden van hier.'

Lund hield haar blik strak op hem gericht.

'Jullie mogen mee,' voegde Reinhardt eraan toe. 'Maar we moeten nu weg.'

Ze bleef hem aanstaren, zei geen woord.

'Dat zou fijn zijn,' zei Borch en hij keek toe hoe Reinhardt wegliep om een auto te regelen.

'We zijn hier klaar, Sarah.' Hij greep haar beet, maar liet haar weer los toen ze niet reageerde. 'Kom, we gaan.'

Hedeby liet Brix opdraven in haar kantoor. Hij had gelijk. De champagne was vreselijk. Kennelijk sprak zijn gezicht boekdelen.

'Wat ben je toch een snob,' zei ze.

'Gewoon kieskeurig.'

'Het management gaat het later vieren. Dan mag jij kiezen. Ik betaal.'

'Het management?' vroeg Brix. 'Horen die eikels van de PET daar ook bij? Want als dat zo is…'

Ze trok een gezicht.

'Wees diplomatiek, Lennart. Het is belangrijk dat we goede contacten met hen houden. Dyhring zal er niet bij zijn. Hij is haastig naar het ministerie van Justitie vertrokken. Mogens Rank heeft hem opgetrommeld, om de een of andere reden. Dus…'

Haar vingers streken langs zijn boord. Toen langs zijn wang.

'Je ziet er goed uit. Ik vroeg me af of ik je naar huis moest sturen om je te verkleden. Maar zo is het goed.'

Brix trok een wenkbrauw op, zei niets.

'Het spijt me als ik een beetje chagrijnig was,' voegde ze eraan toe. 'Het raakte hier nogal verhit.'

'Ruth… is er iets wat ik moet weten?'

'Waarom doe je altijd zo achterdochtig?'

'Omdat dat vaak geboden is. Wat is er aan de hand?'

'Niets!' Ze streelde zijn korte haar. 'Alleen zal de commissaris morgen aankondigen dat hij over zes maanden vertrekt. De raad komt over twee weken bij elkaar.'

Haar hand ging naar haar eigen hoofd.

'Ooit dacht ik dat ik misschien een kans maakte. Maar…'

Een glimlach.

'Je ziet er goed uit in dat uniform.' Ze gaf hem een kneepje in zijn hand. 'Het was maar een idee.'

Ze waren bijna gereed om naar het vliegveld te gaan. Borch en Reinhardt waren al vertrokken om met de plaatselijke politie te praten.

Lund belde naar het hotel in Esbjerg en vroeg naar de receptie.

'Ik bel namens Zeeland,' zei ze. 'Ik ben de nieuwe secretaresse van Niels Reinhardt. Hij heeft me gevraagd een reis voor hem te regelen. Ik weet niet zeker…'

'Het is in orde,' antwoordde de vrouw. 'We kennen meneer Reinhardt goed. Wat kan ik voor u doen?'

Ze keek om zich heen en controleerde of er niemand in de buurt was.

'Hij heeft me gevraagd een kamer te boeken, maar ik weet niet meer welke hij precies wenste.'

'Meneer Reinhardt verblijft altijd in kamer 322. Het is een suite. Met een mooi uitzicht op zee. Om welke datum gaat het?'

Ze zouden over een paar minuten vertrekken.

'Ik dacht dat hij 118 zei. Ik heb hier een boeking van een tijdje geleden. Daar staat dat kamernummer ook op.'

'Dat kan niet kloppen,' hield de vrouw vol. 'Hij komt hier al jaren. Hij logeert altijd in 322. Ik zal even kijken.'

Reinhardt kwam het kantoor uit, schudde de hand van een van de Noorse politiemannen, keek naar de regenachtige avond, liep naar de auto en ging voorin zitten.

De receptioniste was terug.

'U hebt gelijk. Hij heeft inderdaad in 118 gelogeerd. Dat is vreemd.'

'Hoezo?'

'Dat is in de oude vleugel. Niet zo luxe. We zorgen goed voor de eigenaren. We zouden hem die kamer normaal gesproken niet geven. Maar het staat er wel...'

Lund sloot even haar ogen, voelde de regen op haar gezicht.

'De eigenaren?'

'De hotelketen is eigendom van Zeeland. Wist u dat niet? Meestal boeken ze rechtstreeks via hun eigen computersysteem. Ik bedoel... jullie regelen dat in Kopenhagen.'

Ze keek naar Reinhardt in de passagiersstoel van de auto. Hij had zijn ogen gesloten, zat er vredig bij.

'Hallo?'

Lund verbrak de verbinding, belde Juncker. Hij klonk blij. Wilde gefeliciteerd worden, dus dat deed ze.

Toen hij iets gekalmeerd was vroeg ze of er nog nieuws was.

Hij liep naar een rustige plek. De herrie van het kantoorfeestje werd minder.

'Je had me in grote moeilijkheden kunnen brengen...' klaagde hij. 'Telkens als Brix binnenkwam moest ik die dossiers van de zaak-Birk Larsen in een la proppen.'

'Heb je iets gevonden?'

'Nee.'

Iemand vlak bij hem lachte.

'O. Afgezien van één klein dingetje. Heeft waarschijnlijk niks te betekenen...'

'Vertel het nu maar, Asbjørn.'

'Je bedoelt: Juncker.'

'Juncker,' zuchtte ze.

Hij zei het, alles in één zin.

Borch kwam uit het politiebusje, klom achter het stuur van de auto die naast die van Reinhardt stond. Drukte op de claxon.

Mimede een woord, gebaarde met zijn vinger.

Instappen.

Mogens Rank zat met Dyhring in zijn kantoor toen Hartmann en Karen Nebel naar binnen stormden.

De champagne was al open. Rank leek een beetje aangeschoten.

'O, toe nou, Troels! Niet zo somber. Ik weet dat er nog een paar stemmen geteld moeten worden. Maar hoe dan ook... we hebben gewonnen.'

Dyhring probeerde weg te glippen.

'Jij gaat nergens heen,' zei Hartmann. Nebel vergrendelde de deur.

Hij pakte haar iPad. Legde hem op het bureau. Toonde de foto's op het scherm. Niels Reinhardt aan de kant van de weg. Een meisje met een witte fiets achter hem. Alles stond op de foto. Hoe Reinhardt sprak met Louise Hjelby. Hoe hij de fiets in de kofferbak tilde. Vervolgens het portier opende, glimlachend, terwijl zij een tikje op haar hoede aan de passagierskant instapte.

Rank wilde net zijn mond opendoen toen Hartmann zei: 'Wat je ook doet, Mogens, vertel me niet dat het de eerste keer is dat je deze foto's ziet.'

De glimlach verdween van Ranks gezicht. Dyhring kwam naderbij en bekeek de iPad. Zei niets.

Hartmann wees met zijn vinger naar de foto's.

'Jullie wisten beiden dat Zeuthens assistent dat meisje had vermoord.'

Rank wierp een blik op Dyhring.

'Was dit het werk van jullie twee?' wilde Hartmann weten. Hij knikte naar Rank. 'Heb jij Schultz onder druk gezet om die zaak te verdoezelen? En heb je de foto's van mijn broer laten verdwijnen zodra je van hun bestaan wist?'

Rank zette zijn bril af, friemelde ermee en zette hem weer op.

'Niets is zo simpel als het lijkt. Ik kan het uitleggen...'

'Ik heb geen uitleg nodig!' schreeuwde Hartmann. 'Het is duidelijk. Je hebt Zeeland verteld over die foto's. Zij hebben ze van Benjamins account verwijderd. Toen Morten terugkwam zonder de originelen hebben jullie de PET op hem afgestuurd. En nu is hij dood...'

Dyhring kwam naast Rank staan.

'Zo ging het niet.'

Hartmann schudde zijn vuist naar hen.

'Wie heeft mijn broer vermoord?'

'Niemand.' Dyhring keek naar Mogens Rank. 'De minister van Justitie kan je vertellen…'

'Voor de dag ermee!' brieste Hartmann. 'Voordat ik naar de Politigården rijd en jullie allebei laat opsluiten.'

Rank keek nors. Hij kon er niet meer tegen.

Het was Dyhring die begon te praten.

'We waren op de hoogte van die garagebox. We hebben hem laat die nacht doorzocht. We konden die foto's niet vinden. Toen we bezig waren dook hij opeens op. Ik probeerde met hem te praten, uit te leggen wat we aan het doen waren. Hij werd bang, rende weg.'

De PET-man stak zijn handen diep in zijn zakken.

'De spoorbaan daar is niet afgeschermd met hekken. Ik geloof niet dat hij wist waar hij heen rende. Er was niets…'

'Jullie hebben hem vermoord,' zei Hartmann terwijl hij naar Dyhring wees.

'Nee. Wij vermoorden geen mensen, Hartmann. We beschermen hen. Of proberen dat.'

'Kom niet aan met die flauwekul…'

'Ik ging daar niet heen omdat ik het wilde,' wierp Dyhring tegen. Nog een blik. 'Ik werd gestuurd.'

Mogens Rank knikte.

'Klopt. Door mij. Ik kan nu gemakkelijk beweren dat ik er spijt van heb. Wat ook zo is. Wat er met je broer is gebeurd was vreselijk. Een afschuwelijk, onfortuinlijk ongeluk.'

Hartmann leunde op de tafel, luisterde.

'We hebben zo veel problemen gehad met Benjamin,' voegde Rank eraan toe. 'De demonstraties. De dag dat hij je privéauto pikte en dronken door heel Jutland is gereden. Ik wilde je niet lastigvallen met nog meer van die onzin…'

'Vertel dat maar tegen de rechter,' snauwde Nebel.

Rank zuchtte, alsof hij ongeduldig werd.

'Dit ging over veel meer dan een paar foto's, Karen. We hadden zojuist de verkiezingen gewonnen. De economische toestand was slecht. We wisten allemaal hoe moeilijk Troels het zes jaar geleden met Lund had gehad. Een loze beschuldiging aan het adres van een leidinggevende van Zeeland had de hele regering ten val kunnen brengen…'

'Een loze beschuldiging?' riep Nebel. 'Dit is het bewijs dat hij dat meisje heeft vermoord.'

'Nee, dat is niet zo.' Rank veegde de foto's van het scherm. 'Het zijn gewoon een paar foto's. En het is me zeer duidelijk gemaakt dat Zeeland een dergelijke verdenking niet zou waarderen.'

'Door wie?' wilde ze weten.

'Dat doet er niet toe. Ik moest een keuze maken en ik heb de juiste gemaakt. De zaak werd gesloten. Waarom zou ik alles riskeren voor een weesmeisje uit Jutland dat door niemand werkelijk werd gemist?'

Hij keek naar Hartmann en haalde zijn schouders op.

'Het was de juiste beslissing, Troels. Ga maar na. Benjamin... Niemand van ons wist dat dat zou gebeuren of wilde dat. Zijn dood was een tragisch ongeval. Als er een manier was om de klok terug te draaien...'

'Kom,' zei Nebel en ze pakte haar iPad. 'Laten we hier weggaan.'

'We kunnen het land niet besturen zonder Zeeland!' brieste Mogens Rank. 'Dankzij hen hebben we de verkiezingen gewonnen. Dankzij Emilie Zeuthen winnen we vandaag. Het meisje leeft nog. Haar ontvoerder is dood. Hoezo is dat een ramp?'

Hij stond op terwijl ze wegliepen.

'Hoezo?' riep Mogens Rank tegen hun rug.

Vijf minuten lopen door de kronkelende gangen van Slotsholmen. Langs het drukke verkiezingsfeest, door de schitterende kamers. Terug in zijn kantoor ging Hartmann zitten, zonder das, haar in de war, zwetend, vol vragen.

Op tv sprak men van een historische overwinning. De grootste kloof tussen de meerderheidspartij en zijn rivalen in de moderne geschiedenis. Hij ging achter zijn bureau zitten en bladerde weer door de foto's op de iPad.

'We moeten naar Brix toe,' zei Nebel. 'We laten hem de foto's zien. Vertellen hem alles.'

Hij verroerde zich niet.

'Het is belangrijk dat we dit doen voordat Mogens de kans heeft om zijn dossiers op te schonen,' voegde ze eraan toe. 'Daarna kunnen we een bijeenkomst houden met het partijcomité en besluiten wat we gaan doen.'

Ze pakte hem weer bij de arm. Even later liepen ze de trap af.

'Ik kan je hiervan distantiëren. We kunnen de schade ontlopen.'

Hij was bijna bij de deur toen een gestalte opdook uit het duister.

Anders Ussing, glimlachend als altijd, uitgestoken hand. Hartmann bleef staan, had geen keus.

'Nou, Troels. Gefeliciteerd met je overwinning. Op...'

Hartmann staarde naar de uitgestoken hand, liep verder de trap af. Ussing riep hem een scheldwoord na.

Bij de zijdeur, starend in de regenachtige nacht, keek Karen Nebel naar alle gezichten en zei: 'Er is geen reden waarom je de koningin morgen niet zou kunnen ontmoeten en een regering kon vormen. We kunnen ook vragen om een justitiële beoordeling van Ranks acties en die van de PET.'

Achter de ramen tegenover hem zag hij het feest. Gezichten achter de helder verlichte ramen, onder de grote kroonluchters. Mensen lachten, dansten. Voortbrengsels van Slotsholmen, poppen in de grote schertsvertoning.

Een vrouw bij de glas-in-loodpanelen kreeg hem in het oog. Sprak met een paar andere mensen. Wees. Wuifde. Juichte.

Allemaal knappe mensen. Onderdeel van het spel.

Hij bleef staan, glimlachte, wuifde terug. Het ging hem allemaal zo natuurlijk af.

'Troels,' zei Nebel. 'We moeten gaan.'

Hij verroerde zich niet. Zijn hoofd tolde.

'Mogens heeft gelijk, nietwaar?' zei Hartmann. 'Op zichzelf bewijzen die foto's niets. Reinhardt heeft een alibi. Het is niet alleen de PET die dat zegt. De politie ook.'

'Waar heb je het nu weer over?'

'Er is geen bewijs. Gewoon een paar foto's. De schade die we het land zouden berokkenen als ze een onschuldige man als Reinhardt zouden aanklagen…'

'Als hij onschuldig is, wat is dan het probleem?'

Hij luisterde niet.

'Benjamin was niet in orde, Karen. Ik wil die wond niet openrijten. Dat ben ik aan hem verplicht. Als er iemand verantwoordelijk is voor zijn dood…'

Haar handen grepen zijn schouders vast.

'Hou op. Hou hier nu mee op,' smeekte ze. 'Snap je het dan niet? Dat is wat ze willen. Ze willen dat je je stilhoudt. Dat je het opgeeft. Accepteert dat ze de levens van gewone mensen naar believen kunnen manipuleren. Je bent jezelf niet, Troels…'

De gezichten bij het raam waren er nog steeds. Gefascineerd. Misschien dachten ze getuige te zijn van een van Hartmanns affaires.

'Ik ga op zoek naar een chauffeur. Dan gaan we.'

Ze begaf zich naar de vloot auto's om de hoek.

De vrouwen zwaaiden weer. Hieven hun glas.

Troels Hartmann zette zijn beste glimlach op. Die waarmee hij op de verkiezingsaffiches stond. Vroeg zich af waar hij wilde zijn.

Meteen nadat hij was geland belde Robert Zeuthen Maja. Ze was nog in het ziekenhuis en wachtte tot Emilie naar huis mocht. Er zou een arts met haar meekomen om haar de eerste dagen bij te staan. Ze was in ieder geval gezond, was redelijk behandeld tot het moment dat Rantzau haar had opgesloten in het kamertje in de Medea. Er was nooit een druktank of een deadline geweest. Uiteindelijk had hij haar vermoedelijk sowieso vrijgelaten.

'Geef me een uur,' verzocht Zeuthen.

'Tegen die tijd zijn wij ook thuis,' zei ze. 'Misschien kunnen we er met zijn vieren tussenuit.'

Stilte. Hij stond in de lift in het Zeeland-kantoor van donker glas. Hij dacht even aan het logo van de draak aan de buitenkant dat hij nu passeerde. Hij zocht naar de juiste woorden.

'Liefst zo gauw mogelijk,' stemde Zeuthen in. 'Waarheen je maar wilt. Zo lang als je wilt.'

Ze nam afscheid en hij ging op zoek.

Kornerup zat alleen in zijn directiekantoor. Hij zat schema's en rapporten door te nemen. Hij keek op toen hij hoorde dat de deur werd geopend. Sprong op. Beende stralend op hem af, schudde Zeuthen met wild enthousiasme de hand.

'Wat een resultaat, Robert! We zijn allemaal verrukt. De raad van bestuur heeft vergaderd toen je in Noorwegen was. Uiteraard doen zij je de hartelijke groeten. Als er iets is…'

'Voordat ik je hier definitief de laan uit schop mag je me vertellen of Reinhardt dat meisje in Jutland heeft vermoord.'

Hij trok zijn hand terug. Het gezicht van Kornerup verstarde. Een uitdrukking van minachting achter zijn grote, ronde glazen.

'Je bent moe. Het is begrijpelijk. Ga naar huis en neem wat rust. Haast je niet. Wij redden ons wel.'

Zeuthen keek om zich heen in het kantoor. Het was ooit van zijn vader geweest. In de verwarrende periode na zijn dood had Kornerup de kamer bemachtigd, maar hij kon zich niet meer herinneren hoe dat gegaan was.

'Ik heb met die advocaat gesproken waar jij mee aankwam. Ik weet dat je hem hebt ingelicht toen Reinhardt werd verdacht.'

'Niels is een belangrijke oudgediende van het bedrijf,' wierp Kornerup tegen. 'Hij verdiende onze steun.'

'Door hem een verzonnen alibi te geven? Van onze eigen hotelketen?'

Kornerup lachte.

'Je denkt toch niet dat we het van iemand anders hadden gekregen?'

Zeuthen werd woedend en deed een stap in zijn richting.

'Ik wil antwoorden.'

'Nee, dat wil je niet.'

'Heeft Reinhardt dat meisje vermoord?'

Kornerup dacht erover na.

'Om je de waarheid te zeggen… ik weet het werkelijk niet. Het is moeilijk te geloven. Hij is vele jaren de persoonlijke assistent van je vader geweest. Ik dacht dat ik hem kende, maar…' Een schouderophaal. 'Het is irrelevant. We hebben hier de laatste tijd zo veel crisissituaties doorgemaakt. We konden er niet nog een gebruiken.'

'Donder op,' verordonneerde Zeuthen, naar de deur wijzend. 'Ga voordat ik de beveiliging bel en je op straat laat smijten.'

Weer die lach.

'Ik heb je ontslagen…'

'Nee, dat heb je niet gedaan. Dat kon je helemaal niet. Jij bent slechts een naam op het briefpapier, Robert. Meer niet. De raad van bestuur heeft vanmiddag mijn positie nog eens bevestigd. Dat zal niet veranderen. Maar wat Reinhardt betreft… ik denk dat het tijd wordt dat hij met pensioen gaat. Vind je ook niet?'

Hij boog zich iets naar hem toe en vervolgde: 'Ik vraag dit op persoonlijke titel, snap je? Niet officieel. Probeer jezelf vanaf nu te beschouwen als een ambassadeur die af en toe iets doet voor het bedrijf. Een boegbeeld, meer niet. Eigenlijk hoef je hier helemaal niet meer te komen. Tenzij ik erom vraag.'

Een kort, ironisch lachje.

'En geniet van het weekend met je gezin. Op maandag zal ik mijn assistente vragen een afspraak te maken voor een praatje over je toekomst. Klinkt dat goed?'

Zeuthen dreigde zijn zelfbeheersing te verliezen. Kornerup week niet, wachtte nog even en zei: 'Nee. Een antwoord was niet nodig. Ik heb het druk. Je weet waar de uitgang is.'

En hij liep terug naar zijn bureau, naar de rapporten, de schema's, het bedrijf.

Op weg naar het vliegveld belde Vibeke, Lunds moeder, vol trots en vreugde.

'Je had erbij moeten zijn. Mark en Eva doen het fantastisch. En de kleine is echt een lieverd…'

Ze zat achter in de auto, Borch reed. Reinhardt zat op de passagiersstoel.

'Werkt die aardige Mathias Borch nog met je samen?'

'Ja.'

'Doe hem de hartelijke groeten. Hij is altijd mijn favoriet geweest. En ook de jouwe, als je eerlijk bent. Ik geef de telefoon door aan Mark.'

Ze hoorde de babygeluidjes. Stelde zich een wiegje voor, met Eva er liefkozend boven. Allemaal in het huisje van Lund, door Borch 'schuurtje' genoemd.

'Hoi, mam,' zei hij. Hij klonk blij, ontspannen, uitgeput. 'Ze is echt lief. Slaapt de hele tijd. Is het goed dat we een paar dagen in jouw huis blijven?'

Ze moesten de fjorden nu achter zich hebben gelaten. Er was nauwelijks verkeer. Af en toe een boerderij in de sombere duisternis van de winter.

'Zo lang als je maar wilt, Mark. En gefeliciteerd.'

'Ik ben vergeten je de foto's te sturen. Het was zo druk. Ik doe het zo…'

'Dat hoeft niet meteen,' zei Lund. 'Ik kom gauw thuis. Ik wil… ik wil jullie dolgraag zien.'

Ze nam afscheid. Ze reden over een lange brug. Aan de andere kant iets wat leek op een landingsbaan, met lichtjes die de contouren markeerden.

'Heeft iemand een kleintje gekregen?' vroeg Reinhardt voorin.

Haar telefoon piepte. Ze keek naar de foto's die zojuist waren opgestuurd. Mark, Eva en de baby. Haar glunderende moeder.

Lund negeerde de vraag en staarde weer uit het raam.

'Het vliegtuig is al betaald en staat klaar,' zei Reinhardt toen hij geen antwoord kreeg. 'Ze hebben alleen nog wat handtekeningen en een ID nodig.'

Borch reed het parkeerterrein op. Een rij kleine vliegtuigen stond op het platform. Het vliegveld lag er verlaten bij, afgezien van een kantoor bij de verkeerstoren achter enkele hangars.

'Ik regel het wel,' zei hij en hij wilde uitstappen.

De nacht was helder. Geen regen. Stralende sterren. Afnemende maan. De scherpe geur van sneeuw op de weg. Ze pakte de aantekeningen die ze had gemaakt van haar laatste telefoongesprek met Juncker. Toen hij vertelde over de oude dossiers van de Birk Larsen-zaak die hij uit het zicht van Brix had moeten houden.

'Zegt de naam John Lynge je iets?'

Reinhardt nam niet de moeite zich om te draaien.

'Moet dat?'

'Zeg jij het maar.'

'Niet dat ik weet.'

'Zes jaar geleden was hij een van de chauffeurs van Hartmann. Hij heeft de dochter van Birk Larsen vermoord.'

Een lange, bedachtzame stilte.

'Dat was een nare zaak,' zei Reinhardt. 'Ik herinner me dat je Hartmann een tijdje als verdachte hebt beschouwd. En toen... bleek het niet een van de vrienden van de familie te zijn?'

'Zo is het de boeken in gegaan,' zei Lund. 'Maar dat klopte niet. Het was John Lynge.'

Hij lachte.

'Jij lijkt altijd meer te weten dan een ander. Hoe komt dat?'

'Omdat ik weet waar ik op moet letten.'

Hij keek op zijn horloge. Buiten was Borch nog steeds op zoek naar de ingang van het kantoor.

'Lynge was eerder veroordeeld voor kindermisbruik. Hebben jullie een samenwerkingsverband?' vroeg ze. 'Bestaat er een club of zoiets? Kennen jullie elkaars voorkeuren? Als we die zogenaamde galerie van je overhoophalen, vinden we dan ook de lidmaatschapsgegevens?'

'Ik begrijp werkelijk niet waarom je hierover blijft doorgaan.'

'We hebben het arbeidsverleden van John Lynge nagetrokken. Voordat hij chauffeur werd bij Hartmann werkte hij voor Zeeland. Hij was jouw chauffeur voor het kinderfonds. Kwam dat even goed uit. Heeft hij toegekeken? Verleende hij af en toe hand- en spandiensten?'

Reinhardt zuchtte.

'Denk je nu werkelijk dat ik al mijn personeel kan onthouden? Is dit van belang, Lund?'

Een uiterst minieme connectie. Maar hij was er wel. Als Brix haar liet begaan kon ze het verder onderzoeken.

'Was je verbaasd toen die advocaat gisteren met dat alibi kwam aanzetten?' vroeg ze.

Hij keek om. Geen antwoord.

'Iemand van Zeeland heeft het doen voorkomen alsof je in kamer 118 hebt gelogeerd. De computers worden bediend vanuit jullie kantoor in Kopenhagen. Ze hebben de gegevens van het deurslot gewijzigd zodat je vrijuit ging.'

Borch had de ingang eindelijk gevonden. Ze zag hem binnen met iemand praten.

'Je logeert nooit in kamer 118. Die is voor gewone mensen. Je nam altijd suite 322.'

Ze boog zich vanaf de achterbank naar hem toe.

'Ik weet dat je Louise Hjelby hebt vermoord. Ze was niet de eerste, hè?'

Hij ademde diep in, ging gemakkelijk zitten, geeuwde.

'Wat zal Robert Zeuthen denken als hij beseft dat je zijn dochter had laten sterven om je geheim te bewaren?'

Hij lachte kort, schudde zijn hoofd.

'Je kunt het me net zo goed vertellen. Zodra we terug zijn wordt die zaak weer geopend. Ik krijg je wel achter de tralies.'

Reinhardt stak zijn arm uit en draaide de achteruitkijkspiegel zo dat ze alleen zijn ogen kon zien, grijs, schrander, onbezorgd.

'Ik denk niet dat dat gaat gebeuren,' zei hij op beheerste, ontspannen toon. 'Als dat zo was zouden we dit gesprek nu niet hebben.'

'Ik zal…'

'Nee.' Hij keek haar aan via de spiegel. Reinhardt legde zijn vinger op zijn lippen. 'Luister nou eens een keer. Ik zal proberen zo duidelijk mogelijk te zijn. Ik bewonder je vasthoudendheid. Je precisie. Je… correctheid. Ik ben er dankbaar voor dat je me aan de noodzaak van die kwaliteiten hebt herinnerd. Je hebt me veel geleerd.'

'Pas op je woorden…'

Ze besefte dat hij mensen niet vaak recht aankeek. En ze wist ook waarom. Als hij je recht en open aankeek verdween de vriendelijke oom. Daarvoor in de plaats kwam de echte Niels Reinhardt: geslepen, intens, vastberaden.

'Ik zal hier uiteraard rekening mee houden in de toekomst, Lund. Maak je geen zorgen. Ik zal je niet langer lastigvallen in Denemarken.'

Hij draaide zich om op zijn stoel en nam haar op.

'We moeten allemaal onze plaats weten. Wanneer leer jij nu eens wat de jouwe is?'

Het duizelde haar. Ze liet haar verbeelding werken. Zocht naar vragen die niemand anders zou stellen.

Ze haalde haar telefoon tevoorschijn, keek naar de foto's.

Haar moeder, Mark, Eva. De baby in zijn armen.

Toen stapte ze naar buiten, haalde haar pistool uit de holster, zette hem op scherp. Liep om de auto heen naar de voorkant.

Borch was naar buiten gekomen. Hij zag het, besefte wat er gebeurde.

Riep: 'Sarah!'

Lund kwam bij het portier aan de passagierskant. Reinhardt draaide het raampje naar beneden.

'Sarah!' schreeuwde Borch terwijl hij naar haar toe spurtte.

Het pistool geheven. De loop tegen zijn grijze hoofd. Reinhardt draaide zijn hoofd en staarde haar aan. Een uitdrukking van verbazing en afkeer op zijn gezicht.

Eén schot.

Ergens in de nacht vlogen onzichtbare vogels op.

Bloed op de voorruit.

Borch begon te schreeuwen.

Een gedaante in een donkere jas en een donker pak lag slap voorover tegen het dashboard.

Lund stapte achteruit, keek naar het lijk. Borch was erbij, onderzocht het. Niet dat dat nog veel nut had.

'Wat heb je in godsnaam gedaan?'

Het pistool viel uit haar hand en kletterde op de grond.

'Stap in de auto, Sarah! Stap verdomme in de auto.'

Achterin, de geur van bloed en munitie. Borch dacht na.

'Goed. We zeggen dat hij probeerde je pistool af te pakken. Je had geen keus. Als we kunnen... o jezus!'

Een lange, gekwelde kreet. Hij staarde haar aan, ogen vol pijn.

'Hij zei tegen me dat hij het had gedaan,' zei Lund. 'Ze was niet de enige. En hij was ook niet de enige...'

Borch luisterde nauwelijks.

'Oké. We doen het volgende. Trek je jas uit. Veeg het bloed weg.'

Hij boog zich naar Reinhardt toe, zocht door zijn colbertje en haalde er een portefeuille, geld en creditcards uit.

'Niemand verwacht ons de komende uren in Kopenhagen.' Hij gaf haar het geld. 'Ik bedenk hier wel iets. De piloot is geboekt. Hij kan je naar Reykjavik brengen. Neem daar de eerste vlucht.'

Hij haalde een ID-kaart tevoorschijn.

'Hiermee kom je langs de douane. Zeg maar dat je echtgenoot bij de PET werkt.' Hij sloot zijn ogen, worstelend met zijn gedachten. 'Je... je bent op weg naar een zieke tante. Je hebt je paspoort vergeten. Maar ze laten je wel door met dat pasje van mij. Oké? Sarah? Oké?'

Het glas was besmeurd met bloed en hersenen. Op de een of andere manier was Reinhardt half uit de auto gegleden.

'Ik kan je de zorgverzekeringspasjes van mijn dochters geven. Dat helpt. Zeg dat ze me moeten bellen als je wilt en...'

Ze bleef roerloos zitten.

'Trek nu die stomme rotjas uit, ja?'

Niets.

'Het is geen geweldig plan, schat. Maar als je hier blijft zitten zijn ze zo hier. En dan ga je voor lange tijd de gevangenis in. Het maakt niet uit wat je zegt. Wat ik zeg...'

Hij schudde zijn hoofd, stompte tegen de stoelleuning.

'Verdomme, Sarah... waarom? We hadden...'

Haar hand ging naar zijn wang. Hij stond op het punt in tranen uit te barsten.

'Stap nu uit,' smeekte Borch. 'We verzinnen wel iets. We...'

Ze boog zich naar hem toe, kuste hem. Stoppelige wangen. Koude lippen. Angst en liefde. Spijt en vastberadenheid.

Hij huilde, verliet de auto en rende naar het kantoor.

De piloot stond in een achterkamer kaarten te bestuderen, controleerde de weersomstandigheden en keek op zijn horloge.

'Ik moet hier blijven,' zei Borch. 'Slechts één passagier. Mijn collega.'

'Alles in orde?' vroeg de piloot. Hij doofde zijn sigaret in de afvalbak. 'U ziet er niet al te best uit.'

'En ze moet ook niet naar Kopenhagen. Ze moet naar Reykjavik.'

De man schudde zijn hoofd, lachte en zei: 'Werkelijk?'

'De plannen zijn gewijzigd. Rey...'

'Denkt u dat we dat halen, met een eenmotorig vliegtuigje over het water? 's Nachts? Met dit weer?'

'Ergens anders heen dan...' stamelde Borch.

'Wat heeft dit te betekenen?'

'Mijn collega...'

Hij liep naar het raam. De piloot deed hetzelfde.

'Welke collega?' vroeg de man. 'Er ligt iemand plat op de grond op het parkeerterrein. Zo te zien gewond...'

Borch stormde de deur uit. Een lichaam op de grond. Piepende banden op het natte asfalt. Rode lichten die in de duisternis verdwenen.

Het melige, zelfgenoegzame geklets begon Brix te vervelen. Hij merkte dat hij steeds bleef denken aan Niels Reinhardt en een dood meisje in Jutland met een naam die niemand meer had genoemd die avond.

Hij vermeed de twinkelende, gretige ogen van Ruth Hedeby. Vond een rustig hoekje.

Het horloge. De datums. Reinhardts vreemde manier van doen, gedienstig maar ook ontwijkend. Erg belastend was het niet. Ze zouden snel moeten handelen. En bovendien zouden ze zijn alibi moeten ontkrachten.

Maar als iemand het kon…

Hij belde Lunds mobieltje, wachtte, vroeg zich af wat hij moest zeggen.

Toen iets vreemds. Een antwoord. Het geluid van een snel rijdende auto.

'Lund?' zei hij. 'Hoor je me?'

Een lange stilte. De verbinding werd verbroken. Hij probeerde het opnieuw, kreeg de voicemail. Vroeg zich af hoe hij morgenvroeg verder moest, toen Hedeby naar hem toe kwam. Ze pakte zijn arm en duwde hem een glas in handen.

'En nu naar boven, Lennart,' zei ze met een brede, gelukzalige glimlach. 'Er zijn mensen die je moet ontmoeten.'

Op de vochtige kasseien van Christiansborg stond Karen Nebel vergeefs te wachten. Hartmann was al binnen aan het feesten, glimlachte naar zijn gelukkige aanhangers, schudde handen, gaf een highfive aan degenen die daarom vroegen.

Flitslichten van fotocamera's. Morten Weber klapte in zijn handen. Rosa Lebech hield zich op de achtergrond, hoopvol glimlachend.

Hartmann draaide zich om, wuifde, maakte een toostgebaar met zijn glas. Hij genoot weer van de triomf.

Hij deed weer mee. De roes van de overwinning.

Op de trap van het koude, deftige landhuis zat Robert Zeuthen omringd door zijn gezin. Met zijn ene arm hield hij de stille Emilie vast. De andere hing om Maja en Carl.

Een enkele koffer op de grond. Die avond zouden ze slapen in de cottage op het landgoed waar de magie van hun gezinsleven was begonnen. De volgende ochtend zouden ze met de auto naar Kastrup gaan. Naar het zuiden vliegen. Ergens waar het warm was, buiten bereik van de drakenvleugels van Zeeland. Een plek waar ze konden hervinden wat verloren was geraakt. En daarna konden ze aan de toekomst gaan denken.

Het kleine vliegveld in Noorwegen, het lijk van Reinhardt een verkreukeld, bebloed hoopje op het asfalt.

Plotseling gefladder van vleugels. Een uit het niets opgedoken kraai, glanzend in de helle lampen van het vliegveld, waggelde naar de gedaante op de grond. Scherpe zwarte snavel. Klaar om te pikken.

Zeventien dagen later

Op de eerste maandag van december ging Brix zoals gewoonlijk ontbijten in een rustig, elegant café bij Nyhavn, niet ver van zijn appartement. Zijn ex-vrouw had deze plek ontdekt. Ook Ruth Hedeby vond het er prettig nadat ze van haar man was gescheiden. Die relatie was nu voorbij. Hij werd opgeslokt door zijn werk en had behoefte aan afstand.

De meeste ochtenden at hij dus alleen en dat vond hij prima. Een moment van solitaire overpeinzing voor de werkdag begon. Hij had daar nu meer dan ooit behoefte aan.

Koffie en sinaasappelsap. Een huisgemaakte quiche. Hij wilde net een hap nemen toen een vrouw binnenkwam en tegenover hem ging zitten. Ze had kort, stijl haar, geverfd in een tint tussen glanzend koper en kastanjebruin in. Het leek een weldoordachte, mogelijk dure coupe, die niet paste bij haar kleding: een goedkope, glimmende anorak, een sporttrui met de naam en het logo van Cambridge University, zwarte spijkerbroek.

Een grap, dacht hij. Niet echt. Zoals alles aan haar. Hij wilde net zeggen dat die plaats nog vrij was toen hij haar bleke, effen gezicht zag en haar heldere, grote en priemende ogen.

'Koffie, Lund?' zei hij. 'Iets te eten…'

'Dat zou lekker zijn.'

'Waar ben je geweest?'

'Op reis. Het verbaast me dat je me niet kon vinden.'

Brix leunde achterover en vouwde zijn lange armen achter zijn hoofd.

'We hadden het druk. Heb je de kranten niet gelezen?'

Ze staarde uit het raam. Kerstverlichting en -versiering op straat. Een seizoensmarkt niet ver weg in Nytorv waar Peter Schultz nog maar enkele weken geleden een dodelijke val had gemaakt. De stad draaide maar door, hoewel het land op de rand van een afgrond leek te balanceren.

'Iets te eten,' zei hij en hij wees naar de balie met de grote keus aan taart en gebak.

Lund wenkte de serveerster en vroeg om ham, eieren en toast. Van witte boterhammen. En ketchup. De vrouw knipperde met haar ogen, keek vragend naar Brix. Hij knikte.

'Wat is er allemaal gebeurd?'

Veel, dacht hij en hij begon het haar te vertellen. Reinhardts zeer publiekelijke dood had de sluizen opengezet. Klachten over seksueel misbruik in de tehuizen van Zeeland begonnen twee dagen na zijn overlijden binnen te druppelen. Nog geen week later werd de Politigården erdoor overspoeld. Brix, nu favoriet voor de benoeming als nieuwe commissaris, had een speciaal onderzoeksteam ingesteld, geleid door Mathias Borch, die tijdelijk was overgeplaatst van de PET.

'Ik heb nog geen arrestaties gezien,' zei ze.

'We beginnen deze week. Het is een omvangrijke klus.'

De koffie werd gebracht. De toast, ham en eieren. Ze begon te smullen, met een geestdrift die hem deed vermoeden dat ze dagenlang niet fatsoenlijk gegeten had.

'Maar dat was immers wat je wilde? Toen je hem doodschoot. Dat al die kinderen de moed zouden vinden om naar buiten te treden?' Hij hief zijn kopje. 'Al zijn de meesten geen kind meer. We hebben zaken die dateren van bijna veertig jaar geleden.'

'Mensen die ik ken?'

Hij vroeg zich af of hij het haar moest vertellen en besloot toen dat hij dat aan haar verschuldigd was.

En het waren niet alleen de slachtoffers die zich meldden. Er waren andere onschuldige, fatsoenlijke mensen die ontzet waren door wat er was gebeurd. Robert Zeuthen was drie dagen geleden met zijn gezin teruggekeerd van Bali en had onmiddellijk contact opgenomen met Borch om een verklaring af te leggen over de te grote politieke invloed van Zeeland. Hartmanns spindoctor Karen Nebel had ontslag genomen en had een serie belastende foto's gepubliceerd die hadden geleid tot de schorsing van Dyhring als baas van de PET en tot het ontslag van Mogens Rank als minister van Justitie.

'Het is goed mogelijk dat Hartmanns kabinet de kerst niet eens haalt. Niet dat Anders Ussing daarvan zal profiteren.'

'Was hij er ook bij betrokken?' vroeg ze.

'Dat betwijfel ik. Maar zijn assistent Per Monrad wordt in verschillende beschuldigingen genoemd. Ik laat hem later vandaag oppakken door Asbjørn. En daarna enkele mensen bij Zeeland. Een paar parlementsleden. Wat mensen uit het bedrijfsleven. De media. Showbusiness. Je kent sommige namen vast wel. Ik betwijfel of hun vrouwen kunnen geloven wat ze te horen zullen krijgen.'

'Asbjørn is veelbelovend,' zei ze voordat ze verderging met eten.

'Klopt. Hartmann heeft trouwens niets verkeerds gedaan. Hij is even verbijsterd als ieder ander.'

Ze stak een waarschuwende vinger naar hem uit.

'Troels Hartmann heeft niets gedaan. Dat is het hele punt. Er bestaat niet zoiets als een comfortabele, fijne positie tussen goed en kwaad. Het is het een of het ander. Dat heb ik van Jan Meyer geleerd. Ik had beter naar hem moeten luisteren.'

'Dat heb je toch ook gedaan? En nu staat de regering op instorten. En het lijkt erop dat Zeeland in handen zal vallen van de Chinezen of de Koreanen. Duizenden banen die verloren gaan…'

'Het ging om kinderen! Als wij hen niet beschermen, wie dan wel?'

Hij duwde de restanten van zijn ontbijt weg. Zijn eetlust was verdwenen.

'Je hebt je altijd gedragen als iemand uit het Oude Testament, Lund. Brandend van ongeduld om de pilaren van de tempel omver te halen. Misschien is dat de reden dat ik je heb laten begaan. Het fascineerde me, ik wilde zien wat er zou gebeuren. En daar zitten we dan.'

Het korte, kastanjebruine haar stond haar goed. Als ze wat leukere kleren aantrok…

'Was het het waard?' vroeg hij.

'Denk je dat ik een keus had?'

Lennart Brix liet zich op zijn stoel zakken, sloot zijn ogen, dacht hierover na. Toen legde hij zijn portefeuille op tafel, haalde er al het geld uit dat hij had en schoof het naar haar toe.

'We kunnen stoppen bij een geldautomaat. Ik kan je meer geven.'

Lund staarde naar de biljetten, bleef roerloos zitten.

'Ik heb genoeg werk liggen,' voegde Brix eraan toe. 'Jij bent slim genoeg om weer te verdwijnen. Doe dat gewoon, ja?'

Ze trok haar neus op, teleurgesteld.

'Wil je dat ik op de vlucht sla? Dat zei Borch ook al. Zo ben…' Ze tikte met haar mes en vork op haar ontbijt. 'Zo ben ik niet.'

'Nee,' zei hij instemmend. 'Dat is waar.'

'Aan de andere kant…'

Een flikkering in haar ogen. Hij voelde een sprankje hoop.

'Ik lust nog wel een gebakken ei,' zei ze. 'Voordat je me arresteert. En ik wil graag nog een stukje rijden. Het is niet ver.'

Drie kwartier later waren ze in de bescheiden voorstad Herlev. Hij was daar nooit eerder geweest. Hij had het vreemde privéleven van deze vrouw nooit van dichtbij gekend.

Het was een eenvoudige houten bungalow, rood geschilderd. Brix minderde vaart toen ze het huis naderden. Feestlampjes hingen onder de dakgoten. Bij de voordeur stond een felblauwe bakfiets, met zo te zien een speciale voorziening voor een kinderbedje.

Voor het huis stond een zwarte auto. Die stond daar al vanaf het moment dat Lund werd vermist. Een verveeld uitziende Madsen zat achter het stuur, draaide zich om en staarde naar de naderende auto.

Brix zette de auto stil langs de stoeprand en gebaarde dat hij kon wegrijden. Ze keken toe hoe hij zich op het hoofd krabde en wegreed.

Haar pientere, fonkelende ogen waren op het huisje gericht. Brix volgde haar ingespannen blik. Achter het raam zagen ze een man en vrouw staan. Hij tilde een baby op en kuste het kind dat hij tussen hen in hield. Toen een omhelzing.

Een gezin van drie. Hecht. Tevreden. Een gelukkig tafereel.

'We hebben nog wel even. Als je naar binnen wilt om ze te spreken…'

'Daar is later nog tijd genoeg voor,' zei ze, haar hoofd schuddend.

Brix sloeg zijn lange armen over elkaar.

'Sarah. Zij zijn de enige reden dat je bent teruggekomen. Nietwaar?'

Lund knikte.

'Voornamelijk, Lennart. Maar op het gevaar af dat ik in herhaling val…'

Ze wees naar de stad die zich achter de voorruit voor hen uitstrekte.

'Kunnen we dan nu naar de Politigården? Zoals ik vroeg?'

Dankwoord

Ik ben dank verschuldigd aan Søren Sveistrup, de bedenker van de *The Killing*-serie, en mijn redacteur Trisha Jackson voor hun advies en steun. Ook deze keer is mijn boek een bewerking van de tv-versie en geen letterlijke kopie. Alle afwijkingen van het oorspronkelijke verhaal komen geheel voor mijn rekening.